SOMMAIRE

W9-ABC-446

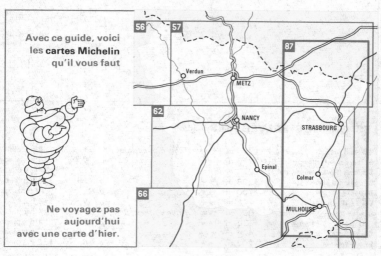

Avec ce guide, voici les **cartes Michelin** qu'il vous faut

Ne voyagez pas aujourd'hui avec une carte d'hier.

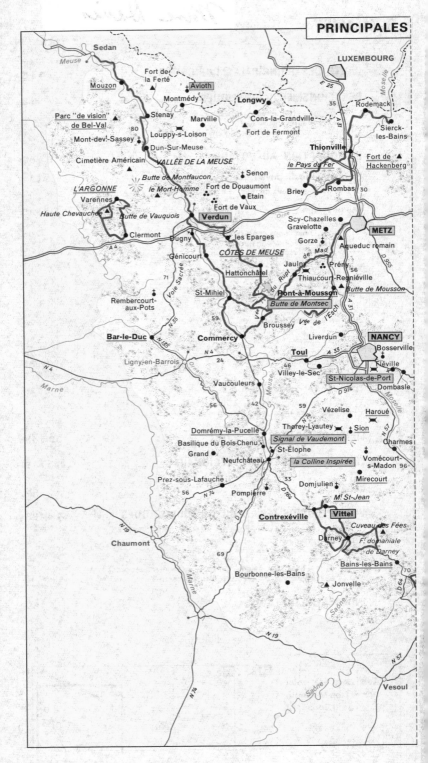

LES GRANDS BELVÉDÈRES

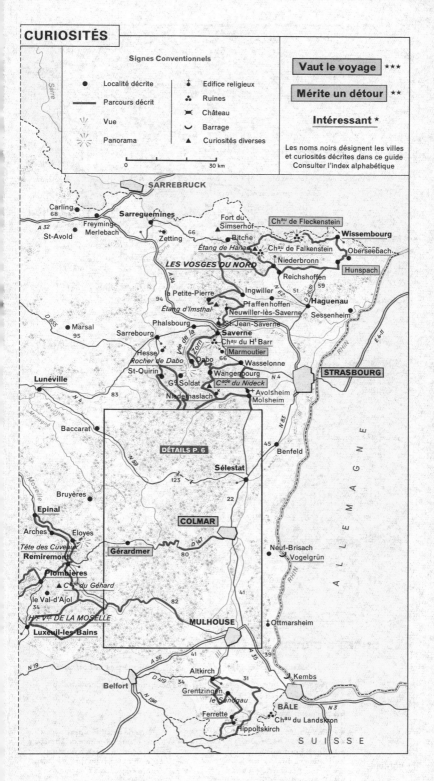

CURIOSITÉS

Signes Conventionnels

- ● Localité décrite
- ─ Parcours décrit
- Vue
- Panorama
- ☩ Edifice religieux
- ⋰ Ruines
- Château
- ⌣ Barrage
- ▲ Curiosités diverses

0   30 km

Vaut le voyage	★★★
Mérite un détour	★★
Intéressant	★

Les noms noirs désignent les villes
et curiosités décrites dans ce guide
Consulter l'index alphabétique

SARREBRUCK

Carling 68
Freyming Merlebach
St-Avold
Sarreguemines
Zetting
Fort du Simserhof
Bitche
Étang de Hanau
Ch^au de Fleckenstein
Ch^au de Falkenstein
Niederbronn
Wissembourg
Oberseebach
Hunspach
Reichshoffen

LES VOSGES DU NORD

Ingwiller
Haguenau
Sessenheim

la Petite-Pierre
Étang d'Imsthal
Pfaffenhoffen
Neuwiller-lès-Saverne
Phalsbourg
St-Jean-Saverne
Saverne
Ch^au du H^t Barr
Marmoutier

Marsal 95
Sarrebourg
Hesse
Rocher de Dabo
St-Quirin
Dabo
66
Wasselonne
Wangenbourg
C^ade du Nideck
Avolsheim
Molsheim
STRASBOURG

Lunéville
G^d Soldat
Niederhaslach

Baccarat

DÉTAILS P. 6

Benfeld

Sélestat

Bruyères

Epinal
Arches
Eloyes
Tête des Cuveaux
Remiremont
Plombières
C^ade du Géhard
le Val-d'Ajol
H^te V^ée DE LA MOSELLE
Luxeuil-les-Bains

COLMAR

Gérardmer

Neuf-Brisach
Vogelgrün

MULHOUSE
Ottmarsheim

A L L E M A G N E

Belfort

Altkirch
Grentzingen
le Sundgau
Ferrette
Hippoltskirch

Kembs
BÂLE
Ch^au du Landskron

S U I S S E

Haut-Koenigsbourg (Le)	755 m	★★		p. 79	Visite : 3/4 h
Hohneck	1362 m	★★★	Table d'orientation	p. 136	Accès en auto
Hohrodberg	750 m	★★		p. 107	Accès en auto
Montsec (Butte de)	375 m	★★		p. 95	Accès en auto
Neuntelstein (Rocher de)	971 m	★★		p. 82	1/2 h à pied AR
Nideck (Le)	411 m	★★		p. 66	1 h 1/4 à pied AR
Petit Ballon	1267 m	★★		p. 120	1 h 1/4 à pied AR
Petit Drumont	1200 m	★★	Table d'orientation	p. 101	1/4 h à pied AR
Ste-Odile (Mont)	761 m	★★	Table d'orientation	p. 145	Visite : 1/2 h
Vaudémont (Signal de)	541 m	★★	Table d'orientation	p. 59	Accès en auto
Vieil-Armand	956 m	★★		p. 181	1 h à pied AR

LES CHEFS-D'ŒUVRE DE L'ART

	Architecture	Sculpture et décoration
ROMAN	★★ Façade de l'église St-Léger à **Guebwiller** ★★ Église de **Marmoutier** ★★ Église de **Murbach**	★★ Sculptures du porche d'**Andlau**
GOTHIQUE	★★★ Cathédrale de **Metz** ★★★ Cathédrale de **Strasbourg** ★★ Basilique d'**Avioth** ★★ Château de **Fleckenstein** ★★ Place du Marché d'**Obernai** ★★ Basilique de **St-Nicolas-de-Port** ★★ Collégiale St-Thiébaut à **Thann** ★★ Ancienne cathédrale de **Toul**	★★★ Verrières de la cathédrale de **Metz** ★★★ Vitraux de la cathédrale de **Strasbourg** ★★ Panneaux de la Passion à **Colmar** ★★ Vierge au buisson de Roses à **Colmar** ★★ Peintures de l'École alsacienne à **Strasbourg** ★★ Statues de la cathédrale de **Strasbourg** ★★ Stalles de la Collégiale à **Thann**
RENAISSANCE	★★★ Ville de **Riquewihr** ★★ La Petite France à **Strasbourg** ★★ Maison Pfister à **Colmar** ★★ Cloître de St-Gengoult à **Toul**	★★★ Retable d'Issenheim à **Colmar** ★★ Squelette (statue) à **Bar-le-Duc** ★★ Retable de **Kaysersberg** ★★ Tombeau de Ph. de Gueldre à **Nancy** ★★ Tapisseries de **Neuwiller-lès-Saverne**
CLASSIQUE	★★★ Place Stanislas de **Nancy** ★★ Village de **Hunspach** ★★ Façade du château de **Saverne**	**Strasbourg :** ★★ Tapisseries de la Cathédrale, ★★ Mausolée du Maréchal de Saxe, ★★ Céramiques alsaciennes.

RENSEIGNEMENTS PRATIQUES

PASSAGE DES FRONTIÈRES

Deux états, la Belgique et le Luxembourg, bordent la Lorraine, au Nord ; l'Alsace, elle, a pour voisines l'Allemagne fédérale, au Nord et à l'Est, et la Suisse, au Sud.

Une excursion outre-frontière pourra, éventuellement, constituer un intéressant prolongement à la visite d'une des régions naturelles décrites dans le présent guide.

Renseignements hôteliers : consulter les guides Rouges Michelin Benelux et Deutschland de l'année.

Renseignements touristiques, formalités douanières, change, assurance : consulter les guides Verts Michelin Allemagne — République fédérale et Berlin, Suisse ainsi que le guide Rouge Benelux.

LES SAISONS

Le climat lorrain est nettement continental : hiver long et rude, été souvent très chaud. Les précipitations sont nombreuses, pluies d'orage en été, neiges abondantes en hiver.

En Alsace apparaissent les conditions climatiques particulières aux dépressions très abritées.

L'**été**, il faut s'attendre à de grosses chaleurs et à de forts orages dans la plaine. Mais en allant vers les hauteurs on retrouve la fraîcheur.

En **automne**, des nappes de brouillard très épais sont à craindre.

En **hiver**, peu de pluies, mais sur les Vosges des chutes de neige prolongées dont les amateurs de sports d'hiver seront les derniers à se plaindre. En cette saison, un certain nombre de routes sont rendues impraticables *(voir la carte Michelin Grandes Routes n° 998).*

Quant au **printemps** alsacien, il est lumineux, léger. La blancheur attardée des hauts ballons domine le vert naissant des prés et des collines, des hêtres et des châtaigniers.

QUELQUES LIVRES

L'art en Alsace, par H. HAUG *(Paris, Arthaud, coll. « Art et paysages »).*

Histoire de l'Alsace, par F. L'HUILLIER *(Paris, P.U.F., coll. « Que sais-je ? » n° 255).*

L'Alsace, par H. MULLER *(Paris, Sun, coll. « Voir en couleurs »).*

Histoire de la Lorraine, par M. PARISSE ... *(Toulouse, Privat).*

Guides Bleus « Alsace », « En Lorraine et dans les Vosges » *(Paris, Hachette).*

Richesses de France *(Paris, Delmas) :* Les Ardennes, le Haut-Rhin, la Meurthe-et-Moselle, la Meuse, la Moselle.

La Colline Inspirée - La Lorraine dévastée, par M. BARRÈS.

Les Oberlé - Les Nouveaux Oberlé, par R. BAZIN.

Vie de Jeanne d'Arc, par A. FRANCE.

Vacances du lundi, par Th. GAUTIER.

Les Bourgeois de Witzheim, par A. MAUROIS.

Le fils Maugars - L'Oncle Scipion, par A. THEURIET.

Le Rhin, etc., par V. HUGO.

Les Demoiselles Bertram - Le Beau jardin, par P. ACKER.

Terres Lorraines, par E. MOSELLY.

Souvenirs, par GYP.

TARIFS ET HEURES DE VISITE

Les indications données dans ce guide concernant les conditions de visite (tarifs, horaires, jours ou périodes de fermeture) s'appliquent à des touristes voyageant isolément et ne bénéficiant pas de réduction. Les descriptions, de façon générale, ne tiennent pas compte des expositions temporaires ou itinérantes.

Dans certains monuments ou musées — en particulier lorsque la visite est accompagnée — il arrive que les visiteurs ne soient plus admis 1 / 2 h avant la fermeture. En outre, un certain nombre d'entre-eux sont fermés le mardi, même parmi les plus importants et en saison touristique.

Églises. — Les églises ne se visitent pas pendant les offices. Pour celles qui sont ordinairement fermées, nous indiquons les conditions de visite si l'intérieur présente un intérêt particulier.

Groupes. — Pour les groupes constitués, il est généralement possible d'obtenir des conditions particulières concernant les horaires ou les tarifs, avec un accord préalable.

Visites-conférences; visites organisées. — A Bar-le-Duc, Colmar, Épinal, Lunéville, Luxeuil-les-Bains, Metz, Montmédy, Mulhouse, Munster, Nancy, Obernai, Ste-Marie-aux-Mines, Strasbourg, Thionville, Verdun, des visites de ville sont organisées de façon régulière, en saison touristique. S'adresser à l'Office du Tourisme ou au Syndicat d'Initiative.

PRINCIPALES MANIFESTATIONS RÉGIONALES

DATE ET LIEU	NATURE DE LA MANIFESTATION
Mercredi avant Pâques........ **Épinal**	Fête des Champs-Golots : les enfants traînent des bateaux illuminés dans les caniveaux des rues, en chantant une complainte patoise.
Dimanche le plus......... **Gérardmer** proche du 20 avril	Fête des jonquilles : dans la ville décorée de jonquilles, corso fleuri groupant de nombreux chars et des sociétés musicales internationales.
1er mai................. **Molsheim**	Foire aux vins.
1er mai................ **Neuf-Brisach**	Fête du muguet.
Du 8 au 19 mai .... **Nancy**	Festival de Théâtre.
Lundi de Pentecôte ...... **Wissembourg**	Ouverture de la Foire-Kermesse (elle dure jusqu'au dimanche suivant) : cortège où tous les costumes d'Alsace et du folklore international sont représentés. Danses. Courses hippiques.
2e dimanche après ..... **Geispolsheim** la Pentecôte	Procession de la Fête-Dieu : des jeunes gens et jeunes filles suivent la procession en costume alsacien.
Courant juin................. **Épinal**	Festival international de l'image.
En juin.................. **Strasbourg**	Festival international de musique.
3e ou 4e dim. de juin........ **Saverne**	Festival de la rose.
Sam. précédant.. **Vallée de Saint-Amarin** le 24 juin (ou suivant, si le 24 est un jeudi ou un vendredi)	Feux de la St-Jean : de nombreux feux de joie illuminent toute la vallée.
30 juin .... **Thann**	« Crémation » des Trois Sapins : cérémonie qui consiste à brûler trois sapins devant la collégiale.
Le 14 juillet .... **Barr**	Foire aux vins.
Du 14 juillet à la fin août .... **Bussang**	Représentation au Théâtre du Peuple : des pièces écrites par des auteurs locaux sont interprétées par des acteurs non professionnels.
Avant-derniers samedi ..... **Ribeauvillé** et dimanche de juillet	Foire aux vins : dégustation. Fête folklorique.
10 jours avant le 15 août..... **Colmar**	Foire aux vins : dégustation par cépage. Représentations folkloriques.
2e dimanche d'août......... **Sélestat**	Corso fleuri; foire aux vins; costumes régionaux.
14 août................. **Gérardmer**	Féérie lumineuse sur le lac et feu d'artifice géant.
15 août.................. **Oderen**	Pèlerinage à N.-D.-de-Bon-Secours : procession aux flambeaux; spectacle Son et lumière.
Fin août, début septembre..... **Metz**	Fête de la Mirabelle : défilé de chars. Costumes régionaux. Chants et danses folkloriques.
1er dimanche de....... **Ribeauvillé** septembre	Fête des Ménétriers ou Pfifferdaj : grand cortège historique et folklorique. Dégustation gratuite à la fontaine du vin.
1re sem. de septembre ..... **Haguenau**	Fête du Houblon : festival du folklore mondial.
Début septembre........... **Colmar**	Journées de la choucroute.
Début septembre....... **Geispolsheim**	Fête de la choucroute.
1re quinzaine de septembre . **Strasbourg**	Foire européenne.
Dernier dimanche de ..... **Marmoutier** septembre	Journée de musique spirituelle (orgue).
1er dimanche d'octobre......... **Barr**	Fête des vendanges : défilé de chars. Fête folklorique. Dégustation aux fontaines du vin.
1er ou 2e sam. de décembre .... **Épinal**	Fête de la St-Nicolas.
12 décembre .... **Sainte-Odile**	Fête de sainte Odile : le grand pèlerinage alsacien, le plus fréquenté de toute l'Alsace.
Du 1er samedi de .... **Strasbourg** décembre au 24 décembre	Christkindelsmarik : vente permanente de sapins et de garnitures d'arbres de Noël sur la place Broglie.

LE PARC NATUREL RÉGIONAL DE LORRAINE

Créé en mai 1974, le Parc Naturel Régional de Lorraine, d'une superficie de 1850 km², englobe 196 communes des départements de la Meurthe-et-Moselle, de la Meuse et de la Moselle. Il comprend deux zones séparées :

La première, la plus vaste, s'étend à l'Ouest : entre Verdun, Toul et Metz, depuis les Côtes de Meuse, riches en cultures et en prairies d'élevage, semées d'étangs et de forêts, jusqu'aux Côtes de Moselle, boisées et coupées de vallées verdoyantes.

La seconde, à l'Est, va de Sarrebourg à Château-Salins, entre les premiers contreforts vosgiens et la vallée de la Seille. C'est le « Pays des Étangs » (de Lindre, du Stock, etc.), refuge de nombreuses espèces ornithologiques, et aussi celui du sel, entre Dieuze et Vic-sur-Seille.

Pour faire connaître la vie lorraine, des Maisons du Parc ont été créées à Beaumont (artisanat), à Marsal (sel, *p. 89*), à Hannonville (arts et traditions rurales). Pour les amateurs de promenades à pied, à cheval, à vélo, des sentiers sont aménagés (le GR 5 traverse tout le parc) et deux refuges fonctionnent en permanence : à Ranzières (Meuse), à St-Livie (Moselle).

INTRODUCTION AU VOYAGE

PHYSIONOMIE DU PAYS

La France du Nord-Est est formée de deux grandes régions historiques, la Lorraine et l'Alsace, situées de part et d'autre des Vosges. Elle doit son unité à la rudesse de son climat, à l'orientation de ses cours d'eau qui se dirigent vers le Nord sans subir l'attraction du Bassin Parisien, à ses ressources agricoles et industrielles et à sa situation de marche frontière longtemps disputée. Sa diversité régionale est liée à la nature des roches, à son relief contrasté, à sa végétation et à sa vie rurale. Le géographe y distingue trois régions : les Vosges, la Lorraine et l'Alsace.

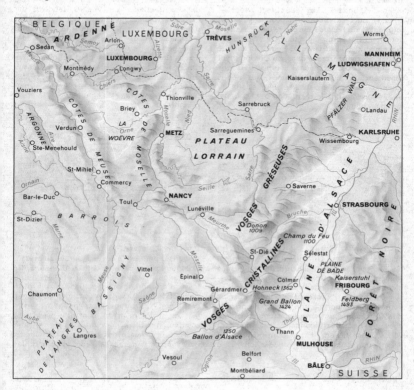

LES TRAITS GÉNÉRAUX DU RELIEF

La **chaîne des Vosges** s'allonge parallèlement au Rhin sur 170 km. Elle représente un ancien fragment du socle primitif plissé à l'époque hercynienne ; elle se compose de roches dures où dominent les granites et les porphyres. On y distingue, au Sud, les Vosges cristallines où s'élèvent les principaux sommets : le Grand Ballon ou Ballon de Guebwiller en est le point culminant à 1 424 m d'altitude ; le Hohneck (1 362 m) au Nord-Ouest et le Ballon d'Alsace (1 250 m) lui font cortège. Au Nord de la chaîne, les Vosges gréseuses, massives, mais moins élevées, et souvent escarpées, témoignent des premiers dépôts d'âge secondaire ; elles atteignent leur point culminant au sommet du Donon (1 009 m) qui joue le rôle de château d'eau de la région.

Les versants Est et Ouest des Vosges sont dissymétriques. L'un tombe brusquement sur la plaine d'Alsace ; l'autre s'incline doucement vers le plateau lorrain. La physionomie du massif aux hautes croupes arrondies, aux vallées évasées coupées d'étranglements rocheux et encombrées de moraines qui retiennent les eaux des lacs, a été remodelée par les glaciers à l'époque quaternaire. Il n'en présente pas moins, par l'orientation générale de la chaîne et la hauteur de ses cols, un obstacle à la circulation.

Entre les Vosges et le Rhin, la **plaine d'Alsace** est un couloir dont la largeur n'excède pas 30 km. Composée de graviers et de cailloutis d'origine glaciaire qui portent des forêts et de fines alluvions limoneuses favorisant de riches cultures, elle bénéficie de vallées, bien abritées et bien exposées au soleil matinal, qui pénètrent dans le massif vosgien dont les arbres fruitiers et le vignoble ont fait la réputation.

La **Lorraine** qui appartient au Bassin Parisien comprend deux ensembles fort opposés : le plateau lorrain où la topographie est monotone et sans vigueur, dont les grès et les marnes portent de maigres cultures ou se prêtent à l'élevage, et le Pays des Côtes, au relief plus accentué et plus caractéristique où des bassins métallurgiques s'allongent entre des versants sur lesquels prospèrent des cultures riches et des vignes. Cette variété de paysages et ces diversités dans le relief ne peuvent s'expliquer que par la formation géologique de ces régions.

LA FORMATION DU SOL

Les Vosges et l'Alsace. — Les schémas ci-dessous montrent comment se présentait cette région aux différentes époques géologiques.

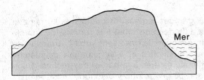

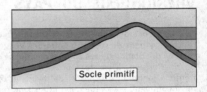

Ère primaire. — Début : il y a environ 600 millions d'années. Les eaux recouvrent la France ; puis se produit un bouleversement formidable de l'écorce terrestre. Le plissement hercynien fait surgir alors le socle des Vosges qui constitue, avec la Forêt-Noire, un unique massif de roches cristallines où prédominent les granites. Les forêts sont soumises au ruissellement de pluies diluviennes ; les débris végétaux, entraînés dans les dépressions au Sud, subissent une fermentation qui les transforme en houille.

Ère secondaire. — Début : il y a environ 200 millions d'années. Les Vosges, rabotées par l'érosion (pluies, gel, eaux courantes) sont d'abord entourées par la mer qui a envahi à plusieurs reprises le Bassin Parisien. Pendant cette période, le climat se soumet au rythme des saisons, la végétation perd sa folle exubérance. A la fin de l'ère secondaire, le massif est entièrement recouvert par les eaux ; des terrains sédimentaires (grès - calcaires - marnes - argiles - craies) s'empilent sur le socle primitif.

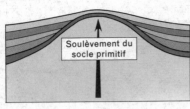

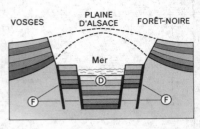

Ère tertiaire. — Début : il y a environ 60 millions d'années. Un formidable plissement de l'écorce terrestre fait surgir la chaîne des Alpes. Par contrecoup, les vieux massifs hercyniens se soulèvent lentement.

Dans une **1re phase**, l'ensemble Vosges-Forêt-Noire est porté à une altitude de près de 3 000 m, soulevant en même temps les couches sédimentaires secondaires qui s'inclinent vers l'Ouest et vers l'Est et dont on retrouve les affleurements dans le plateau souabe et le plateau lorrain.

Dans une **2e phase** (début : il y a environ 25 millions d'années) la partie centrale du massif, disloquée par le soulèvement, s'affaisse. Entre les grandes fractures du sol ou « failles » F, un fossé d'effondrement - l'actuelle plaine d'Alsace (et de Bade) - sépare désormais les Vosges et la Forêt-Noire. Ainsi s'expliquent les analogies de structure et de relief que présentent ces deux massifs symétriques. La mer envahit le fossé et y laisse des dépôts D pétrolifères (*voir schéma ci-dessus*) au Nord et potassiques au Sud.

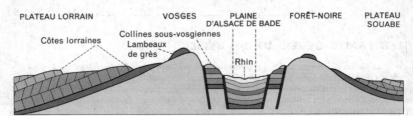

Ère quaternaire. — Début : il y a environ 2 millions d'années. L'atmosphère du globe subit un refroidissement général. Des glaciers couvrent les Vosges du Sud. Dans un lent mouvement de descente, ils élargissent les vallées et en redressent les versants, creusent la roche de niches et de cirques que les eaux rempliront (lac Noir et lac Blanc).

Lorsque le climat se réchauffe, la fusion des glaciers laisse sur place l'énorme quantité de matériaux qu'ils ont arrachés et traînés avec eux. Ces « moraines » qui s'entassent dans le fond des vallées, forment parfois des barrages retenant les eaux (lac de Gérardmer).

Depuis les glaciations, les pluies et les eaux courantes ont encore érodé les Vosges. Elles ont décapé les sommets en découvrant les roches les plus anciennes, mis en saillie, dans les dépôts secondaires, les couches les plus résistantes. Les Vosges du Nord, cependant, déjà préservées de l'action érosive des glaces, ont pu garder leur épais manteau de grès, et le loess (*détails p. 15*) s'est déposé dans la plaine d'Alsace.

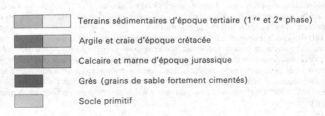

Terrains sédimentaires d'époque tertiaire (1re et 2e phase)

Argile et craie d'époque crétacée

Calcaire et marne d'époque jurassique

Grès (grains de sable fortement cimentés)

Socle primitif

La Lorraine. — C'est la partie la plus orientale du Bassin Parisien. Sa formation est donc liée à celle de ce bassin. Rappelons-en brièvement l'histoire géologique.

À la fin de l'ère primaire, un vaste effondrement se produit dans la zone actuelle du Bassin Parisien. L'invasion marine recouvre alors toute la région et se prolonge durant l'ère secondaire et une partie de l'ère tertiaire. Les couches sédimentaires les plus variées - grès, calcaires, marnes, argiles, craies - s'entassent sur plus de 2 000 m d'épaisseur.

Au milieu de l'ère tertiaire, le Bassin Parisien présentait la structure d'une immense cuvette. À la fin de cette ère, sous la violence du plissement alpin, les bords de cette cuvette se relèvent et s'appuient directement sur les massifs cristallins (Massif Armoricain, Vosges, Ardennes).

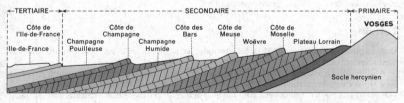

Évolution de la partie orientale du Bassin Parisien, depuis le tertiaire *(légende p. 10)*.

L'érosion transforme ensuite toute la région en pénéplaine, tranchant en biseau les couches sédimentaires, puis elle dégage les plateaux, les sculptant en fonction de la résistance des matériaux, créant ainsi, sous l'action du réseau hydrographique, un relief de « côtes » comparable à une série de plats emboîtés les uns dans les autres.

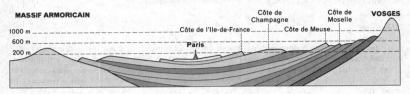

Coupe schématique du Bassin Parisien.

Les Côtes. — Elles ne peuvent se réaliser que dans le cas suivant : les couches doivent être inclinées et une couche dure (calcaire) surmonter une couche tendre (argile, marne) : *schéma ①*. Dès qu'une rivière, ayant traversé la couche dure, atteint la couche tendre, le déblaiement se fait avec une grande rapidité.

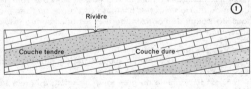

La région ainsi déblayée forme une vaste dépression, l'abrupt marqué par la corniche de roche dure constitue la « côte » ou front de côte, et la surface de la couche dure s'inclinant en pente douce, le revers : *schéma ②*.

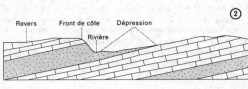

En avant du front de côte, et appartenant au même étage géologique, subsistent parfois des collines isolées, épargnées par le déblaiement de l'érosion en raison de la résistance offerte par leur couronnement de roches dures. Ce sont des « buttes-témoins » : *schéma ③*.

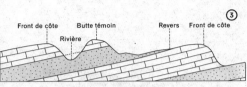

Ces conditions se trouvent parfaitement réalisées dans la partie orientale du Bassin Parisien, où se superposent des couches de résistance différente qui plongent en direction du centre de la cuvette.

Formation des côtes de Lorraine.

① Disposition des couches avant le déblaiement.
② La Côte est formée.
③ Une « butte-témoin » est isolée en avant du front de côte.

Plus le relèvement des couches est accentué (comme en Lorraine méridionale), plus les côtes sont rapprochées. Si au contraire la pente des couches est faible, les côtes s'espacent, laissant entre elles de larges dépressions, comme la Woëvre.

D'Est en Ouest, se succèdent ainsi, de plus en plus récentes et de moins en moins marquées dans la topographie : la Côte de Moselle où se sont installées Nancy et Metz ; la Côte de Meuse qui domine la plaine de la Woëvre et à laquelle correspond la « butte-témoin » de Montsec, qui porte sur son revers Verdun et St-Mihiel ; la Côte des Bars qui limite le Barrois et au Nord l'Argonne ; la Côte de Champagne et celle de l'Ile-de-France.

LES PAYSAGES

Le touriste qui traverse successivement la Lorraine, les Vosges et l'Alsace ne peut manquer d'être frappé par la variété des paysages qui défilent sous ses yeux.

En Lorraine, il rencontre d'abord un paysage de « côtes » : plateaux recouverts de forêts, front de côte au pied duquel se pressent les villages, larges dépressions occupées par les cultures et les pâturages, avant d'aborder le plateau, où domine la forêt.

Dans les Vosges, îlot montagneux d'altitude médiocre, c'est aussi la forêt qui domine, mais le paysage change fréquemment, les vallées souriantes succédant aux vastes panoramas des sommets.

L'Alsace apparaît enfin comme un immense verger, merveilleusement doté par la nature avec son vignoble et ses riches cultures.

Lorraine

Une région naturelle. — Région historique, la Lorraine est aussi une région naturelle véritable.

Son relief s'incline doucement en direction du centre du Bassin Parisien *(schéma p. 11)* : à l'Est, les terrains du trias descendant des Vosges forment le plateau lorrain. A l'Ouest, l'alternance de dureté des terrains liasique et jurassique (calcaires et argiles), donne un relief accidenté bien particulier, appelé relief de côtes : Côtes de Moselle, de Meuse *(détails p. 11)*.

Échappant à l'attraction du centre du Bassin Parisien, les rivières suivent un tracé en désaccord avec la structure de la région. Elles ont d'abord suivi une surface inclinée recouvrant les couches sédimentaires du Bassin Parisien vers lequel elles se dirigeaient. Leurs affluents, en se développant dans les terrains tendres, ont dégagé les « côtes » perpendiculairement à la vallée principale *(p. 11)*, et, par le jeu de captures, comme celle de la Moselle, ont donné à la Lorraine son originalité hydrographique.

Vosges

Suivant que les roches sédimentaires déposées par les mers sur les terrains primitifs, ont été complètement arrachées par l'érosion ou qu'il en reste encore la couche profonde, c'est-à-dire les grès, les Vosges sont dites cristallines ou gréseuses. Les premières occupent le Sud de la chaîne, les secondes le Nord ; la vallée de la Bruche en marque à peu près la séparation.

Les Vosges cristallines. — Formées, en majeure partie, de granite, elles sont les plus élevées. Leurs formes émoussées varient peu mais n'ont pas cependant l'aspect uniforme qu'on leur prête. Certes, les **« ballons »** et les autres sommets présentent des cimes arrondies et des pentes douces vers l'Ouest, mais du côté alsacien ils offrent souvent des versants escarpés, hérissés de pointes rocheuses. Vues des sommets du Ballon d'Alsace, du Grand Ballon ou du Hohneck, les chaînes des Vosges du Sud, ordonnées en longues rangées vers tous les points de l'horizon, serrées les unes contre les autres, ressemblent à des vagues soudainement figées.

Les Vosges gréseuses. — Au Nord de la Bruche, la chaîne des Vosges, qui dépasse encore 1 000 m au Donon, s'abaisse graduellement : au-delà de la vallée de la Zorn, toutes les altitudes sont inférieures à 600 m.

C'est le domaine du grès rouge vosgien, au grain très fin, admirable pierre de construction dont sont faits châteaux, églises et cathédrales. L'érosion a mordu facilement dans ces couches pour leur donner des formes souvent imprévues, toujours pittoresques : plates-formes coiffant des cimes de granit, corniches dominant une gorge où glisse un frais ruisselet, plaques épaisses empilées en surplomb les unes sur les autres. L'homme a, de tout temps, utilisé ces assises naturelles pour y dresser des remparts ou des « burgs » dont les murs font corps avec la roche.

Lutzelbourg et la vallée de la Zorn.

La forêt vosgienne. — Sapin, épicéa, hêtre et pin forment le fond de la majestueuse forêt vosgienne. Chacune de ces essences peut constituer un peuplement homogène qui impose au paysage sa tonalité particulière. Mélangées le plus souvent, elles créent de belles harmonies forestières.

Sapin Épicéa Pin sylvestre Hêtre

Le sapin. — Ses branches horizontales portent un feuillage d'un vert clair. Sa cime est arrondie chez les vieux sujets. L'écorce grise, plus ou moins foncée, est parsemée d'ampoules de résine ; les aiguilles plates sont disposées dans un même plan, comme les dents d'un peigne (d'où le nom sapin pectiné). Sur leurs faces intérieures, on distingue nettement deux lignes argentées, caractère propre à tous les sapins. Les cônes sont dressés sur les branches et se désarticulent à maturité (on ne trouve jamais de cône de sapin sur le sol).

L'épicéa. — Appelé quelquefois dans les Vosges « gentil sapin » pour le différencier du pectiné. Sa pyramide élancée se termine en fuseau pointu. Les basses branches s'inclinent vers le sol en franges épaisses que l'on a comparées à des queues d'épagneuls. De loin, un massif d'épicéas se reconnaît à sa teinte foncée et à ses cimes aiguës. L'écorce, plus souvent rougeâtre, se crevasse avec l'âge ; les aiguilles sont rondes et piquantes. Disposées tout autour de la tige, elles sont de couleur vert foncé. Les cônes pendent sous les branches. Leurs écailles s'écartent à maturité pour laisser les graines s'échapper et, plus tard, les cônes tombent sur le sol.

Le pin sylvestre. — Les aiguilles, très longues et fines, sont groupées par deux. L'écorce est formée de plaques larges et épaisses d'un rouge violacé, séparées par des crevasses, sauf dans la partie supérieure où les écailles sont minces et rouge saumon.

Le hêtre. — Ses longs rameaux flexibles ont leurs bourgeons disposés alternativement de chaque côté de la tige. L'écorce est lisse, grise, brillante, teintée par place de lichens.

Sur le **versant lorrain,** les Basses Vosges gréseuses sont le domaine du hêtre, puis, au-dessus de 400 m, du sapin. Les Hautes Vosges granitiques, à partir de 700 m, voient l'épicéa se mêler au sapin et au hêtre. A plus de 1 000 m, les résineux laissent la place aux feuillus : hêtres, érables, sorbiers. Sur les crêtes, la forêt disparaît même au profit des « chaumes » *(voir p. 14)* ou des tourbières. Le **versant alsacien,** plus chaud, n'offre de sapins qu'à partir de 600 m, mais porte des bois de chataîgniers immédiatement au-dessus du vignoble qu'ils fournissaient jadis en échalas.

Les expositions chaudes et sèches, Est ou Ouest, conviennent bien au pin sylvestre qui se développe aussi dans la plaine de Haguenau. Le chêne enfin croît dans la forêt de la Harth, à l'Est de Mulhouse.

La forêt et l'homme. — La forêt a été, au Moyen Age, la richesse des abbayes qui en protégèrent l'intégrité. Les luthiers de Mirecourt ont utilisé l'érable sycomore et l'épicéa. Forges, fonderies, verreries et cristalleries se sont fournies en combustible grâce aux feuillus des Vosges gréseuses.

Aujourd'hui, les futaies de sapins et d'épicéas donnent des bois de qualité excellente. Les hêtraies, utiles autrefois pour leur bois de chauffage, ont perdu de leur intérêt économique ; on y plante en mélange des espèces résineuses plus productives.

La descente des bois coupés ne s'effectue plus par **schlittage,** ce procédé périlleux qui consistait à faire glisser un traîneau sur un «chemin de schlitte», aménagé en pente douce et fait de rondins disposés comme les barreaux d'une échelle *(voir à Muhlbach, p. 106).*

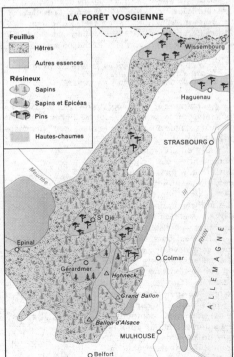

LA FORÊT VOSGIENNE

Feuillus
- Hêtres
- Autres essences

Résineux
- Sapins
- Sapins et Epicéas
- Pins

Hautes-chaumes

Wissembourg
Haguenau
STRASBOURG
Meurthe
St Dié
Epinal
Colmar
Gérardmer
Hohneck
Grand Ballon
Ballon d'Alsace
MULHOUSE
Belfort
RHIN
ALLEMAGNE

Les lacs vosgiens. — De chaque côté de la crête des Vosges reposent de nombreux lacs qui ne sont pas un des moindres attraits des excursions en montagne. Le plus grand est celui de Gérardmer (115 ha) au bord duquel s'étale la célèbre station lorraine. Le plus profond est le lac Blanc (72 m) sur le versant alsacien. Leurs sites gracieux, les plaisirs de la natation et de la pêche qu'ils offrent, en font des lieux de villégiature ou des buts de promenade très appréciés.

(D'après photo Marasco)

Le lac Blanc.

Les lacs vosgiens doivent leur origine aux glaciers qui couvraient la chaîne il y a plusieurs centaines de siècles. La plupart nichent en haute montagne dans de petits cirques aux parois escarpées : tels sont le lac des Corbeaux, les lacs Noir et Blanc, le petit lac d'Alfeld, etc. Transformés presque tous en réservoirs, ils joignent l'utile au pittoresque car ils constituent une réserve d'eau qui couvre les besoins des filatures et des tissages, à l'époque où les torrents sont déficients. Les autres lacs, dans les vallées, ont été formés par d'importants dépôts glaciaires, les moraines, qui retiennent ou dévient leurs eaux. C'est le cas des lacs de Gérardmer et de Longemer.

PRINCIPAUX LACS	Page du guide	PÊCHE Personne ou organisme à qui s'adresser	Tarif journalier (1)	Baignade surveillée	Promenade autour du lac	Promenade sur le lac
★ Alfeld (d')	51	Restaurant du lac, ☏ 82.00.39	28 F	–	🕿	–
Ballon (du)	136	Pêche réservée	–	–	🕿	–
★ Blanc (2)	117	M. Bécoulet, Orbey ☏ 71.20.67 ..	20 F	–	🕿	–
Blanchemer (de)	75	M. Werner, la Bresse ☏ 61.11.84 ..	20 F	–	🕿	–
Corbeaux (des)	75	M. Werner, la Bresse ☏ 61.11.84 ..	20 F	–	🕿	–
★ Fischboedle (de)	106	M. Colard, Metzeral ☏ 77.60.94 ..	30 F	–	🕿	–
Folie (de la)	65	Mairie de Contrexéville ☏ 08.09.35.	6 F	🏊	🕿	–
★ Gérardmer (de)	73	M. Clair, Gérardmer ☏ 63.35.34 ...	12 F	🏊	🕿	⛵
★ Hanau (Étang de)	186	Pêche interdite	–	🏊	🕿	⛵
★ Lauch (de la)	77	M. Erny, Lautenbach-Zell ☏ 74.00.95	25 F	–	🕿	–
★ Longemer (de)	74	Mairie de Xonrupt ☏ 63.07.24	5 F	🏊	🕿	⛵
★ Noir (3)	117	M. Bécoulet, Orbey ☏ 71.20.67 ...	20 F	–	🕿	–
★ Retournemer (de)	74	Pêche interdite	–	–	🕿	–

(1) Non compris le montant de la taxe piscicole.
(2) Pêche autorisée les années paires.
(3) Pêche autorisée les années impaires.

Les « chaumes ». — Au-dessus de la forêt vosgienne s'étendent les « chaumes », ou hauts pâturages, que la neige recouvre l'hiver *(voir carte p. 13)*. Au printemps, ces vastes pelouses, faites d'une herbe feutrée, sont parsemées de pensées alpestres et de touffes de myrtilles.

Si l'on en croit certains documents, ces chaumes, ainsi que la forêt qui les encercle, étaient encore vers le 10e s. le refuge des bisons, des aurochs et des élans. Au 16e s., une race de chevaux sauvages y persistait encore.

De nos jours, les chaumes sont devenus, en hiver, d'excellents terrains de ski, en été, le domaine de la vie pastorale. De juin à l'automne, de grands troupeaux y font tinter joyeusement leurs clochettes, contribuant à l'agrément et au pittoresque du paysage. Ils sont la source d'une importante industrie fromagère *(voir p. 17)*.

(D'après photo Camille Liévaux)

Les Chaumes.

Alsace

Le versant vosgien. — La vallée la plus épanouie, celle de Munster, forme trait d'union avec la plaine d'Alsace.

La vallée de Munster.

La plaine. — Elle présente, grâce à la variété de ses sols, des aspects très différents.

La forêt sur cailloutis et sables. — Sur les cailloux, les graviers et les sables apportés par le Rhin et les rivières vosgiennes, s'étendent de grandes forêts de chênes et de pins. Sous l'une d'elles ont été découverts les riches gisements de sels de potasse alsaciens *(voir p. 19)*.

Le « Ried » marécageux. — Les eaux infiltrées dans les graviers se sont rassemblées dans les parties déprimées de la plaine et y ont créé un type de paysage, le « Ried », constitué de marais, de bras de rivières, d'îlots de verdure, dont la région située à l'Est de la route Colmar-Sélestat-Benfeld est un excellent exemple. Asséchées par le drainage, certaines de ces terres ingrates ont pu être transformées en prairies, en vergers, en champs de pommes de terre ou de tabac, mais les villages et les routes y sont encore rares.

Le « loess » nourricier. — Partout où les graviers charriés par les cours d'eau ont été recouverts de « loess », limon fertile apporté par les vents à une époque géologique récente, la plaine d'Alsace mérite vraiment son surnom de « terre bénie » *(voir p. 80)*.

Étroite le long des Vosges méridionales, la bande de « loess » s'élargit au Nord de Sélestat et vient s'épanouir entre la Zorn et la Bruche dans le Kochersberg qui est la zone agricole par excellence de l'Alsace.

Les collines sous-vosgiennes. — Les mamelons qui bordent le pied des Vosges, quelquefois recouverts de loess comme la plaine qui leur succède, forment la transition entre celle-ci et la montagne. C'est là que s'étale le vignoble alsacien *(voir p. 17)*.

Le vignoble à Ribeauvillé.

VIE ÉCONOMIQUE

Une région riche. — Grâce à la variété de leurs terroirs, Lorraine et Alsace complètent harmonieusement leurs productions. On y trouve les formes d'agriculture les plus diverses et les plus riches : toute la gamme des céréales en Alsace et au pied des côtes de Lorraine, houblon, tabac, vigne en Alsace, élevage sur le plateau lorrain et dans la Woëvre, tandis qu'aux anciennes industries, verrerie, industrie du bois, papeterie, industries alimentaires, se sont ajoutées les grandes industries modernes : industrie textile (région de Mulhouse), industrie charbonnière (Moselle), industrie chimique (pétrole et potasse d'Alsace, sel lorrain) et industrie métallurgique, à partir du fer lorrain. Cette gamme d'industries, très étendue, explique, en partie, le développement de nombreux établissements d'enseignement scientifique et technique fort actifs.

(D'après photo Gabriel - fils)

Scierie à Urmatt.

La bière et les eaux-de-vie. — La brasserie est très florissante à Metz, à Thionville, à Champigneulles ainsi qu'à Schiltigheim. La plaine de la Basse-Alsace produit l'orge et le houblon, qui font la bière d'Alsace. Elle se déguste comme un cru.

Cerises, prunes, mirabelles et framboises donnent des alcools délicieusement fruités : kirsch des Vosges, quetsch, mirabelle et surtout framboise, la reine des eaux-de-vie blanches que l'on boira dans de très grands verres pour mieux goûter son arôme.

Tourisme. — Les Vosges et l'Alsace possèdent nombre de petites localités, nichées en des sites charmants, qui sont de paisibles séjours d'été. Il existe également des stations aménagées comme Gérardmer, les Trois-Épis, le Hohwald, etc., excellents centres d'excursions en forêts ou en montagne. L'hiver venu, les skieurs montent au col de la Schlucht, au Markstein, au Grand Ballon, au Ballon d'Alsace.

LES PRODUITS DU TERROIR

En Lorraine

Deux régions économiques. — Malgré leur unité apparente, deux ensembles régionaux se dégagent et s'opposent par leurs formes d'économie : la Lorraine du Sud, au relief accidenté, qui reste attachée à ses traditions rurales; la Lorraine du Nord, aux horizons plus vastes, zone de carrefours et important centre d'industries.

La Lorraine méridionale. — Là, se conserve l'économie rurale traditionnelle étroitement liée à la notion de terroir. En effet, côtes et rebords de plateaux semblent offrir les conditions idéales pour l'organisation d'une communauté rurale.

Les villages se sont établis au pied des côtes et portent d'ailleurs le vocable significatif de « sous les côtes »; ainsi placés au centre même du terroir, ils en contrôlent plus facilement les différentes parties : pâturages et forêts du plateau;

Village lorrain.

jardins, vergers et vignobles des pentes abritées aux sols meubles, faciles à travailler; cultures de céréales et prairies d'élevage dans la plaine.

La Lorraine septentrionale. — Développée au Nord des Vosges où elle s'étale largement, elle joue le rôle de carrefour, communiquant facilement avec les régions voisines.

Si les cultures et l'élevage y sont florissants, la découverte et l'exploitation de bassins miniers ont transformé complètement l'aspect économique et l'aspect humain de la région.

Le Vignoble lorrain. — Il s'étage au pied des côtes, sur les terrains bien abrités. Les vins gris ne sont pas de grands crus, mais ils ont un goût de pierre à fusil fort agréable. Qu'ils soient de Vic-sur-Seille ou des environs de Toul ou de Metz, ils doivent être servis très frais.

Dans les Vosges

Les marcaireries. — Les marcaires sont des vachers et des fabricants de fromages. La tradition exige qu'ils montent, au moment de la St-Urbain, le 25 mai, vers les hauts pâturages (chaumes) et en redescendent à la St-Michel, le 29 septembre.

Les marcaireries — certaines sont plus connues sous le nom de fermes-auberges — , malheureusement en voie de disparition, sont des bâtiments en maçonnerie, comprenant généralement deux pièces. Dans la première, on fabrique le fromage. Dans la seconde, très réduite, et d'ameublement très primitif, on dort. A l'ancienne installation a été ajoutée une vaste étable dont la toiture de fibro-ciment ou de tôle est toujours consolidée par des pierres. On fabrique là un fromage légèrement différent des fromages de ferme. Il est peu fermenté, à pâte molle au parfum assez doux. Le lait est réchauffé dans de très gros chaudrons de cuivre afin d'amener le lait tiré de la veille à la température du lait frais, tandis que le lait de ferme n'est pas réchauffé.

Les marcaireries proposent habituellement aux promeneurs les produits de leur fabrication, sous forme de collations.

Munster et géromé. — Digne couronnement de tout bon repas alsacien, le munster est un fromage fermenté et cru, à pâte molle, que certains assaisonnent de cumin. Connu dès le 15e s., sa fabrication est pour les populations vosgiennes du versant alsacien une importante source de revenus.

Sur le versant lorrain, le géromé (terme patois, issu de Gérardmer) est lui aussi connu de longue date. On le fabrique avec du lait entier, mis en présure. L'affinage se fait en cave et dure quatre mois jusqu'à ce que la croûte ait pris une coloration fauve et que l'intérieur soit devenu crémeux. On lui ajoute parfois des graines d'anis, de fenouil ou de cumin.

La toile des Vosges. — Dès le 18e s., grâce à la force motrice des cours d'eau clairs et rapides qui dévalent des Vosges, l'industrie du coton s'installe dans les vallées du versant alsacien (Fecht, Lauch, Thur, etc.). Elle prend très vite une grande extension et, franchissant la chaîne, conquiert les vallées du versant lorrain (Meurthe, Moselotte, Moselle, etc.). Filatures, tissages, teintureries se multiplient, associés souvent aux papeteries et aux scieries qui utilisent elles aussi les eaux des torrents. L'industrie du tissage du lin s'installe, elle aussi, à cette époque, à Gérardmer.

Renaissance de l'industrie textile. — L'industrie textile vosgienne est une industrie traditionnelle. Afin de s'adapter à l'évolution moderne, elle a réformé ses structures, modernisé son matériel et concentré ses entreprises. Elle peut, ainsi rééquipée, assurer une production représentant 50 % environ de la production nationale en linge de maison.

En Alsace

Le Vignoble alsacien. — Lorsqu'on suit la route du Vin entre Barr et Gueberschwihr, on ne roule qu'à travers les vignes, et tous les villages rencontrés sont des pays de vignerons. Ici, le vin est roi, il procure richesse et considération. Les gens sont vignerons ou « gourmets », c'est-à-dire commissionnaires en vins. Il faut voir les localités de vignoble à l'époque des vendanges *(voir p. 137 : La Route du Vin).*

Les crus célèbres. — Le Vignoble d'Alsace court sur les collines sous-vosgiennes calcaires et sèches, admirablement exposées. Le **Riesling** est un des plus grands raisins blancs du monde. C'est avec lui que sont faits presque tous les vins rhénans. En Alsace, le vin de Riesling est clair, plein de corps et d'une exceptionnelle finesse.

Le **Gewürztraminer** et le **Traminer**, moins secs et plus veloutés, ont pour origine un même plant. Par sélection, les vignerons obtiennent le Gewürztraminer, au bouquet épicé (Gewürz) et d'une grande élégance.

Le **Muscat** d'Alsace donne un vin assez sec, dont le fruité est très apprécié.

Le **Pinot blanc** produit des vins équilibrés, souples et nerveux, d'une grande distinction. Le Pinot gris, appelé ici Tokay d'Alsace, est un vin capiteux, opulent et corsé.

Le **Sylvaner**, plus productif, a moins de noblesse que les cépages précédents. Ses vins sont délicieux quand ils sont jeunes et frais.

Le **Chasselas** fournit la plupart des vins d'Alsace ordinaires.

Edelzwicker et **Zwicker** s'appliquent non pas à des cépages mais à des mélanges. Le premier est un mélange de vins des cépages les plus nobles, le second de vins plus communs. Ces vins qui doivent être bus frais, mais non glacés, ne gagnent pas à être conservés trop longtemps en cave.

Les vins d'Alsace peuvent se consommer tout au long d'un repas. Dans l'ordonnance d'un menu, on servira avec la charcuterie, les hors-d'œuvre ou le poisson, les vins les plus ordinaires : Sylvaner ou Chasselas ; on poursuivra avec le Riesling ou les Pinots qui accompagneront la choucroute, la volaille ou le rôti. Enfin, la pâtisserie alsacienne s'accommode fort bien de l'arôme velouté et de la saveur fruitée d'un Gewürztraminer ou d'un Muscat d'Alsace.

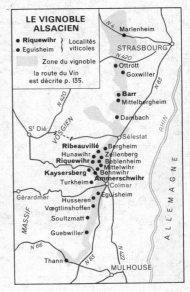

LE VIGNOBLE ALSACIEN

● **Riquewihr** } Localités
● Eguisheim } viticoles
Zone du vignoble
la route du Vin est décrite p. 135.

Marlenheim — STRASBOURG — Ottrott — Goxwiller — Barr — Mittelbergheim — Dambach — Sélestat — Ribeauvillé — Bergheim — Hunawihr — Zellenberg — Riquewihr — Beblenheim — Mittelwihr — Bennwihr — Kaysersberg — Ammerschwihr — Turckheim — Colmar — Husseren — Eguisheim — Vœgtlinshoffen — Soultzmatt — Guebwiller — Thann — MULHOUSE — St Dié — Gérardmer — VOSGIEN — MASSIF — ALLEMAGNE — RHIN

17

LES INDUSTRIES

En Lorraine

Des richesses naturelles abondantes : fer, charbon, sel; la proximité des grands centres industriels de l'Europe : Nord-Pas de Calais, Borinage, Ruhr; des voies de communication améliorées récemment (Moselle canalisée, liaison ferroviaire électrifiée Dunkerque-Thionville) ou en cours de réalisation (autoroute de l'Est), permettent à la Lorraine de compter parmi les plus importantes régions industrielles de l'Europe Occidentale.

Le charbon. — Le bassin houiller, prolongement du bassin sarrois, a été mis en exploitation en 1850. Il s'étend sur 40 km de Forbach à Faulquemont sur une largeur variant de 2 à 20 km. Les couches s'enfoncent du Nord-Est vers le Sud-Ouest.

L'exploitation fut longtemps freinée par les vicissitudes historiques et par des contraintes géologiques : présence, en particulier, de couches verticales - les « dressants » - faillées et grisouteuses; difficultés rencontrées pour le fonçage des puits au travers du grès vosgien, très aquifère. Néanmoins les conditions d'exploitation sont plus favorables que celles offertes par le bassin du Nord-Pas de Calais. Grâce à la mise en valeur rationnelle, à la mécanisation, le rendement du mineur de fond s'est élevé à 4,2 t par jour en 1978. La production annuelle, qui était de 15,6 millions de tonnes en 1964, atteint depuis quelques années 25 millions de tonnes.

Afin d'assurer de nouveaux débouchés à leur production de charbon, les houillères lorraines ont dû étendre leurs activités à d'autres secteurs industriels, en particulier à la production d'électricité (centrale thermique Émile-Huchet et celle de Grosbliederstroff) et surtout à la chimie. Les installations de carbochimie et, à la suite de l'ouverture de la raffinerie franco-allemande de Klarenthal (Sarre), de pétrochimie, donnent un exemple spectaculaire de cette évolution.

Au Nord de Metz, la raffinerie de Hauconcourt, mise en service en 1970, peut traiter 5 millions de tonnes de pétrole brut par an. Son alimentation est assurée par un oléoduc long de 142 km s'embranchant sur l'oléoduc Sud-Européen.

Le minerai de fer et la sidérurgie. — Des deux bassins miniers principaux, celui de Nancy et celui de Longwy-Briey, seul le second reste en exploitation aujourd'hui. Bien que le minerai fût utilisé dès l'époque romaine dans le bassin de Nancy, l'exploitation fut très réduite jusqu'en 1873. La présence de phosphore dans le minerai péjorativement appelé « minette » en raison de sa faible teneur en fer (31% en moyenne), le rendait impropre à la métallurgie avant l'invention du procédé Thomas de déphosphoration à la chaux, lui-même progressivement remplacé, de nos jours, par les procédés d'affinage au four électrique et, surtout, de conversion à l'oxygène pur (ce dernier système assurant déjà plus de 50% de la production totale).

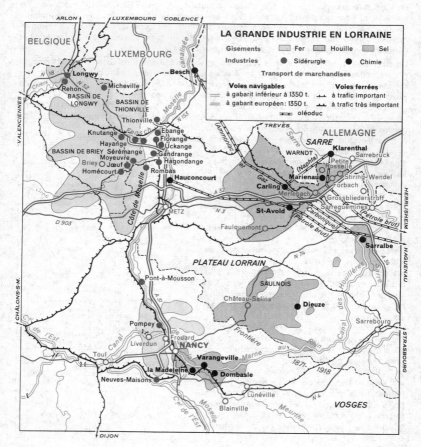

L'exploitation s'effectue directement soit par attaque de la couche le long de la Côte de Moselle (bassin de Nancy, vallée de l'Orne), soit par des puits forés sur le plateau lorrain (bassin de Briey, de Longwy) en arrière du front de côte *(voir croquis ci-dessous)*. La faible teneur en fer du minerai a rendu obligatoire son utilisation sur place. L'industrie métallurgique s'est donc installée à proximité des bassins d'extraction et ses hauts fourneaux, ses cheminées de cokeries se mêlent à un paysage encore souvent forestier, verdoyant et accidenté.

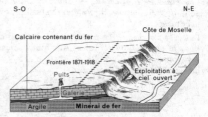

Le fer dans la Côte de Moselle.

De gros efforts de modernisation ont été faits : Société Lorraine de laminage continu (Sollac) dans la vallée de la Fensch entre Hayange et Thionville comprenant des aciéries, des trains de laminoirs continus à chaud et à froid, une ligne d'étamage électrolytique; centrales interusines d'Hersérange (130 000 kW) et de Richemont (415 000 kW).

Enfin, la concentration financière et la modernisation technique ont été marquées par la mise en service fin 1969, à Gandrange, de l'usine de la Société des Aciéries de Lorraine (Sacilor) qui comprend deux aciéries à l'oxygène pur et des trains de laminoirs. Il s'agit là du troisième grand ensemble sidérurgique français né depuis la dernière guerre, après ceux de la Sollac *(voir ci-dessus)* et d'Usinor à Dunkerque.

L'industrie sidérurgique lorraine a contribué à l'alimentation en gaz de l'Est de la France et de la région parisienne jusqu'à l'arrivée, en 1970, du gaz naturel de Hollande. En 1980, 33 hauts fourneaux sont encore en activité dans l'Est, sur les 48 existants; la production d'acier a dépassé les 11 millions de tonnes. La première transformation est faite en majeure partie sur place dans les laminoirs de la région.

Le sel. — Le gisement de sel lorrain est un des plus importants du monde avec ses 70 milliards de m^3 exploitables.

Les noms de multiples localités : Saulnois, la Seille, Château-Salins, Salées-Eaux, Salival, Marsal, Salsbronn, attestent l'ancienneté de l'exploitation. Ce n'est qu'à partir de 1819 que l'on a reconnu et exploité les gisements profonds des trois bassins. L'épaisseur des couches varie de 10 à 20 m et la profondeur de 50 à 250 m. L'exploitation se fait de moins en moins par puits et galeries. On la pratique surtout par évaporation des saumures pompées, après injection d'eau douce, dans le gîte salifère (sel ignigène plus connu sous le nom de sel raffiné). La production atteignait 301 200 t de sel gemme en 1980, soit la totalité de la production française; le tonnage de sel ignigène a été de 1 112 700 t (production nationale : 1 414 000 t).

La majeure partie du sel raffiné et des saumures est utilisée par l'industrie chimique : fabrication de la soude par le procédé Solvay, obtention de carbonate de soude et de chlore par électrolyse du chlorure de sodium. Les principales usines *(voir carte page ci-contre)* sont à Dombasle *(voir p. 67)*, La Madeleine (Péchiney-St-Gobain), Varangéville et St-Nicolas-de-Port (Salins du Midi et Salines de l'Est), Dieuze (Kuhlmann), Sarralbe (Solvay).

En Alsace

Si l'image que l'on se fait de l'Alsace est surtout agricole, il n'en reste pas moins que la région a su s'adapter aux nécessités d'une économie moderne.

Descendue de la montagne vosgienne, l'industrie s'est installée dès le 18e s. dans la plaine grâce à la forte concentration démographique et malgré la faiblesse des ressources naturelles.

Les textiles. — C'est au 18e s. que cette industrie s'est véritablement développée. En 1746 est fondée à Mulhouse *(voir p. 103 : Trois grands citoyens)* une grande manufacture d'impression d'étoffes de coton imitant les tissus importés de l'Inde (indiennes). L'essor est très rapide, en particulier parce que la manufacture est indépendante des corporations.

Les conditions naturelles favorables (pureté des eaux, bois en abondance), les progrès techniques permirent de venir à bout des difficultés créées par l'évolution historique de la province, en particulier lors de l'annexion de l'Alsace par l'Allemagne en 1871. Une partie de l'industrie textile fut déplacée alors sur le versant lorrain.

Les fils et tissus de coton représentent encore l'activité dominante. La production est très variée : fil à coudre, à broder, écrus, popelines, tissus imprimés, etc.

L'industrie textile alsacienne a été touchée par les crises successives, qui n'ont toutefois pas atteint son esprit de progrès. La diminution d'activité dans l'industrie cotonnière a été en partie compensée par le développement de la fabrication des fibres synthétiques. Malgré ces efforts, les concentrations d'usines et les modernisations techniques ont conduit à envisager la conversion d'une partie du personnel (passé de 40 000 personnes en 1950 à 18 000 en 1980) dans d'autres secteurs de l'économie : métallurgie, bâtiment, travaux publics, matériaux de construction, industries alimentaires, mines de potasse, chimie, etc.

La potasse. — Près de Mulhouse, dans le sous-sol de la forêt de Nonnenbruch, furent découverts par hasard, lors de sondages pétroliers, en 1904, de très importants gisements de sels de potasse. Ils constituent la principale richesse minérale de la région. Les sondages ont révélé l'existence d'un bassin dont la superficie est évaluée à 22 200 ha. Le gisement de sylvinite (mélange de chlorure de potassium et de chlorure de sodium) est situé à une profondeur variant, du Sud au Nord, entre 400 et 1 000 m. Les deux couches de minerai qui le constituent sont épaisses l'une de 1,50 m, l'autre de 2,50 à 5 m, séparées par des bancs de sel gemme et de marne épais d'environ 20 cm.

En 1980 la production de chlorure de potassium (livré dans sa presque totalité à l'agriculture comme engrais, après broyage) s'est élevée à 3 127 317 t. Le bassin alsacien, l'un des six principaux du monde, assure un peu plus de 7% de la production mondiale.

Les sources d'énergie. — Elles ont pris une place importante en Alsace en 1919, à la suite des stipulations du traité de Versailles, bien après l'industrie textile et l'exploitation de la potasse.

La houille blanche. — Le potentiel hydro-électrique de l'Alsace lui assure une place de choix dans la production française. Aux huit usines de basse chute construites par la France et échelonnées le long du Rhin *(détails p. 127)* s'ajoutent les réalisations, franco-allemandes, de Gambsheim et d'Iffezheim.

A ce vaste ensemble s'ajoute l'usine d'accumulation par pompage du Lac Noir *(voir p. 117).*

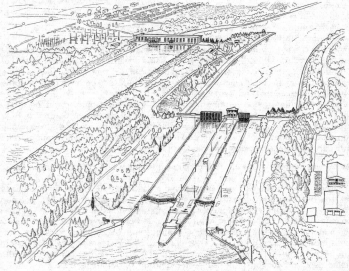

(D'après photo Photothèque E.D.F.)

Ottmarsheim. – L'usine et les écluses.

L'industrie pétrolière. — L'Alsace est une des plus anciennes régions pétrolières d'Europe. Son gisement principal de Péchelbronn (qui signifie : source de bitume) n'est plus exploité depuis 1964; la production des autres gisements s'est arrêtée en 1969.

Mais le relais de l'activité pétrolière est assuré par les deux importantes raffineries de Reichstett-Vendenheim et Herrlisheim, qui ont une capacité de traitement respective de 4,2 millions et 4,6 millions de tonnes. Elles sont alimentées par le pipe-line Sud-Européen dont la capacité de transport atteint 57 millions de tonnes de pétrole brut par an.

La pétrochimie est active à la Wantzenau, aux environs de Strasbourg (caoutchouc synthétique en particulier), à Chalampé (fibres synthétiques) et à Ottmarsheim (engrais).

L'Alsace bénéficie depuis 1969 du gaz naturel de Hollande, acheminé par gazoduc de Valenciennes à Sélestat.

Son approvisionnement énergétique est complété depuis 1977 par l'énergie nucléaire avec la mise en service des deux premières tranches de la centrale de Fessenheim *(voir p. 128).*

Autres industries. — Les traditions artisanales, une main-d'œuvre abondante, un réseau de communications important, les sources d'énergie ont permis le développement d'un grand nombre d'industries de transformation. On retiendra, outre l'industrie textile, les industries mécaniques nécessaires à celle-ci : constructions de métiers et de machines à imprimer les tissus à Mulhouse.

La métallurgie de transformation, qui recouvre les secteurs de l'automobile et des moteurs, le matériel ferroviaire, l'armement, le téléphone, etc., est fort bien représentée à Strasbourg et dans les environs en rapport avec les activités portuaires, ainsi que d'autres industries : tannerie, machines-outils, matériel électrique, papeterie, imprimerie, etc.

Les industries alimentaires, nombreuses, reflètent le visage agricole de la région : la brasserie alsacienne en particulier qui a vendu plus de 9,6 millions d'hectolitres de bière en 1980, soit 44,4% des ventes françaises.

Au total on assiste à un déplacement des activités principales vers le Rhin qui était encore au lendemain de la guerre un semi-désert industriel.

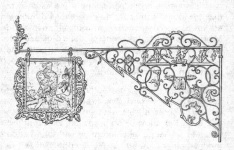

(D'après photo Musée d'Unterlinden, Colmar)

Vieille enseigne.

LE THERMALISME

Le versant lorrain des Vosges et la Lorraine tout entière sont particulièrement riches en stations thermales.

A l'exception des eaux sulfureuses, toutes les catégories d'eaux minérales définies par les classifications en usage y sont représentées.

Sur l'autre versant des Vosges, l'Alsace apporte sa contribution au thermalisme français.

Les sources minérales et thermales. — On sait comment naissent les sources ordinaires : les eaux d'infiltration, traversant les terrains perméables, finissent par rencontrer une couche imperméable dont elles suivent la pente. Elles sortent là où cette couche affleure à l'air libre.

L'appellation de « source minérale » désigne, dans la pratique, soit des sources d'eaux infiltrées, soit des sources issues des profondeurs de l'écorce terrestre, dont les eaux se sont chargées, au cours de leur trajet souterrain, de substances ou de gaz présentant des propriétés thérapeutiques. Le qualificatif « thermal » s'applique plus particulièrement aux eaux dont la température est d'au moins 35° C à leur sortie du sol.

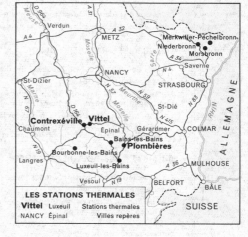

Les sources thermales ne se rencontrent que dans les zones faibles de l'écorce terrestre : régions injectées de roches éruptives ou disloquées par des fractures.

Sur la carte ci-contre, on voit que les sources vosgiennes sont situées soit sur des failles du plateau lorrain, soit au voisinage des massifs ou des pointements cristallins.

Types des sources minérales et thermales. — Les eaux minérales et thermales sont pour la plupart très instables et s'altèrent sitôt sorties de terre. Il est donc indispensable pour en tirer un profit thérapeutique maximum d'en user sur place. C'est la principale raison de l'existence des stations thermales.

Les deux zones géographiques des Vosges, la « plaine » à l'Ouest, la « montagne » à l'Est et au Sud-Est, possèdent chacune leurs eaux bien caractéristiques.

La « plaine » des Vosges est le domaine des sources froides, eaux d'infiltration qui résurgent en surface, chargées après leur parcours souterrain de calcium et de magnésium et, pour quelques-unes, de lithium et de sodium.

La capitale thermale en est incontestablement **Vittel** dont les eaux, connues des Romains puis oubliées, ont été retrouvées seulement en 1845.

Vittel, avec sa voisine **Contrexéville** mise en vogue par le roi Stanislas, soigne particulièrement les affections des reins et du foie.

Leurs sources froides ont donné naissance à une importante industrie d'embouteillage et de nombreux touristes visitent chaque année les usines de Vittel et de Contrexéville (les plus importantes du monde avec celle d'Évian).

A l'opposé de la plaine vosgienne, la « montagne » possède des sources d'origine volcanique caractérisées moins par leur minéralisation que par leur thermalité et leur teneur en principes radioactifs.

Connues également des Romains, grands amateurs de sources chaudes, et même des Celtes et des Gaulois, ces sources ont un long et riche passé.

Plombières, avec ses 27 sources chaudes dont quelques-unes atteignent une température de 80°C, convient particulièrement aux rhumatisants et aux malades atteints d'entérite.

Bains-les-Bains est la station de certaines affections du cœur et des artères.

Luxeuil est spécialisée dans le traitement des maladies gynécologiques. Elle s'oriente d'autre part avec succès vers les affections veineuses.

Bourbonne-les-Bains, que se disputent la Lorraine et la Champagne, a des eaux chaudes radio-actives et légèrement chlorurées dont Louis XV avait déjà reconnu les mérites en créant un hôpital militaire thermal, qui existe toujours, pour ses soldats atteints d'arquebusades. Bourbonne est la station de « l'eau qui guérit les os ».

En Alsace, **Niederbronn-les-Bains** convient aux affections digestives et rénales et à l'artériosclérose ; **Merkwiller-Pechelbronn** soigne les affections rhumatismales, l'arthrose, l'arthrite déformante et les troubles post-traumatiques.

Thermalisme et tourisme. — Les vertus des eaux thermales ont été redécouvertes aux 18e et 19e s. A cette époque, « aller aux eaux » était l'apanage d'une clientèle riche et oisive. Aujourd'hui de nombreuses cures thermales sont prises en charge par la Sécurité Sociale mettant ainsi le thermalisme à la portée de tous.

Les soins n'occupant qu'une partie de la journée, les stations thermales offrent à leurs visiteurs des activités diverses : sports, spectacles... qui en font souvent des lieux de séjour très agréables, attirant autant les touristes que les malades. La beauté des sites qui les environnent, et la possibilité de faire alentour de nombreuses excursions en font des lieux privilégiés pour une reprise de contact avec la nature.

21

QUELQUES FAITS HISTORIQUES

La Lorraine et l'Alsace, pays frontières, ont été maintes fois conquises, pillées, contestées. De leur histoire dramatique et complexe, nous ne rappellerons que les points essentiels.

EN LORRAINE

DES ROMAINS AUX BARBARES

AVANT J.-C.

52 Habitée par les Celtes, la Lorraine est occupée par les légions de César et connaît la paix romaine. Des villes se fondent : Toul, Metz.

APRÈS J.-C.

3ᵉ s. Premières invasions germaniques. Les villes s'entourent de remparts.

5ᵉ s. Invasions des Alamans, des Francs ripuaires, des Huns (pillage de Metz).

vers 500 Les pays de la Meuse et de la Moselle tombent aux mains de Clovis.

LA LORRAINE FRANQUE

7ᵉ s. Période de prospérité. Nombreuses fondations monastiques.

843 Traité de Verdun *(p. 36)*.

855 Lothaire II donne son nom à son royaume qui s'étend de la Saône supérieure à l'embouchure du Rhin : « Lotharii regnum » ou Lotharingie (Lorraine).

925 La Lorraine est rattachée à la dynastie saxonne. Othon 1ᵉʳ la divise en deux duchés : Haute et Basse-Lorraine. Le nom de Lorraine finit par ne désigner que la Haute-Lorraine qui comprend les diocèses de Trèves, Metz, Toul et Verdun.

DU MOYEN AGE A LA RENAISSANCE

11ᵉ s. Construction de nombreux châteaux forts.

12-13ᵉ s. Émancipation des villes.

1250 En Allemagne, déclin de la puissance impériale. Anarchie en Lorraine où les rois de France tentent de s'imposer.

1428 Jeanne d'Arc, âgée de 16 ans, entreprend à Vaucouleurs *(p. 173)* de se faire confier la défense du royaume.

1444 Charles VII essaie en vain de s'emparer de la Lorraine.

1475 Charles le Téméraire s'en rend maître, mais il est battu deux ans plus tard devant Nancy par le duc René II *(p. 108)*.

1507 « Baptême » de l'Amérique à St-Dié *(p. 140)*.

1530 La renommée du sculpteur Ligier Richier et de son atelier de St-Mihiel *(p. 142)* se répand en Lorraine.

RÉUNION DE LA LORRAINE A LA FRANCE

Elle se fait par étapes, du 16ᵉ au 18ᵉ s.

1552 Henri II occupe Metz, Toul et Verdun.

1553 Échec de Charles Quint devant Metz *(p. 90)*.

1633 Richelieu fait occuper Nancy.

1648 Le traité de Münster reconnaît la souveraineté française sur les Trois Évêchés. Nombreuses dévastations au cours de la guerre de Trente Ans.

1697 Paix de Ryswick. Louis XIV fait entrer la Lorraine dans le système politique et militaire de la France.

1738 Stanislas Leszczynski, ancien roi de Pologne et beau-père de Louis XV, devient duc de Lorraine *(p. 108)*.

1766 A la mort de Stanislas, la Lorraine est définitivement rattachée à la France.

DE LA RÉVOLUTION A NOS JOURS

1791 Fuite et arrestation de Louis XVI à Varennes *(p. 173)*.

1858 Le destin de l'Italie et de la Savoie se décide à l'entrevue de Plombières *(p. 122)*.

1870-71 La Lorraine est envahie *(p. 24)* et partiellement rattachée à l'Empire allemand.

1873 Les Prussiens évacuent Verdun, dernière place qu'ils occupaient en France *(p. 175)*.

1881-82 Jules Ferry, natif de St-Dié *(p. 140)*, instaure l'enseignement primaire « gratuit, laïque et obligatoire ».

1890 Le « Modern style », lancé par l'École de Nancy *(p. 113)*, va conquérir les arts décoratifs.

1912 Mort du grand mathématicien nancéien Henri Poincaré.

1914-18 Quatre ans de violents combats (Verdun, côtes de Meuse, St-Mihiel) aboutissent à la libération de la Lorraine.

1918 Proclamation à Darney *(p. 183)*, le 30 juin, de l'indépendance tchécoslovaque.

1923 Mort de Maurice Barrès, l'écrivain de la Colline inspirée *(p. 59)*.

1932 Un Lorrain, Albert Lebrun, est élu Président de la République.

1934 Mort du président Poincaré, inhumé à Nubécourt *(p. 53)*.

1940-44 Après l'invasion de juin 1940, la Lorraine est pratiquement annexée à l'Allemagne.

fin 1944 Libération de la Lorraine par les armées françaises et alliées.

1956 La France, l'Allemagne fédérale et le Luxembourg décident la canalisation de la Moselle *(p. 100)*.

1963 Mort à Scy-Chazelles, près de Metz, de Robert Schuman, le « Père de l'Europe » *(p. 94)*.

EN ALSACE

CELTES, ROMAINS, BARBARES

AVANT J.-C.

58 L'Alsace habitée par les Celtes est envahie par les Germains. César les rejette au-delà du Rhin, fixant la frontière pour cinq siècles. La paix romaine règne sur le pays.

APRÈS J.-C.

222 L'Alsace commence à cultiver la vigne.

4e-5e s. Alamans, Vandales, Huns, dévastent successivement le pays.

RÉUNION DE L'ALSACE A LA FRANCE

1648 Par le traité de Münster, la France acquiert des droits sur l'Alsace (sauf Strasbourg et Mulhouse).

1674-75 Devant une offensive des Impériaux, Turenne défend magnifiquement l'Alsace. Il remporte de brillantes victoires *(p. 172)*.

1678 La paix de Nimègue confirme le rattachement de l'Alsace à la France.

1681 Louis XIV met fin à l'indépendance de Strasbourg.

18e s. Sans contacts directs avec le royaume, l'Alsace est administrée par des intendants qui développent la culture et l'industrie.

DES DUCS AUX EMPEREURS

683 Le duc Étichon, père de sainte Odile *(p. 118 et 144)*, administre l'Alsace. Après lui, le pays est divisé en Nordgau et Sundgau, avec des comtes particuliers.

817 Louis le Débonnaire partage l'héritage de Charlemagne entre ses trois fils : l'Alsace échoit à Lothaire.

842 Serment de Strasbourg : deux des fils de Louis le Débonnaire (Charles et Louis) font alliance contre Lothaire.

870 Charles le Chauve concède l'Alsace à Louis le Germanique.

10e s. Le changement de dynastie en Germanie entraîne, pour sept siècles, la séparation complète de l'Alsace et de la France.

1002 Naissance de Bruno de Dabo, futur pape et futur saint Léon *(p. 65 et 69)*.

ÉMANCIPATION DES VILLES

13e s. Par le commerce, les bourgeois alsaciens s'enrichissent ; un grand mouvement d'émancipation les libère du joug épiscopal et seigneurial.

14e s. Le peuple se donne une constitution démocratique. Pour résister aux excès de la féodalité, dix villes d'Alsace se réunissent pour constituer la Décapole.

1439 Les Armagnacs pénètrent en Alsace par le col de Saverne, malgré les tentatives de résistance des milices.

1525 La guerre des Rustauds soulève les paysans contre les seigneurs *(p. 146)*.

LA GUERRE DE TRENTE ANS

1618-1648 Au cours de la Guerre de Trente Ans, l'Alsace est plusieurs fois envahie. Les horreurs de la peste et de la famine s'ajoutent à celles de la guerre.

DE LA RÉVOLUTION A NOS JOURS

1792 Rouget de Lisle chante la future « Marseillaise » à Strasbourg *(p. 151)*.

1794 Mise en service du télégraphe Chappe *(p. 79)*, près de Saverne.

1798 Dernière ville libre d'Alsace, Mulhouse se donne volontairement à la France.

1814-1818 La 6e Coalition, fatale à Napoléon, maintient des troupes en Alsace.

1870-71 L'Alsace est envahie *(p. 24)* et le traité de Francfort la rattache à l'Empire allemand.

1885 Pasteur pratique la première vaccination antirabique sur le jeune berger alsacien Meister *(p. 172)*.

1887 Tension franco-allemande (affaire Schnæbelé) ; Bismarck accroît la rigueur du régime imposé aux Alsaciens.

1906 Réhabilitation du capitaine Dreyfus, natif de Mulhouse et héros de la célèbre « Affaire ».

1913 Incidents à Saverne entre Alsaciens et Allemands.

1914-18 De violents combats ont lieu durant quatre ans. L'Alsace est libérée.

1928 Début de la réalisation du Grand Canal d'Alsace *(p. 127)*.

1930-1940 Construction de la Ligne Maginot *(p. 34)*, pour rendre inviolables les frontières françaises du Nord-Est...

1940 L'Alsace retombe, pour cinq ans, sous la domination allemande.

1941 Création du camp de déportation nazi du Struthof *(p. 163)*.

1944-45 L'Alsace est libérée une seconde fois *(p. 25)*.

1949 Le siège du Conseil de l'Europe est fixé à Strasbourg.

1951 Mort du grand caricaturiste alsacien Hansi *(p. 60)*.

1952 Le docteur Albert Schweitzer *(p. 83 et 106)* reçoit le prix Nobel de la Paix.

1975 L'aménagement du Rhin alsacien se termine, avec le concours de l'Allemagne fédérale, par la mise en service de l'usine hydro-électrique de Gambsheim.

1976 Mise en service de la centrale nucléaire de Fessenheim (Haut-Rhin).

GUERRE DE 1870

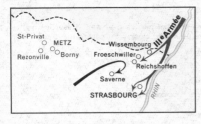

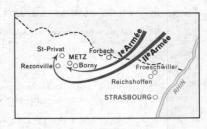

Invasion de l'Alsace (4-9 août)

    Les forces de Mac-Mahon, très inférieures en nombre, sont écrasées à Wissembourg (4 août), Froeschwiller et Reichshoffen (6 août) par la IIIe Armée allemande et battent en retraite par le col de Saverne.

    Strasbourg est investie le 9 août et capitule le 28 septembre.

Invasion de la Lorraine (6-18 août)

    La 1re Armée allemande bat un corps de l'Armée Bazaine à Forbach (6 août).

    Les forces françaises, retirées sous Metz, sont enveloppées par les Ire et IIe Armées allemandes après avoir été battues à Borny (14 août), Rezonville (16 août) et St-Privat (18 août). Bazaine capitule le 27 octobre à Metz.

GUERRE DE 1914-1918

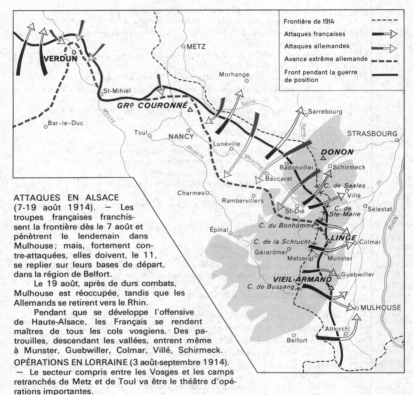

ATTAQUES EN ALSACE (7-19 août 1914). — Les troupes françaises franchissent la frontière dès le 7 août et pénètrent le lendemain dans Mulhouse ; mais, fortement contre-attaquées, elles doivent, le 11, se replier sur leurs bases de départ, dans la région de Belfort.

    Le 19 août, après de durs combats, Mulhouse est réoccupée, tandis que les Allemands se retirent vers le Rhin.

    Pendant que se développe l'offensive de Haute-Alsace, les Français se rendent maîtres de tous les cols vosgiens. Des patrouilles, descendant les vallées, entrent même à Munster, Guebwiller, Colmar, Villé, Schirmeck.

OPÉRATIONS EN LORRAINE (3 août-septembre 1914). — Le secteur compris entre les Vosges et les camps retranchés de Metz et de Toul va être le théâtre d'opérations importantes.

Offensive française et bataille de Morhange (14-20 août 1914). — Le 14 août, la 1re Armée française (général Dubail) et la 2e Armée (général de Castelnau), concentrées sur la Meurthe de St-Dié à Nancy, franchissent la frontière, pénètrent en Lorraine annexée et arrivent le 19 dans la région de Sarrebourg et au sud de Morhange.

    Les Français, lancés le 20 août à l'assaut, sont décimés par un feu violent et contre-attaqués. Au soir, la retraite sur la Meurthe est inévitable.

Offensives allemandes (24 août - 9 septembre 1914). — Les Français arrêtent leur repli sur une ligne dessinant, entre Badonviller et Nancy, un entonnoir dont la trouée de Charmes occupe le fond. Les Allemands profitent de cette disposition pour prendre l'offensive.

    Le 24, ils attaquent Charmes. Devant la résistance opposée par Dubail et Castelnau sur leur front et sur leurs flancs, ils s'arrêtent.

    Du 26 août au 9 septembre, leurs efforts se portent alors plus à l'Est, le long des Vosges en direction de la Haute-Meurthe puis à l'Ouest contre Nancy, protégée par les hauteurs du Grand-Couronné. Aucun résultat décisif n'est obtenu.

GUERRE DE POSITION (1915-1918). — Après la bataille de la Marne (5-10 sept. 1914), les Allemands se replient sur la frontière.

    En Lorraine, dans les Vosges, en Alsace, le front se stabilise. La guerre de position commence, marquée par de violents combats locaux pour la possession de points importants comme le Linge *(p. 107)* et le Vieil-Armand *(p. 181)*. En février 1916, les Allemands tentent leur chance devant Verdun. La ville devient l'enjeu d'une gigantesque bataille dont dépendra le sort de la guerre *(voir p. 177)*.

GUERRE DE 1939-1945

LA FRANCE ENVAHIE. — La guerre, qui, au début, s'est limitée à une série d'escarmouches sur les frontières, revêt en mai 1940 un nouvel aspect.

Les Allemands attaquent et, au cours d'une avance foudroyante, envahissent la moitié Nord de la France.

En juin, les troupes d'intervalle de la Ligne Maginot, menacées d'être prises à revers, livrent des combats de retardement dans les Vosges et réussissent à gagner en partie la Suisse où elles resteront internées jusqu'en 1941.

Les troupes de forteresse, par contre, refusent de « décrocher » et résistent opiniâtrement sur toute l'étendue de la « Ligne », des Ardennes à la frontière suisse, à l'assaut ultime des Allemands. Si les casemates du Rhin tombent, héroïquement, les grands ouvrages du Nord-Est, eux, tiendront, presque tous, jusqu'au-delà de l'Armistice.

Les Allemands se réinstallent en Alsace avec l'espoir de la germaniser définitivement.

LA LIBÉRATION. — Débarquées à partir du 6 juin 1944 en Normandie et du 15 août 1944 en Provence, les armées alliées avancent à grands pas en direction du Nord-Est.

Les Alliés en Lorraine. — Verdun et Bar-le-Duc sont libérées à la fin d'août. Mais les Allemands se ressaisissent et les Alliés, trop éloignés de leurs bases de ravitaillement, doivent s'arrêter sur la Moselle, au Nord et au Sud de Metz.

Nancy est libérée le 15 septembre et Épinal peu après.

Énergiquement défendue par les Allemands, Metz n'est libérée que le 22 novembre.

Désormais, l'offensive alliée peut se développer en direction de l'Alsace.

Les Alliés en Alsace. — Au Sud de Gérardmer, le front est tenu par la 1re Armée française du général de Lattre de Tassigny, au Nord par les Américains de Patch et de Patton (7e et 3e Armées).

Prise de Mulhouse. — Dans la région de Belfort, les Français déclenchent leur offensive le 14 novembre 1944. Les lignes allemandes percées au prix de grosses difficultés, une division blindée se glisse le long de la frontière franco-suisse, envoie quelques chars jusqu'au Rhin et se rabat au Nord sur Mulhouse, occupée le 21 novembre.

Les éléments français de Haute-Alsace, étirés du Doubs au Rhin, sont mis en difficulté par une attaque allemande qui cherche à les couper. Après une bataille indécise de quatre jours, le général de Lattre opère à Burnhaupt (28 novembre) la jonction des troupes venues de Belfort et de Mulhouse et termine, par l'encerclement des Allemands, la bataille de Haute-Alsace.

Prise de Strasbourg. — Au Nord, la 2e Division blindée du général Leclerc, qui fait partie de la 7e Armée américaine, déborde, le 21 novembre, la trouée de Saverne par le Nord et par le Sud et s'empare de Saverne le 22. Déployant ensuite sa division, Leclerc fonce sur Strasbourg qu'il atteint le 23 novembre au matin *(voir. p.152)*.

Après avoir forcé les deux portes de l'Alsace, les Alliés franchissent les Vosges et descendent dans le Vignoble où se déroulent des combats très violents. Le 19 décembre, la progression doit s'arrêter devant une zone de résistance qui, protégée par les inondations de l'Ill, dessine une « poche » autour de Colmar. Tout à fait au Nord, les Américains ont, à cette même date, atteint la frontière allemande.

La menace sur Strasbourg. — Le 1er janvier 1945, les Allemands attaquent en Basse-Alsace pour reprendre Strasbourg. Devant une situation devenue vite très sérieuse, Eisenhower décide l'abandon de la ville et le repli sur les Vosges.

Sur les instances du général de Gaulle, cette mesure est, heureusement, rapportée à condition toutefois que la 1re Armée française se charge de la défense.

Jusqu'au 22 janvier, les Allemands reprennent un important terrain et parviennent à une dizaine de kilomètres de part et d'autre de la ville. Ils se heurtent à une résistance inébranlable des Français. Strasbourg est sauvée, mais il importe pour sa sécurité de liquider la « poche de Colmar ».

Réduction de la « poche de Colmar ». — Le général de Lattre de Tassigny monte deux attaques en tenaille qui partiront du flanc Nord et du flanc Sud de la poche. Pour la première fois, il aura sous ses ordres quelques divisions américaines qui formeront un nouveau corps de son armée.

Du 20 janvier au 3 février, l'offensive partie du Sud déloge l'ennemi des cités ouvrières des mines de potasse organisées en nids de résistance et se rabat vers le Rhin.

Au Nord de la « poche », du 22 janvier au 2 février, Français et Américains disloquent le front allemand et entrent dans Colmar *(voir p. 60)*.

Le 5 février, la tenaille se ferme à Rouffach, coupant le saillant Ouest de la « poche ». La Wehrmacht, en déroute, repasse le Rhin par le seul pont encore sous son contrôle, à Chalampé. Le 9 février, la « poche de Colmar » a vécu.

Carte de l'Alsace :
Wissembourg — Haguenau — Saverne — STRASBOURG — 22-Janv.-45 — 3e et 7e Armée Américaine — 14-Nov.-44 — RHIN — ALLEMAGNE — Vignoble — Colmar — Gérardmer — Rouffach — 1re Armée Française — Mines de Potasse — Chalampé — Burnhaupt — Mulhouse — Belfort — Doubs

Légende :
→ Attaques alliées
→ Attaques allemandes
▨ Terrain repris par les Allemands (1-22 Janvier 1945).

L'ART

ABC D'ARCHITECTURE

A l'intention des lecteurs peu familiarisés avec la terminologie employée en architecture nous donnons ci-après quelques indications qui leur permettront de prendre encore plus d'intérêt à la visite des monuments religieux, militaires ou civils.

ARCHITECTURE RELIGIEUSE

Plan-type d'une église. — Il est en forme de croix latine, les deux bras de la croix formant le transept. 1 Porche - 2 Narthex - 3 Collatéraux ou bas-côtés (parfois doubles) - 4 Travée (division transversale de la nef comprise entre deux piliers) - 5 Chapelle latérale (souvent postérieure à l'ensemble de l'édifice) - 6 Croisée du transept - 7 Croisillons ou bras du transept, saillants ou non, comportant souvent un portail latéral - 8 Chœur, presque toujours « orienté » en direction de Jérusalem - très vaste et réservé aux moines dans les églises abbatiales - 9 Rond-point du chœur - 10 Déambulatoire : prolongement des bas-côtés autour du chœur permettant de défiler devant les reliques dans les églises de pèlerinage - 11 Chapelles rayonnantes ou absidioles - 12 Chapelle axiale. Dans les églises non dédiées à la Vierge, cette chapelle, dans l'axe du monument, lui est souvent consacrée - 13 Chapelle orientée.

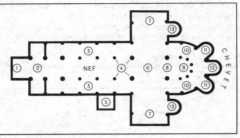

Coupe d'une église. — 1 Nef - 2 Bas-côté - 3 Tribune - 4 Triforium - 5 Voûte en berceau - 6 Voûte en demi-berceau - 7 Voûte d'ogive - 8 Contrefort étayant la base du mur - 9 Arc-boutant - 10 Culée d'arc-boutant - 11 Pinacle équilibrant la culée.

Les maîtres d'œuvre romans (11e-12e s.) savaient construire des églises vastes et hautes, mais leurs lourdes voûtes de pierre tendaient à écraser et à renverser les murs. Il leur fallait donc réduire les fenêtres au minimum et édifier, jusqu'à la retombée des voûtes, des bas-côtés surmontés de tribunes destinés à soutenir et à équilibrer la nef assez obscure.
Dans les églises gothiques (12e-15e s.) les poussées de la voûte sont supportées et transmises par des arcs ; les murs ne subissent plus d'efforts qu'aux points de retombée des ogives. Les parties intermédiaires peuvent être évidées sans danger et laisser la place à des vitraux ; l'église est très lumineuse.

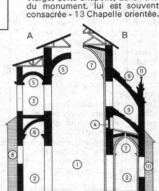

Coupe d'une église
romane (A) - gothique (B)

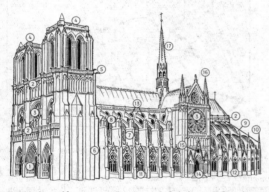

La plupart des monuments, grandes cathédrales ou modestes églises de campagne, forteresses féodales ou palais Renaissance et classiques, ont été construits en plusieurs époques, remaniés ou restaurés, soit en raison de difficultés financières, soit pour les agrandir, les moderniser ou les réparer. Aussi, un examen attentif des diverses parties d'un édifice, des remplois d'éléments anciens, des adjonctions d'un style plus récent, permet-il de retrouver dans la pierre toute l'histoire de la construction. Il rehausse l'intérêt d'une visite.

Cathédrale gothique. — 1 Porche - 2 Galerie - 3 Grande rose - 4 Tour clocher quelquefois terminée par une flèche - 5 Gargouille servant à l'écoulement des eaux de pluie - 6 Contrefort - 7 Culée d'arc-boutant - 8 Volée d'arc-boutant - 9 Arc-boutant à double volée - 10 Pinacle - 11 Chapelle latérale - 12 Chapelle rayonnante - 13 Fenêtre haute - 14 Portail latéral - 15 Gâble - 16 Clocheton - 17 Flèche (ici, placée sur la croisée du transept).

Façades

Romane

Gothique

Renaissance

Classique

Clochers

Clocher roman
toit en bâtière
1 Abat-son

Flèche romane
polygone sur
tour carrée

Flèche gothique
aiguë et
ajourée

Clocher
Renaissance
1 Lanternon

Dôme classique
avec coupole à lanterne
1 Pot à feu

Portail. — 1 Archivolte. Elle peut être en plein cintre, en arc brisé, en anse de panier, en accolade, quelquefois ornée d'un gâble, selon le style du monument - 2 Voussures (en cordons, moulurées, sculptées ou ornées de statues) formant l'archivolte - 3 Tympan - 4 Linteau - 5 Piédroit ou jambage - 6 Ébrasements, quelquefois ornés de colonnes ou de statues - 7 Trumeau - auquel est généralement adossé une statue - 8 Pentures.

La décoration des portails romans : motifs géométriques, floraux ou personnages fantastiques, est souvent d'un symbolisme difficile à interpréter. Celle des portails gothiques fait appel à des thèmes plus connus, tirés des Écritures : Ancien ou Nouveau Testament, vices et vertus, vies du Christ et des saints. La Renaissance mêle aimablement le mystique et le profane, la Bible et la mythologie, voire l'actualité de l'époque.

Avec le style classique le portail perd son caractère d'entrée mystique du paradis pour redevenir une simple porte.

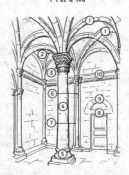

Arcs et piliers. — 1 Nervures - 2 Tailloir ou abaque - 3 Chapiteau - 4 Fût ou colonne - 5 Base - 6 Colonne engagée - 7 Dosseret - 8 Linteau - 9 Arc de décharge - 10 Frise.

Poutre de gloire, ou tref. — Elle tend l'arc triomphal à l'entrée du chœur. Elle porte le Christ en croix : la Vierge, saint Jean et, parfois, d'autres personnages du calvaire.

Jubé. — Remplaçant la poutre de gloire dans les églises importantes, il servait à la lecture de l'épître et de l'évangile. La plupart ont disparu à partir du 17ᵉ s. : ils cachaient l'autel.

Stalles. — 1 Dossier haut - 2 Pare-close - 3 Jouée - 4 Miséricorde.

Autel avec retable. — 1 Retable - 2 Prédelle - 3 Couronne - 4 Table d'autel - 5 Devant d'autel. Certains retables baroques englobaient plusieurs autels ; la liturgie contemporaine tend à les faire disparaître.

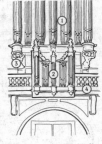

Orgues. — 1 Grand buffet - 2 Petit buffet - 3 Cariatide - 4 Tribune.

Quelques termes d'archéologie

Arcatures : suite de petits arcs accolés.
Boudin : nervure semi-cylindrique en fort relief.
Crédence : petite niche aménagée dans le mur, où sont placées les burettes.
Enfeu : niche funéraire.
Géminé (e) : groupé (e) par deux (arcs géminés, colonnes géminées).
Gloire : auréole entourant un personnage ; en amande, elle est appelée aussi mandorle (de l'italien « mandorla », amande).

Litre : Bande peinte en noir, portant les armoiries du seigneur, et faisant le tour d'une chapelle. La litre était placée d'autant plus haut que la noblesse du seigneur était plus grande.
Meneau : traverse de pierre compartimentant une baie ou une lucarne.
Modillon : console soutenant une corniche.
Oculus : baie de forme circulaire (latin : œil).
Phylactère : banderole portant une inscription.
Pilastre : pilier plat engagé dans un mur.

Voûtes et fenêtres

Au Moyen Age beaucoup d'églises étaient couvertes de charpente. Les risques d'incendie leur firent préférer les voûtes de pierre dont le poids posa un grave problème aux architectes. Pour consolider les **voûtes en berceau** — les plus simples — on utilisa le doubleau.

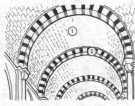

Voûte en berceau.
1 Voûte couvrant la nef - 2 Doubleau reposant sur les piliers.

Voûte d'arêtes
L'un des principaux modes de couverture romans - 1 Grande arcade - 2 Arête - 3 Doubleau.

Voûte à clef pendante.
1 Croisée d'ogive - 2 Lierne - 3 Tierceron - 4 Clef pendante - 5 Cul de lampe.

Coupole sur trompes.
1 Coupole octogonale - 2 Trompe - 3 Arcade du carré du transept.

La **voûte d'arêtes** est formée par le croisement de deux voûtes en berceau qui se pénètrent à angle droit.

Dans la **voûte sur croisée d'ogive** la poussée est concentrée sur les arcs dont l'armature repose sur les piliers épaulés extérieurement par les arcs-boutants.

La **voûte d'ogive** était aisée à monter sur une travée carrée. Au 12e s., l'élargissement des nefs ne permit plus de faire des travées carrées : les piliers auraient été trop espacés. Les architectes tournèrent d'abord la difficulté en couvrant à la fois deux travées rectangulaires ou « barlongues », ce qui reformait le carré : un doubleau supplémentaire venant reposer sur des piles faibles alternant avec les piliers forts. Les voûtes portées par trois arcs d'ogives sont dites sexpartites.

A partir du 15e s. un souci de décoration amène à compliquer les nervures qui se ramifient en liernes et tiercerons ou en étoile. Les clefs de voûte s'allongent en stalactites.

L'emploi de **coupoles**, fréquent dans les églises romanes, abandonné à l'époque gothique, fut repris dans les constructions Renaissance et classiques.

Pour élever une coupole de plan octogonal sur le transept carré, on construit aux quatre angles de ce carré de petites voûtes, ou « trompes » destinées à supporter les faces complémentaires de l'octogone. S'il s'agit d'une coupole de plan circulaire on construit aux quatre angles du carré des surfaces concaves triangulaires ou « pendentifs » qui, en se rejoignant, forment un cercle complet.

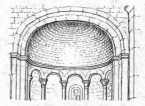

Voûte en cul de four.
Elle termine les absides des nefs voûtées en berceau.

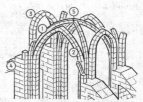

Voûte sur croisée d'ogive.
1 Arc diagonal - 2 Doubleau - 3 Formeret - 4 Arc-boutant - 5 Clef de voûte.

Voûte à pénétration.
1 Voûte à pénétration - 2 Fenêtre à pénétration ou « lunette » - 3 Voûte en berceau.

Coupole sur pendentifs.
1 Coupole circulaire - 2 Pendentif - 3 Arcade du carré du transept.

Élévations romane et gothiques

12e s.
Roman

13e s.
Gothique à lancettes

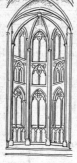

Fin 13e - 14e s.
Gothique rayonnant

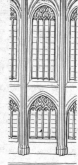

15e s.
Gothique flamboyant

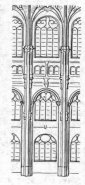

16e s.
Renaissance

ARCHITECTURE MILITAIRE

Enceinte fortifiée. — 1 Hourd (galerie en bois) - 2 Mâchicoulis (créneaux en encorbellement) - 3 Bretèche - 4 Donjon - 5 Chemin de ronde couvert - 6 Courtine - 7 Enceinte extérieure - 8 Poterne.

Tours et courtines. — 1 Hourd - 2 Créneau - 3 Merlon - 4 Meurtrière ou archère - 5 Courtine - 6 Pont dit « dormant » (fixe) par opposition au pont-levis (mobile).

Porte fortifiée. — 1 Mâchicoulis - 2 Échauguette (pour le guet) - 3 Logement des bras du pont-levis - 4 Poterne : petite porte dérobée, facile à défendre en cas de siège.

Fortifications classiques. — 1 Entrée - 2 Pont-levis - 3 Glacis - 4 Demi-lune - 5 Fossé - 6 Bastion - 7 Tourelle de guet - 8 Ville - 9 Place d'Armes.

Au Moyen Age, tant que les seigneurs conservent le droit de se battre entre eux, les châteaux sont des forteresses qui répondent à la nécessité de se défendre et d'assurer la subsistance de la population lors des sièges.

Avec la pacification du royaume, les châteaux forts sont détruits, abandonnés, transformés, ou remplacés par des châteaux conçus par des artistes. L'architecture civile se distingue de l'architecture militaire, qui devient l'affaire exclusive du roi, pour la défense des frontières. L'introduction de la poudre et des canons au 14e s., permit à Charles VII et à Louis XI, au 15e s. de venir à bout des dernières grandes forteresses féodales et entraîna, surtout au 16e s., une complète transformation de l'architecture militaire : pour s'adapter aux armes à feu les tours deviennent des bastions bas, très épais, les courtines s'abaissent et s'élargissent.

Au 17e s., Vauban, dont l'œuvre durera des siècles, porte ces nouvelles défenses à leur point de perfection. Son système *(croquis ci-contre)* est caractérisé par des bastions complétés par des demi-lunes et protégés par des fossés

ARCHITECTURE CIVILE

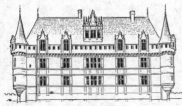

A partir du 15e s., les maîtres d'œuvre français, sous l'influence italienne, s'inspirent des proportions antiques. Les tours purement décoratives disparaissent dans la seconde moitié du 16e s. Statues et bandes sculptées décorent les façades. Les hautes cheminées et les fenêtres sont très ornées. La décoration intérieure est très riche : hauts lambris surmontés de panneaux peints, plafonds à poutres apparentes et à caissons.

Dès le règne d'Henri IV on adopte le style dit Louis XIII, caractérisé par l'emploi de panneaux de briques sertis de chaînages de pierre. Le plan, cessant d'entourer une cour, développe un corps de logis principal terminé par des pavillons. La décoration est réduite, l'aménagement discret. Au-dessus des lambris, des tapisseries ou des fresques couvrent le mur. Le plafond est à poutres apparentes décorées sans caissons.

Sous Louis XIV, François Mansart (1598-1666) recherche la grandeur des lignes : le château et le site dans lequel il s'inscrit revêtent un caractère monumental. Les façades sont sobrement ornées de colonnes, pilastres, mascarons. Le marbre décore les murs des appartements. Le plafond est divisé en grands compartiments peints d'allégories.

Dès 1700, la majesté des constructions s'adoucit, et sous Louis XV c'est le triomphe de la courbe ; les enjolivements baroques se compliquent jusqu'à ce que leur abus redonne, avant même la fin du règne de Louis XV, le goût des droites et du dépouillement. L'antiquité est remise à la mode, préparant le style pompéien puis le style Empire.

L'ART EN LORRAINE

Carrefour de civilisations, la Lorraine a subi au cours de son histoire des influences très nombreuses et très différentes : allemandes, françaises, italiennes et mosanes.

Mais elle a su tirer le meilleur profit de ces divers apports, tout en conservant sa personnalité propre.

Sans remonter à l'époque préhistorique qui a laissé de nombreuses traces dans la vallée de la Moselle, ni aux témoignages encore debout de l'époque gallo-romaine, l'art connaît à l'époque carolingienne une période de splendeur dans la région de l'Est. Rayonnant d'Aix-la-Chapelle, il se développe particulièrement dans les monastères (miniatures, manuscrits aux reliures ornées de plaques d'ivoire encadrées de motifs d'orfèvrerie).

Rien ne subsiste de cette époque, à part l'église Saint-Pierre-aux-Nonnains *(voir p. 94)*; et pourtant Metz comptait une soixantaine d'églises et chapelles à la fin du 9e s.

ARCHITECTURE RELIGIEUSE

L'art roman. — Au 10e s., et au début du 11e s., alors que les sièges de Metz, Toul et Verdun étaient occupés par des prélats allemands, l'influence rhénane a été prépondérante. Mais dès la fin du 11e s., ce sont les influences champenoises et bourguignonnes qui l'emportent.

Les édifices lorrains sont généralement de type basilical, mais parfois simplifié à l'extrême : ainsi les petites églises n'ont qu'une nef, un chœur et une abside. Les portes sont couronnées d'un tympan semi-circulaire ; les façades sont sobrement ornées.

Il est assez fréquent de voir la voûte d'ogives - introduite dans le dernier tiers du 12e s. - employée dans des édifices de structure toute romane. Les tours, presque toujours carrées, sont généralement placées sur le carré du transept.

Parmi les édifices les plus caractéristiques de cette époque, citons l'église de Mont-devant-Sassey, et une partie de N.-Dame de Verdun.

L'art gothique. — Comme tous les pays ayant subi les influences germaniques, la Lorraine est restée attachée aux formes de l'art roman pendant très longtemps; le passage du style roman au style gothique s'est effectué très lentement.

A Toul et à Metz, les cathédrales témoignent d'une influence française très marquée : elles furent, en effet, édifiées suivant les plans de maîtres d'œuvre ayant déjà travaillé sur de grands chantiers en Champagne et en Ile-de-France.

Les rapports entre la Lorraine et la France étaient alors très nombreux, l'influence française se faisant sentir dans tous les domaines : domaine intellectuel - les « étudiants » lorrains venant fréquenter l'Université de Paris -; domaine économique - les foires de Champagne alors en plein rayonnement exerçant un attrait sur les pays voisins -; domaine politique enfin - les ducs de Lorraine devant compter de plus en plus avec la politique ambitieuse des Capétiens.

Avec Toul et Metz, citons encore : N.-Dame de Bar-le-Duc, Avioth, grand centre de pèlerinage qui possède de ce fait un déambulatoire, St-Étienne de St-Mihiel et St-Nicolas-de-Port dont la façade magnifique a été terminée au milieu du 16e s.

L'art Renaissance. — De l'époque Renaissance, il faut retenir la belle façade, d'ailleurs inachevée, de Rembercourt-aux-Pots, et le cloître de l'église St-Gengoult, à Toul.

ARCHITECTURE CIVILE

L'art Renaissance. — La Porterie de l'ancien Palais ducal à Nancy date du début du 16e s. ; elle est très finement décorée.

Sont aussi Renaissance, à Bar-le-Duc, l'ancien collège Gilles-de-Trèves, d'inspiration italienne, et un bel ensemble de maisons.

L'art classique. — Le 18e s. a été l'époque des grandes réalisations. Le goût français a été dominant mais sans parvenir à éclipser totalement la traditionnelle influence italienne.

Germain Boffrand, élève de Jules Hardouin-Mansart, surintendant des Bâtiments du Roi (de France), édifie le château de Lunéville, « le Versailles lorrain » pour le compte du duc Léopold. C'est encore Boffrand qui réalisa, pour Marc de Beauvau, grand écuyer de Lorraine, le beau château d'Haroué.

Mais c'est à Nancy que s'accomplit une œuvre d'ensemble. Placé en 1737 à la tête du duché de Lorraine, l'ancien roi de Pologne Stanislas Leszczynski consacre une partie de son temps à l'embellissement de sa nouvelle capitale. Il trouve à Nancy de nombreux artistes, utilise en particulier les services d'un disciple de Boffrand, **Emmanuel Héré**, et d'un ferronnier de Nancy, **Jean Lamour**. L'ensemble réalisé - Place Stanislas, Arc de Triomphe, Place de la Carrière - est un des chefs-d'œuvre de l'art français.

(D'après photo Archives photographiques, Paris)

Nancy. - Porterie du Palais ducal.

ARCHITECTURE MILITAIRE

(D'après photo Estel, Blois)

Verdun. – La porte Chaussée.

Des nombreux châteaux forts édifiés au cours du Moyen Age, il ne reste généralement que des ruines ou des vestiges peu importants : Prény, Sierck, Tour aux Puces à Thionville.

Les villes fortifiées ont rarement conservé la totalité de leur enceinte, comme à Montmédy. Il ne subsiste le plus souvent que des portes : porte de France à Longwy, porte des Allemands à Metz, portes Chaussée et Châtel à Verdun, porte de la Craffe à Nancy, porte de France à Vaucouleurs.

La Ligne de Fer. — La perte des provinces de l'Est, en 1871, et celle de leurs places fortes, amène la IIIᵉ République à garantir la «Trouée de Lorraine» par un nouveau système défensif, dit de «rideaux fortifiés», qui sera l'œuvre, à partir de 1874, du général polytechnicien Raymond **Séré de Rivières** (1815-1895), directeur du Génie militaire.

Cette «Ligne de Fer» *(carte p. 34),* axée sur les Hauts de Meuse autour de Toul et Verdun et sur les Côtes de Moselle autour d'Épinal (et Belfort), se hérisse de grands forts de type polygonal semi-enterrés, répondant à l'invention du canon rayé et de la mitrailleuse, puis à celles de l'obus brisant à mélinite (1885) et du canon de 75 (en 1897), par de successives modifications : renforcement des cuirassements, mise à couvert des pièces d'artillerie, protection des intervalles, etc.

La guerre de 1914 trouvera malheureusement ces forts à peu près désarmés, du fait de la doctrine de «l'offensive à outrance» préconisée alors par l'État-Major français. Tels quels, et réoccupés à la hâte devant la percée allemande, certains joueront néanmoins un rôle non négligeable, principalement durant la bataille de Verdun.

SCULPTURE

(D'après photo Jean Roubier)

Cathédrale de Verdun. – Tympan du portail du Lion.

Sculpture religieuse. — A l'époque romane, l'ornementation des églises est le plus souvent maladroite. Ainsi le portail de Montdevant-Sassey, consacré à la Vierge, est une réplique grossière de la statuaire de Reims. En revanche, à la cathédrale N.-Dame de Verdun, le portail du Lion, où le Christ en majesté est représenté entre les symboles des Évangélistes, est une œuvre plus réussie, malgré une certaine lourdeur.

Au 16ᵉ s. Ligier Richier, établi à St-Mihiel, allait donner une impulsion toute nouvelle à la statuaire, et son influence a été considérable dans toute la Lorraine.

Sculpture funéraire. — De nombreux mausolées ont été exécutés du 16ᵉ au 18ᵉ s. Citons parmi les plus remarquables :

A Nancy, dans l'église des Cordeliers, le tombeau de Philippe de Gueldre par Ligier Richier, le tombeau de René II par Mansuy Gauvain. Dans l'église N.-D.-de-Bon Secours, le tombeau de Stanislas et le mausolée de son épouse Catherine Opalinska.

A Bar-le-Duc, dans l'église St-Etienne, le mausolée de René de Châlon, par Ligier Richier.

PEINTURE ET GRAVURE

Parmi les innombrables artistes lorrains qui se sont essayés dans la peinture, la miniature ou la gravure, certains ont acquis une renommée durable et leur gloire a dépassé le cadre de leur province.

Au 17ᵉ s., on peut citer Jacques Bellange «tenu de nos jours pour un maître du maniérisme», Claude Deruet, peintre de cour par excellence, Georges de la Tour, «spécialiste des nuits», Claude Gellée, dit «le Lorrain», qui passa une grande partie de sa vie hors de sa province natale, et surtout Jacques Callot, graveur et dessinateur de grand talent. La majeure partie de ses œuvres (les Misères de la Guerre - les Gueux et les Nobles - les Sièges) a été rassemblée au Musée historique lorrain à Nancy.

Au 19ᵉ s., Isabey excella dans l'art du portrait et fut un des peintres favoris de la société impériale.

Enfin, depuis le 18ᵉ s., la célèbre «image d'Épinal» demeure inséparable du renom attaché à la capitale des Vosges.

Dans d'autres domaines, signalons que l'art de la lutherie se perpétue à Mirecourt, et que la petite ville de Boulay-Moselle abrite l'une des très rares fabriques d'orgues d'église subsistant en France.

L'ART EN ALSACE

ARCHITECTURE RELIGIEUSE

Églises romanes. — L'Alsace, où les tendances carolingiennes ont longtemps subsisté, connut au 12e s. un épanouissement de l'art roman en retard d'un siècle sur les grandes écoles romanes françaises. Ce retard a eu des conséquences heureuses : il a permis à l'Alsace, située au carrefour des routes de France, d'Allemagne et d'Italie, d'assimiler avec beaucoup de fantaisie les influences les plus diverses et il a rendu possible le développement d'un style original.

Extérieur. — La plupart des églises alsaciennes sont de petites ou de moyennes dimensions et présentent la forme d'une croix latine peu marquée, le transept étant peu saillant. Celle d'Ottmarsheim, du 11e s., présente encore le plan polygonal d'origine carolingienne.

Les tours et les clochers sont situés dans des endroits bien précis de l'édifice. Souvent la croisée du transept est surmontée d'une belle tour octogonale appelée « tour lanterne » : l'église Ste-Foy, à Sélestat, en offre un bon exemple; en revanche, celle de Neuwiller-les-Saverne a été construite à tort, à l'époque moderne, dans le style de l'école rhénane. Dans les angles rentrants, formés par le chœur et la nef avec les croisillons du transept, peuvent s'élever des clochers carrés ou ronds, caractéristiques du style roman rhénan. La façade Ouest, parfois précédée d'un porche, est flanquée de clochers à plusieurs étages.

L'extrémité orientale de l'édifice est terminée par une abside à chevet semi-circulaire; les chevets plats comme celui de Murbach sont des exceptions. Les murs latéraux, les pignons, l'abside et la façade sont ornés d'arcatures et de bandes verticales empruntées à l'école lombarde. Sous l'influence de l'atelier de Bâle, les portails à voussures reposant sur colonnettes et munis d'un tympan historié devinrent fréquents vers le 12e s.

Intérieur. — L'architecture intérieure est très sobre; arcatures et baies sans moulure sont surmontées d'un mur percé à chaque travée d'une ou deux fenêtres très ébrasées. Les églises n'ont reçu de voûte que tard dans le 12e s. Les supports principaux sont les arcs en plein cintre qui étayent la voûte sur croisée d'ogives. Ils reposent sur de gros piliers rectangulaires flanqués sur leurs quatre faces de colonnettes engagées. Les bas-côtés sont couverts de voûtes d'arêtes formées par l'intersection de la voûte longitudinale du bas-côté lui-même et des voûtes transversales.

Décoration. — La décoration est généralement concentrée sur le portail; par son tracé géométrique, elle dénote une absence de recherche. Seul le portail de l'église d'Andlau offre de remarquables sculptures. Les chapiteaux, évasement de la partie supérieure d'une colonne qui supporte une arcature, sont un élément important d'architecture. Ils permettent de recevoir plusieurs arcs de voûte sur un même pilier. En Alsace, les chapiteaux des églises romanes sont très élémentaires, cubiques, lourds, d'une sculpture pauvre et monotone; ils représentent quelques rares figures ou quelques éléments de végétation. Pour pallier cette sobriété et embellir un peu l'église, l'intérieur de celle-ci a été quelquefois orné de peintures.

Églises gothiques. — Après quelques tâtonnements, l'art gothique atteint en Alsace à une perfection rarement égalée : il suffit de citer la cathédrale de Strasbourg et le nom prestigieux d'Erwin de Steinbach. Les édifices religieux et civils élevés entre le 13e et le 15e s. ne manquent pas : le cloître d'Unterlinden et l'église St-Martin de Colmar, ainsi que son « Koifhüs » ou Douane, l'abbatiale de Wissembourg, St-Georges de Sélestat.

A la fin du 15e s., on voit apparaître l'art gothique flamboyant auquel on doit St-Thiébaut de Thann et le portail St-Laurent à la cathédrale de Strasbourg.

Au 16e s., en pleine Renaissance, l'architecture religieuse reste fidèle aux traditions gothiques. L'église d'Ammerschwihr (16e s.), celle de Molsheim (16e - 17e s.) sont bâties sur un plan ogival. L'art de la Renaissance, qui a donné de charmantes demeures privées et d'admirables édifices publics, n'a laissé aucune trace dans la construction religieuse.

(D'après photo Europ-Flash)

Cathédrale de Strasbourg. – Détail de la façade.

Le style classique. — Au 17e s., une longue période d'épreuves et de guerres *(voir p. 23)* entrave toute construction nouvelle, civile ou religieuse. Devenue française, l'Alsace reconstruit et enrichit ses monastères. Bon nombre d'églises sont alors édifiées dans le goût de l'époque. A Colmar, St-Pierre est de style Régence; à Guebwiller, Notre-Dame, construite par les abbés de Murbach, surprend par son sobre et sévère classicisme.

ARCHITECTURE CIVILE

Les hôtels de ville. — Dès le Moyen Age, les villes alsaciennes ne veulent dépendre que d'elles-mêmes. Pour abriter l'autorité municipale, elles élèvent des hôtels de ville qui témoignent à la fois de leur puissance et de leur goût.

Le charmant hôtel de ville d'Ensisheim, celui de Mulhouse avec son perron couvert inspiré des styles helvétiques, ceux d'Obernai, de Rouffach, de Kaysersberg, de Molsheim, de Guebwiller, précieux monuments de la Renaissance, enfin l'ancien hôtel de ville de Strasbourg, aujourd'hui Hôtel du Commerce, attestent l'intensité de cette vie locale.

(D'après photo Jean Roubier)

Molsheim. – Le Metzig.

Demeures bourgeoises et princières. — La plupart des villes alsaciennes ont gardé un quartier, un coin de rues qui évoquent la prospérité des siècles écoulés.

Il suffira au touriste de parcourir les rues pittoresques de localités comme Riquewihr ou Kaysersberg ou encore de flâner dans le quartier de la Petite France à Strasbourg ou celui de la Petite Venise à Colmar pour rencontrer nombre de gracieuses demeures traditionnelles, des maisons à encorbellements et à combles aigus, pieusement entretenues ou restaurées depuis leur construction (remontant le plus souvent au 16e ou au 17e s.), qu'elles soient en pierre ou à pans de bois.

La Renaissance a multiplié les détails qui amusent le regard : ici un pignon original, là une galerie de bois qui court autour d'une tourelle; plus loin, un escalier extérieur qui grimpe sous un auvent, des arcades soutenant un étage en surplomb, une façade à pans de bois sculptés et peints. Mais deux éléments donnent aux maisons alsaciennes du 15e s. et de la Renaissance un cachet qui leur est vraiment propre : les pignons et les oriels.

Les pignons. — Ils sont ornés, travaillés. Tantôt, ils s'élèvent en gradins, comme à la maison de l'Œuvre Notre-Dame de Strasbourg. Tantôt leur ligne s'enroule en volutes entremêlées de clochetons, comme à la Maison des Têtes de Colmar.

Les oriels. — Ce sont des fenêtres à encorbellement, plus ou moins sculptées. L'oriel rompt l'uniformité et crée de plaisants jeux de lumière et d'ombre. Il introduit dans la maison, souvent mal orientée dans une rue étroite, la clarté du jour et permet d'observer à l'aise le spectacle de la rue.

En ce qui concerne les édifices de prestige bâtis pour les puissants du jour, seigneurs, prélats ou financiers, le 17e s. - après la dévastatrice guerre de Trente ans et la mainmise de Louis XIV sur l'Alsace - et surtout le 18e s. sont caractérisés par une importante poussée de l'art français vers le Rhin.

Les hôtels du 18e s., sans avoir la fantaisie décorative des maisons Renaissance, sont encore admirables par la grâce de leurs balcons, la finesse de leurs consoles et l'élégance de leurs baies, la pureté de la belle pierre dont ils sont faits.

(D'après photo Marasco)

Colmar. – Maison des Têtes.

Les somptueux palais des Rohan, à Strasbourg et à Saverne, sont de splendides exemples de cet art classique.

Puits et fontaines. — Multipliées par la Renaissance, les fontaines élèvent, sur toutes les places, leur colonne de grès rouge, portant le saint patron de la ville, tel héros historique ou légendaire, tel emblème héraldique.

Souvent, ces charmants édicules sont datés et s'ornent d'inscriptions en dialecte alsacien. Le puits de Kaysersberg recommande avec bonhomie de ne point user de l'eau qu'il dispense : « Si tu te gorges d'eau à table, cela te glace l'estomac; bois modérément d'un vieux vin subtil, je te le conseille, et laisse-moi mon eau. »

Au puits de Rouffach, l'inscription est plus caustique; elle insinue que les aubergistes du pays « mouillent » sans discrétion le vin qu'ils offrent aux clients : « Souvent, on me paie cher à l'auberge. Viens à moi, je te ferai cadeau de la note. »

ARCHITECTURE MILITAIRE

Les touristes rencontreront sur les contreforts des Vosges qui dominent la plaine d'Alsace des vestiges nombreux d'anciennes forteresses et enceintes féodales.

En arrière comme au voisinage des frontières, ils trouveront également des vestiges de fortifications plus récentes : les majestueux remparts construits ou retouchés par Vauban, les défenses édifiées par les Allemands entre 1870 et 1914, les cuirasses de béton et cloches blindées des grands ouvrages souterrains ou des casemates de la Ligne Maginot, et aussi la multitude des blockhaus et fortins engendrés par la guerre de 1939-1945.

Châteaux forts. — Sentinelles de l'Alsace guerrière, tous ces châteaux forts gardent fière allure, même s'ils n'élèvent plus vers le ciel qu'un donjon isolé ou un pan de muraille démantelée, envahis par les mousses et les lianes sauvages.

La reconstitution, sur l'ordre de Guillaume II, du château du Haut-Koenigsbourg a fait couler beaucoup d'encre. Certains préfèrent, à la commode leçon de choses ainsi offerte, le rêve parmi des ruines.

Cités médiévales. — Au Moyen Age, villes et villages ont dû aussi se fortifier pour se défendre, soit contre le seigneur lui-même, soit contre les ennemis venus de l'extérieur. Chaque cité est donc entourée d'une ceinture de murailles renforcée de tours, percée de portes qui ne s'ouvrent qu'avec précaution.

Dans bien des villes d'Alsace, on pénètre par une « Porte Haute », tandis qu'une « Tour du Diable » ou une « Tour des Sorcières » rappelle qu'un rempart ceignait la vieille cité.

La Ligne Maginot. — Sujet d'orgueil et de foi fervente pour l'opinion française d'entre les deux guerres mondiales, cette formidable « cuirasse du Nord-Est » n'a pas, on le sait, et non par sa faute, rempli la mission que lui avaient assignée ses promoteurs, le ministre de la guerre Paul Painlevé et son successeur **André Maginot** (1877-1932).

Un état d'esprit nouveau, tourné vers la seule défensive, et la nécessité de protéger à leur tour les territoires récupérés à l'Est, entraînent l'étude, à partir de 1925, puis la réalisation, de 1930 à 1940, d'une nouvelle ligne fortifiée, « collant » aux frontières et reléguant la Ligne de Fer *(p. 31)* au rôle de position arrière.

Les leçons de la Grande Guerre, la part qu'y ont prise les gaz, les chars, les avions, inspirent un type de « bouclier tactique et stratégique » très différent des systèmes antérieurs : la « Ligne Maginot », multiforme suivant la nature du terrain et l'importance des zones à défendre, comprendra, ici de gros ou moyens ouvrages souterrains en béton, d'infanterie ou d'artillerie, placés au sommet ou au flanc de coteaux; là, des chapelets de casemates semi-enterrées en arrière d'une voie d'eau; ou, derrière une cuvette inondable, de simples blockhaus, voire seulement l'obstacle passif de barbelés, champs de mines, rails ou fossés anti-char.

Le béton armé constitue la structure des forts et casemates, un acier spécial, blindé au nickel-chrome, compose leurs tourelles à éclipse et leurs cloches d'observation qui, seules, s'exposent aux regards. L'armement, ultra moderne, mais limité en calibre et en portée par la technique de fabrication des tourelles escamotables, souffre aussi de ne pouvoir pallier que très partiellement le manque de canons anti-aériens.

Le fait qu'elle ne couvre pas le Nord du pays — par suite de considérations politiques et financières —, qu'elle ne sera pratiquement pas utilisée comme base offensive durant la « drôle de guerre », qu'elle sera privée de ses troupes d'intervalle au moment crucial et réduite à sa seule garnison (qui n'excéda jamais 30 000 hommes), rendra vaine sa pathétique et glorieuse résistance de mai-juin 1940.

SCULPTURE

Les plus beaux exemples de la sculpture alsacienne se rencontrent dans l'ornementation des églises, qu'il s'agisse de statues, de bas-reliefs ou de monuments funéraires.

La statuaire y est fort bien représentée au 19e s. par le Colmarien **Bartholdi**, auteur du Lion de Belfort et de la « Liberté éclairant le monde », qui atteint à la célébrité.

Sculpture religieuse. — Le porche de l'église d'Andlau offre de curieuses sculptures romanes *(voir p. 48).*

Au 13e s., le génie des sculpteurs gothiques s'épanouit à la cathédrale de Strasbourg comme en témoignent les statues de l'Église et de la Synagogue, le bas-relief de la Mort de la Vierge ou le Pilier des Anges. La statuaire du 14e s. s'assouplit dans les Vertus et les Vices ou dans les Vierges Folles et les Vierges Sages.

Le portail de l'église St-Thiébaut à Thann et celui de St-Laurent à la cathédrale de Strasbourg ont la richesse de l'art flamboyant du 15e s. **Hans Hammer** sculpte la chaire de Strasbourg, justifiant l'expression un peu usée de « dentelle de pierre ».

Sculpture funéraire. — C'est à Strasbourg qu'on en trouve les meilleurs exemples, dans l'église St-Thomas : le tombeau de l'évêque Adeloch (12e s.) qui affecte la forme d'un sarcophage, et celui du maréchal Maurice de Saxe, dû à Pigalle.

En effet, bien que **Pigalle** ait vu le jour à Paris, comment ne pas compter parmi les chefs-d'œuvre qu'offre la statuaire funéraire en Alsace, ce magnifique mausolée *(décrit p. 160).*

On attribue à Erwin, l'auteur de la façade de la cathédrale, le tombeau de l'évêque Conrad de Lichtenberg que l'on voit dans la chapelle du château de ce nom *(p. 185).*

Sculpture sur bois. — Il faut tout d'abord citer le prodigieux retable d'Issenheim, orgueil du musée d'Unterlinden, à Colmar. Si Mathias Grünewald est l'auteur des peintures, il partage la gloire de l'œuvre avec **Nicolas de Haguenau** qui sculpta les statues dorées de saint Antoine, saint Augustin et saint Jérôme, et avec Sébastien Beychel, auteur de la prédelle représentant le Christ au milieu des Apôtres.

Des retables, des maîtres-autels seront admirés par les touristes, à Kaysersberg, à Dambach. Ailleurs, des chaires, des buffets d'orgues, des stalles (comme à Marmoutier et à Thann) attestent la maîtrise des artistes locaux.

LA PEINTURE ET LES ARTS DÉCORATIFS

La Peinture. — Les admirables vitraux de la cathédrale de Strasbourg témoignent de la science des peintres verriers alsaciens aux 13e et 14e s.

Une lignée de grands peintres s'ouvre au début du 15e s., avec **Gaspard Isenmann**, né à Colmar, et auteur d'une Passion, d'inspiration flamande, qu'on voit au musée d'Unterlinden à Colmar.

Schongauer, Colmarien, a exécuté la jolie « Vierge au Buisson de Roses ». Ses élèves ont peint, sous sa direction, les seize tableaux de la Passion d'Unterlinden et ont perpétué en Alsace la grande tradition des Flandres.

Le grand artiste allemand **Mathias Grünewald** est appelé à peindre le maître-autel de l'église des Antonins d'Issenheim. Son retable, maintenant au musée d'Unterlinden et qui est une des grandes curiosités artistiques de l'Alsace, oppose une Crucifixion d'un réalisme effrayant à des figurations exquises de l'Annonciation et du Concert des Anges. L'Alsace a produit de bons portraitistes, tels que **Jean-Jacques Henner**, et de nombreux dessinateurs, graveurs et lithographes, dont **Gustave Doré**, né à Strasbourg.

(D'après photo Archives photographiques, Paris)

Colmar. – La Vierge au Buisson de Roses.

Les Arts décoratifs. — Organisés en puissantes corporations, les Alsaciens ont aussi cultivé et perfectionné, au cours des siècles, l'art de travailler le bois, le fer, l'étain et les métaux précieux. Ils ont été de fort habiles horlogers, comme le prouve la fameuse horloge astronomique de la cathédrale de Strasbourg. La céramique a rendu illustres trois générations de **Hannong**, créateurs du style « Vieux Strasbourg » dont on verra de remarquables exemples au musée de l'Œuvre Notre-Dame, à Strasbourg.

TRADITIONS ET FOLKLORE

L'habitat. — L'habitat est généralement groupé, aussi bien en Alsace qu'en Lorraine. Cette concentration de la population en de gros villages, pratiquée là depuis la plus haute antiquité, a survécu à tous les bouleversements historiques. Elle est moins souvent le résultat de l'insécurité que celui d'un mode d'exploitation rurale ou forestière en partie communautaire. Elle apparaît nettement au pied des côtes de Lorraine.

Mais on rencontre aussi des fermes montagnardes, les « marcaireries » où se fabriquent le munster et le géromé *(voir p. 17).*

Quant aux villes, nombreuses sont celles qui, à des titres divers, sont dignes de retenir l'attention : capitales régionales dont la croissance rapide est liée à une grande activité économique, telles Strasbourg et Nancy, ou industrielle, telle Mulhouse; villes-garnisons ou villes-forteresses dont le nom évoque le souvenir, glorieux ou funeste, des conflits passés, comme Metz et Verdun, sans compter cette multitude de villes et de villages d'Alsace dont la visite est passionnante : Colmar, Riquewihr, Wissembourg, Kaysersberg, Hunspach, etc.

L'HÉRITAGE DU PASSÉ LORRAIN

Une région historique. — Le mot Lorraine est un terme historique dont l'origine remonte au 9ᵉ s. En 843, le **traité de Verdun** partageait définitivement l'immense empire de Charlemagne entre ses trois petits-fils. Charles recevait les territoires de l'Ouest (Francie occidentale), Louis ceux de l'Est (Francie orientale), Lothaire les possessions intermédiaires avec les deux capitales Rome et Aix-la-Chapelle et le titre d'Empereur.

L'État de Lothaire fut appelé Lotharingie (Lotharii regnum) puis Lorraine. Mais cet empire, enserré entre ses puissants voisins, se désagrégea rapidement en plusieurs petits États.

Au 16ᵉ s. les rois de France occupèrent le Barrois, puis les Trois Évêchés (Metz, Toul et Verdun). A la mort du dernier duc de Lorraine, Stanislas Leszczynski, ancien roi de Pologne et beau-père de Louis XV, l'annexion à la France était définitive.

Aspects traditionnels. — De plus en plus, les vieilles coutumes de vie communautaire tendent à disparaître. Mais, avec ses maisons serrées, aux toits à faible pente (couverts, pour les plus anciens, de tuiles creuses), devant lesquelles s'accumulent les instruments aratoires, la réserve de bois et le légendaire tas de fumier, le village lorrain conserve encore l'empreinte d'une vie collective solidement organisée et disciplinée.

Si les costumes, le mobilier et l'artisanat d'antan ne sont plus guère représentés que dans les musées, les patois mosellans subsistent, et les grands pèlerinages à Sion ou à Domrémy continuent d'affirmer la ferveur religieuse comme le patriotisme des populations.

L'ALSACE DE TOUJOURS

Petites villes et villages. — L'Alsace compte quantité de petites villes pittoresques dont chacune possède sa physionomie particulière : accueillantes et plantureuses dans la plaine, blanches et fleuries dans le vignoble, elles sont parfois encore entourées de remparts dans les vallées ou dominées par des ruines escarpées.

(D'après photo Marasco)

Village de basse Alsace.

Les villages sont propres et même coquets. Sous leur grand toit de tuiles brunes, les maisons ne se serrent pas les unes contre les autres, à la manière lorraine, en une longue rue continue où tous les murs sont mitoyens. Chaque maison, qui tient à la fois du chalet et de la maison normande, garde son indépendance de forme et d'orientation.

Parfois le village n'est qu'une réunion de fermes autour d'un clocher sans prétention. Mais souvent, subsistent les traces d'une agglomération plus importante, ruinée par les guerres et les invasions. Un château seigneurial dresse encore ses ruines et, souvent aussi, apparaît une très belle église, inattendue en ce lieu modeste. En tout cas, le village alsacien soigne son seuil, fleurit ses fenêtres et présente au touriste un visage souriant.

La couleur locale. — Que les touristes ne s'attendent plus à rencontrer, en Alsace, les personnages des « Oberlé ». Bien des choses ont en effet changé depuis René Bazin. Ce pays n'échappe pas à l'évolution qui tend à uniformiser rapidement la vie, les coutumes, les costumes. Mais le cadre ancien, resté intact en maints endroits, garde tout son intérêt pour les amateurs de pittoresque.

Ainsi, dans la région de Haguenau-Wissembourg, les villages ont conservé des quartiers presque intacts, des traditions inchangées. On y voit encore des costumes, aux jours de fête et, si l'on pénètre dans un intérieur, on le trouve décoré d'un grand poêle de faïence, rempli de meubles de beau bois massif et luisant, parmi lesquels se détachent les fleurs vives des assiettes.

Le dialecte alsacien. — « Il parle allemand, mais il sabre en français », disait Napoléon du Strasbourgeois Kléber. En fait, les Alsaciens s'expriment, non pas en allemand courant ni en patois, mais, dans leur majorité, en « haut-allemand », dialecte du groupe alémanique parlé en Alsace centrale comme dans le pays de Bade voisin et la Suisse allemande limitrophe.

Si l'on sait, en outre, que le parler germanique usité autour de Wissembourg dérive de l'ancien « francique » méridional et rhénan, on conviendra que le « dialecte alsacien » offre, à défaut d'unité, un caractère original, étant au surplus mélangé de mots français et affecté d'une prononciation qui offense, dit-on, les oreilles des puristes d'outre-Rhin...

Ce dialecte, aux intonations chantantes, est ce qui frappe immédiatement l'oreille dès qu'on entre dans la province. La frontière linguistique qui le sépare du français ne correspond ni à la ligne de crêtes des Vosges ni à des limites départementales. Au cours des alternatives politiques qui ont rattaché l'Alsace à la France ou à l'Allemagne, le français et l'allemand ont, à côté de ce parler traditionnel, tour à tour bénéficié d'un régime de faveur, étant souvent enseignés et imposés de manière à éliminer la langue du pays vaincu.

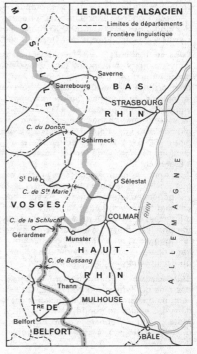

Les tentatives de germanisation se sont heurtées souvent à des résistances, dont une des plus connues est celle des Sœurs de la Divine Providence qui possèdent leur principale maison à Ribeauvillé. Très populaires en Alsace, elles se sont, depuis plus d'un siècle, consacrées à l'enseignement, faisant de chacune de leurs écoles des foyers de culture et d'esprit français.

En sens inverse, des méthodes de francisation quelquefois maladroites ou inopportunes ont pu heurter même ceux des Alsaciens qui étaient les plus favorables à la cause française.

Fêtes et pèlerinages *(voir dates p. 8).* — Quelques fêtes d'autrefois survivent. Il y a celle des Trois-Sapins, célébrée à Thann, en souvenir du miracle de saint Thiébaut *(voir p. 164);* celle des Ménétriers ou Pfifferdaj, à Ribeauvillé *(voir p. 129).* Il y a aussi la procession de la Fête-Dieu à Geispolsheim, au Sud-Ouest de Strasbourg. Les jeunes filles qui portent la statue de la Vierge sont vêtues de la jupe rouge, du tablier de dentelles blanches et coiffées du nœud écarlate.

Enfin, les **Kilbe** ou **Messti**, qui sont les fêtes patronales respectives du Haut-Rhin et du Bas-Rhin, conservent souvent encore un certain cachet.

Nombre d'églises et de chapelles sont l'objet d'un culte fervent. Mais le grand pèlerinage alsacien, c'est Ste-Odile *(voir p. 144).*

Les traditions. — Si beaucoup de traditions ont disparu par suite de la facilité des communications, de l'extension du tourisme, de la multiplicité des magasins de confection, les coutumes familiales ont mieux résisté à la vie moderne.

On se réjouit toujours en famille à grand renfort de repas plantureux, agrémentés de magnifiques pâtisseries.

Les enfants attendent, avec l'impatience de leurs aînés, la visite généreuse du petit Noël (Christkindl) qu'annoncent, dans toutes les villes et tous les villages d'Alsace, illuminations et sapins décorés, mais ils redoutent Hans Trapp, leur Croquemitaine. Rien n'empêchera qu'il n'y ait, à « Carnaval », abondance de beignets et que le lièvre ne vienne, à Pâques, pondre des œufs de toutes couleurs.

On plante un Mai enrubanné : à la fête du pays, aux mariages, sur le faîte des constructions neuves, aux rentrées de moisson et aussi aux jours d'élections municipales.

Miracles et légendes. — L'Alsacien, religieux sans mysticisme, épris de réalités, a pourtant le culte de ses légendes. Il en sourit, certes, mais il les aime et supporte mal que l'étranger s'en moque.

On se transmet de génération en génération l'origine miraculeuse des Trois-Épis, de Thann, d'Andlau, de Niederhaslach *(voir à ces villes).*

Auprès de la légende religieuse, nous trouvons la légende diabolique. Les ruines ont leurs sorcières et leur sabbat. Les châteaux ont leur souterrain mystérieux que hante un seigneur criminel ou un chevalier félon. Il y a même un géant enterré au Hohneck, tandis que le Chasseur Maudit poursuit sa course folle et que le Veau-de-la-Nuit ne craint pas de se promener au beau milieu des rues de Colmar.

Le Jeannot-du-Nid-aux-Moustiques. — C'est une vieille chanson populaire. Elle raille ce Jeannot qui « a tout ce qu'il peut désirer mais ne possède pas ce qu'il désire et ne désire pas ce qu'il possède. ».

On ne peut douter que l'Alsacien s'y soit chansonné lui-même. Si, épris de liberté, il paraît souvent inquiet, c'est que les vicissitudes du passé l'y prédisposent...

Les cigognes. — Considérées par les Alsaciens comme des oiseaux porte-bonheur, les cigognes tiennent une place traditionnelle dans la vie locale de l'Alsace. Chaque printemps, leur retour est attendu avec une impatience d'autant plus vive que le nombre des sujets venant passer la belle saison en Alsace n'a cessé de décroître depuis le début du siècle (et singulièrement depuis 1961, du fait de la chasse intensive qui les décime dans leurs quartiers d'hiver d'Afrique occidentale) et que les Alsaciens appréhendent la disparition totale hors de leur province de ces grands oiseaux familiers.

Les cigognes alsaciennes ne forment plus qu'une infime partie de l'immense troupe des cigognes (40 000 à 50 000 couples) de notre continent. Sur 300 couples environ recensés à travers l'Europe de l'Ouest, 3 seulement étaient dénombrés en Alsace en 1981.

Celles qui reviennent... — Elles apparaissent au mois de mars, annonçant leur retour par le claquètement sonore de leur bec. Arrivé le premier, le mâle travaille aussitôt à consolider le nid de branchages ou de sarments de vigne. De forme presque circulaire, celui-ci est regarni de terre chaque année; il pèse parfois plus de 500 kg, atteint 1,50 m à 2 m de diamètre, 60 cm à 1 m de hauteur. Certains, exceptionnels, ont même 2 m de hauteur comme à Eschbach.

(D'après photo Marasco)

Nid de cigognes.

Après le choix de la femelle, l'accouplement a lieu et la ponte commence. Les œufs — généralement trois à six — sont couvés pendant trente-trois jours. Abondamment nourri d'insectes, de larves et même de lézards, de batraciens, de souris, de taupes et de serpents, le cigogneau se développe rapidement; dès l'âge de trois semaines, il commence à voleter au bord du nid, mais ce n'est qu'à deux mois qu'il peut se passer de ses parents.

Réimplantation. — Pour remédier à la régression catastrophique constatée dans l'occupation des nids qui ornent si pittoresquement le faîte des maisons alsaciennes et dont la plupart sont maintenant déserts, des mesures ont été prises. La seule efficace paraît être l'élevage, dans des enclos appropriés (à Hunawihr, p. 82), de cigogneaux importés d'Algérie et du Maroc, joint à l'appareillement en «couple mixte» d'un sujet sauvage avec un sujet d'enclos — les jeunes issus d'un tel couple conservant l'instinct migrateur.

LA CUISINE EN ALSACE ET EN LORRAINE

Bien servie par les produits de son sol, la cuisine alsacienne est très originale. L'emploi de la fine graisse d'oie ou de porc donne beaucoup de saveur aux mets. La cuisine lorraine s'enorgueillit à juste titre de ses charcuteries et pâtisseries.

Charcuteries. — Le jambon et les saucisses de Strasbourg entrent dans la composition de la classique «assiette alsacienne»; mais les foies gras sont incontestablement les seigneurs de la gastronomie alsacienne. Les Romains les connaissaient déjà; Clause, cuisinier du maréchal de Contades *(voir p. 152)*, retrouva à Strasbourg leur secret et le porta à la perfection. Quant aux pâtés, il en existerait quarante-deux espèces.

Les Lorrains utilisent dans leurs recettes, avec un rare bonheur, le lard, le beurre et la crème. La potée est un pot-au-feu dans lequel le bœuf est remplacé par du lard salé et des saucisses, tandis qu'un joli chou blanc est ajouté aux autres légumes. La **quiche** est le plat lorrain par excellence. Le pâté est confectionné avec des tranches de veau et de porc marinées.

Choucroutes. — Celle de Strasbourg, au vin d'Alsace, est la plus réputée. Blonde, onctueuse, flanquée de saucisses, de côtes de porc, de lard ou de tranches de jambon, réservant quelquefois la surprise de pièces de perdreau, d'écrevisses ou de truffes. Il faut l'accompagner d'une bière fraîche et mousseuse ou d'un bon vin d'Alsace.

Coqs et poulardes. — Les volailles d'Alsace ont une chair fine et délicate. La poularde aux morilles et à la crème, le poussin ou le poulet de grain de la Wantzenau et le coq au Riesling sont dignes du gourmet.

Poissons. — La truite des torrents et lacs vosgiens apparaît sous différents aspects : truite au bleu, truite à la crème ou truite au Riesling, mais la simple matelote d'anguille, la carpe frite, les brochets et saumons — même s'ils ne proviennent plus du Rhin — sont loin d'être négligeables.

Pâtisseries. — L'Alsace compte autant de sortes de tartes que de variétés de fruits. La réussite du traditionnel «Kougelhof» confectionné avec de la farine, du beurre, des œufs, du lait sucré, des raisins secs et des amandes, est la gloire des mères de famille.

Parmi les pâtisseries et les spécialités lorraines, citons le ramequin, gâteau au lait et à la farine, les madeleines de Commercy, les macarons de Nancy et les dragées de Verdun.

Kougelhof.

LIEUS DE SÉJOUR

Nous proposons dans les pages suivantes un choix de lieux de séjour. Pour chaque station ou centre de villégiature, l'essentiel des ressources est donné sous forme de tableau (p. 42 et 43).

SERVICES ET AGRÉMENT

Hôtellerie. — La lettre **H** signale des ressources hôtelières (avec possibilité d'hébergement et de restauration) sélectionnées par le guide Michelin **France**. On trouvera dans l'édition annuelle de cet ouvrage un choix d'hôtels agréables, tranquilles, bien situés avec l'indication de leur équipement : piscines, tennis, plages aménagées, aires de repos... ainsi que les périodes d'ouverture et de fermeture des établissements.

Le guide Michelin **France** présente aussi une sélection de maisons qui se signalent par la qualité de leur cuisine : repas soignés à prix modérés, étoiles de bonne table.

Camping. — La lettre **C** signale des terrains sélectionnés par le guide Michelin **Camping Caravaning France**. Dans le guide de l'année figurent les commodités et les distractions offertes par de nombreux terrains : magasins, bars, laverie, salle de jeux, golf miniature, jeux et bassins pour enfants, piscines, etc.

Bureau de tourisme. — La lettre **T** signale un bureau d'informations touristiques ou un Syndicat d'Initiative. Le guide Michelin **France** donne leur adresse et leur numéro de téléphone. La lettre **L** précise qu'existent diverses possibilités de location pour vacanciers : meublés, clubs et villages de vacances, etc.

Station thermale. — Le tableau met en relief le caractère distinctif de la station. Les dates officielles de la saison et éventuellement l'existence d'un casino sont mentionnées dans le guide Michelin **France**.

Cinéma. — Le signe ▦ indique au moins une séance hebdomadaire.

SPORTS ET DISTRACTIONS

Piscine ou baignade. — Le signe ⊿ désigne une piscine chauffée; le signe ⊿ une piscine non chauffée; le signe ≊ une baignade surveillée.

Société de pêche. — Le signe ⌇ indique l'existence d'une société de pêche dans la localité. Les responsables de ces sociétés ou les fédérations peuvent fournir tous renseignements utiles.

Ski de fond. — Un foyer de ski de fond existe dans la localité.

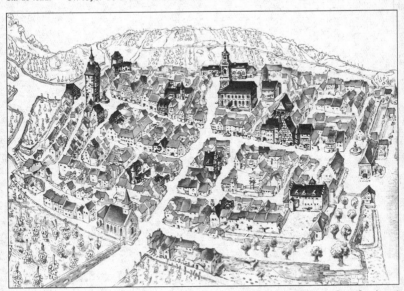

(D'après un plan des « Créations Fischer et Cie », Strasbourg)

Riquewihr.

Vous aimez les nuits tranquilles, les séjours reposants... chaque année

les guides Michelin **France** **Camping Caravaning France**

vous proposent un choix d'hôtels et de terrains agréables, tranquilles et bien situés.

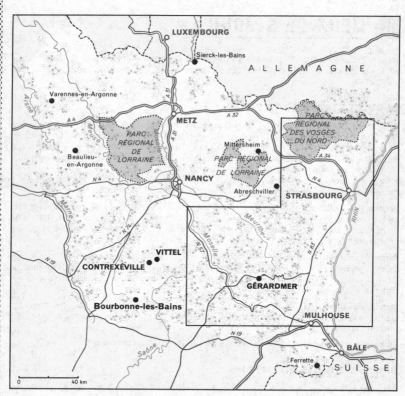

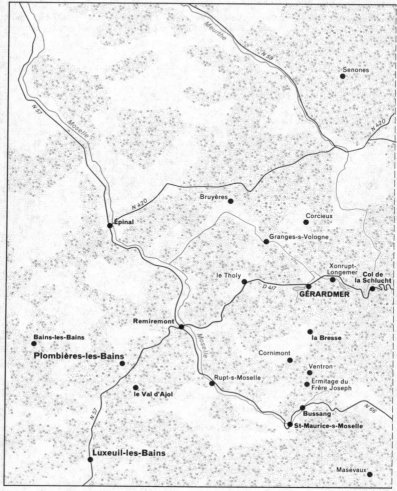

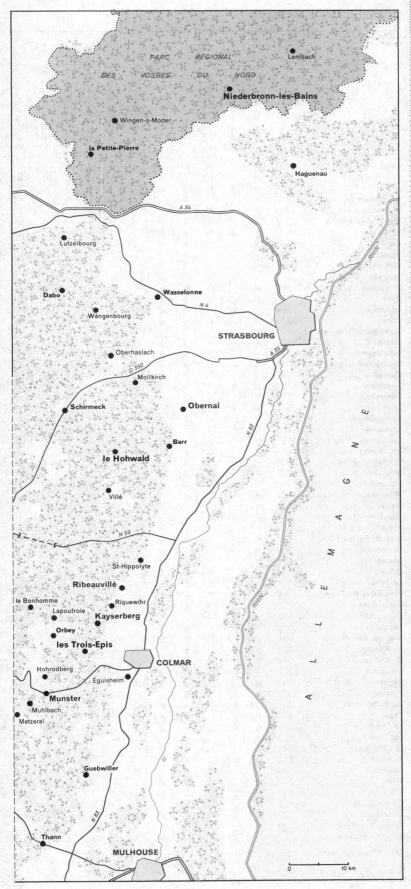

	Altitude	Hôtellerie = H	Camping = C	Bureau de Tourisme = T / Location = L	Médecin	Pharmacien	Site agréable	Bourg pittoresque	Plan d'eau ou rivière	Parc ou jardin public	Station thermale	Cinéma
Abreschviller	290	H	—	TL	●	●	◁	—	●	—	—	—
Bains-les-Bains	308	H	—	TL	●	●	—	—	●	●	✚	▦
Barr	201	H	C	TL	●	●	—	—	—	●	—	▦
Beaulieu-en-Argonne	273	H	—	L	—	—	—	—	—	—	—	—
Le Bonhomme	700	H	—	TL	—	—	◁	—	●	—	—	—
Bourbonne-les-Bains	260	H	C	TL	●	●	—	—	●	●	✚	▦
La Bresse	636	H	—	TL	●	●	—	—	●	●	—	▦
Bruyères	500	H	—	TL	●	●	—	—	●	—	—	▦
Bussang	599	H	—	TL	●	●	◁	—	●	—	—	▦
Contrexéville	337	H	C	TL	●	●	—	—	●	●	✚	▦
Corcieux	538	—	C	TL	●	●	—	—	●	—	—	—
Cornimont	490	H	—	TL	●	●	—	—	—	—	—	—
Dabo	450	H	—	TL	●	●	◁	◇	●	—	—	—
Eguisheim	204	H	C	TL	●	●	—	—	—	—	—	—
Epinal	340	H	C	TL	●	●	—	—	●	●	—	▦
Ermitage du Frère Joseph	870	H	—	TL	—	—	◁	—	—	—	—	—
Ferrette	470	H	—	TL	●	●	◁	◇	—	●	—	—
Gérardmer	665	H	C	TL	●	●	◁	—	●	●	—	▦
Granges-sur-Vologne	501	—	C	TL	●	●	—	—	●	—	—	—
Guebwiller	288	H	—	TL	●	●	—	—	●	●	—	▦
Haguenau	130	H	C	TL	●	●	—	—	●	●	—	▦
Hohrodberg	750	H	—	L	—	—	◁	—	●	●	—	—
Le Hohwald	575	H	C	TL	●	●	◁	—	●	—	—	—
Kaysersberg	242	H	C	TL	●	●	◁	◇	●	●	—	—
Lapoutroie	450	H	C	TL	●	●	—	—	●	●	—	—
Lembach	190	H	—	TL	●	●	◁	◇	●	—	—	▦
Lutzelbourg	225	H	—	TL	●	●	◁	—	●	—	—	—
Luxeuil-les-Bains	306	H	C	TL	●	●	—	—	—	—	✚	▦
Masevaux	405	H	C	TL	●	●	—	◇	●	—	—	—
Metzeral	480	H	(1)	L	●	●	◁	—	●	—	—	—
Mittersheim	233	H	—	—	—	—	◁	—	●	—	—	—
Mollkirch	325	H	—	—	—	—	—	—	●	—	—	—
Muhlbach	465	H	—	L	—	—	—	—	●	—	—	—
Munster	381	H	C	TL	●	●	◁	—	●	●	—	▦
Niederbronn-les-Bains	192	H	—	TL	●	●	—	—	—	●	—	▦
Oberhaslach	250	H	—	—	●	—	—	—	●	—	—	—
Obernai	181	H	C	TL	●	●	◁	◇	●	●	—	▦
Orbey	500	H	C	TL	●	●	◁	—	●	—	—	▦
La Petite-Pierre	339	H	—	TL	●	●	◁	◇	●	—	—	—
Plombières-les-Bains	456	H	C	TL	●	●	◁	—	●	●	✚	▦
Remiremont	400	H	—	TL	●	●	◁	—	●	●	—	▦
Ribeauvillé	240	H	C	TL	●	●	◁	◇	●	●	—	▦
Riquewihr	300	H	C	TL	●	●	◁	◇	—	●	—	▦
Rupt-sur-Moselle	425	H	—	TL	●	●	—	—	●	—	—	▦
St-Hippolyte	250	H	—	L	●	—	◁	◇	—	●	—	—
St-Maurice-sur-Moselle	549	H	C	TL	●	●	◁	—	●	●	—	—
Schirmeck	317	—	C	TL	●	●	◁	—	●	—	—	—
Schlucht (Col de la)	1139	H	—	—	—	—	◁	—	—	—	—	—
Senones	390	—	C	TL	●	●	◁	—	●	—	—	—
Sierck-les-Bains	202	—	C	TL	●	●	◁	◇	●	●	—	—
Thann	340	H	—	TL	●	●	◁	—	●	●	—	—
Le Tholy	570	H	C	TL	●	●	◁	—	●	—	—	—
Les Trois-Epis	658	H	—	TL	—	—	◁	—	—	—	—	—
Le Val-d'Ajol	346	H	C	TL	●	●	◁	—	●	—	—	—
Varennes-en-Argonne	155	H	C	TL	●	●	—	—	●	—	—	—
Ventron	680	H	—	TL	—	—	◁	—	●	—	—	—
Villé	260	H	—	TL	●	●	◁	—	●	●	—	▦
Vittel	324	H	C	TL	●	●	◁	—	—	●	✚	▦
Wangenbourg	452	H	—	TL	●	●	◁	—	—	●	—	—
Wasselonne	200	H	C	TL	●	●	◁	◇	—	—	—	▦
Wingen-sur-Moder	220	H	—	—	●	●	◁	—	●	—	—	—
Xonrupt-Longemer	780	—	C	L	—	—	◁	—	●	—	—	—

(1) Camping à Mittlach, 3 km au Sud-Ouest.

Les cartes Michelin sont constamment tenues à jour.

Piscine / Baignade surveillée	École de voile	Location de bateaux ou pédalos = L	Sentiers de promenade balisés	Tennis	Équitation	Location de bicyclettes = B	Société de pêche	Remontées mécaniques skis aux pieds	École de ski	Ski de fond = S	Page du guide ou renvoi à la carte Michelin	
Baignade	–	L	•	•	–	–	•	–	–	–	87-⑭	Abreschviller
Piscine	–	–	•	–	–	B	•	–	–	–	49	Bains-les-Bains
Piscine	–	–	•	•	–	–	•	–	–	–	137	Barr
Piscine	–	–	•	–	–	–	•	–	–	–	56-⑳	Beaulieu-en-Argonne
Piscine	–	–	•	•	–	–	•	•	•	S	119	Le Bonhomme
Piscine	–	L	•	•	•	B	•	–	–	–	54	Bourbonne-les-Bains
Piscine	–	–	•	•	•	B	•	•	•	S	54	La Bresse
Piscine	–	–	•	•	–	–	•	–	–	–	73	Bruyères
Piscine	–	–	•	•	–	–	•	•	•	S	101	Bussang
Baignade	–	–	•	•	–	–	•	–	–	–	65	Contrexéville
Piscine	–	–	•	•	–	–	•	–	–	–	87-⑰	Corcieux
Piscine	–	–	•	•	–	–	•	–	–	S	87-⑱	Cornimont
–	–	–	•	•	–	–	•	–	–	–	66	Dabo
–	–	–	•	•	–	–	•	–	–	–	69	Eguisheim
Piscine	•	–	•	•	•	B	•	–	–	–	70	Épinal
Piscine	–	–	•	•	–	–	•	•	•	S	87-⑱	Ermitage du Frère Joseph
Piscine	–	–	•	•	–	–	•	–	–	–	164	Ferrette
Piscine	•	L	•	•	•	B	•	•	•	S	73	Gérardmer
Piscine	–	–	•	•	–	–	•	–	–	–	87-⑰	Granges-sur-Vologne
Piscine	–	–	•	•	–	–	•	•	•	S	76	Guebwiller
Piscine	–	–	•	•	–	–	•	–	–	–	78	Haguenau
–	–	–	•	–	–	–	•	–	–	–	107	Hohrodberg
Piscine	–	–	•	•	•	–	•	•	–	S	81	Le Hohwald
Piscine	–	–	•	•	–	–	•	–	–	–	83	Kaysersberg
–	–	–	•	•	–	–	•	•	–	–	87-⑰	Lapoutroie
Baignade	–	L	•	•	–	–	•	–	–	–	87-②	Lembach
–	–	–	•	–	–	B	•	–	–	–	65	Lutzelbourg
Piscine	–	L	•	•	•	B	•	–	–	–	87	Luxeuil-les-Bains
Piscine	–	–	•	•	•	–	•	–	–	–	83	Masevaux
–	–	–	•	–	–	–	•	–	–	–	106	Metzeral
Baignade	•	L	•	–	–	–	•	–	–	–	87-⑬	Mittersheim
–	–	–	•	•	–	–	•	–	–	–	87-⑮	Mollkirch
–	–	–	•	–	–	–	•	•	–	–	106	Muhlbach
Piscine	–	L	•	•	–	B	•	•	•	S	106	Munster
Piscine	–	–	•	•	–	–	•	–	–	–	116	Niederbronn-les-Bains
–	–	–	•	–	•	–	•	–	–	S	67	Oberhaslach
Piscine	–	–	•	•	•	–	•	–	–	–	118	Obernai
–	–	–	•	•	•	–	•	–	–	–	119	Orbey
Piscine	–	–	•	•	–	B	•	–	–	–	185	La Petite-Pierre
–	–	–	•	•	–	–	•	–	–	–	122	Plombières-les-Bains
Piscine	–	–	•	•	–	–	•	–	–	–	126	Remiremont
Piscine	–	–	•	•	–	–	•	–	–	–	129	Ribeauvillé
Piscine	–	–	•	•	–	–	•	–	–	–	131	Riquewihr
–	–	–	•	–	–	–	•	–	–	–	62-⑯⑰	Rupt-sur-Moselle
–	–	–	•	•	–	–	•	–	–	–	131	St-Hippolyte
Piscine	–	–	•	–	•	–	•	•	•	S	50	St-Maurice-sur-Moselle
Piscine	–	–	•	•	–	–	•	•	•	S	55	Schirmeck
–	–	–	•	–	–	–	–	•	•	S	136	Schlucht (Col de la)
Piscine	–	–	•	•	–	–	•	–	–	–	150	Senones
–	•	–	•	•	–	–	•	–	–	–	150	Sierck-les-Bains
Piscine	–	–	•	•	–	–	•	–	–	–	164	Thann
Piscine	–	–	•	•	–	–	•	–	–	–	73	Le Tholy
–	–	–	•	•	•	–	•	–	–	–	171	Les Trois-Épis
Piscine	–	–	•	•	–	B	•	–	–	–	123	Le Val-d'Ajol
–	–	–	•	•	–	–	•	–	–	–	173	Varennes-en-Argonne
Piscine	–	–	•	•	•	–	•	•	•	S	87-⑱	Ventron
Piscine	–	–	•	•	•	B	•	–	–	–	172	Villé
Piscine	–	–	•	•	•	B	•	–	–	–	182	Vittel
–	–	–	•	•	–	–	•	–	–	–	66	Wangenbourg
Piscine	–	–	•	•	–	–	•	–	–	–	66	Wasselonne
–	–	–	•	–	–	–	•	–	–	–	185	Wingen-sur-Moder
–	•	L	•	–	–	–	•	•	•	–	74	Xonrupt-Longemer

Ne voyagez pas aujourd'hui avec une carte d'hier.

ITINÉRAIRES DE VISITES RÉGIONAUX

CÔTES DE MEUSE ET DE MOSELLE (711 Km)

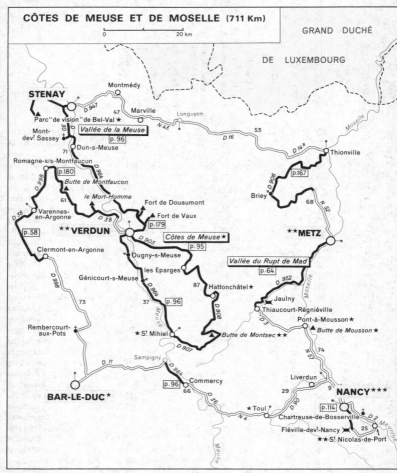

LES STATIONS THERMALES (343 Km)

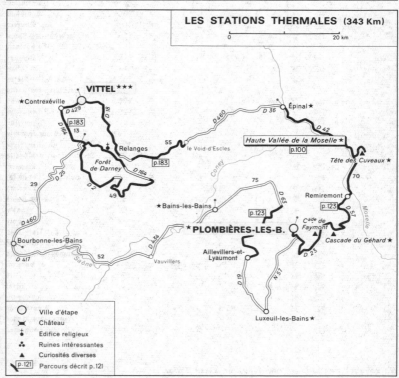

○	Ville d'étape
⋈	Château
♦	Edifice religieux
⁂	Ruines intéressantes
▲	Curiosités diverses
p.121	Parcours décrit p.121

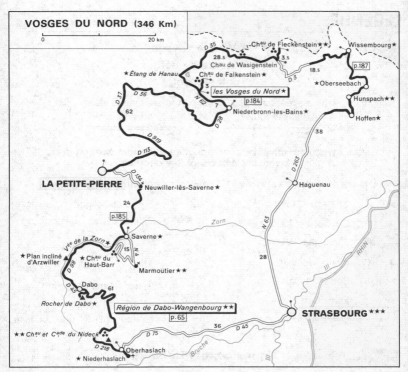

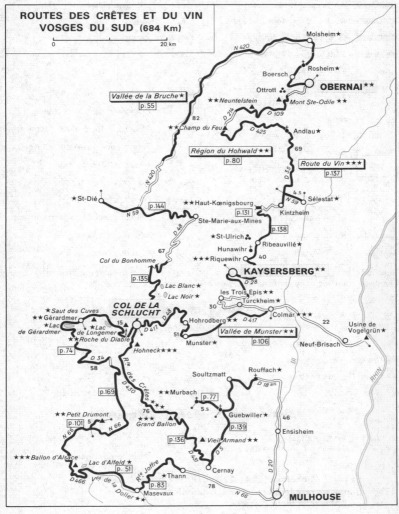

LÉGENDE

★★★ Vaut le voyage
★★ Mérite un détour
★ Intéressant

Itinéraire décrit, point de départ et sens de la visite
sur la route   en ville

**Les symboles suivants, accompagnés d'un nom écrit en gras,
localisent des curiosités décrites**

Principalement sur les cartes

- Château - Ruines
- Chapelle - Calvaire
- Panorama - Vue
- Phare - Moulin
- Barrage - Usine
- Fort - Carrière
- Curiosités diverses

Principalement sur les plans

- Église catholique, protestante
- Bâtiment (avec entrée principale)
- Remparts - Tour
- Porte de ville
- Fontaine
- Statue - Petit bâtiment
- Jardin, parc, bois
- **B** Lettre identifiant une curiosité

Signes conventionnels

- Autoroute (ou assimilée)
- Route à chaussées séparées
- Grand axe de circulation
- Voie bordée d'arbres
- Voie en escalier
- Voie piétonne
- Impraticable ou en construction
- Sentier
- Trolleybus, tramway
- Gare
- Coordonnées de carroyage dans les plans de villes — A B
- ③ Numéro de sortie de ville, identique sur les plans et les cartes MICHELIN
- Kilométrage — 12
- Col - Altitude — 1429

- Bâtiment public
- Hôpital
- Marché couvert
- Caserne
- Cimetière
- Hippodrome - Golf
- Piscine de plein air, couverte
- Patinoire - Table d'orientation
- Tour, pylône de télécommunications
- Stade - Château d'eau
- Aéroport - Aérodrome
- Gare routière
- Bureau principal de poste restante
- Information touristique
- **P** Parc de stationnement

Dans les guides MICHELIN, sur les plans de villes et les cartes, le Nord est toujours en haut.
Les voies commerçantes sont imprimées en couleur dans les listes de rues.

Abréviations

A Autoroute	*GR* Sentier de Grande Randonnée	*P* Préfecture, Sous-préfecture
A Chambre d'Agriculture	H Hôtel de ville	*POL.* Police
C Chambre de Commerce	J Palais de Justice	*R.F.* Route Forestière
D Route Départementale	M Musée	T Théâtre
G Gendarmerie	*N* Route Nationale	U Université

Signes particuliers à ce guide

- Embarcadère
- Téléphérique, télécabine...

- Douane française
- Frontière
- Douane étrangère

La **carte Michelin** n° à 1/200 000 (1 cm = 2 km)
donne en une feuille une image complète
de l'Alsace et de la Lorraine.

VILLES
CURIOSITÉS
RÉGIONS TOURISTIQUES

ALTKIRCH

Carte Michelin n° **87** - pli 19 — *Schéma p. 163* — 6 283 h. (les Altkirchois).

Cette petite ville conserve un quartier ancien perché sur une colline dominant la vallée de l'Ill. D'abord établie dans la vallée puis reconstruite sur la colline à la fin du 12e s., elle appartint aux comtes de Ferrette *(voir p. 164),* puis releva de la Maison d'Autriche. Les traités de Westphalie (1648) la donnèrent à la France.

Un château occupait la place actuelle de l'église qui elle-même se trouvait, jusqu'en 1845, sur la place de la République.

■ CURIOSITÉS *visite : 3 / 4 h*

Place de la République. — En son centre, se trouve une fontaine moderne dans le style du 15e s. portant sous un fin clocheton, seul reste de l'ancienne église, une statue de la Vierge.

Hôtel de ville. — Cette construction date du 18e s. A droite, l'ancienne demeure du bailli, ornée d'un balcon en fer forgé, abrite le musée sundgauvien.

Musée Sundgauvien. — *Visite de 15 h à 17 h 30 du 1er juillet au 30 septembre (fermé le lundi); le reste de l'année, les dimanches seulement; entrée : 3 F.*

Il rassemble, parmi des collections régionales variées (histoire, archéologie, folklore), des peintures d'artistes locaux (Henner, Lehmann), quelques belles statues et une maquette d'Altkirch autrefois.

Église. — Construite au siècle dernier dans le style roman, elle présente, à l'intérieur, dans le transept gauche, les remarquables statues en pierre polychrome du « Mont des Oliviers » ainsi qu'une copie par Henner du Christ de Prud'hon. Dans le transept droit, on remarque, sous un tableau d'Oster de Strasbourg « Réception de saint Morand, patron du Sundgau, par le Comte de Ferrette », une Pietà du 17e s.

EXCURSION

Gommersdorf; Ballersdorf. — *Circuit de 22 km. Quitter Altkirch à l'Ouest par le D 419 vers Dannemarie. A 4 km, prendre à droite le D 25. Dans le village d'Hagenbach, prendre à gauche.*

Gommersdorf. — De vieilles maisons du Sundgau longent la route, de part et d'autre.

A Dannemarie, tourner à gauche avant l'église.

Ballersdorf. — Joli village, bien situé sur une route pittoresque.

Continuer par le D 419 qui descend dans la vallée de l'Ill et ramène à Altkirch.

AMMERSCHWIHR

Carte Michelin n° **87** - pli 17 — *Schéma p. 138* — 1 547 h. (les Ammerschwihriens).

Située au pied de coteaux couverts de vignobles, Ammerschwihr a été incendiée par les bombardements de décembre 1944 et janvier 1945. Seules, l'église St-Martin, la façade de l'ancien hôtel de ville, la Porte Haute et deux tours des fortifications (la Tour des Voleurs et la Tour des Bourgeois) témoignent de l'intérêt pittoresque qu'offrait cette petite ville. Reconstruite dans le style propre à l'Alsace, mais adapté aux exigences de la vie moderne — un très beau groupe scolaire en fait foi — Ammerschwihr, réputée pour ses maisons et ses rues fleuries, a repris sa place parmi les jolies cités alsaciennes.

Église St-Martin. — A l'intérieur, gothique, remarquer : à l'entrée du chœur, les statues de la Vierge et de saint Jean encadrant le Christ; dans la chapelle latérale gauche, un Christ des Rameaux (15e-16e s.); dans le bas-côté droit, un bel escalier Renaissance conduisant à la tribune. Le chœur est éclairé par des vitraux modernes.

Porte Haute. — *A la sortie Ouest de la ville, vers Labaroche.* Sur la tour quadrangulaire de cet édifice, surmontée d'un nid de cigognes, sont peints un curieux cadran solaire et les armes de la ville.

Actualisée en permanence
la **carte Michelin au 200 000e**
bannit l'inconnu de votre route.
Équipez votre voiture de **cartes Michelin** à jour.

Carte Michelin n° **87** - plis 16, 17 — *Schémas p. 81 et 138* — 1 9 1 9 h. (les Andlaviens — *Lieu de séjour, p. 42.*

Ce village fleuri, niché dans la charmante vallée de l'Andlau, conserve, avec quelques maisons anciennes, une église, reste d'un monastère qui fut célèbre.

L'abbaye d'Andlau. — En 887, Richarde, vertueuse épouse de l'empereur Charles le Gros, est accusée d'inconduite par son mari. Pour démontrer son innocence, elle se soumet à l'épreuve du feu. Justifiée, mais meurtrie par le soupçon, elle quitte son château et s'en va dans la forêt. Un ange lui apparaît et lui enjoint de fonder un monastère à l'endroit que lui indiquera une ourse. A l'entrée du val d'Eléon, elle aperçoit la bête annoncée. En ce lieu s'élèvera l'abbaye d'Andlau. En souvenir de son origine, la maison logera et nourrira gratuitement les montreurs d'ours de passage et entretiendra un ours vivant. Telle est la légende. En fait, Richarde a déjà fondé Andlau depuis sept ans quand Charles le Gros la répudie. C'est là qu'elle se retire. Elle est canonisée en 1049. Les religieuses d'Andlau, de noble naissance, avaient le droit de quitter le couvent et de se marier. Seule l'abbesse prononçait des vœux définitifs.

Au 17e s., l'abbaye commence à décliner. La Révolution marque sa fin.

Église★. — *Visite : 1/2 h.* A part la partie haute du clocher construite au 17e s., l'église est un beau témoin de l'art du 12e s. Elle est précédée d'une construction massive sous laquelle s'ouvre un **porche★★**, partie la plus intéressante de l'édifice, qui offre les plus remarquables sculptures romanes d'Alsace. Sur la façade et sur le côté gauche court une frise où sont figurés des animaux, des monstres, des scènes réalistes ou allégoriques.

De chaque côté du portail principal de l'église, de petits personnages soutiennent des rinceaux enserrant des animaux; dans des arcatures se superposent des couples représentant vraisemblablement les bienfaiteurs de l'abbaye. Sur le linteau se déroulent des scènes de la Création et du Paradis terrestre; sur le tympan le Christ remet une clef à saint Pierre et un livre à saint Paul.

Intérieur. — L'intérieur de l'église a été largement remanié au 17e s., sauf la chapelle au-dessus du porche (12e s.), ainsi que les balustrades du transept qui sont de style gothique flamboyant (15e s.).

La chaire (18e s.) est supportée par une statue de Samson.

Le chœur, très surélevé, est décoré de belles stalles (15e s.). Au fond, très restaurée, se trouve la châsse de sainte Richarde (14e s.).

La **crypte★** s'étend sous le chœur et le carré du transept. Quelques vestiges de la partie Ouest remontent à l'époque de sainte Richarde mais l'ensemble date du 11e s. On montre, dans le dallage, une cavité qui aurait été creusée par l'ourse légendaire et que garde une ourse de pierre de facture romane.

EXCURSION

Chapelle Ste-Marguerite. — *6 km au Sud-Est par les D 253 et D 335. Traverser le village d'Epfig pour prendre le D 603 vers Kogenheim.*

A la sortie du hameau de Ste-Marguerite, au-dessus de la plaine du Rhin, se dresse, au milieu d'un vieux cimetière, la petite chapelle du 11e s. dont la nef et le transept d'égale longueur donnent l'impression d'une croix. Les façades Ouest et Sud sont curieusement doublées d'une galerie à petites arcades.

Carte Michelin n° **57** - pli 1 — 108 h.

A proximité de la frontière belge, dans un site retiré, se dresse au milieu d'un humble village une église magnifique, apparition vraiment inattendue dans ce cadre rustique.

Basilique★★. — *Visite : 1/2 h.* La découverte de la statue d'une Vierge miraculeuse, qui devint l'objet d'un pèlerinage dès la fin du 11e s., entraîna sa construction à partir de la 2e moitié du 13e s. Celle-ci se poursuivit jusqu'au début du 15e, dans un style préflamboyant; une belle pierre de tons chauds et dorés a été employée.

Le portail de la façade principale, à l'Ouest, est de proportions et d'exécution harmonieuses avec ses voussures ornées de 70 figures et son linteau évoquant la Passion. Au-dessus du portail, près du gâble, est représenté le Jugement dernier : on remarque, parmi les statues placées dans les contreforts, des anges sonnant de la trompette.

Le portail Sud est consacré à la Vierge et à l'enfance du Christ.

(D'après photo Archives photographiques, Paris)

Basilique d'Avioth. — Portail Sud et Recevresse.

A gauche du portail Sud on voit la **Recevresse**★, élégant petit édifice de style flamboyant, finement ajouré, attenant à la porte de l'ancien cimetière. Elle était destinée, semble-t-il, à recevoir les offrandes des pèlerins, d'où son nom.

L'intérieur comporte, fait exceptionnel dans la région, un déambulatoire sur lequel donnent des chapelles peu profondes établies entre les contreforts qui sont à l'intérieur de l'église, suivant une disposition champenoise. La basilique conserve un certain nombre d'œuvres d'art, d'intérêt inégal : remarquer la chaire, en pierre, d'époque Renaissance, et un maître-autel du 14e s., décoré des symboles des 4 Évangélistes, et entouré de chaque côté par un ciborium; à celui de gauche est adossée la Vierge miraculeuse.

Des travaux de restauration ont fait apparaître, sur les voûtes du chœur, des peintures et des fresques du 14e s. Buffet d'orgues du 18e s., restauré.

AVOLSHEIM

Carte Michelin n° 87 - pli 5 — *Schéma p. 138* — 513 h. (les Avolshémiens).

Le village conserve un très vieux baptistère roman (9e s.), en forme de trèfle, et surtout, à 500 m au Sud-Est, une église célèbre qui passe pour être la plus ancienne d'Alsace.

Église St-Pierre (Dompeter). — Face à un magnifique tilleul d'âge vénérable, et entourée d'un cimetière, cette petite église dresse en plein champs sa silhouette trapue et coiffée d'un clocher à huit pans. Quoique en partie reconstruite aux 18e s. (tour) et 19e s. (chœur, murs et plafond de la nef) puis restaurée après une longue période d'abandon, elle demeure un émouvant témoignage des débuts de l'art roman, ayant été consacrée en 1049 par le pape Léon IX.

Parmi ses éléments d'origine du 11e s., on remarque la base du clocher-porche avec son narthex au curieux portail surmonté d'une statue de saint Pierre, les portes latérales aux linteaux ornés de symboles, et, à l'intérieur, les piles massives et carrées supportant de lourdes arcades en plein cintre. De frustes chapiteaux romans, un calvaire baroque et d'intéressantes statues du 15e s. au 18e s. retiennent aussi l'attention.

BACCARAT

Carte Michelin n° 62 - pli 7 — 5 606 h. (les Bachâmois).

Cette petite ville est célèbre par sa cristallerie fondée en 1764.

Musée du Cristal. — *Visite (sauf mardi matin et dimanche matin) du 15 juin au 14 juillet de 14 h à 18 h 30, du 15 juillet au 15 septembre de 10 h à 12 h et de 14 h à 18 h 30; les samedis et dimanches du 1er mai au 14 juin, tous les jours du 15 au 30 septembre, le dimanche en avril et du 1er au 15 octobre, à Pâques, le 1er mai, le jeudi de l'Ascension et à la Pentecôte, de 14 h à 18 h.*

Ce musée expose des pièces anciennes et contemporaines réalisées en cristal artificiel composé de silice, d'oxyde de plomb et de potasse. Le mélange est fondu à haute température et se façonne ensuite comme le verre. Les articles ainsi obtenus, brillants, éclatants, sont taillés ou gravés. Du début à la fin de sa fabrication, une pièce toute simple passe entre 20 « mains » différentes.

Église. — Élevée en 1957, elle surprend par son toit double à larges auvents. Le clocher, pyramide de 55 m de haut, se dresse à côté de l'église. La décoration intérieure, faite d'un immense bas-relief constitué par des éléments de béton éclairés de cristaux de couleurs (plus de 50 teintes différentes), a pour thème « La création du monde ».

BAINS-LES-BAINS ★

Carte Michelin n° 62 - pli 15 — 1 757 h. (les Balnéens) — *Lieu de séjour, p. 42* — *Plan dans le guide Michelin France.*

Cette station thermale est bâtie sur les rives du Bagnerot, au centre d'une région boisée; ses environs sont aménagés pour les curistes avec parcours pédestres et sentiers cyclables.

Les eaux débitées par onze sources, à une température variant de 26 à 51° C, sont indiquées dans le traitement des maladies des artères (artérite des membres inférieurs) et du cœur (séquelles d'infarctus du myocarde). Elles alimentent deux établissements :
— le Bain romain; il occupe l'emplacement des sources captées par les Romains.
— le Bain de la Promenade.

Chapelle N.-D.-de-la-Brosse. — *0,5 km à l'Est, sur le D 434.* De la chapelle, vue agréable sur les coteaux dominant la vallée du Bagnerot.

Chaque année,

le **guide Michelin France**

révise sa sélection d'hôtels et de restaurants

    — agréables, tranquilles, isolés;

    — offrant une vue exceptionnelle, intéressante, étendue;

    — possédant un court de tennis, une piscine, une plage aménagée,
      un jardin de repos...

Tous comptes faits, le guide de l'année, c'est une économie.

Carte Michelin n° **87** - plis 18 et 19.

Le massif du Ballon d'Alsace constitue l'extrémité Sud de la chaîne des Vosges. On y rencontre de belles forêts de sapins et d'épicéas, de charmants sous-bois, des fonds de ravins très frais et, sur les hauteurs, de grands pâturages, émaillés de fleurs alpestres. Du point culminant (alt. 1 250 m), le panorama est superbe; par temps favorable, les Alpes sont visibles. Malheureusement, le brouillard y est fréquent.

① ROUTE DU COL★★

De St-Maurice-sur-Moselle à Giromagny — *26 km — environ 1 h 1/2 — schéma ci-dessous*

Cette route, la plus ancienne du massif, fut construite sous le règne de Louis XV.

St-Maurice-sur-Moselle. — 1 857 h. (les Fremis). *Lieu de séjour, p. 42*. Situé à proximité de sites remarquables, ce petit bourg industriel (tissage et scieries) est aussi voisin des centres de sports d'hiver du Rouge-Gazon et du Ballon d'Alsace.

Ballon de Servance★★. — *21 km au départ de St-Maurice-sur-Moselle, puis 1/4 h à pied AR.* De St-Maurice, gagner le Thillot (*p. 101*) puis, par le D 486 au Sud, le col des Croix où prendre à gauche le D 16, ancienne route stratégique, qui s'élève en corniche, offrant de jolies vues sur la vallée de l'Ognon, avant de sinuer en forêt. Laisser la voiture au départ de la route militaire *(interdite)* du fort de Servance et prendre, à droite, le sentier jalonné qui conduit au sommet du Ballon (alt. 1 216 m) d'où se découvre un magnifique **panorama★★** : à l'Ouest, sur la vallée de l'Ognon, le plateau glaciaire d'Esmoulières, semé d'étangs, et le plateau de Langres; au Nord-Ouest, les Monts Faucilles; plus à droite, la vallée de la Moselle; au Nord-Est, du Hohneck au Gresson en passant par le Grand Ballon, très lointain, se silhouette la chaîne des Vosges; à l'Est, s'arrondit la croupe, toute proche, du Ballon d'Alsace; au Sud-Est et au Sud, vue sur les contreforts vosgiens.

Tête du Rouge-Gazon. — *11 km, puis 1 h 1/2 à pied AR.* A St-Maurice, prendre la route qui suit la **vallée des Charbonniers.** Les habitants de cette vallée descendraient d'une colonie suédoise et allemande embauchée au 18e s. par les ducs de Lorraine pour l'exploitation des forêts et le charbonnage. Au village des Charbonniers, tourner à droite dans un chemin forestier, carrossable mais étroit. Laisser la voiture à l'hôtel de la Chaume et gagner à pied la Tête du Rouge-Gazon.

De la Chaume un autre sentier conduit à la **Tête des Perches** *(1 h à pied AR)*: beau point de vue sur le lac des Perches.

Au cours de la très belle montée au col du Ballon, la route (D 465) offre de jolies vues sur la vallée de la Moselle, puis pénètre dans une superbe forêt de sapins et de hêtres.

Plain du Canon. — *1/4 h à pied AR.* Le sentier d'accès, en descente vers une maison forestière, part du D 465, à hauteur d'un panneau touristique accroché à un arbre. Descendre directement devant la maison, puis prendre le sentier qui monte en lacet à gauche. Le nom de ce lieu-dit est dû à un petit canon dont se servait autrefois le garde-forestier pour provoquer un écho.

La vue est jolie sur le vallon boisé de la Presles, dominé par le Ballon d'Alsace et par le Ballon de Servance, surmonté d'un fort.

Après le lieu-dit **la Jumenterie**, perpétuant le souvenir d'un établissement fondé en 1619 par les ducs de Lorraine pour l'élevage des chevaux, très belle vue à droite sur la vallée de la Moselle et le Ballon de Servance. On atteint la région des hauts pâturages.

Monument à la mémoire des Démineurs. — Œuvre du sculpteur J. Rivière et de l'architecte E. Deschler, il commémore le dévouement de ceux qui moururent en exécutant leur périlleuse tâche.

Col du Ballon. — Belle vue sur le sommet du Ballon d'Alsace, surmonté de la statue de la Vierge et, plus à droite, sur la trouée de Belfort, où brillent des étangs, et le Jura du Nord. A droite part un sentier vers la statue de Jeanne d'Arc.

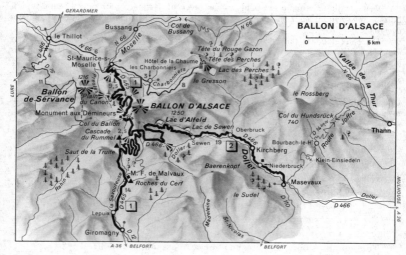

Ballon d'Alsace★★★. — *1/2 h à pied AR.* Le sentier d'accès s'amorce sur le D 465, devant la « Ferme-Restaurant » Maret, à 200 m du pont sur la Savoureuse. Il se dirige à travers les pâturages, vers la statue de la Vierge. Avant le retour de l'Alsace à la France, cette statue se trouvait exactement sur la frontière. Le Ballon d'Alsace (alt. 1 250 m) est le sommet important le plus méridional des Vosges. Il domine de sa croupe gazonnée les derniers contreforts de la chaîne. De la table d'orientation, toute proche, le **panorama★★★** s'étend au Nord jusqu'au Donon, à l'Est sur la plaine d'Alsace et la Forêt-Noire, au Sud jusqu'au Mont-Blanc.

Descendre le long de la crête en pente douce jusqu'à la statue de Jeanne d'Arc; de là, rejoindre directement le D 465.

Au cours de la descente, très pittoresque, dans la vallée de la Savoureuse, les vues lointaines se succèdent sur la vallée de la Doller et la plaine d'Alsace d'abord, puis sur les lacs d'Alfeld et de Sewen.

La route entre de nouveau en forêt, et, après une échappée à droite, elle laisse à gauche la route de Masevaux. Les versants, hérissés de rochers, sont couverts de sapins et de hêtres magnifiques.

Cascade du Rummel. — *1/4 h à pied AR.* Accès au pont, puis à la cascade toute proche du D 465 par un chemin signalé.

Saut de la Truite. — C'est, 1 200 m en aval de la cascade du Rummel, une fine cascade formée par la Savoureuse au creux d'une fissure rocheuse.

Maison forestière de Malvaux. — Bien située dans un joli site à l'entrée d'un défilé rocheux.

Roches du Cerf. — Elles bordent un verrou glaciaire et portent des stries horizontales creusées par les moraines latérales du glacier. Une école d'escalade utilise les possibilités naturelles de ce site.

A la sortie d'une gorge étroite, on atteint **Lepuix**, petite localité industrielle.

Giromagny. — 3 548 h. L'industrie textile qui fit la prospérité de Giromagny laisse de plus en plus la place aux industries annexes de l'automobile.

② VALLÉE DE LA DOLLER★★

Du Ballon d'Alsace à Masevaux — *22 km — environ 3/4 h — schéma p. 50*

Au départ du Ballon d'Alsace *(ci-dessus)*, la descente vers le lac d'Alfeld est très belle. Elle permet de découvrir en avant le Grand Ballon, point culminant des Vosges (alt. 1 424 m), puis une très jolie vue sur la vallée de la Doller, le Jura et les Alpes. Après un parcours en forêt, le lac apparaît au fond d'un cirque d'origine glaciaire.

Lac d'Alfeld★. — Le lac-réservoir d'Alfeld constitue, avec ses 10 ha de superficie et sa profondeur de 22 m, l'une des plus jolies nappes d'eau des Vosges. Il assure un débit régulier à la Doller qui alimente de nombreuses usines. Un cadre pittoresque de hauteurs boisées, où perce la roche, l'entoure. Le barrage qui le retient fut construit de 1884 à 1887. Long de 337 m, il s'appuie sur une moraine laissée par les anciens glaciers qui s'avançaient jusqu'à Kirchberg. *Pêche : voir tableau p. 14.*

Lac de Sewen. — Ce petit lac, séparé du lac d'Alfeld par un talus morainique, est peu à peu envahi par la tourbe. On y trouve sur ses bords des plantes alpestres et nordiques.

En aval, la Doller coule entre de hautes pentes de prairies très vertes, coupées de bois de sapins et de hêtres. Sa vallée est dominée par l'église romane de **Kirchberg** perchée sur une moraine, et, à l'entrée de **Niederbruck**, à gauche, par une statue monumentale de la Vierge à l'Enfant due au sculpteur Antoine Bourdelle.

Le D 466 gagne Masevaux (p. 83).

**Combinez vous-même vos randonnées
à l'aide
de la carte des principales curiosités (p. 4 à 6).**

BAR-LE-DUC ★ ───────────────────────

Carte Michelin n° **62** - pli 1 — 20 516 h. (les Barisiens).

Bar-le-Duc, centre commercial régional, voit se dérouler de nombreuses foires et marchés. Les confitures de groseilles épépinées de Bar-le-Duc sont célèbres.

Si la ville basse, le long de l'Ornain, s'entoure de quartiers neufs, la ville haute, avec ses rues escarpées et ses vieilles maisons aux façades pittoresques, semble rêver à un brillant passé.

D'origine mérovingienne, Bar fut dès 954 capitale d'un comté qui faillit prendre l'avantage sur le duché de Lorraine. En 1354, ses comtes, qui avaient dû reconnaître la suzeraineté française, prirent le titre de ducs et firent de leur ville la capitale du « Barrois mouvant ». Mais, en 1484, le Barrois fut « absorbé » par la Lorraine et rattaché en même temps qu'elle à la France, en 1766.

Bar est la patrie du duc François de Guise, des maréchaux Oudinot et Exelmans, et de Raymond Poincaré.

Pendant la guerre de 1914-1918, la ville joua un rôle important : de là partait la célèbre **Voie Sacrée** *(p. 53),* suivie par les convois montant à Verdun.

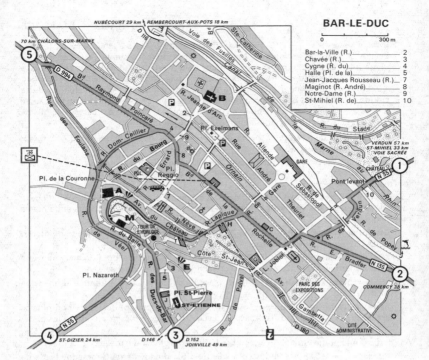

BAR-LE-DUC

0   300 m

Bar-la-Ville (R.)	2
Chavée (R.)	3
Cygne (R. du)	4
Halle (Pl. de la)	5
Jean-Jacques Rousseau (R.)	7
Maginot (R. André)	8
Notre-Dame (R.)	9
St-Mihiel (R. de)	10

■ ÉGLISE ST-ÉTIENNE *visite : 1/4 h*

Elle est bâtie au sommet de la ville haute. C'est une ancienne collégiale de style gothique de la fin du 15ᵉ s.

Dans le transept gauche, statue de N.-D. du Guet, vénérée par les Barisiens, qui aurait sauvé la ville au cours d'un siège en 1440.

Dans le croisillon droit se trouve la fameuse statue dite **« le Squelette »★★**, œuvre de Ligier Richier. Elle représente René de Châlon, prince d'Orange, tué au siège de St-Dizier en 1544. Cette œuvre saisissante fut commandée par sa veuve Anne de Lorraine au sculpteur qui, selon la volonté du défunt, représenta son cadavre tel qu'il devait être trois années après sa mort. Extrêmement violente dans son réalisme macabre, l'œuvre de Richier doit sa puissance à l'opposition entre l'état misérable du cadavre décomposé et l'attitude presque triomphante que lui a donné le sculpteur.

Une Crucifixion (le Christ entre les deux larrons), également de Ligier Richier, est accrochée face à la chaire.

■ AUTRES CURIOSITÉS

Ancien Collège Gilles-de-Trèves (A). — Un porche, à voûtes décorées, donne accès à une grande cour offrant de belles galeries soutenues par des pilastres.

Église Notre-Dame (B). — C'est à l'origine une église romane, restaurée au 17ᵉ s., à la suite d'un incendie; son clocher est du 18ᵉ s.

Dans la nef, Christ de Ligier Richier. Dans la chapelle du transept Sud, à gauche de la verrière, bas-relief du 15ᵉ s. représentant l'Immaculée Conception.

Bar-le-Duc. – Le Squelette.

Musée Barrois (M). — *Visite de 14 h à 18 h en semaine (sauf mardis), de 15 h à 18 h les samedis et dimanches. Fermé certains jours fériés et les lundis, jeudis, vendredis du 15 septembre au 1ᵉʳ juin. Entrée : 3 F.*

Installé dans un château ducal Renaissance, ce musée, dont les collections dépassent le cadre provincial, présente des pièces de géologie, d'ethnographie, de géographie, de sciences naturelles, provenant de plusieurs continents.

Non loin du musée, au 75 de la rue des Ducs, on peut voir un pressoir de 1750 *(les samedis et dimanches du 1ᵉʳ juin au 30 septembre, de 15 h à 18 h).*

Vieilles maisons Renaissance. — Rue du Bourg, aux nᵒˢ 26, 40, 49 (en face de la préfecture), rue des Ducs-de-Bar, rue Chavée, place de la Halle, place St-Pierre.

Belvédère des Grangettes (E). — Vue agréable sur la ville basse, les coteaux environnants, et, à gauche, sur la tour de l'Horloge, vestige de l'ancien château ducal.

EXCURSIONS

Voie Sacrée. — *56 km — environ 1 h 1/2.* Carte nº 🔲 - pli 11. *Quitter Bar-le-Duc par ①
du plan, N (Voie Sacrée).*

Cette route qui relie Bar-le-Duc à Verdun, longue de 56 km (incluant les 9 km terminaux
de la N 3), a conservé depuis la bataille de Verdun
en 1916 *(voir p. 176)* le nom de « Voie Sacrée ».

Elle fut un des facteurs essentiels de la victoire.
Seule route hors de portée des canons ennemis,
elle était suivie jour et nuit par des convois d'hommes et de matériel qui, en cinq jours, portèrent
l'effectif de l'armée de Verdun de 150 000 à
800 000 hommes. Défoncée par cette circulation
intensive, elle allait devenir inutilisable.

Le 25 février, quand le général Pétain prit la direction de la bataille, il la fit immédiatement remettre
en état. Des carrières furent ouvertes et, sans inter-
rompre la circulation des convois, 16 000 « territoriaux » déversèrent jour et nuit, des mois durant,
des tonnes de cailloux sur la chaussée. La route tint
bon et permit d'alimenter la bataille gigantesque.

Une borne de la Voie Sacrée.

Mémorial de la Voie Sacrée. — Erigé en 1967, près
du Moulin-Brûlé et de la N 3, à la mémoire des
tringlots, cheminots et territoriaux. Stèle avec bas-relief dû au sculpteur Barrois.

Rembercourt-aux-Pots. — 369 h. *18 km.* Carte nº 🔲 - pli 20. *Quitter Bar-le-Duc par le
D 116, route de Vavincourt, au Nord.*

Ce village possède une belle église du 15ᵉ s., avec une magnifique **façade★**, mélange
des styles flamboyant et Renaissance. Remarquer la richesse de ses éléments décoratifs où
les niches en coquille se mêlent aux sujets païens de la frise Renaissance. Ses deux tours,
inachevées, restent tronquées. L'intérieur constitue un ensemble homogène.

Nubécourt. — 328 h. *11 km au départ de Rembercourt, au Nord.* **Raymond Poincaré**
(1860-1934), président de la République de 1913 à 1920, repose dans le cimetière.

⬛ BITCHE

Carte Michelin nº 🔲 - pli 18 — 6 358 h. (les Bitchois).

Au pied de sa glorieuse citadelle qui fut longtemps gardienne d'un des plus importants passages des Vosges, la petite ville de Bitche, de création relativement récente
(17ᵉ s.), demeure encore aujourd'hui marquée par le voisinage de son vaste Camp militaire
qui s'étend, au Nord-Est, jusqu'à la frontière allemande.

Citadelle. — *Visite du 1ᵉʳ avril au 31 octobre, de 8 h à 12 h et de 14 h à 18 h; fermé
le lundi; le reste de l'année sur demande, ☎ (87) 06-00-13; entrée : 2 F.*

Rebâtie par Vauban en 1679 puis démantelée, à nouveau reconstruite en 1714, elle
opposa une résistance victorieuse aux Prussiens en 1793 et en 1870-1871. Il n'en
subsiste que les impressionnants remparts de grès rouge, visibles de loin malgré leur
ceinture de gros arbres, et l'infrastructure souterraine.

Gravir à pied la rampe et le passage voûté de l'entrée Nord pour atteindre *(1/2 h AR)*
le tertre culminant (mât du drapeau) d'où l'on a une vue circulaire sur Bitche et les hauteurs
boisées qui l'entourent. A l'aide de jumelles on peut distinguer, à l'Ouest, quelques-unes
des cloches cuirassées de l'ouvrage Maginot du Simserhof *(décrit ci-dessous).*

La visite, accompagnée, des souterrains *(durée : 1/2 h)* et du musée historique-
archéologique, se fait par groupes d'au moins 15 personnes *(tarif individuel : 7 F).*

EXCURSION

Fort du Simserhof★. — *4 km à l'Ouest par le D 35 puis la route militaire prise en face de
l'ancien casernement du Légeret.*

La visite de cet ouvrage souterrain, l'un des plus importants de la Ligne Maginot *(voir
p. 34),* constitue une initiation à un type de fortifications dont le rôle qu'elles ont joué en
1940 est resté bien méconnu.

*Sur demande préalable à l'autorité militaire : écrire à M. le Colonel, Directeur des
Travaux du Génie — 102, rue de la Ronde — 57998 Metz-Armées (on peut demander à
s'incorporer à un groupe déjà formé), visite commentée (durée : 2 h 1/2), organisée les
mercredis à 9 h et à 14 h et le 3ᵉ dimanche de chaque mois, aux mêmes heures; fermé en
juillet et août.*

L'ouvrage du Simserhof, achevé en 1935, était conçu pour une garnison interarmes
(infanterie de forteresse, artillerie, génie) de 1 200 hommes disposant d'une autonomie
complète de 3 mois en vivres, munitions, carburant.

De l'extérieur, on ne voit que le bloc d'accès, orienté au Sud, avec sa porte blindée
de 7 t, ses créneaux de flanquement précédés de fossés « Diamant », et les cloches de tir
ou d'observation, d'acier recouvert de nickel-chrome, qui surmontent les blocs de combat,
disséminés dans un espace de plusieurs km de façon à dominer la plaine en contrebas *(on
remarque quelques-unes de ces émergences depuis le D 35ᴬ, route de Hottwiller, 1 km au
départ du D 35).* Arbres et taillis ont remplacé les réseaux de barbelés et les rails fichés en
terre qui interdisaient les approches de l'ouvrage.

La partie enterrée du fort se compose de deux secteurs : l'un « arrière », de service, l'autre « avant », de combat, distribués sur un même niveau et reliés par une galerie de 5 km avec voie ferrée. La longueur totale des galeries du Simserhof atteint 10 km. On visite d'abord le secteur « arrière », dont l'immense tunnel d'entrée dessert des galeries secondaires conduisant aux ~quartiers d'habitation, salles communes, cuisines, bureaux, magasins d'approvisionnement, etc., ainsi qu'à la **centrale électrique** dont les installations sont entretenues en état de fonctionnement. Dans les galeries sont exposés des tubes de canons des deux dernières guerres. L'ancien magasin à munitions fait office de musée (périscopes, diascopes, épiscopes, clichés photographiques). On voit aussi le local des cuves à mazout et celui des batteries de filtres à air.

C'est par l'inchangé petit train électrique que l'on accède au secteur « avant » (PC de combat, soutes à obus, etc.), relié aux blocs de tir par des puits verticaux dotés de monte-charge et d'escaliers.

On visite enfin l'un des blocs, dont l'étage inférieur est occupé par la base du corps de tourelle (32 t) pivotant et élevable; l'étage supérieur contient les deux canons de 75 jumelés dont on peut suivre la rotation et la visée.

BOURBONNE-LES-BAINS

Carte Michelin nᵒ 62 - plis 13, 14 — 3 310 h. (les Bourbonnais) — *Lieu de séjour, p. 42 — Plan dans le guide Michelin France.*

La station thermale de Bourbonne, que connaissaient les Romains et qui fut très en faveur du 16ᵉ au 18ᵉ s., occupe les deux rives de la Borne : le versant Nord porte la vieille ville; sur l'autre rive s'étend la ville thermale.

Ses eaux chaudes (66ᵒ C) sont employées contre les rhumatismes, arthroses et fractures. Saison du 1ᵉʳ mars au 30 novembre.

Les parcs. — Bourbonne possède de beaux parcs. Au sommet de la colline s'étend le **parc de l'hôtel de ville** d'où l'on découvre d'un côté la ville et de l'autre la vallée de l'Apance et le pays qui l'encadre. On y voit une ancienne porterie du 16ᵉ s. (abritant le musée municipal — *ouvert du 1ᵉʳ avril au 31 octobre, les mercredis et samedis de 15 h à 17 h; entrée : 2 F* — : collections lapidaires, ornithologie, peintures d'artistes locaux, art sacré) munie d'une tour à créneaux, reste de l'ancien château féodal.

Le **parc du Casino**, sur la rive droite de la Borne, contient des vestiges gallo-romains. Au Nord-Est de la ville se trouvent le **parc de la source Maynard** et le lac de la Mézelle.

EXCURSION

Jonvelle. — *199 h. 17 km. Quitter Bourbonne par ② du plan, D 417.*

A 1 300 m à l'Ouest de la localité, par la route passant devant le cimetière, on peut visiter *(d'avril à octobre — tous les jours du 1ᵉʳ juillet au 15 septembre, les dimanches et jours fériés en dehors de cette période — de 14 h à 18 h; entrée : 4 F)* les thermes, mis au jour depuis 1968, d'une villa gallo-romaine du 2ᵉ s.; remarquer les soubassements de briques des piscines et l'élégante **mosaïque** qui pave encore l'une d'elles.

La BRESSE

Carte Michelin nᵒ 87 - pli 18 — *Schéma p. 75* — 5 395 h. (les Bressauds) — *Lieu de séjour, p. 42.*

Comme la plupart des petites villes de la région, elle est formée de plusieurs villages, alignés dans une vallée. Fondée au 7ᵉ s. par une colonie alsacienne, elle a constitué jusqu'en 1790 une espèce de petite république presque autonome. La Bresse fut à peu près détruite durant l'automne 1944. Des anciens édifices publics, seule subsiste l'église St-Laurent.

Église St-Laurent. — Elle fut rebâtie au 18ᵉ s., à l'exception du chœur gothique; ses **vitraux** modernes en « verre éclaté » représentent, dans la nef, apôtres et prophètes; dans le chœur, un Christ en croix entre une Assomption et un Saint Laurent; 4 verrières racontent les destructions de la Bresse.

Les fromageries ou « marcaireries » des environs sont spécialisées dans la fabrication du « munster » *(détails p. 17).*

BRIEY

Carte Michelin nᵒ 57 - pli 3 — *Schéma p. 167* — 5 461 h. (les Briotins).

La découverte du minerai de fer dans le riche **bassin de Briey,** où les travaux de sondage débutèrent en 1882, donna un vif essor à la production nationale.

Église. — Elles est à cinq vaisseaux (nef principale et doubles bas-côtés) de souche romane, élargie à l'époque gothique. On peut voir, dans la chapelle de droite, un très joli Christ aux liens du 14ᵉ s., en pierre; à l'extrémité du bas-côté droit, une Pietà en bois polychrome du 15ᵉ s.; dans le chœur, derrière le maître-autel, un calvaire (6 statues) exécuté en 1530 par Ligier Richier.

Belvédère. — Sur le côté gauche de l'église, un petit jardin offre une vue dominante sur le plan d'eau de la **Sangsue,** créé par une retenue du Woigot, dans un cadre boisé.

Le circuit dans le pays du fer, décrit p. 167, peut aussi être entrepris à partir de Briey.

Carte Michelin n° 87 - plis 5, 15, 16.

C'est une promenade charmante que d'accompagner la Bruche depuis sa source jusqu'à Molsheim, en faisant un court crochet vers Niederhaslach dont l'église mérite une visite. Au retour, on passera par Rosheim et Boersch, pittoresques petites villes alsaciennes, puis l'on montera au signal de Grendelbruch (beau panorama).

Jean-Frédéric Oberlin. — En 1767, le **Ban de la Roche**, situé sur la rive droite de la Bruche, est un bien pauvre vallon, plusieurs fois dévasté par les guerres, peu fertile, et dont la population se décourage, malgré les efforts de ses pasteurs successifs.

Mais voilà que Jean-Frédéric Oberlin (1740-1826) est nommé pasteur au petit village de Waldersbach. Pendant les cinquante années de son apostolat, il transforme, aidé de son épouse, la vie de sa paroisse. Les écoles, les crèches, les institutions de solidarité naissent dans l'humble vallon. Il construit des chemins, enseigne des cultures nouvelles, crée une petite activité industrielle en faisant venir des métiers à tisser. Sa servante, **Louise Scheppler,** suit l'exemple de son maître en créant des salles d'asile et de réunion pour les petites filles. Oberlin, précurseur de toutes les œuvres sociales, demeure, en Alsace, l'objet d'une vénération justifiée. Il repose à Fouday, ainsi que son fils et Louise Scheppler.

La Bruche. — Elle prend son cours près du col de Saales, qui fut de 1871 à 1918 l'un des points de la frontière franco-allemande, et se jette dans l'Ill, tout près de Strasbourg. Sa vallée se creuse entre la chaîne des Vosges gréseuses et l'extrémité des Vosges cristallines. Sur la rive gauche, à hauteur de Wisches, on voit des carrières de porphyre.

La Bruche alimente quelques usines de textiles et des scieries. C'est en partie grâce à elle que la région de Schirmeck et de Rothau connaît une grande activité industrielle.

De Saales à Schirmeck – *20 km — environ 1/2 h — schéma ci-contre*

Peu après Saales, la route descend en pente douce la pittoresque vallée, largement épanouie, de la Bruche.

A partir de Bourg-Bruche, les parties hautes de la vallée sont couvertes de sapins, en plantations régulières. Les bruyères et les genêts égaient, en saison, les pentes qui descendent vers la rivière. Aux environs de St-Blaise-la-Roche, la Bruche, étroite et calme, bordée de trembles et de bouleaux, coule entre les prés.

St-Blaise-la-Roche. — 236 h. Ce petit bourg est un important carrefour routier.

Fouday. — Le pasteur Oberlin *(voir ci-dessus)* y repose dans le petit cimetière attenant au temple luthérien. Celui-ci, à l'intérieur, présente une simple nef carrée que des galeries de bois ceignent sur trois côtés, mais conserve une abside à voûte d'arêtes, décorée d'une fresque.

Vallon du Ban de la Roche. — *2,5 km au départ de Fouday.* L'aspect encore sauvage de ce vallon est cependant adouci par la présence de quelques coquettes habitations isolées.

Waldersbach. — Dans ce hameau charmant et bien exposé, aux maisons couvertes de grandes toitures de tuiles, l'ancien presbytère protestant abrite le **musée Oberlin** *(visite de Pâques au 30 septembre, les mercredis, vendredis, samedis et dimanches, et, le reste de l'année, les samedis et dimanches, de 14 h à 18 h; entrée : 4 F),* consacré aux souvenirs personnels et à l'action du grand philanthrope.

Le Struthof. — *8 km, puis 1 h de visite. A Rothau, prendre à droite le D 130.* Description p. 163.

Schirmeck. — 2 780 h. (les Schirmeckois). *Lieu de séjour, p. 42.* La petite ville, industrielle (métallurgie, textiles, scieries) et très animée, s'étend le long de la Bruche, sur la route de Strasbourg à St-Dié. De belles forêts de sapins l'environnent.

Montée au col du Donon. — *10 km au départ de Schirmeck.* Quittant la vallée de la Bruche, le D 392 s'élève en montée continue, d'abord dans la vallée du Rupt de Framont puis, après avoir laissé sur la gauche le village de Grandfontaine qui s'étire au fond d'un vallon, dans la forêt couvrant les pentes du Donon.

On atteint le col, d'où se fait l'**excursion** au sommet du Donon *(p. 68).*

De Schirmeck à Molsheim (par la vallée) — 25 km — environ 3/4 h — schéma p. 55

Au Nord de Schirmeck *(voir p. 55)* la route (N 420) suit la rive gauche de la Bruche qu'elle longera presque constamment. Vignes et arbres fruitiers font leur apparition.

Wisches. — 1 576 h. Ce petit village marque la limite entre les pays de langue française et de dialectes alsaciens.

A la sortie d'Urmatt à droite, gigantesque scierie *(illustration p. 16).*

Niederhaslach. — *2 km au départ de la N 420. Description p. 117.*

La vallée se resserre entre des versants boisés, en vue du village d'**Heiligenberg** (464 h.) que l'on aperçoit, campé sur un promontoire de la rive gauche.

Mutzig. — 5 016 h. Cette petite ville de garnison, autrefois fortifiée, s'orne d'une jolie fontaine et d'une porte du 13e s., surmontée d'une tour. La bière est, entre autres industries, la spécialité de Mutzig. C'est à Mutzig qu'en 1833 naquit **Chassepot**, l'inventeur du fusil de ce nom. Le Chassepot qui armait l'infanterie française en 1870, était très supérieur au fusil allemand : plus précis, tirant plus vite (7 coups contre 5 par minute), il portait à 1 800 m contre 600 m. Le manque de munitions rendit vains tous les avantages que Chassepot avait assurés à son pays.

De Mutzig à Molsheim *(p. 98)* le parcours se déroule à flanc de coteau à travers le vignoble qui produit le Riesling.

CARLING-MERLEBACH (Région industrielle de)

Carte Michelin n° **57** - plis 6, 15, 16.

Situés près de la frontière franco-allemande, dans la région boisée de St-Avold, ces deux centres miniers sont le cœur du bassin houiller lorrain, qui prolonge le gisement de la Sarre *(voir p. 18).*

Le pays du charbon et de la grande industrie chimique. — De riches réserves, un rendement élevé de productivité caractérisent le bassin houiller lorrain. A partir du charbon, il est possible de produire de l'énergie électrique et de nombreux dérivés. Un vaste programme d'équipement et de modernisation a transformé l'aspect de la région : construction de centrales thermiques, de cokeries, installation d'usines de produits chimiques, etc.

Les cokeries. — Celles du bassin de Lorraine utilisent une technique qui permet de produire un coke métallurgique de qualité, à partir des charbons flambants lorrains longtemps considérés comme impropres à cette fabrication.

Les usines chimiques. — A côté de la cokerie de Carling, un ensemble d'usines carbochimiques, utilisant les sous-produits du gaz de four à coke, a pris une grande extension pour répondre aux besoins en ammoniac de synthèse, en engrais ou en styrène (produit de base pour la fabrication de nombreuses matières plastiques).

La pétrochimie à Carling traite le naphta (produit intermédiaire entre l'essence et le kérosène) de la raffinerie franco-allemande de Klarenthal (Sarre) pour alimenter en propylène l'usine Ugilor de Carling, et en éthylène celle de la Société Lorraine de Polyoléfines, et, par pipe-line, l'usine Solvay de polyéthylène, à Sarralbe.

Circuit au départ de St-Avold — 52 km — environ 2 h — schéma p. 57

St-Avold. — 18 938 h. Grosse agglomération (houillères et industries chimiques) située sur la Rosselle, affluent de la Sarre.

Quitter St-Avold par la N 33 vers Carling. Après avoir dépassé le cimetière américain de St-Avold *(à droite),* un des plus grands d'Europe occidentale, et son mémorial, la route franchit l'autoroute A 32 et passe devant le poste de transformation de l'E.D.F.

Carling. — 2 593 h. A l'entrée de cette cité ouvrière, on voit, à droite, les usines de la société des Charbonnages de France-Chimie et de ses filiales (Ugilor, Anilor, Ammoniac Sarro-Lorrain), puis la cokerie, dont la capacité d'enfournement est de 6 000 t de charbon par jour; à gauche, l'usine de la Société Lorraine de Polyoléfines (autre filiale de la C.D.F. Chimie), puis l'imposante **centrale Émile-Huchet★.** Sa puissance installée est de 813 000 kW, à cycle combiné gaz-charbon. Actuellement cinq tours hyperboliques de 60 m de diamètre et 80 m de hauteur (122 m pour la 5e) servent à refroidir l'eau des condenseurs à raison de 22 000 m3/h par tour. Cinq cheminées de 130 m de hauteur évacuent les fumées.

Une partie du charbon qui alimente cette centrale est amenée en suspension dans l'eau par un pipe-line d'une dizaine de kilomètres de longueur.

Prenant ensuite à droite la route de Merlebach, on a sur la droite une vue générale sur les aménagements de Carling. On traverse L'Hôpital et Ste-Fontaine.

L'Hôpital (6 395 h.) et Ste-Fontaine. — On est sur la « route des puits », en plein pays du charbon, impressionnant avec ses chevalements, ses cheminées d'usines, ses cités industrielles, ses terrils en formation, appartenant aux Houillères du Bassin de Lorraine.

Freyming-Merlebach. — 15 605 h. Ce centre très important a le plus haut rendement d'Europe. L'exploitation de magnifiques couches verticales (« dressants ») s'y fait par les procédés les plus modernes.

A la sortie de Freyming-Merlebach, prendre la N 3, en direction de Forbach; à gauche, la frontière allemande longe la route : les maisons du côté Nord sont sarroises, celles du côté Sud font partie de la commune française de Cocheren.

Après le pont S.N.C.F., on voit, sur la gauche, la cokerie de Marienau.

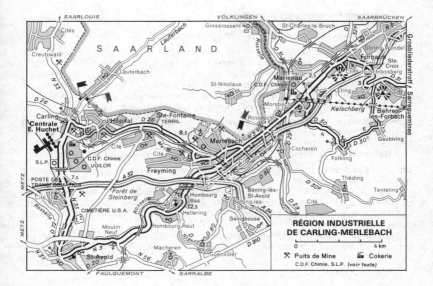

RÉGION INDUSTRIELLE
DE CARLING-MERLEBACH

0   4 km

✕ Puits de Mine   ⚏ Cokerie

C.D.F. Chimie, S.L.P. (voir texte)

Marienau. — La cokerie peut enfourner chaque jour 4 000 t de charbon. Une usine de la C.D.F.-Chimie y distille les goudrons à basse température : elle produit, en particulier, du phénol et de la naphtaline et des brais pour l'électrométallurgie.

Forbach. — 25 385 h. En quittant la N 3 à l'entrée de Forbach, en direction de Grosbliederstroff, on atteint l'église et, derrière celle-ci, le Schlossberg, colline boisée et couronnée par les ruines d'un château fort : vue étendue sur la ville de Marienau.

Par la rue Ste-Croix et le D 31, on arrive à Behren.

Behren-lès-Forbach. — 12 015 h. Cité de mineurs.

Grosbliederstroff; Sarreguemines; Zetting. — *22 km au départ de Behren.*

Centrale de Grosbliederstroff. — Cette centrale thermique importante est équipée de 2 groupes de 110 000 kW chacun; elle utilise l'eau de la Sarre et est alimentée en charbon depuis Marienau-Forbach, par un téléphérique de 13 km.

Emprunter ensuite la N 61, puis le D 910.

Sarreguemines. — 26 293 h. Ville célèbre par son industrie céramique (faïences, porcelaines, poteries). On peut voir derrière l'hôtel de ville un four à faïence, très ancien.

Au Sud de Sarreguemines, prendre à gauche le D 33 qui suit le cours de la Sarre.

Zetting. — 865 h. Village dont le site verdoyant est dominé par une petite église *(clé au presbytère)* à tour ronde pré-romane (9e ou 10e s.) et abside gothique (1434) encadrant la nef (ancien sanctuaire rural transformé au 15e s.). A l'intérieur, richement orné, on remarque le buffet d'orgues Renaissance, la Mise au tombeau des 14e et 15e s., aux six personnages polychromes, et, surtout, les **vitraux**, du 15e s., éclairant le chœur : de gauche à droite, scènes de l'Ancien puis du Nouveau Testament.

Faire demi-tour et quitter le D 31 pour prendre à gauche le D 910 puis le D 31C en direction de Gaubiving : aussitôt, des pentes du **Kelschberg**, on a une vue intéressante sur les puits du bassin houiller, les installations annexes et la cokerie de Marienau.

Le retour à St-Avold s'effectue par les D 30C, D 30, puis N 3, qui longe la vallée de la Rosselle, verdoyante et boisée.

CHARMES

Carte Michelin n° 🗗🗗 - Sud pli 5 — 5 959 h. (les Charmois).

Cette petite ville, bâtie sur les rives de la Moselle, fut plusieurs fois détruite au cours des siècles. En août-septembre 1914, elle fut sauvée grâce à la bataille de la « Trouée de Charmes ». Les troupes du général de Castelnau repoussèrent les Allemands qui, vainqueurs à Morhange, voulaient prendre à revers les défenses du camp retranché de Nancy. En 1944 une partie de la ville fut incendiée par l'armée allemande en retraite.

Le centre de la ville, reconstruit, est une réussite. Sur la coquette place Henri-Breton, ornée d'un bassin, s'élève l'hôtel de ville. C'est un beau monument moderne dont le très haut toit est recouvert de tuiles vernissées formant des losanges.

Les admirateurs de Maurice Barrès pourront voir la maison et la tombe familiale du célèbre écrivain, qui est inhumé dans « la terre de ses morts ».

Chamagne, situé à 4,5 km au Nord de Charmes, a vu naître, en 1600, le grand peintre paysagiste Claude Gellée dit « Le Lorrain ».

EXCURSION

Monument de Lorraine. — *3,5 km. Au Sud-Ouest, par le D 28 puis, à droite, le D 28C étroit et en montée jusqu'au terre-plein situé devant le monument « de Lorraine ».*

Derrière le monument, commémorant la victoire de la « Trouée de Charmes », une table d'orientation en céramique reproduit le champ de bataille et l'emplacement des armées en présence. La vue est étendue sur le théâtre des combats et la vallée de la Moselle.

Carte Michelin n° 🗤 - pli 20 — *Schéma ci-dessous* — 1 763 h. (les Clermontois).

Sur le flanc d'une colline boisée dont le sommet (alt. 308 m) est le point culminant de l'Argonne, Clermont occupe un site pittoresque au-dessus de la vallée de l'Aire.

Ancienne capitale du comté de Clermontois, la ville, dominée par un château fort, était entourée de remparts. Elle fit successivement partie de l'Empire, de l'évêché de Verdun, du comté de Bar, du duché de Lorraine, avant de passer à la France en 1632. Louis XIV l'attribua au Grand Condé. Le château avait été rasé pendant la Fronde.

Église St-Didier. — *Demander la clé au presbytère.* 16ᵉ s. Elle possède deux portails Renaissance. Remarquer les voûtes du transept et du chœur, de style gothique flamboyant, et les vitraux modernes.

De la terrasse, derrière l'église, vue étendue sur l'Argonne et la forêt de Hesse.

Chapelle Ste-Anne. — *Accès par le chemin en montée qui passe à droite de l'église. En cas de fermeture, s'adresser au café à côté.*

Ce petit édifice, élevé à l'emplacement de l'ancien château, renferme un Saint-Sépulcre du 16ᵉ s., composé de six statues. Dans le groupe des trois Marie, toutes trois peintes, Marie-Madeleine, très belle, est attribuée à Ligier Richier ou à un autre sculpteur de son école.

Suivre une allée ombragée conduisant à l'extrémité du promontoire : vue étendue sur la forêt d'Argonne et le plateau sillonné par la vallée de l'Aire *(table d'orientation)*.

L'ARGONNE

L'Argonne est une individualité géographique aux confins de la Champagne et de la Lorraine. Par son relief varié et le charme de sa forêt, c'est une région touristique où les sites pittoresques ne manquent pas. Ce massif, dont la plus grande largeur, entre Clermont et Ste-Menehould, ne dépasse pas 12 km, atteint 308 m d'altitude au Sud de Clermont. Dominant la plaine à l'Est, il constitue un obstacle sérieux dont la possession a toujours excité la convoitise. Les vallonnements séparant les mamelons constituent des voies de passage qui ont servi de couloirs d'invasion : défilés des Islettes, de Lachalade, de Grandpré, baptisés les « Thermopyles de la France ».

Jadis « marche » entre la Champagne et la Lorraine, elle appartient d'abord aux trois évêchés de Châlons, Reims et Verdun. Lorsqu'elle forma plus tard le comté d'Argonne, avec, comme chef-lieu, Ste-Menehould, elle resta tributaire des diocèses précédents.

Puis le morcellement subsista, le roi de France et le duc de Lorraine prenant chacun la zone touchant à son domaine. Plus tard, elle fut partagée entre la Champagne, le Barrois et la Lorraine. C'est en Argonne que Dumouriez arrêta l'armée prussienne, en 1792, à Valmy. Au cours de la guerre 1914-1918, les buttes — buttes témoins *(voir p. 11)* — de Beaulieu, Vauquois, Montfaucon furent l'enjeu de combats acharnés.

Circuit au départ de Clermont — *46 km* — *environ 2 h* — *schéma ci-dessous*

Quitter Clermont-en-Argonne au Nord par le D 998, puis à Neuilly-en-Argonne, prendre le D 946. Sur la droite, à Boureilles, le D 212 conduit à Vauquois.

Butte de Vauquois. — *0,5 km.* Elle fut disputée par les deux adversaires, de 1914 à 1918. A l'entrée de Vauquois, se détache à gauche le chemin goudronné d'accès à la butte; à son terminus, laisser la voiture et gravir le sentier qui conduit au sommet : un monument marque l'emplacement de l'ancien village, détruit durant la guerre.

Un petit chemin, suivant la ligne de crête et offrant des vues étendues sur la forêt de Hesse, la butte de Montfaucon et la vallée de l'Aire, domine plusieurs cratères de mine profonds de 30 m. Le terrain est complètement bouleversé aux alentours et l'on peut y voir encore des restes de barbelés et de chevaux de frise.

Varennes-en-Argonne. — *Page 173.*

Au-delà de Varennes, on pénètre à nouveau dans la forêt d'Argonne. Une route en sous-bois, à droite, mène aux « Abris du Kronprinz » *(on ne visite pas)* qui furent utilisés, dit-on, pendant la Première Guerre mondiale par le prince héritier d'Allemagne et son état-major.

Pour gagner la vallée de la Biesme, suivre le D 38 jusqu'au Four-de-Paris et prendre à gauche le D 2.

Variante par la Haute-Chevauchée. — *Allongement de parcours : 1 km. 4 km après Varennes, tourner à gauche dans le D 38, route de la Haute-Chevauchée.*

Le secteur parcouru par la route fut disputé au cours de la Grande Guerre et le terrain est, aujourd'hui encore, bouleversé; dans le sous-bois, les tranchées et les boyaux sont encore visibles. On peut y voir le Monument aux morts de l'Argonne et le cimetière militaire de la Forestière.

Aussitôt avant le cimetière militaire de la Forestière, tourner à droite en direction de Lachalade.

Aux Islettes, prendre à gauche la N 3 qui ramène à Clermont.

Carte Michelin n° **62** - Sud-Est du pli 4.

La butte de Sion-Vaudémont, en forme de fer à cheval, est isolée en avant des côtes de Meuse. C'est un des plus célèbres belvédères sur le pays lorrain en même temps qu'un de ces hauts lieux historiques « où souffle l'esprit » selon la formule de **Maurice Barrès,** qui lui donna le nom de « Colline inspirée ». Dans ce véritable sanctuaire de la Lorraine, de grands pèlerinages rassemblent les foules, surtout de Pâques au début d'octobre.

Vingt siècles de prières. — Il y a 2 000 ans, les Celtes adorent déjà sur la colline les dieux de la Guerre et de la Paix. Au 4e s., le christianisme chasse les idoles et le culte de la Vierge remplace celui des divinités païennes. Au 10e s., saint Gérard, évêque de Toul, fixe cette dévotion d'une façon définitive. Elle s'étend à toute la contrée, grâce à la protection des comtes de Vaudémont et des ducs de Lorraine.

On prie sur la colline pour les Croisés qui guerroient en Terre Sainte. Plus tard, c'est sous la bannière de N.-D.-de-Sion que le duc René II défait le Téméraire devant Nancy *(voir p. 108).* Enfin, à une époque plus récente, lorsque par trois fois le péril germanique s'éloigne, le sanctuaire accueille les foules venues remercier la Vierge.

Le 10 septembre 1873, quand les derniers soldats prussiens eurent quitté la Lorraine non annexée, 30 000 pèlerins vinrent célébrer le couronnement de N.-D.-de-Sion. Ce jour-là, une plaque symbolique apportée par les Lorrains de la partie annexée fut placée dans l'église. Elle portait une croix de Lorraine brisée, avec une inscription en patois : « Ce n'ame po tojo » (ce n'est pas pour toujours).

Le 24 juin 1920, toute la province se trouva de nouveau assemblée sur la colline, mais cette fois pour célébrer la victoire. Au cours d'une cérémonie, Maurice Barrès fut chargé de masquer sous une palmette d'or la brisure d'autrefois, et les mots « Ce n'ato me po tojo » (ce n'était pas pour toujours) furent gravés au-dessus de la plaque.

Le 8 septembre 1946, une fête de l'Unité française réunit 80 000 personnes autour de la Vierge de Sion et le général de Lattre de Tassigny plaça sur l'autel une nouvelle croix de marbre portant l'inscription : « Estour inc po tojo » (maintenant c'est pour toujours).

Le 9 septembre 1973, au cours d'une « fête de la Paix » rassemblant 10 000 pèlerins, dont des invalides et ex-prisonniers de guerre allemands, une banderole de marbre portant le mot « Réconciliation » a été apposée au-dessus des inscriptions précédentes, et un « Monument de la Paix » érigé à l'entrée du Plateau.

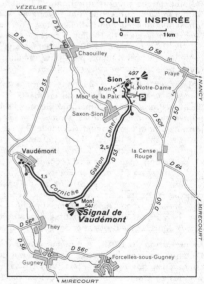

SION★ *visite : 1 / 2 h*

Le village. — *Laisser la voiture au parc de stationnement et monter jusqu'à l'hôtel Notre-Dame.* Prendre à gauche en longeant le cimetière, pour gagner l'esplanade plantée de tilleuls séculaires.

Église. — Elle date, pour l'essentiel, du milieu du 18e s., et semble être le piédestal de la tour monumentale (1860) qui se dresse au-dessus du porche.

L'abside, restaurée dans sa pureté originelle (début 14e s.), abrite la statue actuelle de N.-D.-de-Sion : Vierge couronnée, en pierre dorée, du 15e s. Au-dessus de l'autel du bas-côté gauche sont fixées les plaques apposées lors des quatre pèlerinages de 1873, 1920, 1946 et 1973.

Un musée archéologique et missionnaire a été aménagé à l'extrémité du préau. L'histoire de la « Colline inspirée » y est retracée *(en cas de fermeture, sonner).*

Panorama★. — *A la sortie de l'église, prendre à droite, longer le préau et tourner à droite, à l'angle du mur du couvent.* A hauteur d'un calvaire, le panorama atteint toute son ampleur *(table d'orientation — alt. 497 m).* C'est là qu'on découvre ce « vaste paysage de terre et de ciel » dont parle Barrès.

SIGNAL DE VAUDÉMONT★★ *visite : 1 / 2 h*

2,5 km au Sud de Sion. En quittant Sion, laisser à droite le chemin en descente sur Saxon-Sion et, à hauteur d'un calvaire, prendre, tout droit, le D 53, route de crête qui traverse toute la colline.

Après avoir dépassé, à droite, une croix de mission érigée vers 1622 par Marguerite de Gonzague, épouse de Henri II de Lorraine, la route traverse le bois de Plaimont à la sortie duquel on aperçoit le monument à Barrès et l'agglomération de Vaudémont où subsistent les ruines de son château.

Au sommet du signal de Vaudémont (alt. 541 m), s'élève le **monument à Barrès** haut de 22 m, en forme de lanterne des Morts, érigé en 1928 à la mémoire de Maurice Barrès. **Panorama★★** superbe sur le plateau lorrain.

On peut poursuivre jusqu'au village de **Vaudémont,** pointe opposée de la colline, où s'élève la « tour Brunehaut », ruine du château de Vaudémont, berceau de la famille des ducs de Lorraine. Tout près, en contrebas, se trouve le village de Saxon-Sion.

Carte Michelin n° **87** - pli 17 – *Schéma p. 138* – 67410 h. (les Colmariens) – *Plan dans le guide Michelin France.*

Le grand charme de Colmar réside surtout dans le caractère purement alsacien de ses rues, bordées de jolies maisons sculptées et ornées. Tous les touristes devront visiter son musée d'Unterlinden. Colmar est, en outre, un excellent centre d'excursions.

UN PEU D'HISTOIRE

Le domaine des Colombes. — Une villa franque s'élève dans la plaine du Rhin, au bord d'une rivière, la Lauch, affluent de l'Ill. C'est une résidence impériale : Charlemagne y fait de fréquents séjours et son fils, Louis le Débonnaire, l'imitera. Autour de l'habitation principale vit tout un petit peuple d'ouvriers et d'artisans. Au centre, symbole de noblesse et de puissance, une tour abrite un colombier qui aurait transmis son nom à la cité future. Villa Columbaria, le domaine des Colombes, serait devenu Columbra, puis Colmar.

Roesselmann, héros de l'Indépendance. — Colmar est en lutte ouverte contre l'évêque de Strasbourg qui convoite cette petite ville florissante. C'est Roesselmann, le fils d'un tanneur, qui y exerce la plus haute magistrature, au grand dépit de tous les nobles des environs. En 1261, ceux-ci prêtent main-forte à l'évêque pour se débarrasser de leur ennemi commun. Roesselmann, proscrit mais non résigné, se réfugie chez Rodolphe de Habsbourg, futur empereur, dont l'aide lui permet de réoccuper les lieux. Mais un matin, une troupe aux couleurs de Rodolphe pénètre dans la ville sans encombre : ce sont les soldats de l'évêque déguisés. Roesselmann se précipite, à la tête de la milice bourgeoise. L'envahisseur est repoussé. Mais Roesselmann a payé de sa vie la liberté de Colmar.

Hagenbach le tyran. — En 1469, l'archiduc **Sigismond,** qui représente l'empereur d'Allemagne en Alsace, a d'impérieux besoins d'argent. Charles le Téméraire lui consent un prêt mais réclame, en gage, une partie de la province... Dans la région concédée, il délègue un bailli, Pierre de Hagenbach. Sa cruauté est telle que les villes d'Alsace se hâtent de rembourser. Mais Hagenbach refuse de céder la place. Battu et fait prisonnier, il est condamné à avoir la tête tranchée. L'honneur de l'exécution revient au bourreau de Colmar.

Le glaive du bourreau est conservé au Musée d'Unterlinden.

Réjouissances révolutionnaires. — L'autel de la déesse Raison est édifié dans l'église St-Martin : c'est un extraordinaire échafaudage simulant une montagne, surmonté d'une urne enflammée, entouré d'allégories. En l'honneur de la déesse, des chœurs alternent avec des harangues de Hérault de Séchelles, le représentant de la Convention.

Le 26 septembre 1796, on organise une « Fête des Vieillards ». Un brave Colmarien, centenaire, en est le héros. Mais prié, au banquet, de prendre la parole, il ne sait que réunir toutes ses forces pour crier ingénument : « Vive le Roi ! ».

Colmar, ville fidèle. — Pendant les quarante-sept ans de l'occupation allemande, Colmar a mérité le titre de capitale de la fidélité. C'est là que résident ces grands patriotes : Jacques Preiss, **Hansi,** Blumenthal, Helmer, **l'abbé Wetterlé.** Rien ne peut endiguer leur active propagande française, ni les menaces, ni les persécutions, ni les séjours qu'ils font à la prison, surnommée par eux : l'Hôtel de France.

En juillet 1914, Hansi est cité devant le tribunal : il a malicieusement reproduit et illustré, dans son album « Mon village », la chanson de la cigogne :

« Cigogn', cigogn', t'as d'la chance,   Cigogn', cigogn', rapport' nous,
Tous les ans, tu pass' en France,   Dans ton bec, un p'tit piou-piou. »

La peine prononcée est d'un an de prison. Mais Hansi s'échappe et fait la guerre dans les rangs français. Jacques Preiss, déporté à Munich, mourra avant la délivrance. Sa fille, âgée de 16 ans, sera à son tour internée en Allemagne.

Le 21 août 1914, une patrouille de hussards pénètre dans Colmar enthousiaste *(voir p. 24)*. Mais la ville devra attendre quatre ans encore avant de redevenir française.

La libération de 1945. — Colmar se trouve être, au début de février 1945, l'objectif de l'attaque en tenaille montée par le **général de Lattre de Tassigny,** pour liquider la poche dangereuse que l'ennemi conserve en Alsace *(voir p. 25).* Le 1er février, les lignes allemandes sont percées au Nord de Colmar par l'infanterie américaine qui arrive aux abords de la ville mais cède le pas, pour l'entrée dans Colmar (le 2 février), au général français Schlesser qui commande une fraction des chars de la 5e D.B.

■ LE MUSÉE D'UNTERLINDEN★★ *visite : 1 h 1/2*

Le musée est ouvert de 9 h à 12 h toute l'année; de 14 h à 17 h du 1er novembre au 31 mars, de 14 h à 18 h du 1er avril au 31 octobre. Il est fermé le mardi du 1er novembre au 31 mars, le 1er janvier, le 1er novembre, le 25 décembre. Entrée : 6 F.

Ce musée est situé sur la pittoresque place d'Unterlinden traversée par le Logelbach (canal des Moulins). Il occupe un ancien couvent, dont le nom signifie « Sous les tilleuls », et qui fut édifié au 13e s. Deux veuves de noble famille y fondèrent une communauté, régie d'abord par la règle de saint Augustin puis par celle de saint Dominique. Pendant plus de cinq siècles, le couvent fut célèbre par le mysticisme et l'austérité des moniales. La Révolution dispersa celles-ci et le couvent, délaissé, fut transformé en quartier de lanciers. Il reçut son affectation actuelle en 1849 et connaît à nouveau aujourd'hui la célébrité grâce aux œuvres de Grünewald, de Schongauer et d'Isenmann qu'il abrite.

Cloître★. — Le cloître, dans lequel on pénètre d'abord, a été construit au 13e s., en grès rose des Vosges. Au milieu de la galerie Ouest, une arcade est plus grande et plus ornée que les autres. Elle surmonte ce qui était le lavabo dont on peut encore voir la cuve. Dans un angle du cloître se trouve un curieux puits de style Renaissance.

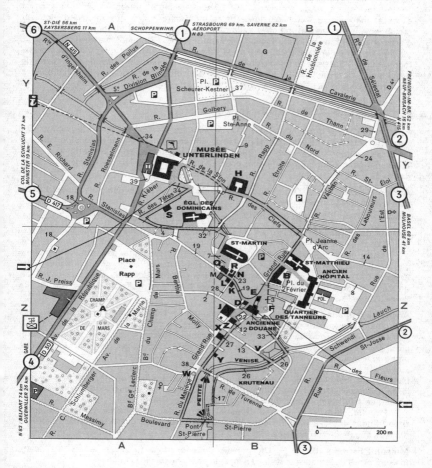

Chapelle. — L'ancienne chapelle des Dominicaines, dont l'entrée se trouve au centre de la galerie Sud du cloître, possède le célèbre **retable d'Issenheim★★★** peint, au début du 16e s., par Mathis Gothardt-Nithardt, plus connu sous le nom de **Mathias Grünewald**.

Le couvent des Antonins d'Issenheim avait été fondé en 1298. On y soignait les malades atteint du « feu de saint Antoine » ou « mal des Ardents » (ergotisme gangréneux). Le prieur, en 1500, fit décorer son église par les plus grands artistes de l'époque. Le retable de Mathias Grünewald constituait le maître-autel. Il fut transporté à Colmar en 1793.

« Par le mélange de mysticisme et de réalisme, l'éclat, le dramatique et la lumière surnaturelle dont le maître d'Issenheim entoure ses visions, les peintures du couvent des Antonites restent l'œuvre unique, du moins la seule connue, d'un artiste qui n'eut son pareil en aucun temps, dans aucun pays. » *(J.-K. Huysmans).*

Il comporte une partie sculptée, au centre, deux volets fixes, deux paires de volets mobiles et une partie basse ouvrante.

On verra tout d'abord, au fond de la salle, à gauche en entrant, la partie sculptée : elle comprend trois magnifiques statues de bois doré représentant saint Antoine entre saint Jérôme et saint Augustin, œuvre attribuée à Nicolas de Haguenau *(voir p. 35)*; le haut-relief de la partie basse, représentant Jésus au milieu des apôtres, est de Sébastien Beychel.

En se retournant, on admirera sur le premier volet, à droite la Conversation de saint Antoine et de saint Paul l'Ermite, à gauche la Tentation de saint Antoine; au revers, à droite la Nativité, à gauche le Concert des Anges.

En se retournant, on verra, sur le second volet, à droite l'Annonciation, à gauche la Résurrection et, au revers, l'admirable Crucifixion, pièce maîtresse du retable, scène pathétique, peut-être la plus impressionnante de toute la peinture religieuse occidentale. A la prédelle, émouvante Mise au tombeau.

La chapelle renferme aussi une Annonciation peinte vers 1470 par Martin Schongauer; une **Passion★★**, en 24 panneaux, conçue par **Schongauer**, exécutée par lui-même et par ses élèves (au revers de huit panneaux sont peintes des scènes de la vie de la Vierge).

En sortant de la chapelle, prendre à gauche, et, à l'extrémité de la galerie Sud du cloître, emprunter l'escalier qui conduit à la tribune de la chapelle, d'où l'on a un beau coup d'œil sur les œuvres de Schongauer et de Mathias Grünewald.

Salles d'exposition. — Le 1er étage est composé de salles consacrées à l'histoire de la province, aux costumes et à l'art populaire alsacien, à des collections d'armes, de ferronneries, de porcelaines et de faïences de Strasbourg, de Rouen, de Moustiers et de Saxe.

Redescendre dans le cloître et suivre à gauche la galerie Ouest où s'ouvrent une salle consacrée aux arts mineurs et un musée lapidaire. De la galerie Ouest, on accède au sous-sol, à l'ancienne cave du couvent (13e s.), admirablement conservée : à l'intérieur, est exposée une collection archéologique, de la préhistoire à l'époque mérovingienne; en prolongement, on trouve une salle gallo-romaine et deux salles abritant des collections d'art moderne (Picasso, Léger, Rouault, Mathieu, Vasarely, Braque, Minaux...).

Au centre de la galerie Est, s'ouvre la salle des Primitifs. On y voit : des panneaux, représentant la Passion, du retable de **Gaspard Isenmann** qui passe pour avoir été le maître de Schongauer, des peintures de Urbain Huter, de Waechtlin, et une belle collection d'œuvres de peintres anonymes s'échelonnant de 1360 à 1520.

■ LA VILLE ANCIENNE★★ *visite : 1 h 1/2*

Partir de la place d'Unterlinden. Suivre la rue des Clefs jusqu'à la place Jeanne-d'Arc. On passe devant l'hôtel de ville (**BY H**) du 18e s., ancien bâtiment qui appartenait à l'abbaye de Pairis. *Tourner à droite dans la Grand'Rue.* Sur la gauche, église St-Matthieu (p. 63). *Tourner à gauche au coin du temple pour s'avancer sur la place que borde, à l'Est, la façade de l'Ancien Hôpital.*

Ancien Hôpital (BZ). — Cet édifice, de style classique, présente une majestueuse façade coiffée d'un toit à l'alsacienne.

Revenir à la Grand'Rue que l'on continuera à suivre.

Maison des Arcades★ (BZ B). — De style Renaissance (1609), la façade flanquée aux angles de deux tourelles octogonales repose sur dix arcades en plein cintre.

Passer devant la **maison du Pèlerin (BZ E)** (1571) sur la droite, pour atteindre la place de l'Ancienne Douane, pittoresque avec ses maisons à pans de bois comme la **maison au Fer Rouge (BZ D)**. Sur la gauche, la **fontaine Schwendi (BZ F)**, œuvre du sculpteur colmarien Bartholdi, célèbre celui qui introduisit en Alsace le cépage du Tokay *(voir p. 83)*. Sur la droite s'élève l'Ancienne Douane (ou Koifhus).

Ancienne Douane★ (BZ). — C'est la plus importante des anciennes constructions civiles de Colmar. Elle se compose de deux corps de logis. Le corps principal fut bâti en 1480. Son rez-de-chaussée servait d'entrepôt pour les marchandises passibles d'un impôt municipal. Dans la grande salle du 1er étage se réunissait le conseil des Échevins. La seconde partie a été ajoutée à la fin du 16e s.

C'est un joli bâtiment, orné d'une galerie de bois, flanqué d'une tourelle d'escalier à pans coupés, dont le rez-de-chaussée est percé de trois arcades formant passage. Traverser le passage pour admirer, sur l'autre côté de la façade, le bel escalier extérieur. La loge du portier, en 1771, vit naître le futur général Rapp *(voir p. 64)*.

Prendre, face à l'Ancienne Douane, la rue des Marchands qui est, avec la Grand'Rue, l'une des voies les plus pittoresques de Colmar. La maison Pfister s'élève à droite, à l'angle de la rue Mercière.

Maison Pfister★★ (BZ N). — Un chapelier de Besançon se fit construire, en 1537, cette maison, ornée de fresques et de médaillons, la plus jolie du vieux Colmar.

Sur un rez-de-chaussée à arcades court une élégante galerie de bois coupée, à l'angle de la rue, par une loggia au toit pyramidal.

Sur le côté gauche de la rue des Marchands, en face de la maison Pfister, la **maison Schongauer★** ou maison à la viole, du 15e s. (**BZ K**) appartint à la famille de ce peintre. Face à la maison à la viole, petite **maison au cygne (BZ L)** où on dit que le peintre habita de 1477 à 1490. Un peu plus loin, au n° 34, a vécu le peintre Isenmann.

En face de la maison natale de Bartholdi (**ABZ M**), aménagée en musée, passer sous les arcades, où se tenait jadis la halle aux noix, pour voir, sur la place de la Cathédrale, la façade de l'Ancien Corps de garde.

Ancien Corps de garde★ (BY Q). — Cette maison fut construite en 1575. C'est de la jolie loggia Renaissance qui décore la façade que le Magistrat de la ville prêtait serment et qu'étaient prononcées les condamnations infamantes. Dans l'angle, remarquer une ancienne maison de Colmar, la **maison Adolphe (BZ R)** (1350), restaurée.

En face de l'Ancien Corps de garde s'élève l'ancienne collégiale St-Martin, que l'on appelle couramment à Colmar : la Cathédrale.

Église St-Martin★ (BZ). — Elle a été construite aux 13e et 14e s.

Extérieur. — *Travaux de restauration en cours.* Le portail principal, à l'Ouest, devait être à l'origine encadré par deux tours. Seule, la tour Sud fut achevée. Elle est surmontée d'un étrange clocheton en forme de chapeau chinois. Sur le tympan de la porte du centre figure : en haut, le Christ-Juge entre les anges et, en bas, l'Adoration des Mages.

Le portail St-Nicolas, dans le bras droit du transept, est décoré des sculptures les plus remarquables de toute l'église. La porte est ornée de treize statuettes dont l'une, sous le quatrième dais à gauche, est le portrait du maître d'œuvre qui a signé en français : « Maistres Humbret ». Le tympan, gothique dans sa partie supérieure, roman dans sa partie inférieure, représente : en haut, le Christ ressuscitant les Morts; en bas, la légende de saint Nicolas. A gauche du saint, les trois jeunes filles qu'il a sauvées du déshonneur, accompagnées de leur père (la parenté entre ces figures et les fameuses Vierges Folles de la cathédrale de Strasbourg est assez frappante); à droite, les trois jeunes hommes qu'il a donnés comme époux à ses protégées.

Intérieur. — Dans le chœur, les stalles, de style gothique, ont été exécutées au début de ce siècle par l'atelier Klem de Colmar.

Dans la chapelle absidale, Crucifixion du 14e s. Dans la chapelle de gauche, « Vierge de Colmar », du 15e s.

Les vitraux les plus précieux sont au fond de l'église : au-dessus des grandes orgues Silbermann (construites vers 1770), se trouve une belle rosace; à gauche, le petit vitrail en forme de trèfle est du 13e s.; à droite, au-dessus des escaliers qui montent à la tribune, le grand ensemble appelé « Miroir du Salut » date du 14e s.

Sortir de l'église par l'une des portes de la façade Ouest, prendre à droite puis à gauche dans la rue des Serruriers. Suivre la rue des Boulangers et tourner à droite dans la rue des Têtes.

Maison des Têtes★ (AY S). — *Au n° 19, rue des Têtes.* Cette belle maison Renaissance (1608) doit son nom aux nombreuses têtes sculptées qui figurent parmi les ornements de sa façade. Elle possède un joli pignon à volutes et une loggia vitrée à deux étages *(illustration p. 33).* Un restaurant y est installé.

Regagner la place d'Unterlinden.

■ AUTRES CURIOSITÉS

« Petite Venise » et quartier de la Krutenau★. — *1/2 h à pied au départ de la place de l'Ancienne Douane.*

Au fond de la place, prendre à gauche la rue des Tanneurs qui longe le canal et le **quartier des Tanneurs.** En franchis-sant le pont sur la Lauch, on pénètre dans le quartier de la Kru-tenau qui constituait jadis un fau-bourg fortifié, peuplé de maraî-chers et qui a gardé son aspect pittoresque. *Suivre, à droite, le quai de la Poissonnerie.* Traverser le pont suivant pour aller voir, à l'angle des rues des Écoles et du Vigneron, la **fontaine du Vigneron** (BZ V) qui chante la gloire des vins d'Alsace, par Bartholdi.

Reprendre le quai de la Poissonnerie, puis suivre la rue de la Poissonnerie bordée de pit-toresques maisons de bateliers. Elle aboutit à la rue de Turenne, l'ancienne Krutenau, autrefois marché aux légumes dans sa partie la plus large.

Suivre tout droit la rue de la Herse et prendre à droite la ruelle qui conduit à la Lauch. Petite promenade aménagée le long de la berge qui mène au pont St-Pierre. Du pont St-Pierre, on découvre la plus jolie **vue★** sur la **« petite Venise »** *(illuminée le soir),* avec la tour de l'église St-Martin à l'arrière-plan dans l'axe de la rivière.

(D'après photo Patrick Flesch)

Colmar. — La Petite Venise.

Prendre à droite la rue du Manège qui aboutit à la place des Six Montagnes-Noires sur laquelle s'élève la **fontaine Roesselmann** (AZ W), autre œuvre de Bartholdi, dédiée au héros colmarien *(détails p. 60).*

A droite de la place, s'avancer sur le pont qui offre un coup d'œil charmant sur la rivière où se penchent les saules et qui est resserrée entre deux rangées de vieilles maisons.

Prendre ensuite la rue St-Jean. Sur la gauche, s'élève la **maison des Chevaliers de St-Jean** (BZ X), bel édifice de la Renaissance orné de deux galeries superposées. En face, subsiste un portail gothique (BZ Y) de l'ancien bâtiment. On atteint la place du Marché-aux-Fruits, bordée par la **maison Kern** (BZ Z) Renaissance, la plus jolie façade en grès rose, de style classique, du **Tribunal civil★** (BZ J), sur la gauche et l'Ancienne Douane en face.

Quartier des Tanneurs (BZ). — Ce quartier a fait l'objet d'une restauration aussi complète qu'exemplaire, achevée en 1974.

Place Rapp (AZ). — Statue du **général Rapp** par Bartholdi. Fils du concierge de l'Ancienne Douane, il s'engage à 16 ans, à la veille de la Révolution, et prend part à toutes les guerres de l'Empire. Très indépendant de caractère comme la plupart des Alsaciens, Napoléon l'appelait « la mauvaise tête ». Rapp sauve plusieurs fois la vie de l'Empereur.

Fontaine Bruat (AZ A). — *Au centre du Champ de Mars.* La statue de Bruat est de Bartholdi; les figures qui l'entourent, détruites pendant la guerre, ont été refaites par Choain.

Église des Dominicains (AY). — *Visite du 1er juillet au 30 septembre de 9 h 30 à 18 h 30; du dimanche des Rameaux au 30 juin et du 1er octobre au 11 novembre de 10 h à 18 h.* La première pierre du chœur fut posée en 1283 par l'Empereur Rodolphe de Habsbourg. Mais la construction de l'édifice ne fut exécutée dans son ensemble qu'aux 14e et 15e s. A l'inté-rieur, autels et stalles du 18e s.; magnifiques **vitraux★** du 14e et du 15e s.

COLMAR★★★

Le célèbre tableau de Martin Schongauer, la **Vierge au buisson de roses★★**, est exposé à l'entrée du chœur, dans un retable ouvert. *Illustration p. 35.* Il fut exécuté en 1473. La Vierge et l'Enfant, d'une grâce charmante, se détachent sur un fond d'or, couvert de rosiers blancs et rouges peuplés d'oiseaux.

Église St-Matthieu (BZ). — Cette ancienne église des Franciscains, aujourd'hui temple protestant, possède de beaux **vitraux** des 14e et 15e s. Le plus remarquable est le **vitrail de la crucifixion★** (15e s.), attribué à Pierre d'Andlau, placé en haut du collatéral droit.

EXCURSIONS

Parc Naturel de Schoppenwihr. — *6 km au Nord. Quitter Colmar par ① du plan. Passé l'aéroport de Houssen, prendre la 1re route à droite et encore à droite pour passer sous la N 83. Juste avant un passage à niveau, prendre de nouveau à droite. Visite du 15 avril au 15 septembre de 10 h à 12 h et de 14 h à 18 h 30; le reste de l'année, les jours fériés seulement et fermeture à 17 h; entrée : 3 F.*

Ce vaste parc à l'anglaise, dessiné vers 1850 par un architecte écossais, constitue une promenade attrayante et reposante. Une «cathédrale végétale» formée de platanes mène au pied d'arbres rares, gigantesques, centenaires. De vastes pelouses, la rivière, l'étang, les ponts romantiques, les oiseaux... composent un paysage qui charmera les amis de la nature.

Au fond du parc, près de la ferme, quelques ruines fleuries subsistent de l'ancien château qui s'élevait là au 19e s. On peut visiter la maison alsacienne.

Neuf-Brisach. — *17 km au Sud-Est. Quitter Colmar par ② du plan, N 415. Description p. 114.*

Quelques faits historiques
Le tableau p. 22 et 23 évoque
les principaux évènements de l'histoire de la région.

COMMERCY

Carte Michelin n° 62 - pli 3 — 8180 h. (les Commerciens) — *Plan dans le guide Michelin France.*

Située sur la rive gauche de la Meuse, Commercy tire de ses forges et fonderies (tréfileries, fabrique de fers à cheval et d'appareils pour soudure à l'électricité), favorisées par la présence du canal et de la voie ferrée Paris-Strasbourg, une certaine activité industrielle.

Ses madeleines constituent une spécialité renommée.

Château. — Il date du 18e s. et fut une des résidences favorites de Stanislas.

Il abrite aujourd'hui les services municipaux, les PTT, le commissariat de police, le Syndicat d'Initiative...

La belle **allée des tilleuls,** dans l'axe du château, donne accès à la forêt de Commercy.

EXCURSION

Vallée du Rupt de Mad. — *85 km — environ 2 h 1/2. Quitter Commercy par ① du plan, D 958. Carte Michelin n° 57 - plis 12, 13.*

Cette vallée agreste constitue un itinéraire touristique entre Commercy et Metz. La route emprunte une longue côte sinueuse et boisée.

Après avoir traversé **Broussey-en-Woëvre**, village lorrain typique, le D 33 que l'on prend à gauche, puis le D 907 traversent une région d'étangs et de bois caractéristiques des basfonds de la Woëvre.

Avant Apremont-la-Forêt, le D 12 que l'on prend à droite, étroit, entre vignes et mirabelliers, conduit à la Butte de Montsec.

Butte de Montsec★★. — *Page 95.*

Par le D 119, on redescend dans la vallée du Rupt de Mad où l'on prend le D 33 à gauche.

Thiaucourt-Régniéville. — 1093 h. A l'Ouest de ce bourg s'élève un cimetière américain où sont inhumés 4152 soldats tombés lors de la réduction du «saillant» de St-Mihiel en septembre 1918 *(voir p. 142).* Sur l'autre versant, cimetière allemand de la même époque.

La rivière s'encaisse peu à peu dans un vallon verdoyant, pour traverser les côtes de Moselle.

Jaulny. — 190 h. Château féodal des 11e-12e s. *(visite de mai à octobre, de 14 h à 18 h)* dont le gros œuvre et les remparts subsistent. L'intérieur est aménagé et on peut y voir un beau plafond aux poutres sculptées du 15e s., des grilles et rampes d'escalier attribuées à Jean Lamour, peintures, tapisseries, mobilier lorrain, ainsi que des objets de différentes époques : pierres taillées, bronzes, sculptures, etc., et des souvenirs militaires.

Toujours par le D 28, puis le D 952, après être passé sous l'élégante courbe que décrit le moderne viaduc de la voie ferrée, continuer de suivre le Rupt de Mad jusqu'à son confluent avec la Moselle, à Arnaville. La basse vallée du Rupt de Mad est plus épanouie.

Avant Arnaville, la route est bordée, à droite, depuis 1970, par la petite retenue d'un barrage construit pour servir à l'alimentation en eau de la ville de Metz *(p. 89).*

Carte Michelin n° 🆖 - pli 14 — *Schéma p. 183* — 4 598 h. (les Contrexévillois) — *Lieu de séjour, p. 42* — *Plan dans le guide Michelin France.*

La ville est bien située dans un vallon arrosé par le Vair et richement boisé.

C'est une station hydrominérale très fréquentée. Ses eaux sont employées dans le traitement des maladies des reins et du foie, de la goutte, du cholestérol, de l'obésité et des rhumatismes.

Contrexéville constitue un bon centre d'excursions et de détente qui, grâce à son climat frais et stimulant, plaira aux amis de la nature.

Le **lac de la Folie** *(1,5 km au Nord-Ouest)* est un plan d'eau de 12 ha, joliment situé dans les bois. *Pour les conditions de pêche, voir tableau des lacs, p. 14. Nautisme.*

EXCURSION

Bulgnéville. — 1 130 h. *7,5 km par ③ du plan, D 164.*

Cette bourgade, à la lisière de la forêt, possède quatre fontaines, dont la fontaine des Curtilles, de 1750, restaurée. De l'ancienne église, reconstruite au 19ᵉ s., subsiste une chapelle du 15ᵉ s. qui renferme une Mise au tombeau de la même époque, un magnifique haut-relief et un beau Christ du 16ᵉ s. Les lambris du chœur et le buffet d'orgues datent du 18ᵉ s.

Carte Michelin n° 🆖 - plis 14 et 15.

Cette région, située à la limite de la Lorraine et de l'Alsace, est très pittoresque. Ses beaux paysages montagneux, ses fraîches vallées, dominées par les ruines de châteaux féodaux, ses forêts immenses séduiront le touriste de passage et le séjournant.

Un décor typique. — La région de Dabo-Wangenbourg appartient aux Petites Vosges. Le grès qui la compose se découpe en longues arêtes, surgit en falaises verticales, en pitons dénudés, en rochers romantiques. Ici et là, les roches éruptivent s'allient au grès rouge pour corser le paysage. Rien n'est plus caractéristique à cet égard que l'escarpement porphyrique d'où descend la cascade du Nideck.

Les massifs gréseux, d'apparence farouche et tourmentée, sont séparés par des vallées fraîches et calmes dont les eaux coulent sur des lits de sable fin.

Le pape saint Léon. — L'ancienne et puissante maison de Dabo, que l'on nomme aussi Dagsbourg, descend du duc d'Alsace Étichon, père de sainte Odile *(voir p. 144).*

Il est fait mention en 890 d'un château de Dagsbourg. C'est en ce château que maints historiens situent, en 1002, la naissance de Bruno de Dabo, le plus illustre personnage de la lignée, qui sera le pape Léon IX, puis saint Léon *(voir aussi p. 69).* Sa vocation s'est affirmée dès l'enfance. Devenu évêque de Toul, il se rend au conclave, à Rome. C'est alors, raconte une ancienne chronique, que les coqs, rencontrés tout le long du chemin, lui annoncent sa prochaine dignité papale. «Léon pape, Léon pape» disent-ils, «dans la langue du pays».

Le traité de Nimègue enlève aux comtes de Dabo leurs possessions territoriales et décide la ruine de leur château. Démantelé en 1679, il est rasé onze ans plus tard.

De la vallée de la Zorn à la vallée de la Bruche — *63 km — environ 3 h 1/2 — schéma p. 66*

Quitter Saverne (p. 146) par ④ du plan, D 132.

Château du Haut-Barr★. — *5 km au départ de Saverne. Description p. 79.*

Emprunter les D 132, D 38 et D 98 qui suivent la vallée de la Zorn.

Vallée de la Zorn★. — Cette riante vallée, aux versants couverts de hêtres et de sapins, a toujours été le passage le plus fréquenté des Vosges du Nord. De nos jours, le canal de la Marne au Rhin et le chemin de fer de Paris à Strasbourg l'empruntent. La Zorn y coule, abondante et claire, sur un lit de sable et de cailloux *(illustration p. 12).*

Après Stambach, en avant, sur un promontoire, se dressent les ruines féodales du château de **Lutzelbourg**, 3 km après Lutzelbourg (798 h. — *Lieu de séjour, p. 42*), la route s'écarte du canal, équipé en ce point, depuis 1969, d'un élévateur à bateaux transversal sur plan incliné, première réalisation mondiale de ce type.

Plan incliné de St-Louis-Arzviller★. — *On peut l'observer dans d'excellentes conditions du D 98ᶜ, au niveau inférieur, et de la petite route (D 97ᴮ) menant du D 98ᶜ à St-Louis, au niveau supérieur. Visite accompagnée de Pâques à la Toussaint; prix : 5 F. Départ de la plate-forme supérieure de l'ouvrage (parking). Circuit en vedette avec franchissement du plan incliné; durée : 3/4 h; prix : 8 F.*

Long de 108,65 m dans sa partie inclinée, pour une dénivellation de 44,55 m, cet ouvrage a remplacé l'ancien escalier de 17 écluses, étagées sur moins de 4 km, dont le franchissement nécessitait une journée entière. Son bac métallique, d'une longueur de 43 m, se déplaçant transversalement sur les rails d'une rampe de béton à l'aide de câbles et de contrepoids, permet de faire passer d'un bief à l'autre, en 20 minutes, une péniche de 350 t.

Aux approches de Schaeferhof, on aperçoit, en avant et à gauche, le village de Haselbourg perché au sommet d'une colline. Un peu plus loin, alors que la route (D 45) s'élève dans la pittoresque **vallée du Grossthal**, le rocher de Dabo apparaît.

DABO-WANGENBOURG (Région de)★★

Dabo. — 3 014 h. (les Daboisiens). *Lieu de séjour, p. 42.* Le **site**★ de Dabo est fort agréable et les belles forêts environnantes en font une station estivale fréquentée.

Rocher de Dabo★. — *1,5 km au départ de Dabo.* Prendre les tickets d'accès à la tour d'observation *(prix : 3 F)* en bas des marches. Le rocher de grès de Dabo porte aujourd'hui deux tables d'orientation et une chapelle dédiée à saint Léon. Dans la tour de la chapelle est encastrée la statue du pape Léon IX. A gauche du portail percé sous la tour et permettant d'entrer dans la chapelle, une petite porte s'ouvre sur l'escalier *(92 marches).* **Panorama★** : du haut de la tour, il est possible de repérer les principaux sommets des Vosges gréseuses (Schneeberg, Grossmann, Donon, etc.). La vue est curieuse sur le village de Dabo qui présente la forme d'un X.

Dabo traversée, la route, agréable, sinueuse, variée, pénètre dans une superbe forêt et procure de belles échappées sur le rocher et le pays de Dabo, le plateau fertile du Kochersberg et la plaine d'Alsace, puis sur la verdoyante vallée de la Mossig.

★Variante par Haselbourg.- *Réduction de parcours : 4,5 km.* Le D 98^D suit un tracé de crête à partir de Haselbourg avec des vues dominantes, sur les vallées de la Zorn et du Grossthal. A la sortie de Hellert, on aperçoit, à droite, le rocher de Dabo, coiffé de sa chapelle; 1 km plus loin, la route passe au pied du rocher du Nutzkopf.

Rocher du Nutzkopf. — *1/4 h à pied AR.* Accès par un sentier *(signalisé)* en raidillon à gauche. Au sommet (alt. 515 m) de ce curieux rocher tabulaire, **vue★** panoramique sur le rocher de Dabo, le village de la Hoube, la verdoyante vallée du Grossthal.

La route procure des vues fréquentes sur la vallée du Grossthal et sur le rocher de Dabo. Avant la Hoube, sommet de la crête parcourue, on découvre à gauche la plaine de Saverne. *A la sortie du village, on retrouve le D 45.*

Wangenbourg. — 229 h. (les Wangenbourgeois). *Lieu de séjour, p. 42.* C'est une charmante station estivale, dans un joli **paysage★** de prairies semées de chalets et de forêts dominées par le Schneeberg.

Pour accéder aux **ruines du château de Freudeneck** *(1/4 h à pied AR),* laisser la voiture 250 m après l'église, à la hauteur d'un énorme tilleul, et suivre un chemin dans le prolongement de la rue principale. Le château date des 13e-14e s. et appartint à l'abbaye d'Andlau. Il subsiste un donjon pentagonal et d'importants vestiges de murs. Par le donjon, on peut accéder à la plate-forme : belle vue sur la région. Un sentier, en partie tracé dans les fossés du château, permet de faire le tour de l'énorme rocher de grès qui porte les ruines. Par un pont, on accède à l'ancienne cour. Les bois d'alentour sont sillonnés par de nombreux et excellents sentiers munis de bancs de repos.

Vallée de la Mossig★. — *13 km au départ du D 218 par le D 224.*

Les blocs de grès en saillie donnent aux hauteurs qui encadrent la Mossig une physionomie très particulière. C'est le grès des environs de Wasselonne qui servit à la construction de la cathédrale de Strasbourg. Après Romanswiller, belle vue sur les Vosges gréseuses.

Wasselone. — 4 172 h. (les Wasselonnais). *Lieu de séjour, p. 42.* Ancienne place forte dominée par un château fort réduit à une vieille tour. Ses maisons s'étagent sur les pentes d'une colline, dernier contrefort du Kochersberg. Elle garde de ses fortifications une porte de ville, ancien donjon. L'église protestante date du 18e s. La foire de Wasselonne (dimanche et lundi après le 24 août) est un évènement régional.

Le D 218, au Sud, traverse d'abord le bassin de Wangenbourg puis, après Wolfsthal, monte dans la **forêt de Haslach** qui est fort belle. Un parcours agréable conduit à la maison forestière puis laisse sur la gauche une stèle commémorant la construction de la route. A 500 m, commence une descente parfois sinueuse qui se poursuivra jusqu'à Oberhaslach. On aperçoit en avant et à gauche, toute proche, la tour ruinée du château du Nideck.

Château et cascade du Nideck★★. — *Laisser la voiture sur le D 218, 500 m après la maison forestière du Nideck, et prendre à gauche un sentier signalé par des rectangles rouges (1 h 1/4 à pied AR).*

Une tour du 13e s. et un donjon du 14e s., qui se dressent dans un **site★★** romantique, voilà tout ce qui reste de cette forteresse, incendiée en 1636. Le poète de langue allemande Chamisso a célébré ce château. Du haut de la tour et du haut du donjon, belle vue sur la forêt, la vallée de la Bruche et les hauteurs du Champ du Feu.

Passant ensuite à droite du donjon, suivre à gauche le sentier de la cascade. Après un petit pont, prendre à droite pour longer le ruisseau.

Du belvédère où conduit le sentier, la **vue★★** est superbe sur le gouffre boisé, dans lequel la cascade du Nideck se jette du haut d'une muraille de porphyre.

Revenir au D 218.

Belvédère. — Il est situé à 20 m de la route, à hauteur d'une borne commémorant sa construction. Belle **vue★** sur le château du Nideck, la vallée et les rochers qu'il domine.

Ensuite, la vue se dégage à gauche sur les ravins boisés de la Hasel et de ses affluents et, au loin, sur la vallée de la Bruche et les hauteurs qui la dominent au Sud. Descente de la vallée étroite et très fraîche de la Hasel vers Oberhaslach, Niederhaslach et la Bruche.

Oberhaslach. — 1 108 h. *Lieu de séjour, voir p. 42.* Pèlerinage assez fréquenté, surtout le dimanche qui suit le 7 novembre. Saint Florent qui en est l'objet passait, au 7ᵉ s., pour adoucir les animaux les plus sauvages. Il est resté le protecteur des animaux domestiques. La chapelle, restaurée en 1968, rappelle l'endroit où le saint vivait en ermite avant de devenir évêque de Strasbourg.

Niederhaslach. — *Page 117.*

Le D 218 aboutit dans la vallée de la Bruche (p. 55).

DOMBASLE-SUR-MEURTHE

Carte Michelin n° 62 - pli 5 — 10 218 h. (les Dombaslois).

Dombasle, située entre la Meurthe et le canal de la Marne au Rhin, est le siège d'une importante usine chimique du Groupe **Solvay et Cie**, produisant principalement du carbonate de soude, du sel et du chlore, et dont les installations se succèdent sur plus de 35 ha de part et d'autre de la N 4. Cette unité de production à feu continu, équipée des plus gros fours à chaux du monde, ayant sa propre flotte de péniches et de barges, constitue un site industriel fort intéressant à traverser. Le calcaire qui alimente ces fours arrive par transport aérien, depuis les carrières de Maxéville, au Nord de Nancy.

En sortant de Dombasle au Nord-Ouest, on ira voir l'**église de Varangéville**, à gauche, entre la rivière et le canal. Sans doute élevée au 16ᵉ s., mais de style gothique tardif, elle présente à l'intérieur une superbe « forêt » de piliers à nervures palmées et d'intéressantes statues, dont une Vierge à l'Enfant du 15ᵉ s. et une Mise au tombeau du siècle suivant.

DOMRÉMY-LA-PUCELLE ★

Carte Michelin n° 62 - pli 3 — 267 h.

Le monde entier connaît le nom de cet humble village des bords de la Meuse où naquit, le 6 janvier 1412, la fille de Jacques d'Arc et d'Isabelle Romée. Jeanne y vécut toute sa vie de petite paysanne lorraine, obéissante et pieuse. C'est là qu'elle entendit les voix qui lui ordonnaient de partir délivrer la France et le roi *(voir p. 173).* Un important pèlerinage a lieu chaque année, généralement en mai, à la basilique du Bois-Chenu.

Église. — Contemporaine de Jeanne d'Arc, elle a été très remaniée. On en a changé l'orientation et on y pénètre par l'ancien chœur. Mais elle garde encore quelques objets que virent les yeux de l'enfant : un bénitier (à droite en entrant) et une statue de sainte Marguerite (14ᵉ s.) adossée au 1ᵉʳ pilier de droite. Dans le croisillon gauche, la cuve baptismale, du 12ᵉ s., est celle sur laquelle fut tenue Jeanne d'Arc. Les vitraux sont modernes.

Maison natale de Jeanne d'Arc★. — *Visite, avec évocation audio-visuelle, du 1ᵉʳ avril au 15 septembre de 8 h à 12 h 30 et de 13 h 30 à 19 h; du 16 septembre au 31 mars de 9 h à 12 h et de 14 h à 17 h. Fermé le mardi du 15 octobre au 31 mars. Entrée : 2 F.*

C'était une maison de paysans aisés, aux murs épais, émouvante par sa simplicité. Au-dessus de la porte, un écusson, aux armes de la France, est accolé de deux autres plus petits, portant, à droite, les armes de la famille de Jeanne d'Arc; à gauche, trois socs de charrue. On lit encore l'inscription : « Vive labeur - 1481 - Vive le Roi Louis ». Dans une niche, l'effigie de Jeanne agenouillée est le moulage d'une statue du 16ᵉ s. (original au musée). A gauche de la maison, un petit musée présente des cartes, documents, gravures relatifs à l'histoire de la région, à la jeunesse de Jeanne, à sa mission et à son culte.

Basilique du Bois-Chenu. — *1,5 km par le D 53, route de Coussey, puis 1 / 4 h de visite.*

La basilique, commencée en 1881, a été consacrée en 1926. Elle marque l'un des endroits où Jeanne entendit les voix de sainte Catherine, de sainte Marguerite, de saint Michel lui recommandant d'être bonne et pieuse, puis lui dictant sa mission prodigieuse. Le Bois-Chenu est, à ce titre, un de ces lieux « où souffle l'esprit ».

Commencer la visite par la crypte dont l'entrée se trouve à gauche. Dédiée à la Vierge, elle est un lieu de prière pour la Paix et pour les soldats, vivants et morts.

En quittant la crypte, monter le bel escalier à double rampe. Des écussons rappellent les villes qui ont vu Jeanne d'Arc. A l'intérieur de la basilique, des fresques de Lionel Royer retracent la vie de la sainte. Les mosaïques du chœur et de la coupole évoquent l'envoi de Jeanne en mission et son entrée dans la gloire céleste.

Sortir par la porte latérale. Un chemin de croix conduit dans le Bois-Chenu (agréable promenade).

DONON (Massif du) ★★

Carte Michelin n° 87 - plis 14 et 15.

La montagne et le col du Donon, marquant la limite entre l'Alsace et la Lorraine, présentent une grande importance historique et géographique. Les Celtes, les Romains, les Francs et naturellement tous les peuples germaniques ont emprunté le col. La montagne fut le siège d'un culte antique, sans doute celui de Mercure. Les skieurs y trouvent aujourd'hui pistes et remonte-pente.

Le massif du Donon occupe la partie Sud des Vosges gréseuses où elles atteignent leur point culminant au Donon (alt. 1 009 m). Autour de ce sommet, sorte de château d'eau de la région, naissent de nombreux ruisseaux dont les pittoresques vallées coupent en étoile les vastes et magnifiques forêts qui couvrent le massif. Une route côtoie chacune d'elles.

① VALLÉES DE LA SARRE ROUGE ET DE LA SARRE BLANCHE
Circuit au départ du col du Donon — *53 km — environ 2 h — schéma ci-dessous*

Montée au Donon. — Alt. 1 009 m. *1 h 1/2 à pied AR environ. On peut laisser la voiture au col du Donon et prendre le sentier qui s'amorce à droite de l'hôtel Velléda, ou bien suivre, en auto, sur 1,3 km, la route qui s'embranche à 500 m du col, à droite, sur le D 993. Dans ce cas, laisser la voiture près de la barrière (parking) et continuer les 2 derniers kilomètres à pied.*

Une table d'orientation est située à chaque extrémité du terrain découvert. Le **panorama** ★★ se déploie sur les sommets des Vosges que l'on a sous les yeux, ainsi que le plateau lorrain, la plaine d'Alsace et la Forêt-Noire.
Entre les deux tables s'élève un petit temple, construit en 1869.
A 50 m en contrebas, relais de télévision.

Le trajet, en descendant du col du Donon, s'effectue d'abord dans la pittoresque **vallée de la Sarre Rouge** ou vallée de St-Quirin puis sur le plateau lorrain.
Après une légère montée, laisser à gauche la route de Cirey-sur-Vezouze. Le D 145 devient D 44 à la limite départementale : on passe en Lorraine. Aussitôt, commence une très agréable descente, généralement sinueuse, dans la vallée boisée, étroite et fort pittoresque de St-Quirin. La route, très encaissée, épouse les sinuosités de la Sarre Rouge, ruisseau plutôt que rivière, qui la côtoie de très près.

Grand Soldat. — *1 km, au départ du D 44.* Hameau qui vit naître Alexandre Chatrian, collaborateur d'Émile Erckmann, lui-même natif de Phalsbourg *(p. 121).*

Abreschviller. — 1381 h. (les Abreschvillois).
Lieu de séjour, p. 42.
Un petit train forestier à vapeur conduit au Grand Soldat : *de Pâques au 1ᵉʳ octobre les samedis à 15 h, les dimanches et jours fériés à 10 h 30; du 1ᵉʳ juillet au 31 août, aussi en semaine à 14 h 30 et à 16 h; s'adresser à l'hôtel des Cigognes, ☎ (8) 703.70.09.*

3 km plus loin, tourner à gauche dans le D 96ᶠ vers St-Quirin.

Vasperviller. — 293 h. Agréablement situé sur les premiers contreforts du Donon,

ce village réserve aux amateurs d'art sacré moderne la découverte de sa remarquable petite **église Ste-Thérèse** (1969), due à l'architecte Litzenburger. Faire le tour de l'édifice pour apprécier l'alternance des plans rectilignes et des arrondis qui en modifient à mesure la silhouette de béton. L'intérieur, d'une distribution à la fois simple et subtile, éclairé de jolis vitraux (« arbre généalogique du Christ »), se compose de trois espaces inégaux imbriqués, convergeant vers la secrète chapelle dédiée à sainte Thérèse. Du sommet du campanile, ouvert et semblant vouloir aspirer la lumière céleste, accessible par un original escalier-chemin de croix à double révolution, de 75 marches, vue plaisante sur l'agglomération et le vallon que borde la route de St-Quirin.

St-Quirin. — 930 h. Cette localité, construite dans un bassin de prairies, est dominée par une chapelle romane, but d'un pèlerinage très ancien. L'église est surmontée de deux clochers et d'un clocheton coiffés de bulbes superposés. A l'intérieur, orgues de Silbermann (1746), rénovées.

Quitter St-Quirin par le D 96, à l'Ouest, et, 2 km plus loin, prendre à gauche le D 993.

La **vallée de la Sarre Blanche**, que longe le D 993, traverse de belles forêts. Peu peuplée, seules quelques scieries ou maisons forestières s'élèvent en bordure de route, son parcours serait monotone si la beauté du paysage ne venait distraire le visiteur.
En fin de parcours, on repasse en Alsace et, laissant à gauche la route d'Abreschviller, on regagne le col du Donon.

② VALLÉE DE LA PLAINE
Du col du Donon à Badonviller — *32 km — environ 3/4 h — schéma p. 68*

Col du Donon. — *Lieu de séjour, p. 42.*

La descente très pittoresque s'effectue à travers une magnifique futaie de sapins puis on entrevoit, en avant et à droite, sur la vallée de la Plaine, les villages jumeaux de Raon-sur-Plaine et de Raon-les-Leau (à droite, à l'intérieur du virage, mémorial des évadés de guerre et des passeurs). On arrive à **Raon-sur-Plaine** (vue, en arrière, sur le Donon) dans un beau bassin de prairies, où la route rejoint la rivière qu'elle continuera à suivre sur 9 km. La **vallée de la Plaine** ou **vallée de Celles** est semée de maisons à toits rouges, à la limite du bois, qui ajoutent au charme du paysage où le vert clair des prairies offre un heureux contraste avec le vert plus foncé des sapins couvrant les pentes des collines.

Lac de la Maix. — *5,5 km puis 1/4 h à pied AR, en prenant à Vexaincourt (parking aménagé), à gauche, une route forestière.* Un sentier fait le tour de ce petit lac, aux eaux d'un vert profond, que domine une chapelle.

Prendre à droite le D 992. 2 km après avoir laissé à gauche le D 392A vers Raon-l'Étape, prendre à gauche le chemin qui rejoint le D 182 que l'on prendra à droite. Le parcours au milieu de forêts de sapins offre de belles vues dans la première partie de la montée. La **route★**, faisant traverser ensuite le minuscule village de **Pierre Percée**, grimpe au pied des ruines du château du même nom *(parc de stationnement).*
1 km plus loin, un **belvédère** aménagé *(parc de stationnement)* ouvre une échappée sur la vallée de Celles.

Variante par le D 992. — *Réduction de parcours : 1 km.* Continuer à suivre le D 992 qui, par un pittoresque ravin boisé, atteint le **col de la Chapelotte**, où de très violents combats se déroulèrent en 1914. Une chapelle de la Vierge s'élève près de la route et, un peu plus loin, un monument aux morts du 363e R.I. dû au sculpteur Sartorio. La route descend ensuite sur Badonviller à travers une belle forêt de hêtres.

Le D 182 aboutit à Badonviller.

Badonviller. — 1920 h. Cette petite localité industrielle, détruite en partie en août 1914, fut trente ans plus tard une des premières villes libérées par la 2e D.B. lors de la bataille d'Alsace déclenchée au début de novembre 1944.

Pour mieux apprécier la forêt vosgienne, lisez la p. 13.

ÉGUISHEIM ★
Carte Michelin no **87** - pli 17 — *Schémas p. 106 et 138* — 1461 h. — *Lieu de séjour, p. 42.*

Centre viticole, ce bourg fort ancien s'est bâti de façon concentrique autour du château des comtes d'Eguisheim où, plutôt qu'à Dabo même *(voir p. 66)* serait né le Pape Léon IX en 1002 et dont, seul vestige authentique, subsiste l'imposante enceinte octogonale. Enfoui dans les vignes, au pied des ruines de ses trois fameuses tours, il est demeuré presque intact depuis le 16e s. Dans les ruelles qui avoisinent la Grand'Rue, subsistent de pittoresques maisons à oriels *(voir p. 33)* et à pans de bois, souvent fleuries de géraniums. On verra également deux jolies fontaines Renaissance.
Le circuit des remparts, fléché, emprunte l'ancien chemin de ronde.

Église. — *Si l'église est fermée, demander la clé au no 8, à gauche du chevet.* A l'intérieur de l'église moderne, à droite en entrant, une chapelle s'ouvre sous le clocher. On y voit le revers de l'ancien portail représentant au tympan (12e s.) un Christ entre saint Pierre et saint Paul. Le linteau est formé par le défilé des Vierges Sages et des Vierges Folles. De beaux vitraux modernes représentent des scènes de la vie de Léon IX. Bel orgue du 18e s.

EXCURSION

Route des Cinq Châteaux★. — *Circuit de 20 km, plus 1 h 3/4 à pied AR environ.* Gagner Husseren (p. 139) par le D 14.

A la sortie du bourg, emprunter, à droite, la route forestière «des cinq châteaux». A 1 km, laisser la voiture (parc de stationnement), et atteindre les tours d'Eguisheim à pied (20 mn environ).

Tours d'Eguisheim. — Weckmund, Wahlenbourg, Dagsbourg, tels sont les noms de ces trois donjons de grès rouge, carrés, massifs, qui s'élèvent sur le sommet de la colline. Ils appartenaient à la puissante famille d'Eguisheim et furent brûlés à la suite de la guerre dite « des Six Oboles » *(voir p. 103).*

Ayant repris la voiture, poursuivre la route « des cinq châteaux ». Le chemin est agréable et offre de beaux points de vue tout au long des son parcours.

Château de Hohlandsbourg. — Sur la gauche, à 6 km environ des tours d'Eguisheim, se dressent les ruines du château de Hohlandsbourg *(un sentier y donne accès)* d'où l'on a une vue magnifique sur le donjon de Pflixbourg et le Hohneck à l'Ouest, le Haut-Koenigsbourg au Nord, sur Colmar et la plaine d'Alsace à l'Est.

Donjon de Pflixbourg. — *Accessible par un sentier situé 2 km plus loin, sur la gauche.* Belle vue sur la vallée de la Fecht à l'Ouest et la plaine d'Alsace à l'Est.

La route rejoint le D 417 en direction de Colmar.

A la sortie de Wintzenheim, tourner à droite dans la N 83 puis de nouveau à droite dans le D 1bis pour regagner Eguisheim.

ENSISHEIM

Carte Michelin n° **87** - pli 18 — 5 685 h.

Après la prise de Mulhouse, le 21 novembre 1944, Ensisheim fut exposée au feu de l'artillerie et aux bombardements jusqu'au 6 février 1945, date de sa libération.

Hôtel de la Couronne. — Il est installé dans une très gracieuse construction, décorée de pignons à volutes et d'une loggia sculptée à deux étages, que surmonte une petite terrasse entourée d'une galerie. Turenne y logea en 1675 avant la bataille de Turckheim.

Hôtel de ville. — C'est un bel édifice construit sur plan gothique, mais dont l'ornementation est Renaissance. Au rez-de-chaussée, les très jolies voûtes des arcades sont décorées d'écussons aux armes de plusieurs villes d'Alsace. Sur la façade, du côté de l'église, une tourelle octogonale renferme l'escalier par lequel on pénètre dans l'édifice.

A l'intérieur, au 1er étage, prendre à gauche pour aller voir la Salle du Conseil, éclairée par de larges fenêtres à meneaux et couverte d'un beau plafond de bois. On y conserve un aérolithe tombé sur Ensisheim en 1492. Celui-ci, qui serait le premier dont l'Histoire ait enregistré la venue, était, dit-on, de forte taille (130 kg) lorsqu'il chut du ciel. A force d'en offrir des morceaux à chaque visiteur de marque, on l'aurait réduit à ses mesquines dimensions actuelles (54 kg).

ÉPINAL ★

Carte n° **62** pli 16 — *Schéma p. 100* — 42 810 h. (les Spinaliens) — *Séjour, p. 42.*

Située à un important carrefour de routes, Épinal est bâtie sur les deux rives de la Moselle. La ville a connu la grande célébrité par son imagerie, que fonda Pellerin au 18e s. *(voir p. 70)* puis sa prospérité par l'industrie du coton aujourd'hui en déclin. Depuis 1969, une usine produisant des fils métalliques nécessaires à la fabrication des pneumatiques Michelin existe au Nord de la ville.

Le mercredi avant Pâques voit revivre à Épinal une ancienne tradition : la coutume des Champs-Golots qui marque la fin de l'hiver, le dégel des ruisseaux et des champs. Les caniveaux de la rue du Général-Leclerc et le bassin du parc du Cours sont remplis d'eau et les enfants y traînent des bateaux illuminés, fabriqués par eux-mêmes.

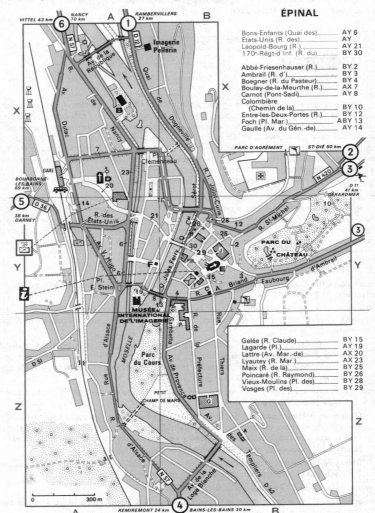

ÉPINAL

Bons-Enfants (Quai des)	AY 6
États-Unis (R. des)	AY
Léopold-Bourg (R.)	AY 21
170e-Régt-d'Inf. (R. du)	BY 30
Abbé-Friesenhauser (R.)	BY 2
Ambrail (R. d')	BY 3
Boegner (R. du Pasteur)	BY 4
Boulay-de-la-Meurthe (R.)	AX 7
Carnot (Pont-Sadi)	AY 8
Colombière (Chemin de la)	BY 10
Entre-les-Deux-Portes (R.)	BY 12
Foch (Pl. Mar.)	ABY 13
Gaulle (Av. du Gén.-de)	AY 14

Gelée (R. Claude)	BY 15
Lagarde (Pl.)	AY 19
Lattre (Av. Mar.-de)	AX 20
Lyautey (R. Mar.)	AX 23
Maix (R. de la)	BY 25
Poincaré (R. Raymond)	BY 26
Vieux-Moulins (Pl. des)	BY 28
Vosges (Pl. des)	BY 29

■ PRINCIPALES CURIOSITÉS *visite : 1 h*

Musée des Vosges et de l'Imagerie★★ (AY). — *Visite du 1er octobre au 31 mars : de 10 h à 12 h et de 14 h à 17 h; en avril, mai, juin et septembre : de 10 h à 12 h et de 14 h à 18 h; en juillet et août : de 10 h à 12 h et de 14 h à 19 h. Fermé le mardi, ainsi que les 1er janvier, 1er mai, 1er novembre et 25 décembre. Entrée : 5 F.*

Le musée est situé dans l'île de la Moselle. Le rez-de-chaussée est occupé par une belle **collection lapidaire** composée de monuments funéraires gallo-romains, de fragments d'architecture du Moyen Age et de sculptures : deux salles abritent, l'une des collections de monnaies et de médailles avec des vestiges préhistoriques, gallo-romains et mérovingiens, l'autre (ornée d'une cheminée en pierre datée de 1583), une exposition ethnographique et folklorique.

Au 1er étage, parmi les pastels, aquarelles et les magnifiques **dessins** exposés, remarquer les œuvres de Boucher, Guardi, Hubert Robert, Tiepolo, etc. Une présentation de peintures contemporaines fait suite, avec Picasso, Lotiron, Brianchon, Oudot, Planson, Savin... de l'École de Paris, et des peintres lorrains ou alsaciens (Guillaume, Lehmann, E. Ventrillon, E. Cournault).

Le 2e étage est consacré à la **peinture** ancienne : œuvres de Rembrandt (la Vierge Marie, collection des Princes de Salm), G. de la Tour (Job visité par sa femme), Claude Gellée, Brueghel, Primatice, Vouet, Van Loo...

Au 1er étage, dans une aile à part, est présenté le **musée international de l'Imagerie** où l'histoire de l'imagerie est retracée depuis l'origine de la gravure sur bois jusqu'à notre époque.

Dans la galerie, une exposition permanente et constamment renouvelée montre les images populaires des principaux centres imagiers de France : pièces rarissimes d'Épinal, Chartres, Orléans, Toulouse, Metz, Avignon, Beauvais, Rennes, Rouen..., images des 18e et 19e s. pleines d'une sensibilité franchement naïve et d'un vrai sens populaire.

Basilique St-Maurice★ (BY E). — C'était à la fois l'église paroissiale et la collégiale du Chapître des Dames nobles. Elle remonte, dans ses parties les plus anciennes, au 11e s.

Eglise « carrefour » à nef bourguignonne du 13e s. Le Portail des Bourgeois date du 15e s. Très mutilé pendant la Révolution, il garde encore beaucoup de grandeur. Le chevet est très élégant. La façade qui s'élève sur la place St-Goëry présente une tour carrée (beffroi communal), percée en 1843 d'un portail de style roman. Dans le croisillon droit, remarquer une Mise au tombeau, de style rhénan. A l'entrée de la chapelle du Saint-Sacrement, dans le bas-côté gauche, admirer une Vierge du 15e s. A l'autel de la Vierge, préside une gracieuse statue du 14e s. : « la Vierge à la rose ».

■ AUTRES CURIOSITÉS

Parc du Château★ (BY). — *En auto, accès par la porte de la rue St-Michel.*

Ce parc forestier de 26 ha, agrémenté d'un « mini-zoo », est l'un des plus vastes de France. Tracé sur l'emplacement d'un ancien château, dont subsistent quelques ruines, il occupe le sommet de la colline boisée qui s'avance jusqu'au milieu de la ville.

Église Notre-Dame★ (AX D). — *Spectacle Son et lumière en été (s'adresser au Syndicat d'Initiative).* Reconstruite de 1956 à 1958, cette église possède un portail dont les panneaux d'émail cloisonné représentent les symboles des quatre Évangélistes. A l'intérieur, la voûte de béton, horizontale, est un damier de caissons carrés. Un immense vitrail à la gloire de la Vierge éclaire le chœur. Le chemin de croix est une œuvre moderne pleine d'expression.

Place des Vosges (BY). — Bordée de maisons à arcades, elle a un charme tout provincial. Entre une librairie et un café, s'élève une maison du 17e s. agrémentée d'une loggia Renaissance (galerie d'art).

Statue de Pinau (AY F). — La statue de Pinau (nom patois d'Épinal) est surmontée de la reproduction en bronze de la charmante et célèbre statue de l'« Enfant à l'épine » (ou « Tireur d'épine », œuvre grecque du 5e s. avant J.-C.) dont l'original présumé se trouve au palais des Conservateurs, à Rome.

(D'après photo Imagerie
Pellerin, Épinal)

La Cantinière.

Parc du Cours (AZ). — Agréablement situé au bord de la Moselle dont il épouse une courbe, c'est un grand parc public très soigné en même temps qu'une plantation d'essai de beaux arbres exotiques, parfois séculaires, mêlés aux essences vosgiennes.

Imagerie Pellerin (AX). — *Visite de 8 h (10 h le samedi) à 12 h et de 14 h à 19 h du 1er juin au 15 septembre, 18 h le reste de l'année. Fermé les samedis (sauf en saison), dimanches et jours fériés. Accès par le quai de Dogneville, au no 42.*

Fondée en 1796, cette fabrique perpétue la tradition des fameuses « images d'Épinal ». Au sous-sol, le magasin d'exposition-vente avoisine un musée consacré aux réalisations passées de l'imagerie spinalienne.

Demander à visiter les caves où une galerie « vivante » a été aménagée : exposition de dessins originaux, d'images anciennes, et démonstration de coloris main.

ÉPINAL★

Roseraie et Bibliothèque (AX B). — La bibliothèque est installée sur les bords de la Moselle et entourée d'une belle roseraie.

Roseraie. — *Visite de 7 h 30 à 18 h.*

On peut y admirer 750 variétés de roses.

Bibliothèque. — Les collections d'ouvrages sont rangées dans de beaux « cabinets » de bois sculpté, du 18e s., provenant de l'ancienne abbaye de Moyenmoutier. On peut visiter deux de ces cabinets.

EXCURSION

Cimetière et Mémorial américains. — *7 km au Sud. Quitter Épinal par ④ du plan, N 57. 1 800 m après Dinozé, s'embranche à droite le chemin long de 500 m menant au cimetière.*

Situé sur un plateau boisé dominant la Moselle, ce vaste terrain (20 ha) aligne ses pelouses impeccables et ses croix, ou stèles israélites, de marbre blanc, derrière une chapelle et un mémorial érigés à la mémoire de 7 300 soldats américains tombés en 1944-45, dont 5 255 demeurent enterrés ici.

ETAIN

Carte Michelin n° **57** - pli 12 — 3 773 h. (les Stainois).

Ce gros bourg doit son nom aux nombreux étangs qui couvraient autrefois la région. Il a été entièrement reconstruit après sa destruction au cours de la guerre de 1914-1918.

Église. — Ce beau monument des 14e et 15e s., endommagé, a été restauré. A l'intérieur un arc sculpté s'ouvre sur le chœur, de style flamboyant, éclairé par de grands vitraux modernes de Grüber consacrés à la vie de saint Martin. Remarquer les clefs de voûtes sculptées du chœur. Le chemin de croix, dont l'exécution fut interrompue par la guerre 1939-1945, est demeuré inachevé.

Dans le bas-côté droit, la chapelle du Sacré-Cœur renferme le groupe de N.-D.-de-Pitié, « Marie contemplant Jésus mort », attribué à Ligier Richier.

EXCURSION

Senon. — 273 h. *9,5 km au Nord par la N 18 puis la 1re route à gauche. A Amel-sur-l'Étang, prendre le D 14 à droite.*

Ce village de Woëvre possède une église de l'époque de transition du gothique à la Renaissance (1526-1536), restaurée. Son toit extrêmement élevé et aigu est étayé par une charpente en béton. Elle présente trois nefs d'égale hauteur et conserve de beaux chapiteaux Renaissance.

FALKENSTEIN (Château de) ★

Carte Michelin n° **87** - plis 2, 3 — *Schémas p. 185 et 186.*

Ce château domine la vallée de Falkensteinbach que longe la N 62.

Accès, à partir de Philippsbourg par le D 87A qui mène, en 3 km, à un carrefour de chemins, à hauteur d'un blockhaus où laisser la voiture (3/4 h à pied AR). Prendre le deuxième chemin à gauche, signalé par des triangles bleus. Au bout de 1/4 h, monter quelques marches, tourner à gauche puis à droite. Franchir une porte et tourner à gauche pour contourner le rocher où se trouve le château. Passer une deuxième porte. On aperçoit alors à gauche, creusée dans le roc, une vaste caverne appelée Salle des Gardes, autour de laquelle dix niches sont taillées dans la paroi.

Entre la porte d'arrivée et la caverne, prendre, sous une autre petite porte, l'escalier (muni d'un garde-fou). On y remarquera plusieurs cavités naturelles, aux parois curieusement sculptées par les eaux, et des cavernes superposées, creusées par l'homme.

Plus loin, après une passerelle et des escaliers, on atteint le sommet du château; gagner le belvédère. De là, beau **panorama**★ : au Nord-Est, Maimont et les ruines de Schoeneck; au Nord-Ouest, Waldeck; au Sud-Est, Lichtenberg puis Dabo; au Sud, les montagnes encadrant la Bruche.

Situé sur un rocher de grès qui domine la forêt, le château, fondé en 1128, a été foudroyé et incendié en 1564. Les Français achèvent de le détruire en 1677. Mais la ruine qui demeure est demeuré imposante.

La légende veut que, dans la cave, un tonnelier-fantôme vienne quelquefois frapper, à minuit, autant de coups de maillet qu'il y aura de barriques de vin dans l'année.

Carte Michelin n° **87** - pli 17 — *Schéma p. 75* — 9 984 h. (les Géromois) — *Lieu de séjour, p. 42.*

Gérardmer (prononcer « Gérardmé ») doit à son site magnifique, à son lac, à son cadre de montagnes couvertes de sapins, comme aussi à ses usines textiles *(visite possible en saison),* une grande renommée.

Incendiée en novembre 1944 pendant les jours qui précédérent sa libération, la cité a été reconstruite.

Station estivale très fréquentée et parfaitement équipée, dotée de nombreux hôtels, de villas éparses dans la verdure, Gérardmer est aussi, grâce aux pentes qui l'environnent, une station de sports d'hiver en même temps qu'un excellent centre d'excursions, au cœur d'une des contrées des Vosges les plus richement boisées. Son Office de Tourisme, créé en 1875, est le plus ancien de France.

Le lac de Gérardmer★. — Le lac de Gérardmer, le plus grand des Vosges, est une belle nappe d'eau longue de 2,200 km, large de 750 m et profonde de 38 m. *Pêche : voir tableau p. 14.*

Tour du lac★. — En canots automobiles ou électriques, voiliers, barques, pédalos.

En canot automobile : *8 F par personne; durée 1 / 2 h.*

En auto : Cette charmante promenade *(6,5 km)* peut être effectuée entièrement en auto. En dehors de quelques passages en forêt, elle offre des vues variées sur le lac et sur les montagnes qui l'enchâssent.

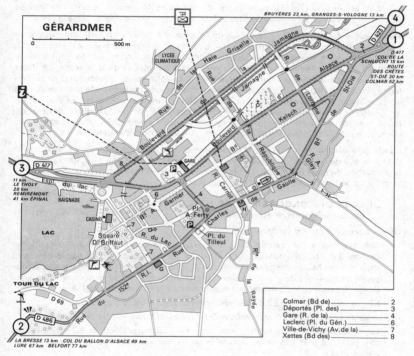

Colmar (Bd de)	2
Déportés (Pl. des)	3
Gare (R. de la)	4
Leclerc (Pl. du Gén.)	6
Ville-de-Vichy (Av. de la)	7
Xettes (Bd des)	8

EXCURSION

Le Tholy; Bruyères; Granges-sur-Vologne. — *Circuit de 64 km — environ 2 h.* Carte n° **62** - plis 16 et 17. *Quitter Gérardmer par ③ du plan, D 417.* A l'entrée du **Tholy** (1 550 h. — les Cafrancs — *Lieu de séjour, p. 42),* prendre à droite le D 11, route d'Épinal — 5 km après le Tholy, à gauche et 200 m avant l'hôtel « Grande Cascade », prendre la petite route en descente rapide qui, au bout de 800 m, conduit à proximité de la cascade.

Grande Cascade de Tendon★. — Double chute qui dévale (32 m) joliment de plusieurs paliers successifs, à travers les sapins.

Roches de la Moulure. — *3,5 km du D 11, plus 500 m à pied.* Prendre le chemin non revêtu, en face de l'hôtel « Grande Cascade ». Après avoir dépassé six fermes échelonnées sur le parcours carrossable, continuer à pied jusqu'à une maison ruinée et emprunter en face de celle-ci, à gauche, le sentier menant aux roches : de cet éboulis formant promontoire sur la vallée, se détache un gros roc posé en équilibre sur sa base la plus étroite.

Devant Faucompierre, tourner à droite et, par le D 30 et le D 44, gagner **Bruyères** (4 001 h. — les Bruyérois — *Lieu de séjour, p. 42)* où, en prenant la rue (route de Belmont) à gauche du cimetière, on arrive au pied du mont Avison. *Laisser la voiture.*

Tour-belvédère du Mont Avison. — *3/4 h à pied AR.* Élevée, en 1900, sur le sommet (alt. 601 m) d'une des buttes entourant Bruyères, cette tour haute de 15 m domine le carrefour de vallées où s'étale la ville. De la plate-forme *(82 marches; table d'orientation),* on découvre un beau **panorama★** s'étendant jusqu'aux sommets vosgiens de la Tête des Cuveaux, du Hohneck, du Donon, etc.

Champ-le-Duc. — 517 h. La vieille église (11ᵉ s.) du village, construite en grès rouge, demeure, malgré son incendie par les Suédois en 1635, un bel exemple de l'art pré-roman rhénan. Typiques de cette période sont la nef, avec ses piles fortes et faibles alternées sous des arcs de décharge, la croisée du transept avec sa voûte aux boudins épais, l'abside en cul-de-four percée de trois petites fenêtres plein cintre.

Granges-sur-Vologne. — 2 794 h. (les Gringeauds). *Lieu de séjour, p. 42.*

Prendre à gauche le D 31, et, à Barbey-Seroux, la route forestière, à droite (deuxième intersection) traversant la forêt de la Vologne. A 2,7 km, à hauteur du « champ de roches » (signalisé, situé à 100 m, à gauche, de la route), laisser la voiture.

Champ de roches★ de Granges-sur-Vologne. — Cette extraordinaire coulée morainique, horizontale et longue d'environ 500 m, scinde la forêt en ligne droite, comme un fleuve de pierre figé. La surface de son amoncellement rocheux, exempte de végétation et faite de blocs arrondis, serrés les uns contre les autres et de dimensions comparables, paraît constituer, en effet, un « pavage » remarquablement homogène.

Continuer la route forestière jusqu'au D 8 qui, pris à droite, ramène à Gérardmer.

GÉRARDMER (Région de) ★★

Carte Michelin nᵒ **87** - plis 17 et 18.

Les excursions ci-après permettront de connaître le versant lorrain des Vosges. Région de vallées, de lacs dans des sites boisés, que limite la superbe route des Crêtes.

Les glaciers des Vosges. — La région de Gérardmer a subi l'empreinte des glaciers qui couvraient autrefois les Vosges *(voir p. 10)*. L'un d'eux, partant du Hohneck, emplissait la vallée où reposent aujourd'hui les lacs de Retournemer, de Longemer, de Gérardmer, et rejoignait, près de Remiremont, les glaciers de la Moselotte et de la Moselle. En dispa-raissant, il laissa des moraines qui arrêtèrent les eaux de la Vologne descendant de la mon-tagne. En aval du lac de Longemer, la rivière a cherché une issue par une autre vallée. Elle a creusé la gorge du Saut des Cuves et, par la vallée de Granges, rejoint la Moselle.

Arrêtées aussi par un barrage morainique, les eaux du lac de Gérardmer, déviées, ont formé la rivière de la Jamagne, affluent de la Vologne. Les lacs des Corbeaux et de Blanchemer, le petit lac d'Alfeld et celui de Lispach sont également d'origine glaciaire.

L'industrie textile. — La région de Gérardmer est une des plus importantes régions d'in-dustrie textile des Vosges. Rééquipée avec du matériel moderne, elle s'est spécialisée dans la production du linge de maison. Le blanchiment sur pré sur la Corbeline, au Beillard et au bord du lac de Longemer, n'est pratiquement plus utilisé.

① LACS DE LONGEMER ET DE RETOURNEMER★
Circuit au départ de Gérardmer — *28 km* — *environ 1 h* — *schéma p. 75*

Quitter Gérardmer (p. 73) par ① du plan, D 417.

Saut des Cuves★. — *Laisser la voiture à proximité de l'hôtel du Saut des Cuves. Prendre à droite, en amont du pont, le sentier qui mène à la Vologne que franchissent deux passerelles permettant de faire un petit circuit.* Le torrent tombe en cascade parmi de gros rocs de granit. La plus importante de ces chutes se nomme le Saut des Cuves. De petits promontoires rocheux permettent d'en avoir de jolies vues.

Xonrupt-Longemer. — 1 122 h. (les Xonrupéens). *Lieu de séjour, p. 42.*

A la sortie de Longemer, prendre à droite le D 67 qui bientôt longe le lac de Longemer.

Lac de Longemer★. — Long de 2 km, large de 550 m, profond de 30 m, ce lac est environné de prés très verts, parsemés de fermes aux toits bas et écrasés. *Pêche : voir tableau p. 14.*

A l'extrémité du lac, laisser à droite le D 67A qui le contourne et suivre tout droit.

Lac de Retournemer★. — Alimenté par les cascades de la Vologne, ce petit lac est remarquable par la pureté et le bleu profond de ses eaux qui reposent au creux d'une conque de verdure et reflètent les arbres qui l'entourent *(voir tableau p. 14).*

Rejoindre, par le pittoresque D 34D, au Collet, le D 417 qui ramène à Gérardmer.

Variante de retour. — *Réduction de parcours : 7 km. Faire demi-tour au lac de Retournemer, revenir à l'extrémité du lac de Longemer et prendre à gauche le D 67A pour en suivre la rive Ouest. Par Xonrupt on rejoint Gérardmer.*

② VALLÉE DE LA MEURTHE ET DE LA PETITE MEURTHE★
Circuit au départ de Gérardmer — *48 km* — *environ 2 h* — *schéma p. 75*

Quitter Gérardmer (p. 73) par ① du plan, D 417.

Saut des Cuves★. — *Description ci-dessus.*

La Moineaudière. — *7 km au départ de l'embranchement D 23 – D 417. Visite de 9 h à 12 h et de 14 h à 18 h 30. Après 2 km sur le D 23, prendre à droite la route forestière signalée (sens unique) qui conduit à la Maison d'enfants de la Moi-neaudière, installée dans un joli site à la lisière d'une forêt d'épicéas.* On y voit des présentations de cactus et plantes grasses, coquillages, insectes, fossiles, et surtout une riche collection minéralogique dont l'ornement principal est un quartz « fantôme » du Brésil de 650 kg.

Continuer à descendre, le long de la route forestière. On débouche sur le D 417 : tourner à droite pour regagner la bifurcation du D 23.

Après un beau parcours en forêt, on atteint, près du Valtin, la **haute vallée de la Meurthe** dont les versants sont couverts de pâturages et de forêts. En aval du Rudlin, la vallée s'étrangle en un pittoresque défilé. La Meurthe, rapide et claire, anime de nombreuses scieries.

A Plainfaing, prendre à gauche la N 415 et, après Fraize, le D 73 encore à gauche.

Le retour à Gérardmer s'effectue par la **vallée de la Petite Meurthe** qui, d'abord large et cultivée, se resserre entre des forêts. Les scieries chantent au bord de la rivière, et la route pénètre dans le défilé de Straiture aux parois escarpées couvertes de sapins.

Glacière de Straiture. — A 1 km de la maison forestière de Straiture, au Sud-Est, un sentier qui franchit la rivière permet d'atteindre la « Glacière de Straiture ». C'est un amas de rocs entre lesquels on peut trouver, en plein été, des morceaux de glace.

A l'extrémité du défilé, la route franchit la Petite Meurthe et rejoint le col du Surceneux, d'où l'on regagne Gérardmer.

③ LA BRESSE - LE HOHNECK - LA SCHLUCHT★★★

Circuit au départ de Gérardmer — *49 km — environ 2 h 1/2 — schéma ci-dessous*

Quitter Gérardmer par ② du plan; le D 486 s'élève dans les bois, puis descend vers le Bouchot dont la vallée verdoyante sépare le col du Haut de la Côte du col de Grosse-Pierre.

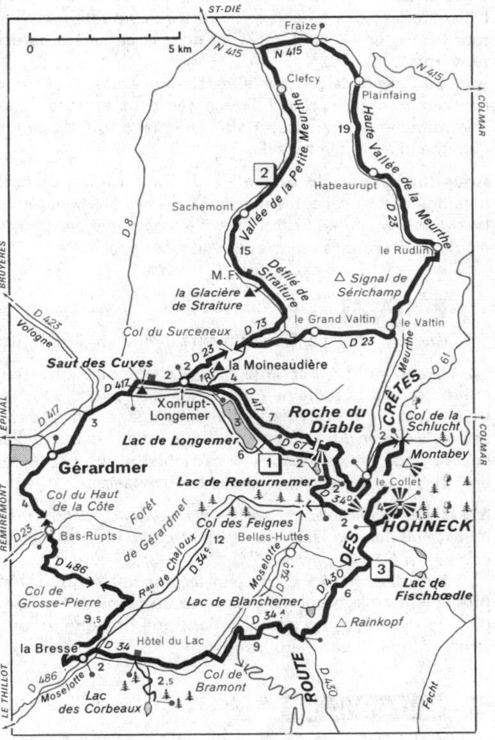

La route offre de jolies vues sur la haute vallée de la Moselotte et celle de son affluent, le ruisseau de Chajoux : les « essarts » (culture semi-forestière après défrichement), accrochés aux flancs de la vallée, ne manquent pas de pittoresque.

La Bresse. — *Page 54.*

Lac des Corbeaux. — *2,5 km au départ du D 34.* A hauteur de l'hôtel du Lac, se détache à droite une route bordée de très beaux arbres (en fin de parcours), vers le lac des Corbeaux, solitairement situé au milieu d'un cirque abrupt couvert d'épaisses forêts. Il est profond de 23 m. Un sentier permet d'en faire le tour *(1/2 h). Pêche : voir p. 14.*

Après la Bresse, on remonte le cours de la Moselotte que l'on franchit, laissant à gauche le D 34D vers le col des Feignes. 2 km plus loin, après un lacet à droite, laisser la route du col de Bramont pour emprunter le D 34A sinueux, appelé « route des Américains ». Bientôt, on atteint les pâturages d'où l'on découvre une belle vue à droite sur la haute vallée de la Thur, Wildenstein et le barrage de Kruth-Wildenstein.

Variante pour la vallée du Chajoux. — *Réduction de parcours : 2,5 km.* Dès la sortie Nord de la Bresse, par un faubourg industriel, la route (D 34C) remonte le cours du Chajoux, petit torrent poissonneux, entre les versants, boisés et semés de chalets, de la vallée. A 6,5 km, puis à 8 km (face aux téléskis de Lispach), elle longe, sur leur droite, deux jolies petites retenues d'eau. Au col des Feignes (alt. 954 m), emprunter à gauche le D 34D jusqu'au D 417 qui, pris à droite, mène au col de la Schlucht.

Prendre à gauche la **route des Crêtes** (D 430) qui contourne le Rainkopf. A gauche, en contrebas, au fond d'une conque boisée, le **lac de Blanchemer** *(où l'on peut pêcher, voir p. 14)* repose, entouré d'un liseré de prairies. Puis on atteint les « Chaumes » du Hohneck.

Le Hohneck★★★. — *Page 136.*

Peu après, au loin à gauche, apparaît le lac de Longemer dans la vallée de la Vologne, puis la **vue★** devient superbe sur cette vallée et les lacs de Retournemer et de Longemer.

Col de la Schlucht. — *Page 136.*

Roche du Diable★★. — *1/4 h à pied AR.* Laisser la voiture près du tunnel de Retournemer et prendre à droite un sentier très raide par lequel on atteint aussitôt le belvédère. La **vue★★** s'étend sur la vallée de la Vologne, les prairies qui en tapissent le fond, entre les lacs de Retournemer et de Longemer, et sur les versants qui l'encadrent. Un chalet rustique renferme une collection de racines, pierres et curiosités de la montagne vosgienne *(ouvert de juin à septembre).*

Saut des Cuves★. — *Page 74.*

GORZE

Carte Michelin n° 57 - pli 13 — 1 204 h. (les Gorziens).

Ce bourg s'est formé autour d'une abbaye bénédictine fondée au 8e s. par saint Chrodegang, évêque de Metz, et détruite en 1552. Une bulle de sécularisation (1572) abolit l'ancienne abbaye bénédictine et créa une collégiale de chanoines, qui s'établit dans l'église paroissiale du 12e s.

Église. — Le contraste est frappant entre l'extérieur, roman, et l'intérieur, début gothique (fin 12e, début 13e s.), qui témoigne d'une influence rhénane. Le clocher central est du 13e s.; remarquer l'absence d'arcs-boutants et l'étroitesse des fenêtres. Au tympan du porche latéral Nord, Vierge entre deux orants, du 13e s. Au tympan de la petite porte à côté : curieuse figuration du Jugement dernier, de la fin du 12e s.

De belles boiseries du 18e s. ornent le chœur. Remarquer, au revers du porche Nord, un grand Christ en bois attribué à Ligier Richier.

Autres vestiges. — Le palais abbatial, bâti en 1696, fait partie de l'hospice départemental. C'est une construction baroque due au prince-abbé Philippe-Eberhard de Lowenstein (en Bavière).

EXCURSIONS

Gravelotte. — 508 h. *8,5 km au Nord, par le D 103B et le D 903.* Ce village entra dans l'Histoire lors des indécis mais furieux combats franco-allemands qui se déroulèrent alentour les 16 et 18 août 1870 et dont le caractère particulièrement meurtrier est demeuré proverbial.

Son **musée de guerre** *(s'adresser au gardien, maison d'à-côté, pour visiter; entrée : 5 F)* contient d'intéressantes reliques des deux armées : uniformes, documents, armes - dont une mitrailleuse française Reffy, premier engin de ce type utilisé en Europe -, ainsi qu'un diorama illustrant la bataille.

Aqueduc romain de Gorze. — *8,5 km à l'Est.* De cet aqueduc, qui daterait du 1er s. et enjambait la Moselle, il subsiste 16 arches à **Jouy-aux-Arches** (rive droite), et 7 arches, moins bien conservées, au Sud d'**Ars-sur-Moselle** (rive gauche), où des fouilles ont mis au jour des éléments de canalisations et de maçonnerie.

GRAND

Carte Michelin n° 62 - Sud-Est du pli 2 — 593 h. (les Grandérinois).

Grand était à l'époque romaine une ville importante ainsi que le révèlent les kilomètres d'égouts romains qui ont été découverts sous le village. Elle possédait un amphithéâtre, aujourd'hui très largement dégagé *(visite de 9 h à 12 h et de 14 h à 19 h en été ou 18 h en hiver; entrée : 2 F)* pouvant contenir 20 000 spectateurs et qui présente encore deux belles arcades. L'existence d'une basilique, de type oriental, fut découverte en 1883, en même temps que la belle mosaïque.

Mosaïque romaine. — *Visite du 1er avril au 11 novembre de 9 h à 12 h et de 14 h à 19 h; le reste de l'année, seulement les samedis de 14 h à 17 h et les dimanches de 10 h à 12 h et de 14 h à 17 h. Entrée : 2 F.*

Elle date du 1er s. et c'est la plus vaste qui ait été dégagée en France. Elle pavait probablement la basilique et montre un hémicycle en excellent état. Au centre, remarquer, dans le rectangle, un berger tenant une houlette et, aux angles, des animaux bondissant (chien, léopard, panthère, sanglier).

GUEBWILLER ★

Carte Michelin n° 87 - pli 18 — *Schémas p. 135 et 138* — 11 357 h. (les Guebwillerois). *Lieu de séjour, p. 42.*

Cette petite ville industrielle s'étend sur la rive droite de la Lauch, entre des vignobles qui fournissent d'excellents vins.

La nuit de la St-Valentin. — Obligés de se défendre contre les violences de leurs suzerains, les bourgeois de Guebwiller ont entouré leur cité de remparts qui servent bientôt contre les Armagnacs. Le 14 février 1445, jour de la St-Valentin, les assaillants franchissent les fossés gelés. Mais une femme, Brigitte Schick, a aperçu l'ennemi. Elle donne l'alarme en allumant une botte de paille sur le point le plus menacé du rempart. Puis elle pousse de tels cris que les Armagnacs, croyant toute la défense alertée, détalent, abandonnant leurs échelles, conservées depuis dans l'église St-Léger.

■ CURIOSITÉS *visite : 1 h*

Église St-Léger★. — C'est un bon exemple de style lombardo-rhénan gardant de nombreuses caractéristiques du style roman. La façade, la nef, le transept et les bas-côtés datent des 12e et 13e s. L'abside et le chœur sont du 14e s. Les bas-côtés ont été doublés au 16e s.

Façade Ouest★★. — Encadrée de deux hautes tours, elle comporte un porche surmonté d'arcatures et de baies, qui s'ouvre sur trois côtés. Le portail central est en plein cintre. Sur le tympan est figuré un Christ bénissant, assis sur un trône.

Intérieur. — Le chœur contient de jolies boiseries du 18e s. A la voûte du bas-côté droit sont suspendues les échelles abandonnées par les Armagnacs en 1445.

Église N.-Dame★. — Élevée de 1760 à 1785 par le dernier prince-abbé de Murbach. La façade est décorée de statues représentant les vertus théologales et cardinales. Sur la croisée du transept s'élève une coupole dont les bas-reliefs représentent les quatre Pères de l'Église. Au-dessus du maître-autel, une vaste composition du sculpteur Sporrer, mort en 1811, représente l'Assomption. La fille de Sporrer a travaillé aux stalles et aux boiseries du buffet d'orgues dessinées par son père; les statues de saint Léger et de saint Louis sont du fils de Sporrer.

Hôtel de ville★ (H). — Bâti en 1514, ce bâtiment gothique flamboyant présente des fenêtres à meneaux et un oriel *(voir p. 33)* à cinq pans. A droite, dans une niche d'angle, Vierge du 16e s.

GUEBWILLER

0   400 m

Chanoines (R. des)	2
Chasseurs-Alpins (Av.)	3
Commanderie (R. de la)	4
Gare (R. de la)	5
Gouraud (R. du Gén.)	6
Monnaie (R. de la)	9
St-Léger (R.)	10
Soultz (Rte de)	12
4e Régt-de-Spahis (R.)	13

Église des Dominicains (M). — Désaffectée, cette église de style gothique est une des rares églises d'Alsace à posséder un jubé. Dans la nef, fresques représentant la Crucifixion, l'histoire des apôtres et des saints et la mission de saint Dominique; au début du bas-côté Nord, une autre fresque du 15e s. retrace la Vision de sainte Catherine de Sienne.

Musée du Florival. — *Le Doyenné, 1 rue du 4-Février. Visite du 1er juin au 30 septembre, les mardis, vendredis, dimanches et jours fériés de 10 h à 12 h et de 15 h à 18 h; les mercredis, jeudis et samedis l'après-midi seulement. Entrée : 3 F.*

Il possède une très belle Vierge du 13e s. et un retable en bois du 15e s. Par ailleurs, le musée groupe des collections archéologiques, d'histoire locale et folkloriques.

Les églises ne se visitent pas pendant les offices.

GUEBWILLER (Vallée de) ★★

Carte Michelin no 87 - pli 18.

La **vallée de la Lauch** ou de Guebwiller est surnommée « le Florival » en raison de son aspect riant et fleuri. L'amateur d'art s'accordera le loisir d'admirer les belles églises romanes de Murbach et de Lautenbach.

Le promeneur à pied trouvera dans le fond de la vallée, de part et d'autre du D 430 et jusqu'au D 431, au Sud, une **« zone de tranquillité »** *(interdite aux voitures)* couvrant la partie la plus intéressante de la forêt de Guebwiller.

De Guebwiller au Markstein — *29 km - environ 2 h - schéma p. 135*

Quitter Guebwiller (p. 76) par ④ du plan en direction de Buhl. On remonte la large vallée de la Lauch, dont le fond plat couvert de prairies s'encadre entre des versants tapissés de vignobles et de bois, et où débouche à gauche le pittoresque vallon de Murbach.

Murbach★. — *Page 107.*

Lautenbach★. — 1 315 h. Lautenbach remonte au 8e s. et s'est développée autour d'une abbaye bénédictine.

De l'ancienne abbaye il ne subsiste que l'**église★**, collégiale à partir du 13e s. et actuellement paroissiale, et plusieurs anciennes maisons canoniales autour d'elle.

Le porche roman est divisé en trois vaisseaux voûtés d'ogives primitives. A l'intérieur *(fermé entre 12 h et 14 h),* on verra une belle chaire du 18e s., au fond du bas-côté gauche une peinture sur bois de l'école de Schongauer, représentant les trois anciens patrons de l'église et, dans le chœur, des stalles du 15e s. (complétées par un dais au 18e s.). Le chœur conserve un vitrail en partie du 15e s. A gauche de l'église, beau cloître du 16e s.

Peu après Linthal, la vallée de la Lauch, qui était jusqu'ici large et industrielle (filatures, tissages, scieries), devient très étroite et sauvage.

Lac de la Lauch★. — Ouvrage artificiel (superficie : plus de 11 ha; profondeur : 19 m), ce qui n'enlève rien à la beauté tranquille de ses eaux, ce lac, où l'on peut pêcher *(voir tableau p. 14),* repose au fond d'un cirque boisé. Pour l'admirer à l'aise, il faut s'arrêter sur la promenade, longue de 250 m, aménagée sur le barrage.

La route pénètre en forêt et s'élève bientôt en lacet, réservant quelques échappées sur la vallée et le Grand Ballon. 2 km après avoir contourné le lac de la Lauch, laisser la voiture dans le lacet à droite *(stationnement possible)* et prendre à gauche un sentier empierré qui conduit à un petit promontoire : très jolie vue sur la vallée de la Lauch, la plaine d'Alsace et la Forêt-Noire.

Le Markstein. — Carrefour sur la route des Crêtes. Centre de sports d'hiver.

Carte Michelin n° **87** - pli 3 — 26 856 h. (les Haguenoviens) — *Lieu de séjour, p. 42.*

Haguenau est située sur les bords de la Moder, à la lisière d'une immense forêt.

■ **CURIOSITÉS** *visite : 1 h*

Église St-Georges. — Cet édifice fut construit aux 12ᵉ et 13ᵉ s. Au-dessus de la croisée du transept s'élève un clocher octogonal dont les deux cloches sont les plus anciennes de France (1268).

Remarquer, sur le contrefort du transept Sud, les rainures figurant les étalons des mesures de longueur jadis utilisées à Haguenau.

L'intérieur présente une triple nef romane couverte d'une voûte gothique.

Face à la chaire (1500), grand Christ de 1487. Dans le bras droit du transept, un beau retable de 1497 figure le Jugement dernier et, dans le bras gauche, un autre retable du 15ᵉ s. représente la Vierge.

Le chœur, de style gothique, renferme un magnifique ciborium flamboyant de 1523.

Dans l'abside, vitraux modernes, très colorés, de Chevallier.

Église St-Nicolas. — Cette église fut fondée par l'empereur Frédéric Barberousse en 1189. De la construction primitive, il ne reste que la tour qui fut gravement endommagée en 1944. L'église actuelle, de style gothique, fut reconstruite au 13ᵉ s. Les deux dernières travées furent ajoutées au 14ᵉ s. C'est en 1860 que fut ajouté le petit porche qui précède l'édifice.

En haut du bas-côté gauche, bas-relief en pierre du 14ᵉ s. : le Christ dans le Pressoir. Dans le bas-côté droit, Pièta en bois du 15ᵉ s.; une porte donne accès à un porche abritant un sépulcre de 1426 près duquel se trouve une cuve baptismale de la fin du 14ᵉ s.

Les remarquables **boiseries★** du 18ᵉ s. de la chaire, du buffet d'orgues et des stalles du chœur proviennent de l'ancienne abbaye de Neubourg et furent transportées à St-Nicolas pendant la Révolution. Les quatre superbes statues en bois, à l'entrée du chœur, représentent les Pères de l'Église : saint Augustin, saint Ambroise, saint Grégoire et saint Jérôme.

Musée historique (M¹). — *Fermé pour réorganisation. Réouverture prévue pour l'automne 1982.*

Importantes collections préhistoriques et romaines provenant de fouilles effectuées dans la région (forêt de Haguenau, Seltz). On y verra aussi des monnaies et médailles d'Alsace, dont 280 pièces frappées à Haguenau et aux armes de la ville, des céramiques, faïences, des imprimés sortis des presses de Haguenau (1489-1557) et des armes.

HAGUENAU

Armes (Pl. d')	2
Château (R. du)	3
Gaulle (Pl. Charles-de)	4
Marché-aux-Grains	5
République (Pl. de la)	6
St-Georges (R.)	7

Musée alsacien (M²) — *Visite : en semaine de 9 h à 12 h et de 14 h à 18 h; les samedis et dimanches de 14 h à 17 h. Fermé le lundi. Entrée : 2 F.*

Aménagé en 1973 dans l'ancienne chancellerie de la ville, bâtiment restauré du 15ᵉ s. *(abritant également le S.I.)*, ce musée présente, au 1ᵉʳ étage, des collections régionales d'époques diverses : outils et ustensiles en bois (barres de tonneaux), ferronnerie, étains, costumes anciens; au 2ᵉ étage, la «maison du potier» (18ᵉ-19ᵉ s.) avec atelier de poterie et ses productions, cuisine et salle de séjour meublées, plus une salle consacrée à l'imagerie populaire.

EXCURSION

Soufflenheim; Betschdorf. — *24 km. Quitter Haguenau par ② du plan, N 63.*

Soufflenheim. — 4 281 h. Ce bourg industriel est célèbre pour ses ateliers de poteries et de céramiques à décor floral sur fond uni, typiquement alsaciennes : terrines ovales pour la potée, plats, saladiers, moules à kougelhof, pichets, etc. *Visite possible pendant les heures de travail.*

Le D 344, au Nord-Ouest du bourg, conduit à Betschdorf.

Betschdorf. — 2 382 h. Dans ce village aux jolies maisons à colombages on fabrique des poteries d'art, caractéristiques, en grès gris à décor bleu : cruches, pots, vases, etc. *On peut visiter du lundi au vendredi.*

Les voies de traversée et d'accès sont renforcées sur nos plans de villes.

HAUT-BARR (Château du) ★

Carte Michelin n° 87 - pli 14 — *Schémas p. 66 et 185.*

Le château du Haut-Barr, bâti sur trois gros rochers de grès dominant la vallée de la Zorn et la plaine d'Alsace, a mérité le nom d'« Œil de l'Alsace ». Construit au 12e s., il fut entièrement transformé par l'évêque Manderscheidt, de Strasbourg.

C'est, dit la légende, cet évêque qui fonde, avec quelques gentilshommes, une association de francs-buveurs nommée « Confrérie de la Corne ». Celle-ci oblige tous ses membres à vider d'un trait une énorme corne d'aurochs remplie de bon vin d'Alsace... Certains chevaliers alsaciens assèchent la corne par deux fois sans être autrement incommodés. En revanche, le maréchal de Bassompierre raconte dans ses mémoires qu'à la suite du cérémonial d'admission, il fut malade pendant cinq jours et ne put souffrir pendant deux ans l'odeur du vin !...

Accès. — *On accède (5 km) au château depuis Saverne, par la rue du Général-Leclerc.* Le D 102 offre, en montée continue, des vues sur la Forêt-Noire et les vallées de la Zorn et du Ramsthal. Prendre ensuite, à droite, le D 171, qui sinue entre les sapins. *Près de l'entrée du château, parking.*

VISITE *environ 1/2 h*

Du portail d'entrée, une rampe pavée conduit à une deuxième porte, après laquelle se trouvent à droite une chapelle romane restaurée et à gauche le restaurant du Haut-Barr.

Au-delà de la chapelle, on accède à une plate-forme *(table d'orientation)*, d'où la **vue**★ s'étend sur Saverne, les coteaux du Kochersberg et, au loin, au-delà de la plaine rhénane, sur la Forêt-Noire.

Par un escalier de bois *(64 marches)*, appliqué contre la paroi de grès, on peut atteindre un premier rocher, d'où la vue embrasse le même panorama.

Revenir devant le restaurant et, aussitôt après, monter un escalier de 81 marches pour atteindre un deuxième rocher relié par une passerelle, appelée le « Pont du Diable », à un troisième rocher. La **vue**★ y est encore plus belle et permet un tour d'horizon complet; on aperçoit les Vosges, la vallée de la Zorn (empruntée par le canal de la Marne au Rhin), le plateau lorrain, et, par temps clair, la flèche de la cathédrale de Strasbourg.

A 200 m du château, au Sud, s'érige le **télégraphe Claude Chappe**, reconstitution, sur son emplacement d'origine, d'une tour-relais du fameux télégraphe optique imaginé en 1794 par l'ingénieur Chappe. Un petit musée présente des projections de diapositives accompagnées de commentaires *(visite du 15 juin au 15 septembre, de 10 h à 17 h)*.

HAUT-KŒNIGSBOURG (Château du) ★★

Carte Michelin n° 87 - pli 16 - 13 km à l'Ouest de Sélestat - *Schémas p. 131 et 138.*

Ce château féodal, reconstitué, le plus important des Vosges avec sa triple enceinte occupe tout le sommet d'un piton, long de 270 m, qui, à l'altitude de 757 m, domine la plaine rhénane.

Fief d'une famille de comtes suisses, il est incendié par les Suédois, en 1633. Jusqu'en 1901, il a constitué l'une des plus superbes ruines de l'Alsace. Mais la ville de Sélestat, manquant des crédits nécessaires aux travaux de conservation, offrit la ruine à l'empereur Guillaume II qui ordonna la reconstitution du château. Le résultat suscita des controverses acharnées, surtout lorsque fut édifié le haut et mince donjon carré actuel à l'emplacement de la tour ronde du 15e s.

Accès. — *La route d'accès (2 km) s'embranche à l'intersection du D 159 et du 1B1, à hauteur de l'hôtel du Haut-Kœnigsbourg. A 1 km, prendre à droite la route à sens unique, qui contourne le château, à gauche de laquelle on peut laisser la voiture.*

(D'après photo Marasco)

Château du Haut-Koenigsbourg.

HAUT-KŒNIGSBOURG (Château du)★★

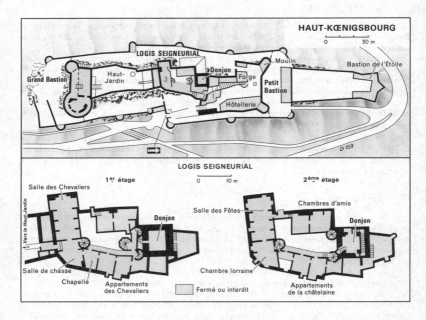

Visite accompagnée par groupes : du 1er avril au 30 septembre, de 9 h à 12 h et de 13 h à 18 h; en mars et octobre de 9 h à 12 h et de 13 h à 17 h; du 1er novembre au 28 février de 9 h à 12 h et de 13 h à 16 h. Fermé les 1er janvier, 1er mai, 1er et 11 novembre, 25 décembre. Durée : 3/4 h. Entrée : 10 F. (5 F les dimanches et jours fériés).

Après avoir traversé deux enceintes, on voit l'hôtellerie et les communs, puis par un pont-levis on gagne le château proprement dit. Aussitôt après, la porte des Lions (1) donne accès au corps de logis qui renferme le puits (2), profond de 62 m, la cave (3) et la cuisine.

Aux étages supérieurs, on visite successivement : les chambres d'amis, la salle des Fêtes dans laquelle, lors de sa dernière visite, en avril 1918, Guillaume II avait fait apposer, sur la grille de la cheminée, l'inscription célèbre : « Je n'ai pas voulu cela »; la chambre lorraine; les appartements de la châtelaine, des chevaliers, la chapelle, la salle de chasse; la salle des chevaliers, qui renferme de nombreuses armes.

Quelques meubles des 15e et 16e s. ont été répartis dans les salles.

Panorama★★. — Du haut du grand bastion, on aperçoit : au Nord, les ruines des châteaux de Franckenbourg, de Ramstein, d'Ortenbourg; à l'Est, de l'autre côté du Rhin, les hauteurs de Kaiserstuhl, en avant de la Forêt-Noire; au Sud, le Hohneck, et à l'horizon, le Grand Ballon. A 200 m environ à l'Ouest du Château, ruine du Oedenbourg.

HOHWALD (Région du) ★★

Carte Michelin n° **87** - plis 5, 15, 16.

Forêts, vignobles, charmants villages forment la toile de fond de cette région d'Alsace.

Châteaux et monastères. — Cette région a une histoire très ancienne. Il ne s'agit pas ici de légendes mais de faits attestés par des témoins de poids : le Mur païen de Ste-Odile, par exemple. Il est à peu près reconnu que ce fameux mur est l'œuvre des Celtes qui mettent à l'abri de cette enceinte formidable leurs familles et leurs biens. Plus tard, les Romains renforcent l'ouvrage. Les rois mérovingiens s'intéressent à ce pays; ils résident à Obernai.

Tout ce lointain passé s'incarnait dans les châteaux et les monastères. Si les abbayes ont survécu, tout au moins en tant que pèlerinages (Ste-Odile) ou comme monuments (Andlau), les châteaux dressent partout les ruines de leurs murailles ou de leurs donjons.

Le hêtre envahisseur. — Les forêts de sapins sont l'orgueil du Hohwald et demeurent sa traditionnelle parure. Or, une invasion s'est produite parmi ces sapins : celle du hêtre. Vers 1780, un litige surgit entre Barr et Strasbourg pour la possession de la forêt du Hohwald. Pendant les 60 ans que dure le procès, nul ne peut toucher à un arbre. La sentence ayant été favorable à Strasbourg, la ville peut enfin jouir de son bien et fait pratiquer de larges coupes parmi les sapins devenus géants. C'est à ce moment que le hêtre se serait faufilé dans les clairières.

Une terre fortunée. — La superbe forêt qui abrite le framboisier et l'airelle ne s'éclaircit que pour céder la place à la vigne. Celle-ci chevauche les coteaux, escalade les remparts des petites villes, tandis que le tabac pousse dans les terres de lœss qui avoisinent Barr et que les houblonnières dressent leurs perches çà et là plus au Nord. Si l'on ajoute à tant de libéralités de la nature la multiplicité des rivières, ruisseaux, torrents qui favorisent les scieries, les tissages et filatures, on reconnaîtra que ce coin d'Alsace mérite bien le nom de « terre bénie ».

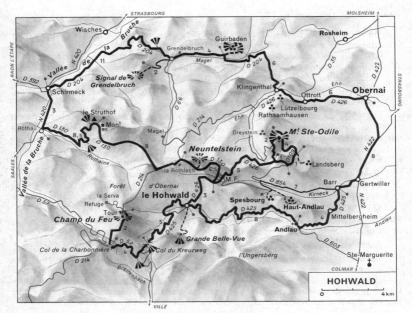

STE-ODILE★★ et CHATEAU DE LANDSBERG

24 km — environ 1 h — schéma ci-dessus — descriptions p. 144 et 145.

CIRCUIT AU NORD DU HOHWALD★★

73 km — environ 6 h — schéma ci-dessus

Le Hohwald★★. — 492 h. (les Hohwaldais). *Lieu de séjour, p. 42.* Le bassin de prairies où la station du Hohwald disperse ses villas et ses hôtels est complètement entouré de belles forêts de sapins et de hêtres invitant à la promenade. Le Hohwald est, aussi, bien placé pour les excursions rayonnantes en auto.

Le D 425 suit l'Andlau dans une pittoresque vallée boisée qu'animent des scieries. Sur la gauche, les ruines des châteaux de Spesbourg et du Haut-Andlau apparaissent sur une crête.

Andlau★. — *Page 48.*

Entre Andlau et Obernai, la route se déroule au pied de coteaux couverts de vignobles.

Mittelbergheim. — 651 h. Ce bourg pittoresque accroche ses maisons aux flancs d'un coteau. La place de l'Hôtel-de-Ville est bordée de jolies maisons Renaissance. La vigne y est cultivée, dit-on, depuis l'époque romaine et ses vins sont très réputés.

Barr. — *Page 137.*

Châteaux du Haut-Andlau★ et de Spesbourg★. — *7 km au départ de Barr, puis 1 h 1/2 à pied AR. Prendre le D 854 puis, 1500 m après Hotsplatz, un chemin goudronné qui mène à la maison forestière d'Hungerplatz. Y laisser la voiture et suivre le chemin tracé sur la crête de la montagne jusqu'aux ruines.*

Le **château du Haut-Andlau★**, bâti au 14e s. et restauré au 16e s., était encore habité en 1806. Il présente aujourd'hui, entre deux grosses tours, des murs ruinés, percés de fenêtres gothiques. De la terrasse, on aperçoit les coteaux du Vignoble, puis la plaine d'Alsace et, dans le lointain, la Forêt-Noire.

Du **château de Spesbourg★**, l'on découvre vers le Sud une jolie vue sur la vallée d'Andlau et l'Ungersberg. Construit au 13e s. en granit rose, il fut détruit au 14e s. Un donjon carré domine les hauts murs du corps de logis aux belles fenêtres géminées.

Gertwiller. — 832 h. Village renommé pour son vignoble et ses petits pains d'épice.

Après Gertwiller on distingue, sur les premières pentes des Vosges, le château de Landsberg; plus à droite, le couvent de Ste-Odile et, plus bas, les ruines des châteaux d'Ottrott.

Obernai★★. — *Page 118.*

HOHWALD (Région du)★★

Ottrott. — 1 115 h. (les Ottrottois). Au milieu d'un vignoble produisant un des rares vins rouges d'Alsace, «le Rouge d'Ottrott», Ottrott est également fière de ses deux châteaux : le Lutzelbourg, du 12ᵉ s., avec son bâtiment carré et sa tour ronde, et le Rathsamhausen, du 13ᵉ s., plus vaste et plus orné. Des petits trains touristiques fonctionnent au départ d'Ottrott *(à 14 h 30 et 16 h 30)* jusqu'à Rosheim *(voir page 133).*

Klingenthal. — Petite localité, jadis célèbre par sa fabrique d'armes blanches. Klingenthal signifie d'ailleurs «Vallée des lames».

Par le D 204 pittoresquement tracé en forêt, on atteint l'auberge de Fischchnette où laisser la voiture. A gauche, un sentier *(6 km à pied AR)* mène aux ruines du **château fort de Guirbaden**, construit au 11ᵉ s. et détruit au 17ᵉ s. et dont il subsiste encore les quatre murs du corps de logis et le donjon. Vue étendue sur les forêts environnantes, la plaine d'Alsace et la vallée de la Bruche.

Signal de Grendelbruch★. — *2 km au départ de Grendelbruch, puis 1/4 h à pied AR.* Le **panorama★** que l'on découvre du sommet porte à l'Est, sur la plaine d'Alsace et la Forêt-Noire ; à l'Ouest, sur la vallée de la Bruche et la chaîne des Vosges avec le Donon, couronné d'un petit temple.

Plus loin, on découvre à droite une très jolie vue sur Wisches, des vallons profonds et boisés et le Donon. Puis la route atteint la pittoresque vallée de la Bruche *(décrite p. 55).*

Schirmeck. — *Page 55.*

A la hauteur de Rothau prendre à gauche le D 130 dans la vallée de la Rothaine que l'on quitte 3 km plus loin par un coude à gauche. Bientôt la vue se dégage, très belle sur la vallée. 500 m après un virage à droite, une route sur la gauche permet d'atteindre l'auberge du Struthof et la chambre à gaz de l'ex-camp de concentration. 1 km plus loin se détache à gauche le chemin d'accès au camp et au cimetière national des déportés.

Le Struthof. — *Page 163.*

La route court sur un plateau, pénètre en forêt et descend vers la Rothlach.
A 1,5 km, laisser la voiture et prendre à gauche un sentier vers le rocher de Neuntelstein.

Neuntelstein★★. — *1/2 h à pied AR.* La **vue★★** est très belle sur Ste-Odile, l'Ungersberg, le Haut-Kœnigsbourg et le Champ du Feu.

Poursuivre par le D 130 et, peu après la maison forestière du Welschbruch, prendre à droite le D 426 pour regagner le Hohwald.

LE CHAMP DU FEU★★
11 km — environ 1/2 h — schéma p. 81

Quitter le Hohwald (p. 81) en prenant le chemin très étroit en face du restaurant d'Alsace.

Grande Belle-Vue★. — *1 h 1/2 à pied AR.* La vue se dégage bientôt sur le site du Hohwald. Plus loin, à hauteur de la pension Belle-Vue, prendre à gauche. Montée de 3 km en forêt avant d'atteindre les pâturages. Du sommet (100 m, à gauche) : **vue★** à droite sur le Climont, en avant le val de Villé, en arrière sur le Haut-Kœnigsbourg.

Le début du parcours s'effectue à travers un frais paysage de prairies et de bois, puis, au col du Kreuzweg (alt. 768 m), la vue se dégage.

Col du Kreuzweg. — Vue sur les vallées du Breitenbach et du Giessen ainsi que sur les monts qui les encadrent; au-delà, se dessine la dépression de la Liepvrette.

Le D 57, en montée vers le col de la Charbonnière, offre des vues superbes sur le val de Villé, la plaine d'Alsace et la Forêt-Noire. Les châteaux du Haut-Kœnigsbourg et de Frankenbourg sont visibles sur des promontoires dominant la plaine.

Col de la Charbonnière. — Au-delà des hauteurs qui dominent le val de Villé, on distingue la plaine d'Alsace et, à l'horizon, la Forêt-Noire.

Au col, tourner à droite dans le D 214 qui contourne la tour du Champ du Feu.

Champ du Feu★★. — Du haut de la tour d'observation, immense **panorama★★** sur les Vosges, la plaine d'Alsace, la Forêt-Noire et, par temps clair, les Alpes Bernoises. Les magnifiques pentes qui l'environnent sont fréquentées l'hiver par les amateurs de ski. Au Nord de la tour, à 1 km à gauche, le D 414 conduit (1,5 km) au Chalet Refuge et aux pistes de ski de la Serva.

HUNAWIHR
Carte Michelin n° **87** - pli 17 — *Schéma p. 138* — 521 h.

Gagner le centre de ce pittoresque village viticole et, avant la fontaine située près de la mairie, prendre à gauche la rue de l'Église puis gravir un raidillon.

Église. — Son lourd clocher carré tient plus du donjon que du clocher. Elle est entourée d'une enceinte hexagonale datant du 14ᵉ s. dont l'unique entrée était défendue par une tour. En faisant le tour de l'édifice, entre les tombes du cimetière catholique, on remarquera les six bastions qui flanquaient l'enceinte. Des abords de l'église, la vue est jolie sur le Taennchel, montagne reconnaissable à sa forme conique, sur les trois châteaux de Ribeauvillé et la plaine d'Alsace. Elle est fortifiée et sert à la fois aux cultes catholique et protestant, ce qui explique l'aspect de la nef. Le chœur est réservé aux catholiques depuis Louis XIV. Dans la chapelle à gauche du chœur, des fresques des 15ᵉ-16ᵉ s. aux tons ocre-rouge, bleus et jaunes, racontent la vie et les miracles de saint Nicolas et la canonisation de sainte Hune.

A l'Est du village, près du D1ᴮ, est installé un centre de réintroduction des cigognes *(visite du 15 mars au 11 novembre, de 13 h 30 à 18 h 30; entrée : 10 F).*

JOFFRE (Route)

Carte Michelin n° **87** - pli 19.

Cette route fut créée par l'Armée pendant la guerre de 1914-1918 afin d'assurer les communications entre les vallées de la Doller et de la Thur.

Pendant l'hiver 1944-1945, elle reprit son rôle militaire, réanimée par le trafic des troupes françaises qui ne pouvaient utiliser que cette voie d'accès pour attaquer Thann par le Nord *(voir p. 25).*

De Masevaux à Thann — *18 km — environ 1 h — schéma p. 50*

Masevaux. — 3 601 h. (les Masopolitains). *Lieu de séjour, p. 42.* Petite ville industrielle et commerçante, Masevaux fut créée autour d'une abbaye fondée par Mason, neveu de sainte Odile, en mémoire de son fils qui s'était noyé dans la Doller. Elle conserve de jolies places ornées de fontaines du 18ᵉ s. et entourées de demeures des 16ᵉ et 17ᵉ s.

La route s'élève pour atteindre le hameau d'**Houppach,** lieu de pèlerinage. La chapelle Notre-Dame d'Houppach est également connue sous le nom de Klein Einsiedeln.
La route descend légèrement, après avoir passé le col du Schirm, dans le bassin très vert de Bourbach-le-Haut.

Col du Hundsrück. — Alt. 740 m. Vues à droite sur le Sundgau *(p. 163),* région la plus méridionale de l'Alsace, la plaine d'Alsace et le Jura.

La descente qui suit se déroule en forêt. A la sortie du bois, **vue★★** magnifique sur la vallée de la Thur dominée au Nord par le Grand Ballon (alt. 1 424 m) où se distingue le monument aux Diables Bleus.

A Bitschwiller, on rejoint la N 66 qui, prise à droite, mène à Thann (p. 164).

KAYSERSBERG ★★

Carte Michelin n° **87** - pli 17 — *Schéma p. 138* — 2 960 h. (les Kaysersbergeois) — *Lieu de séjour, p. 42.*

Bâtie dans un joli site, au débouché de la vallée de la Weiss dans la plaine d'Alsace, entourée de vignobles réputés, Kaysersberg est une charmante petite ville fleurie au cachet médiéval.

C'est à Kaysersberg que naquit le docteur **Albert Schweitzer** (1875-1965), prix Nobel de la Paix en 1952. Organiste, musicologue, pasteur et médecin, il mena, en Afrique, un combat exemplaire contre le sous-développement et la maladie. Sa ville lui a consacré un **musée** dans sa maison natale, 124 rue du Général-de-Gaulle (**M¹**) *(visite du 15 mars au 30 octobre de 9 h à 12 h et de 14 h à 18 h; entrée : 3 F).*

Le Mont de l'Empereur. — Le nom de Kaysersberg signifie « le mont de l'Empereur ». « Caesaris Mons », à l'époque romaine, commande l'un des plus importants passages entre la Gaule et la vallée du Rhin.

Au cours de toute son histoire, Kaysersberg continue de justifier son titre. Au 13ᵉ s., l'empereur Frédéric II achète le village ainsi que son château. Il les fortifie de manière à résister aux incursions des ducs de Lorraine. Plus tard, Rodolphe de Habsbourg l'honore de sa protection. Adolphe de Nassau l'élève au rang de ville libre. Charles IV lui confirme ses privilèges. Charles Quint favorise son développement. Maximilien lui donne comme bailli impérial le célèbre **Lazare de Schwendi.** Celui-ci a combattu en Hongrie et pris la ville de Tokay. C'est là qu'il aurait recueilli quelques plants du vin fameux dont il fait don à Kaysersberg. Depuis cette époque, ces quelques plants se sont largement multipliés et ont fait la renommée viticole de la ville.

■ CURIOSITÉS *visite : 2 h*

Église★ (L). — 12ᵉ-15ᵉ s. On y accède par une petite place décorée d'une fontaine du 18ᵉ s. que surmonte une statue de l'empereur Constantin, du 16ᵉ s.

La façade s'ouvre par un portail roman, dont certains chapiteaux sont décorés de pélicans et de sirènes à deux queues, motif d'inspiration lombarde. Le tympan représente le couronnement de la Vierge encadrée par les archanges saint Michel et saint Gabriel.

A l'intérieur, la nef est dominée par un énorme groupe de crucifiement de la fin du 15ᵉ s.

Le chœur abrite au-dessus du maître-autel un **retable★★** en bois, en forme de triptyque, œuvre magnifique du maître Jean Bongartz de Colmar (1518). Le panneau central, qui représente la Crucifixion, est entouré de douze panneaux sculptés retraçant les phases de la Passion; au-dessous, la Cène. Au revers, les peintures (17ᵉ s.) figurent l'Annonciation et l'Invention de la Sainte-Croix.

KAYSERSBERG

Ancien Hôpital (R. de l')	2
Ancienne Gendarmerie (R. de l')	3
Commanderie (R. de la)	5
Église (R. de l')	6
Rieder (R. du Gén.)	7

KAYSERSBERG★★

Le bas-côté Nord abrite un Saint Sépulcre de 1514, malheureusement mutilé. La partie la plus remarquable est le groupe des Saintes Femmes, chef-d'œuvre de Jacques Wirt. Détail qu'on retrouve dans plusieurs églises d'Alsace : dans la poitrine du Christ est ménagée une entaille, autrefois destinée à recevoir les hosties pendant la semaine sainte.

Dans la nef latérale de droite et dans celle de gauche, remarquer la statue de saint Jacques de Majeur (1523) et le bas-relief de la Pietà de 1521.

La fenêtre gauche de la façade présente une belle verrière du 15e s. représentant le Christ en croix flanqué des deux larrons, œuvre de Pierre d'Andlau.

Chapelle St-Michel (1463). — *Pour visiter, s'adresser au n° 43, à gauche.* Elle comporte deux étages. Dans la salle inférieure, transformée en ossuaire, se trouve un bénitier avec une tête de mort à la base. La chapelle supérieure est décorée de fresques. Dans le chœur, à droite de l'autel, curieux crucifix du 14e s.

Cimetière (A). — Les soldats tombés pour la libération de la ville y sont inhumés. Des débris archéologiques donnent à ce cimetière le caractère d'un musée lapidaire. Une galerie de bois du 16e s. abrite notamment la curieuse croix, dite « de la peste », de 1511.

Hôtel de ville★ (H). — Construit dans le style de la Renaissance rhénane, il offre une jolie façade, une cour tranquille et une pittoresque galerie de bois.

Vieilles maisons★. — Dans les rues de l'Église, de l'Ancien Hôpital, de l'Ancienne-Gendarmerie et du Général-de-Gaulle (encore appelée Grand' Rue).

Puits Renaissance (1618) (B). — Situé à gauche, aussitôt avant la place du 1er R.C.A., dans la cour du n° 54 Grand'Rue, il porte une inscription pleine d'humour *(voir p. 33).*

Pont fortifié★ (F). — Situé dans un décor charmant, au milieu de vieilles maisons, ce pont construit aux 15e et 16e s., crénelé et percé de meurtrières, porte une chapelle.

Maison Brief★ (D). — Elle date de 1594.

(D'après photo Jean Kuster)

Kaysersberg. – Le pont fortifié.

Hostellerie du Pont (E). — A l'angle de la rue des Forgerons, où l'on verra aussi d'anciennes maisons, elle a été remise en état. C'était l'ancienne maison des Bains. Face au pont, maison à colombages à galerie ouverte (K).

Musée communal (M2). — *Visite du 1er juillet au 30 septembre, de 10 h à 12 h et de 14 h à 18 h. A Pâques, à l'Ascension, à la Pentecôte, en juin et en octobre, les samedis et dimanches seulement. Entrée : 3 F.*

Il est installé dans une maison Renaissance à double toit avec tourelle à escalier.

Il expose des objets d'art religieux, des souvenirs locaux (cloche du 16e s. provenant d'une porte de ville qui servait de beffroi, masque « cracheur de farine »), des haches néolithiques de Bennwihr, l'outillage d'un chaudronnier romain trouvé aux environs, des objets de tonnellerie, etc.

KEMBS

Carte Michelin n° 87 - pli 9 — *Schéma p. 127* — 2 211 h.

La petite ville de Kembs, qui a donné son nom à l'usine, fut autrefois une importante ville romaine. Un pont en ciment romain, dont on a retrouvé les restes en creusant le canal, unissait les deux rives du Rhin ; ce qui infirme la théorie qui voulait que les ponts sur le Rhin aient toujours été construits en bois afin qu'on puisse les brûler en cas d'invasion.

Barrage de Kembs. — *4 km au Sud.* Construit dans le lit du fleuve en aval de Bâle, il constitue l'unique ouvrage de retenue sur le Rhin pour les quatre premiers biefs. Il dérive une part importante des eaux du Rhin dans le Grand Canal d'Alsace *(voir p. 127).* Depuis 1965, un groupe turbine le débit réservé au lit du Rhin.

Bief de Kembs★. — En aval du barrage, il comprend le canal latéral proprement dit et une double écluse de navigation.

Usine hydro-électrique★. — Réalisée de 1928 à 1932, c'est la première usine du Grand Canal d'Alsace.

Endommagée en 1940 et en 1944, elle fut reconquise le 10 décembre 1944 par des unités de la 9e D.I.C. *(voir p. 25).* Elle put être remise en service dès le mois d'août suivant.

Elle possède 6 groupes d'une puissance totale maximale de 143 000 kW dont la production annuelle moyenne est de 900 millions de kWh.

LIVERDUN

Carte Michelin n° 🔢 - pli 4 — 5 067 h. (les Liverdunois).

Liverdun occupe un site★ agréable dans un méandre de la Moselle qu'il domine.

En venant de Frouard par le D 90, pittoresque, on pénètre dans la petite cité par une porte de ville du 16ᵉ s.

Dans la rue Porte-Haute, à droite, la porte sculptée de la maison dite du Gouverneur date de la fin du 16ᵉ s.

Église. — Commencée à la fin du 12ᵉ s., elle fut consacrée en 1261. A l'intérieur, tombeau de saint Euchaire : statue du 13ᵉ s. dans un encadrement du 16ᵉ s. Remarquer la curieuse disposition des bas-côtés, voûtés en berceau brisé comme le transept et dont l'axe est comme celui du transept perpendiculaire à la nef.

Pour avoir une belle vue sur le site de Liverdun, prendre la route de Saizerais, au Nord (D 90ᴮ). A hauteur de la Croix des Rogations, prendre à gauche et, avant une maison, quitter la voiture puis traverser le pré jusqu'au rebord du plateau.

LONGWY

Carte Michelin n° 🔢 - pli 2 — 20 240 h. (les Longoviciens) — *Plan dans le guide Michelin France.*

Ancienne ville fortifiée dont il reste encore quelques vestiges, Longwy, connue pour ses « émaux », est devenue la cité du fer et un centre industriel important.

Longwy subit la domination des ducs de Luxembourg, des comtes de Bar et des ducs de Lorraine. Assiégée par la France en 1647 et 1670, la ville lui fut cédée au traité de Nimègue, en 1678. Louis XIV la fit alors fortifier par Vauban. Sa situation de ville-frontière lui valut d'être occupée par les Prussiens en 1792, en 1815, en 1870 et de 1914 à 1918 par les Allemands.

La région industrielle de Longwy. — Une excursion par le D 98 (au départ de Longwy-Bas, du « Belvédère » : intéressant point de vue sur le bassin sidérurgique) jusqu'à Mont-St-Martin (église romane), puis par le D 26 jusqu'à Saulnes *(10 km)*, donne une idée d'un paysage fortement industrialisé.

Le bassin de Longwy, qui présentait, naguère encore, une densité d'appareils à feu exceptionnelle, a conservé une partie de ses usines choisies en raison du potentiel de leur installation. Cette réorganisation d'ensemble, nécessitée par la crise que connaît la sidérurgie depuis 1975, a engendré la réunion en une seule société de toutes celles qui s'étaient implantées dans la vallée. De nos jours, la production de fonte et d'acier est assurée par deux sites, de part et d'autre de la ville.

EXCURSION

Cons-la-Grandville; Fort de Fermont. — *13 km au Sud-Ouest. Quitter Longwy par ④ du plan, N 18. A 4 km, prendre à gauche le D 172.*

Cons-la-Grandville. — 769 h. Bâtie dans une cuvette qu'entoure une boucle de la Chiers, cette petite ville est connue pour le vaste **château** Renaissance *(on ne visite pas)* qui la coiffe de très haut de sa masse imposante, aux impressionnants soubassements et aux façades en bel appareil de pierre.

A la sortie Sud du pays, un haut-fourneau daté de 1865 *(en cours de restauration)*, se dresse sur le côté droit de la route.

Continuer à suivre le D 172 vers Ugny où prendre à droite après l'église, puis encore à droite. Au carrefour du D 17ᴬ et du D 174, prendre à gauche.

Fort de Fermont. — *Visite guidée du 1ᵉʳ avril au 30 septembre tous les jours de 13 h 30 à 17 h; en octobre, les samedis et dimanches seulement; de novembre à mars, les samedis de 13 h 30 à 16 h. Durée : 2 h 1/2. Entrée : 15 F, enfants : 5 F. Se munir de vêtements chauds.*

Ce gros ouvrage de la Ligne Maginot *(voir p. 34)* repoussa l'attaque allemande le 21 juin 1940 après 3 jours de bombardements intensifs. Dans la bataille, le guetteur Florient Piton fut atteint de plein fouet par un obus (au cours de la visite on passe devant l'endroit où il fut provisoirement inhumé). Cependant, bien qu'invaincu, le commandant de l'ouvrage est obligé de livrer le fort aux Allemands qui s'en emparent le 27 juin 1940. En septembre 1944 il est repris par les Français.

L'ouvrage était défendu, entre autres, par cinq canons de 75 et deux mortiers de 81. Avec ses deux blocs d'entrée et ses sept blocs de combat, établis sur une surface de 27 ha, il était conçu pour un effectif de 600 hommes.

On visite les galeries souterraines, la casemate d'artillerie, l'ensemble du casernement (foyer du soldat, dortoirs, cuisines, infirmerie, réserves de vivres, four, cave, etc.), l'usine électrique et le musée (exposition de matériel et souvenirs militaires). Par une issue de secours, on accède au-dessus de l'ouvrage où l'on se rend compte de la disposition de l'ensemble du fort avec ses quatre tourelles à éclipse, ses cloches à vision périscopique et lance-grenades, ses casemates.

LUNÉVILLE ★

Carte Michelin n° 62 - pli 6 — 24 700 h. (les Lunévillois).

Lunéville doit au 18ᵉ s. ses larges rues, son grand parc et ses beaux monuments.

Sa faïencerie, érigée par le roi Stanislas en Manufacture royale, s'est spécialisée dans la faïence de table.

Le petit Versailles. — De 1702 à 1714, Lunéville est le séjour favori de **Léopold,** duc de Lorraine. Grand admirateur du Roi-Soleil, il fait édifier par Germain Boffrand, élève de Mansart, le château actuel, réplique plus modeste de celui de Versailles. La danse, le jeu, les représentations théâtrales, la chasse occupent les loisirs du duc et font accourir toute la noblesse lorraine.

Lunéville devient encore, un peu plus tard, la résidence favorite de Stanislas *(voir p. 108)* qui apporte de nombreuses modifications à l'ordonnance du parc et à la décoration du château. Il s'entoure de littérateurs et d'artistes parmi lesquels Voltaire, Diderot, Saint-Lambert, Helvétius.

A cette époque, Lunéville mérite le surnom de « Petit Versailles » grâce à la beauté de son château, à l'ordonnance des jardins et à la qualité de ses hôtes. Stanislas y meurt, le 23 février 1766.

Château★. — *Visite : 1/2 h.* D'une ordonnance majestueuse, il s'ouvre à l'Ouest par une vaste cour d'honneur où se dresse la statue équestre du général de Lasalle, tué à Wagram. Le large corps central est flanqué de deux petites ailes séparées par des portiques des grandes ailes encadrant la cour d'honneur. La chapelle, inspirée de celle de Versailles, sert de cadre à un spectacle audio-visuel *(en soirée, du 16 juin au 30 septembre; se renseigner au Syndicat d'Initiative).*

Musée (M¹). — *Visite de 9 h à 12 h et de 14 h à 18 h (17 h du 1ᵉʳ octobre au 31 mars). Fermé le mardi. Entrée : 3 F.*

On y verra une importante collection de faïences de Lunéville et de St-Clément, l'apothicairerie de l'hôpital de Lunéville, des statuettes en terre de Lorraine de Paul-Louis Cyfflé, une collection unique de portraits calligraphiés par Jean-Joseph Bernard (18ᵉ s.), des éléments d'archéologie copte, des tentures flamandes de cuir peint (17ᵉ s.), des peintures caractéristiques de l'art officiel du 19ᵉ s.

L'œuvre de Georges de la Tour, peinte à Lunéville de 1620 à 1652, est évoquée par un montage audiovisuel. Neuf salles sont consacrées à l'histoire de la garnison de cavalerie de Lunéville.

Parc des Bosquets★. — *Spectacle « Son et lumière » de juillet à septembre : le Grand carrousel, se renseigner au S.I.* Tracé au début du 18ᵉ s. par Yves des Hours et embelli par Louis de Nesle dit Gervais pour Léopold, il fut enrichi par Stanislas. A la mort du roi, le château et le parc deviennent propriété de l'autorité militaire. La plupart des bassins sont comblés. En 1936, la ville en devient propriétaire. En 1946, les bosquets sont restaurés dans leurs lignes essentielles du 18ᵉ s., avec parterres et pièces d'eau. La terrasse réapparaît.

(D'après photo Didon)

Faïence de Lunéville.

Église St-Jacques (B). — Elle fut construite de 1730 à 1747 par Boffrand et Héré, dans le style baroque. La façade s'encadre de deux tours cylindriques surmontées des statues de saint Michel (à gauche) et de saint Jean Népomucène (à droite). Sur le fronton, une horloge est soutenue par une statue représentant le Temps. A l'intérieur, remarquer les **boiseries★** Régence, les stalles du chœur, la chaire, la tribune d'orgues, mais aussi une Pietà en pierre polychrome du 15ᵉ s. et de belles œuvres de Girardet : au fond de l'abside, le Baptême de Clovis, sur un pilier à droite du chœur, saint Joseph portant l'Enfant-Jésus et, face à la chaire, le Christ en Croix.

Musée de la moto et du vélo (M²). — *Elle au château. Visite de 9 h à 12 h et de 14 h à 18 h. Fermé le lundi, les 1ᵉʳ novembre, 25 décembre et 1ᵉʳ janvier. Entrée : 7 F.*

Quatre salles abritent plus de 200 modèles à 2 ou 3 roues, avec ou sans moteur, antérieurs à 1939.

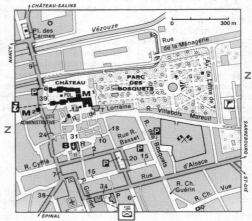

Carte Michelin n° 66 - pli 6 — 10 711 h. (les Luxoviens) — *Lieu de séjour, p. 42.*

Luxeuil, station hydrominérale réputée, est spécialisée dans le traitement des affections gynécologiques et des affections veineuses. C'est aussi une ville d'art, qui possède d'intéressants monuments. La création d'une importante base aérienne, toute proche, lui a donné une nouvelle extension.

Saint Colomban. — Luxeuil fut le siège d'une célèbre abbaye fondée par saint Colomban, moine irlandais, passé en France en 590 avec douze religieux. Ayant reproché au roi de Bourgogne ses dérèglements, il est chassé du pays et doit se réfugier en Italie.

L'école de l'abbaye de Luxeuil fut la plus célèbre du 7ᵉ s.; on s'y rendait de toutes les parties de l'Europe. Une des caractéristiques de la règle de Colomban était l'emploi généreux du fouet. Pour avoir parlé au réfectoire, toussé à la messe : six coups. Pour avoir répondu à l'abbé : cinquante coups, etc. Les moines furent dispersés à la Révolution.

■ CURIOSITÉS

visite : 1 h

Hôtel du cardinal Jouffroy★ (B). — *Pour visiter, s'adresser au propriétaire, 53 rue V.-Genoux.* Le cardinal Jouffroy, abbé de Luxeuil puis archevêque d'Albi, fut, jusqu'à sa mort, le favori de Louis XI. Sa maison (15ᵉ s.), la plus belle de Luxeuil, ajoute au gothique flamboyant de ses fenêtres et de sa galerie quelques éléments Renaissance dont, sur l'un des côtés, une curieuse tourelle (16ᵉ s.), coiffée d'un lanternon, construite en encorbellement. Madame de Sévigné, Augustin Thierry, Lamartine, André Theuriet ont habité cette maison.

Sous le balcon, la 3ᵉ clef de voûte à partir de la gauche représente trois lapins. Le sculpteur n'a représenté que trois oreilles en tout, mais le groupe est disposé de telle sorte que chaque lapin paraît avoir deux oreilles.

A l'intérieur, belle cheminée Renaissance dont les motifs décoratifs représentent Adam et Ève chassés du paradis terrestre; boiseries des 17ᵉ et 18ᵉ s.

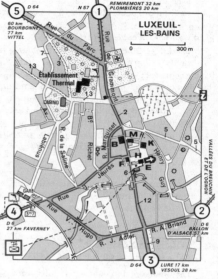

Carnot (R.)		2	Hoche (R.)	7
Clemenceau (R. G.)		3	Maroselli (Allées A.)	9
Gambetta (R.)		5	Prés.-Jeanneney (R. du)	12
Genoux (R. V.)		6	Thermes (R. des)	13

Hôtel des Échevins★ (Musée de la tour des Échevins) (M). — *Visite de 10 h à 12 h et de 14 h à 17 h. Fermé le mardi. Entrée : 2 F.*

Édifice important du 15ᵉ s. aux murs crénelés. La décoration extérieure et la fine loggia de style gothique flamboyant contrastent avec l'allure générale de la construction.

De remarquables sculptures provenant de la ville gallo-romaine : stèles★ funéraires ou votives, inscriptions, ex-voto d'époque gauloise, etc. sont disposées au rez-de-chaussée. Le 1ᵉʳ étage est consacré au vieux Luxeuil. Le 3ᵉ étage abrite le **musée Adler** qui rassemble des peintures de Courbet, J. Adler, Vuillard et Pointelin.

Du sommet de la tour *(146 marches)* : **vue** sur la ville et, au loin, sur les Vosges, le Jura et les Alpes.

Basilique St-Pierre★ (E). — Ancienne église de l'abbaye, St-Pierre remonte au début du 13ᵉ s. Ses voûtes ont été refaites en 1330 et l'abside fut restaurée par Viollet-le-Duc en 1860. Le clocher est de 1527; son couronnement, du 18ᵉ s.

L'intérieur est remarquable par son mobilier. On admirera l'impressionnant buffet d'orgues de 1617, soutenu par un atlante posé sur le sol de la nef. La chaire (18ᵉ s.) provient de N.-D. de Paris; Lacordaire y prononça ses sermons. Le chœur possède des stalles fort intéressantes (16ᵉ s.), en partie reconstituées (à gauche). Le déplacement de l'une d'elles a fait découvrir une porte gothique du 15ᵉ s. Dans le transept, à droite, châsse de saint Colomban et reliquaire contenant une relique de saint Gall, compagnon de saint Colomban et fondateur de l'abbaye de St-Gall en Suisse.

Par une entrée indépendante de la basilique, ou par l'espace ouvert entre l'hôtel de ville et la poste, on accède au **cloître** (fin du 12ᵉ s.), remanié au 14ᵉ s., dont les trois ailes restantes en grès rouge enserrent un moderne monument aux morts. A hauteur de la deuxième travée, une porte, dite « porte des moines », date du 12ᵉ s.

A gauche de la basilique, sur la place : statue moderne de saint Colomban.

Maison François Iᵉʳ★ (F). — Son nom ne perpétue pas le souvenir du roi de France, mais celui d'un abbé luxovien. Elle est de style Renaissance.

Maison du Bailli (K). — Elle date de 1473. La cour est dominée par un balcon de pierre flamboyant et par une tour polygonale surmontée de créneaux.

Établissement thermal. — Contruction du 18ᵉ s. entourée d'un beau parc.

Palais abbatial (H). — Édifice des 16ᵉ et 17ᵉ s., aujourd'hui hôtel de ville.

EXCURSION

Vallées du Breuchin et de l'Ognon. — *Circuit de 94 km - environ 2 h 1/2. Quitter Luxeuil par ② du plan, D 6.*

La route remonte la vallée du Breuchin qui, avec celle de l'Ognon, enserre le vaste plateau glaciaire d'Esmoulières, boisé et parsemé d'étangs, et devient très verdoyante après Faucogney.

A partir du col du Mont de Fourche, le D 57, pris à droite, suit la crête de partage des eaux (à gauche, la Moselle coulant au Nord; à droite, le Breuchin et l'Ognon coulant au Sud), joliment parée de genêts en saison.

Au col des Croix, laisser à gauche la route du Thillot (p. 101) et, en avant, celle du Ballon de Servance (p. 50), pour prendre à droite le D 486 qui descend la vallée de l'Ognon. Peu après le col, jolie vue sur cette vallée.

Servance. — 1 354 h. A la sortie du bourg, à droite, un sentier *(1/4 h AR)* mène au Saut de l'Ognon, petite chute de 13 m s'échappant d'une étroite gorge rocheuse.

Presque en face du Saut de l'Ognon, à l'Est du D 486, on prend le D 133 d'où se détache à 4 km, à droite, la petite route de Belfahy.

Belfahy. — 90 h. Ce village, dont l'altitude (871 m) favorise le développement comme petite station de ski, offre de belles vues.

La descente vers le D 97 procure des vues plongeantes, à gauche, sur Plancher-les-Mines et la vallée du Rahin. Le D 97, pris à droite, emprunte la vallée du Raddon.

Fresse. — 805 h. Dans l'église, on voit une belle chaire sculptée, du 18ᵉ s., provenant de l'abbaye de Lucelle *(p. 164)*, et une statue de la Vierge à l'Enfant, en bois polychrome, du 13ᵉ s.

A la sortie de Mélisey, prendre à droite le D 72 et, à 5 km, aux Guidons, à gauche le D 137 qui, traversant le plateau glaciaire, rejoint le D 6 par lequel on regagne Luxeuil.

En saison, le nombre de chambres vacantes dans les hôtels
est souvent limité.
Nous vous conseillons de retenir par avance.

MARMOUTIER ★★

Carte Michelin n° 87 - pli 14 - *Schéma p. 66* - 1 973 h. (les Marmoutiens).

Les amateurs de belles églises visiteront ce qui subsiste de l'abbaye bénédictine de Marmoutier. L'ancienne abbatiale constitue, en effet, l'un des plus remarquables exemples de l'architecture romane en Alsace *(voir p. 32).*

L'abbaye fut fondée par saint Léobard, disciple de saint Colomban *(voir p. 87)*. Dotée de biens royaux, elle devient rapidement illustre et, au 8ᵉ s., prend le nom de « Marmoutier », du nom de son réformateur, l'abbé Maur. La Révolution la fait disparaître.

Église★★. — *Visite : 1/2 h.* La façade, le narthex et les tours datent des 11ᵉ et 12ᵉ s.; la nef fut bâtie aux 13ᵉ et 14ᵉ s. Le chœur ne remonte qu'au 18ᵉ s.

La **façade Ouest★★** est la partie la plus intéressante de l'édifice. Construite dans le grès rouge des Vosges, aux tons profonds, elle comporte un lourd clocher carré et deux tours d'angle octogonales. La décoration se borne à souligner l'ossature générale du monument par des bandes lombardes.

Le porche comporte une voûte d'ogives centrale, entre deux voûtes en berceau.

Intérieur. — Le narthex est voûté de coupoles, c'est la seule partie intérieure romane.

Dans les bras du transept se trouvent des monuments funéraires, élevés en 1621 et martelés pendant la Révolution. Le chœur renferme de belles **boiseries★** : stalles Louis XV et quatre dais surmontés de feuillages et de branches d'arbres; au couronnement des stalles, petits anges charmants. La chaire est du 16ᵉ s.; les orgues de Silbermann furent construites en 1710.

(D'après photo Archives photographiques, Paris)

Marmoutier. – Façade de l'église.

Des restes d'une église pré-carolingienne ont été découverts sous le transept *(accès par la crypte).*

MARSAL

Carte Michelin n° **57** - pli 15 — 11 km au Sud-Est de Château-Salins — 287 h.

Situé dans la partie Est du Parc Naturel Régional de Lorraine *(voir p. 8)*, ce village du Saulnois conserve de nombreux vestiges gallo-romains et une partie de son enceinte fortifiée par Vauban, au 17ᵉ s., dont une porte, sobre et élégante, restaurée, la Porte de France.

Marsal a gardé une collégiale du 12ᵉ s., à nef romane et chœur gothique.

Maison du Sel. — *Visite de 9 h à 12 h et de 14 h à 18 h; fermé les lundis et mardis et les matins des dimanches et jours fériés en hiver; entrée : 4 F.*

Elle retrace l'histoire de cette substance précieuse, recueillie dans les terrains salifères de la vallée de la Seille depuis l'Antiquité.

Les « briquetages », bâtonnets d'argile et d'herbes mêlées, découverts lors des fouilles archéologiques, sont à l'origine de l'industrie salicole régionale, élément important de l'activité économique du pays.

MARVILLE

Carte Michelin n° **57** - pli 1 — *Schéma p. 96* — 494 h.

Fondée à l'époque gallo-romaine, Marville (Major villa) est située sur un promontoire s'avançant entre les vallées de l'Othain et du Crédon. Au 17ᵉ s., elle fut occupée par les Espagnols.

En suivant la Grand'Rue en direction de la Grande Place, on trouve des vestiges des maisons des 16ᵉ et 17ᵉ s.

Église St-Nicolas et St-Hilaire. — L'édifice fut commencé au 13ᵉ s., mais l'ensemble de la construction primitive appartient surtout au style gothique du 14ᵉ s. Il comprend une nef de cinq travées, flanquée de bas-côtés. A la fin du 15ᵉ s., il fut agrandi de chapelles fondées par de riches bourgeois ou des corporations. Remarquer la balustrade (début du 16ᵉ s.) de la tribune de l'orgue et, dans la chapelle du transept droit, la belle Vierge (13ᵉ-14ᵉ s.) autrefois au portail occidental.

Cimetière de la chapelle St-Hilaire. — Le chemin qui y conduit s'amorce sur la N 47 près d'un petit édifice de style flamboyant abritant une Crucifixion en pierre. Au sommet de la colline, le cimetière de l'ancienne église St-Hilaire, dite église-mère, renferme d'intéressantes tombes sculptées (la plupart sont déposées à la chapelle).

Remarquer un Christ captif et surtout une belle Pietà avec, au soubassement, les statues des Apôtres. Un ossuaire fermé par un mur à colonnettes contient, dit-on, 40000 crânes.

METZ ★★

Carte Michelin n° **57** - plis 13 et 14 — 117 199 h. (les Messins).

Au confluent de la Seille et de la Moselle, au pied des « Côtes » *(voir p. 11)*, entre le plateau lorrain et la plaine de la Woëvre, Metz occupe un site défensif devenu un carrefour de routes depuis l'Antiquité. Précédant l'aéroport de Frescaty, les autoroutes, les voies ferrées, les grands axes routiers modernes et la canalisation de la Moselle qui a permis l'aménagement d'un port, touché depuis 1970 par la navigation rhénane, deux grandes voies romaines reliant Trèves à Lyon et Strasbourg à Soissons s'y croisaient déjà et faisaient de Divodorum une importante ville d'échanges du monde gallo-romain.

La ville fut fortifiée dès le 4ᵉ s. pour protéger l'Empire des invasions germaniques.

Après le traité de Verdun, qui en 843 consacrait le partage de l'empire de Charlemagne entre ses descendants, Metz devint la capitale de la Lotharingie. Par la suite son double rôle de ville frontière et de ville marchande se confirma au cours des siècles.

Metz, l'une des métropoles de la Lorraine, possède une des plus belles églises gothiques de France, célèbre par la hauteur de sa nef et la somptuosité de ses verrières.

Entre la cathédrale et la place St-Louis, l'Ilôt St-Jacques présente, dans sa partie basse, des immeubles modernes; lors des travaux ont été découverts des restes de monuments antiques exposés au musée de la ville. Dans la partie haute de ce même quartier, les maisons anciennes ont été rénovées.

L'ancien cloître des Récollets abrite l'Institut Européen d'Écologie.

Metz est la patrie du poète Verlaine (1844-1896).

UN PEU D'HISTOIRE

Metz, ville impériale et royale. — C'est à Metz que réside Sigisbert, roi d'Austrasie, avec Brunehaut, son épouse. Mariée en 566, celle-ci voit successivement régner et périr violemment son époux, son fils et son petit-fils. Elle-même sera exécutée, attachée à la queue d'un cheval sauvage. Plus tard, Charlemagne porte à Metz une affection particulière. C'est l'abbaye de St-Arnoult qui est choisie pour contenir les restes de sa femme, Hildegarde, et de ses enfants morts en bas âge. Louis le Débonnaire y est déposé.

Trois grands saints. — **Saint Livier,** noble du pays messin, combat les Huns et les poursuit jusque dans leur camp. Là il se transforme en apôtre. Mais insensible à sa parole, Attila le fait saisir et décapiter. Alors se produit le miracle : le saint prend sa tête entre ses mains et gravit une montagne au sommet de laquelle a été creusé son tombeau.

Saint Clément est le premier évêque de Metz. La légende le montre triomphant du « Graoully », un immonde serpent à l'haleine empoisonnée. Historiquement, saint Clément n'aurait vu le jour qu'au 3ᵉ s. et triomphé que d'un seul monstre : le paganisme. Cela n'enleva rien à la célébrité du « Graoully » à Metz.

METZ★★

Saint Arnoult, qui a vécu au 7ᵉ s., est laïc, premier ministre, marié et père de deux fils (l'un sera l'aïeul de Charles Martel) quand la population de Metz le supplie de devenir son évêque. Il accepte, tandis que sa femme prend le voile.

La république messine. — Au 12ᵉ s., Metz se constitue ville libre et devient la capitale d'une petite république, ayant à sa tête un maître-échevin, choisi parmi les Paraiges, associations de familles patriciennes si puissantes et si riches qu'elles prêtent couramment de grosses sommes aux ducs de Lorraine. Le maître-échevin est appelé Sire.

Metz connaît souvent les inconvénients d'avoir comme voisins des seigneurs turbulents. C'est ainsi qu'un dimanche, le duc de Bar et ses cavaliers viennent surprendre au Champs-à-Paume les dames de Metz qui se livraient aux joies de la danse. En quelques instants, les aimables Messines sont dépouillées de tout vêtement et laissées dans un costume qui ne convient ni à des âmes vertueuses ni à la température du mois de février. Les pères et les maris, alertés, se précipitent sur les soldats, les mettent en fuite et noient les prisonniers.

Le siège de 1552. — En 1552, Henri II se lance à la conquête des Trois Évêchés : Metz, Toul et Verdun. Il se proclame Protecteur de Metz qui voit la fin de ses franchises et de sa liberté. Charles Quint réunit alors une armée formidable pour assiéger la ville : 12 000 cavaliers, 7 000 pionniers. 60 000 gens de pied et 114 pièces d'artillerie.

Metz est défendue par François de Guise, qui fait évacuer toutes les bouches inutiles. Ambroise Paré soigne la garnison. Le duc François, toujours sur la brèche, donne l'exemple de l'intrépidité. Toutes les attaques sont repoussées. Après deux mois de lutte, Charles Quint a perdu les 2 / 3 de son effectif; il est obligé de lever le siège. « La fortune est femme, s'écrie-t-il amèrement : mieux aime-t-elle un jeune roi qu'un viel empereur ».

La capitulation de 1870. — Le 19 août, après avoir perdu la bataille de St-Privat, l'armée est investie dans Metz par le prince Frédéric-Charles qui dispose de 160 000 hommes *(voir p. 24)*. Le 27 octobre, **Bazaine** livre la ville, 173 000 hommes, 60 généraux, 58 drapeaux, 1 570 canons, 260 000 fusils. Mutte, la célèbre cloche messine, sonne lugubrement la capitulation. Bazaine est protégé par des gendarmes prussiens contre les huées de la population.

1918 : le retour à la France. — Pendant quarante-sept ans, Metz ne désespère pas de son retour à la France. Le 19 novembre 1918, les troupes françaises font leur entrée à Metz. Le 8 décembre, les présidents Poincaré et Clemenceau sont dans la ville.

1944 : la bataille de Metz. — La prise de Metz fut une étape importante dans la marche de la 3ᵉ Armée américaine vers l'Allemagne.

La ville fut farouchement défendue et le siège en fut long et difficile. Une ceinture de forts et de bastions l'entourait et en faisait une des plus puissantes forteresses du monde.

Le 4 septembre 1944, le 20ᵉ Corps du général Walker arrive au contact des premières défenses. La bataille s'engage et va durer deux mois et demi, avec des phases très dures. L'artillerie se déchaîne sur les forts, mais épargne la ville en souvenir de La Fayette qui y tint garnison en 1777. Le 19 novembre, jour anniversaire de l'entrée des Français en 1918, les Américains pénètrent dans Metz. Les derniers Allemands se rendent le 22, mais il faudra encore des semaines d'intense bombardement pour réduire les forts.

■ CATHÉDRALE ST-ÉTIENNE★★★ *visite : 1 h 1 / 2*

Au 12ᵉ s., il existe en ce lieu deux églises distinctes : N.-D.-la-Ronde et St-Étienne. Séparées par une petite ruelle, elles sont orientées de façon différente. Leur reconstruction au 13ᵉ s., sous une voûte commune, donnera la cathédrale.

Au 18ᵉ s., alors que le quartier de la cathédrale est touché par l'urbanisme classique français qui donne un nouveau visage à la place d'Armes, on ajoute un portail en souvenir de la guérison de Louis XV. Pendant la Révolution, la cathédrale, propriété de la nation, est « à louer ». Les statues des portails et la plupart des monuments intérieurs sont détruits.

Enfin, au 20ᵉ s., on remplace le portail Louis XV par un portail néo-gothique avec porche construit de 1900 à 1903 et orné extérieurement de statues de Prophètes dont l'un, Daniel (le plus à droite), reproduisait les traits de l'empereur Guillaume II. En 1940, la moustache fut enlevée pour faire disparaître la ressemblance.

Extérieur★★. — La cathédrale de Metz est belle par son ensemble architectural plus que par la richesse du détail, encore que la surélévation de sa toiture, refaite en cuivre après l'incendie qui la ravagea en 1877, ait été préjudiciable à l'envol de ses tours.

Les façades latérales sont les plus remarquables. Pour bien voir celle de droite, il faut se placer sur le trottoir longeant l'hôtel de ville, de l'autre côté de la place, bien dégagée.

(D'après photo La Cigogne, Hachette)

Metz. – Cathédrale St-Étienne.

Tours. — Deux tours symétriques flanquent l'église, celle du Chapitre, à gauche, celle de Mutte, à droite, commencées toutes deux à la fin du 13° s.

La **tour de Mutte** *(on ne visite pas)* quoique appartenant à l'ensemble architectural de la cathédrale, est le beffroi communal de Metz. Le 3° étage date du 15° s. C'est là qu'est logée la fameuse cloche messine « Dame Mutte ». Cette cloche (10 943 kg) qui n'appartient pas à l'église, mais à la ville, fut fondue en 1605. Son nom lui vient du mot « ameuter », c'est-à-dire convoquer. Elle sonnait pour tous les grands événements comme le mentionne l'inscription qu'elle porte.

Portails. — A gauche de la tour de Mutte, le portail de la Vierge et son porche sont une restitution d'un ensemble 13° s. disparu.

Les côtés du portail de N.-D.-la-Ronde (2° travée du flanc gauche) sont ornés de draperies sculptées et de petits bas-reliefs du 13° s. : à gauche, figures d'animaux fantastiques rappelant celles des Bestiaires du Moyen Age et à droite, scènes de la vie du roi David.

Entrer dans la cathédrale par le portail de la Vierge, place d'Armes.

Intérieur★★★. — Ce qui frappe tout d'abord, c'est la hauteur de la nef (41,77 m) très aiguë, rendue plus saisissante encore par l'abaissement des collatéraux. C'est, après le chœur de Beauvais et avec la nef d'Amiens, le plus haut vaisseau de France. Elle est largement éclairée, ainsi que le chœur et les bas-côtés.

Une frise garnie de draperies et de feuillages, à l'imitation des décorations habituelles des jours de fêtes, court tout autour de l'édifice, entre le triforium et les fenêtres hautes aux dimensions impressionnantes.

Remarquer, à l'extrémité droite de la nef, le petit orgue de chœur du 16° s. suspendu en nid d'hirondelle.

Les **verrières★★★** forment un ensemble somptueux. D'une surface totale de 6 496 m2, elles ont fait surnommer la cathédrale : la « lanterne du Bon Dieu ». Œuvres de maîtres-verriers illustres ou anonymes, complétées ou renouvelées au cours des siècles, elles sont d'âges et de styles très variés : 13°, 14° (Hermann de Munster), 16° (Thiébault - ou Théobald - de Lixheim, puis Valentin Bousch), 19° et 20° s. (Jacques Villon, Roger Bissière, Marc Chagall).

La façade est percée d'une magnifique rose de 11,50 m de diamètre (14° s.) Verrière de Hermann de Munster (14° s.), malheureusement amputée de sa partie inférieure par la construction du grand portail.

La chapelle Notre-Dame (2° travée du bas-côté droit) n'est autre que l'ancien chœur de N.-D.-la-Ronde.

Dans la 1re travée du bas-côté gauche, on voit un beau vitrail du 14° s., une Vierge à l'Enfant très vénérée des Messins sous le vocable de N.-D.-de-Bon-Secours et une cuve de porphyre de l'époque romaine.

Sous les deux tours (4° travée) les vitraux abstraits des tympans ajourés sont l'œuvre de R. Bissière (1959).

Dans la 5° travée du bas-côté droit, la chapelle du Saint-Sacrement, ancienne chapelle des Évêques, du 15° s., présente d'intéressantes voûtes en étoile. On remarquera les vitraux de Villon datant de 1957.

Transept. — C'est la partie la plus ajourée de l'édifice. Elle comporte entre autres deux immenses verrières hautes de 33,25 m et larges de 12,75 m : celle de gauche (début 16° s.), ornée de trois roses, est due à Thiébault de Lixheim; celle de droite, déjà Renaissance, est du Strasbourgeois Valentin Bousch. Ces huit cents mètres carrés de vitraux dispensent une lumière magnifique. Dans le mur Est du bras droit, vitrail du 13° s.

Remarquer la voûte en étoile de la partie médiane du transept.

Dans le bras gauche, côté Ouest, vitrail de Chagall « scènes du Paradis terrestre » (1963). Sur le triforium, 16 lancettes du même artiste (1968) forment une double fresque évoquant fleurs ou oiseaux édéniques.

Tour de la Boule d'Or

CHŒUR

Sacristie

Siège de St-Clément

CRYPTE

TRANSEPT

N E F

Ch¹¹e du Saint-Sacrement

Portail St-Etienne

Porte de la Tour de Mutte

Portail de N.-D.-la Ronde 13° S.

Ch¹¹e Notre-Dame

1ere travée

Portail de la Vierge

0   10 m

Chœur. — Très surélevé, il est éclairé par de splendides vitraux du 16° s., de V. Bousch. Remarquer, à gauche, le trône épiscopal de saint Clément, en cipolin, taillé dans un fût de colonne, remontant à l'époque mérovingienne.

Dans le déambulatoire on remarquera les deux vitraux de Chagall qui surmontent les portes de la sacristie et de la tour de la Boule d'or, à gauche. Le peintre les a exécutés en 1960, les illustrant de scènes empruntées à l'Ancien Testament (le songe de Jacob; le sacrifice d'Abraham).

METZ★★

Crypte. — *Visite du dimanche des Rameaux au 31 octobre de 10 h à 12 h et de 14 h à 18 h; le reste de l'année fermeture à 17 h. Fermé le dimanche matin et les jours fériés. Entrée : 3 F.*

Plutôt qu'une crypte, c'est une église basse du 15e s., conservant dans sa partie centrale des éléments de l'ancienne crypte romane du 10e s. et le tympan mutilé du portail de la Vierge du 13e s.

Remarquer surtout une intéressante **Mise au tombeau** du 16e s. et deux curiosités locales : le « Gueulard », tête en bois sculpté du 15e s., provenant des grandes orgues et qui ouvrait la bouche quand elles jouaient la note la plus grave; et le fameux « Graoully », le dragon légendaire terrassé par saint Clément, que l'on promenait jusqu'en 1785, lors des processions des Rogations et de la St-Marc, à travers la ville. Rabelais, qui habita Metz, en fait mention dans son « Pantagruel ».

Trésor. — *Mêmes conditions de visite que la crypte. Entrée : 3 F. Accès par la porte à gauche du chœur.*

Ce qu'il reste du trésor, très riche jusqu'à la Révolution, est conservé dans la sacristie du 18e s., aux boiseries Louis XV.

On remarque entre autres : l'anneau d'or de saint Arnoult (art chrétien primitif), la célèbre « chape de Charlemagne », étoffe byzantine de soie pourpre rehaussée de fils d'or dessinant des aigles, de la fin du 11e ou du début du 12e s.; des crosses d'évêques en ivoire des 12e et 13e s.; la mule du Pape Pie VI; de précieux objets de culte, tels qu'un Christ en ivoire du 17e s., une Vierge en argent massif du 19e s., un ciboire orné d'émaux bleus, un autel portatif, des chasubles.

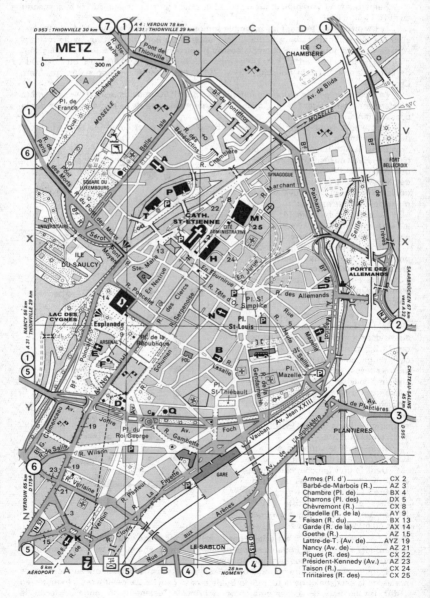

Armes (Pl. d')	CX 2
Barbé-de-Marbois (R.)	AZ 3
Chambre (Pl. de)	BX 4
Charrons (Pl. des)	DX 5
Chèvremont (R.)	CX 8
Citadelle (R. de la)	AY 9
Faisan (R. du)	BX 13
Garde (R. de la)	AX 14
Goethe (R.)	AZ 15
Lattre-de-T. (Av. de)	AYZ 19
Nancy (Av. de)	AZ 21
Piques (R. des)	CX 22
Président-Kennedy (Av.)	AZ 23
Taison (R.)	CX 24
Trinitaires (R. des)	CX 25

Pour un bon usage des plans de villes, consultez la légende p. 46.

■ AUTRES CURIOSITÉS

Musée d'Art et d'Histoire★★ (CX M[1]). — *Visite de 10 h à 12 h et de 14 h à 18 h (17 h du 1ᵉʳ octobre au 31 mars). Fermé les mardis et jours fériés. Entrée : 4 F.*

Le musée occupe les bâtiments de l'ancien couvent (17ᵉ s.) des Petits Carmes, le grenier à céréales de la ville et plusieurs salles qui relient ou prolongent cet ensemble monumental.

Les œuvres exposées — pour la plupart découvertes à l'occasion de fouilles pratiquées à Metz et dans la région — témoignent de l'importance de la ville, gauloise par son origine, grand carrefour de routes à l'époque gallo-romaine, foyer de renouveau culturel sous les Carolingiens. Par leur présentation ordonnée autour d'un pièce majeure, elles évoquent le cadre de la vie quotidienne, l'art de bâtir et le goût de décorer jusqu'à la Renaissance.

Architecture et cadre de vie. — Les vestiges du bain tiède (tepidarium) des grands thermes du Nord, ceux du rempart de la ville et du grand collecteur de l'égout, des statuettes de divinités médicales, des monuments funéraires, des sépultures évoquent la vie sociale à l'époque gallo-romaine. De même la haute colonne de Merten surmontée d'un Jupiter terrassant un monstre et le grand retable sculpté où le dieu Mithra immole un taureau, sa vie religieuse avant l'expansion du christianisme.

La période paléochrétienne, le haut Moyen Age et l'époque romane se distribuent autour du chœur des chantres (chancel) de St-Pierre-aux-Nonnains, basilique civile du 4ᵉ s. transformée en abbatiale. Les 34 panneaux sculptés de sa balustrade offrent une décoration admirable et diverse. Le portail de Ste-Marie-de-la-Citadelle présente un fragment de son linteau sculpté de rosaces et de modillons moulurés.

Les maisons messines traditionnelles de la Renaissance montrent leurs toitures masquées par les murs de façade, leurs gargouilles et leurs originaux cheneaux de pierre.

Le **Grenier de Chèvremont**★ est un édifice civil de 1457 fort bien conservé dans lequel s'engrangeait le produit de la dîme prélevée sur les céréales. Il frappe par sa monumentale façade percée de fenêtres, son couronnement crénelé, ses robustes arcades de pierre qui portent le poutrage de chêne, son sol de gros pavés. Au rez-de-chaussée il abrite de belles œuvres d'art religieux régional : pietà, Vierge couchée, Crucifixion, statues de saint Roch et de saint Blaise du 15ᵉ s., linteau de sainte Agathe.

A proximité : ateliers de techniques artisanales.

D'étonnants plafonds du début du 13ᵉ s., découverts dans l'hôtel de Voué et peints à la détrempe sur panneaux de chêne ornent deux salles voisines et présentent un bestiaire fantastique et fabuleux.

On observera enfin un bel escalier baroque.

Beaux-Arts. — *1ᵉʳ et 2ᵉ étages. Expositions temporaires en été.*

Intéressant tableaux des écoles française (Nattier, Delacroix, Hubert Robert, Corot) allemande (Dormition de la Vierge par J. Polak - 15ᵉ s.), flamande et italienne. Gravures sur bois de A. Durer (16ᵉ s.); statues en bois polychromes (15ᵉ s.). Artistes messins du 20ᵉ s. et art moderne.

Collection militaire. — Fondée par Jacques Onfroy de Bréville, illustrateur de livres scolaires et d'histoire, elle présente des étendards, armes, uniformes et accessoires de Napoléon Iᵉʳ à la guerre de 1914.

Histoire naturelle. — *Réaménagement en cours.* Riche collection zoologique.

Place d'Armes (CX). — Sur cette place donnent la cathédrale et l'hôtel de ville qui date du 18ᵉ s. A l'angle Nord-Ouest de la place s'élève la statue du **maréchal Fabert** (1599-1662), enfant de Metz et fils d'un riche bourgeois de la ville.

Hôtel de ville (CX H). — Ce monument est un bel exemple de l'architecture du 18ᵉ s. Il présente une façade classique, ornée de deux frontons et décorée de belles grilles.

Monter au 1ᵉʳ étage *(on ne visite pas pendant les réunions)* pour aller voir, dans le salon de Guise, les trois verrières représentant : au milieu, le duc de Guise après le siège de Metz; à gauche, l'évêque messin Bertram; à droite, l'échevin Pierre Baudoche.

Esplanade (AXY). — L'esplanade est une fort belle promenade : de la terrasse, jolie vue sur le mont St-Quentin couronné de son fort et sur un bras de la Moselle.

En contrebas de la terrasse et du boulevard Poincaré, un agréable petit parc boisé est enserré par la Moselle et un bras mort de celle-ci, « le lac des Cygnes ». *Spectacle « Son et lumière » (jeux d'eau) prévu du 15 juin au 15 septembre les vendredis, samedis et dimanches, à 21 h.*

Du pont Moyen, on jouit d'une charmante **vue**★ sur les bras de la Moselle et les îles; le Temple protestant et les deux petits ponts se reflétant dans l'eau. A l'arrière-plan, face à la fontaine, théâtre (BX T) du 18ᵉ s.; plus loin encore, préfecture (BX P), également du 18ᵉ s.

Église St-Vincent (BX A). — *Provisoirement fermée pour travaux; réouverture prévue en 1983.* La façade de l'édifice date du 18ᵉ s. et imite celle de l'église St-Gervais de Paris. L'intérieur, exécuté de 1248 à 1376, est gothique, à l'exception des deux premières travées de la nef (18ᵉ s.). Le chœur est flanqué de deux élégants clochers.

Palais de Justice (AX J). — Bâti au 18ᵉ s., cet édifice succède à l'hôtel du Gouvernement, qui remplaçait lui-même l'hôtel de la Haute-Pierre, appartenant au duc de Suffolk, le favori de la reine Marie d'Angleterre.

On voit, dans la cour intérieure, deux bas-reliefs : l'un, à gauche, représente le duc de Guise secourant les soldats du duc d'Albe après la levée du siège de 1552; l'autre, à droite, glorifiant la paix de 1783 conclue entre l'Angleterre, la France, les États-Unis et la Hollande. Le grand escalier est orné de belles rampes de fer forgé.

Église St-Pierre-aux-Nonnains (AY E). — *Accès par le boulevard Poincaré ou par l'Esplanade. Pour visiter, s'adresser à l'Office de Tourisme.* Cette église, qui passe pour être la plus vieille de France, appartenait à une abbaye bénédictine fondée au 7e s. Il n'en reste que le mur extérieur romain du 4e s. les travaux de restauration ont permis de reconstituer le volume de la nef du 10e s.

Des fouilles ont mis au jour les vestiges *(sur la gauche de l'église)* d'un important bâtiment, contemporain de la basilique romaine à laquelle il était relié par un couloir et qui fut peut-être utilisé comme baptistère ou, plus vraisemblablement, comme thermes privés.

Chapelle des Templiers (AY F). — Les Templiers l'édifièrent au début du 13e s. C'est un octogone dont chaque pan, sauf un, est percé d'une petite fenêtre en plein cintre. La huitième face est ouverte sur un chœur carré que prolonge une abside. Les édifices de ce genre sont rares et cette chapelle est unique en Lorraine. Les peintures en sont modernes à l'exception de celle qui décore une niche, à droite (14e s.).

Porte Serpenoise (AY D). — Elle s'élève sur l'emplacement d'une ancienne porte de ville qui fut intimement liée à toute l'histoire de Metz.

S'avancer un peu dans l'avenue Foch pour voir, sur la gauche, la tour Camoufle (BY Q) de 1437.

Porte des Allemands★ (DX). — Elle pose, à cheval sur la Seille, sa silhouette massive de château fort. Son nom vient d'un ordre teutonique de frères hospitaliers, établi dans son voisinage au 13e s.

C'est un ensemble de deux portes : la première, du 13e s., située du côté de la ville, est flanquée de deux tours arrondies coiffées d'un toit d'ardoise en poivrière. Du côté de la campagne, la seconde et ses deux grosses tours crénelées sont du milieu du 15e s. Une galerie à arcades (15e s.) réunit les quatre tours. Des remaniements ont eu lieu au 19e s.

Au Nord, restes d'une ancienne enceinte de la ville et base d'une tour ronde, la tour aux Sorcières, du 16e s.

Place St-Louis (CXY). — C'est, au centre d'un quartier de la vieille ville, un long rectangle irrégulier bordé, sur un côté, de maisons sur arcades des 14e-15e et 16e s. qui abritaient jadis les boutiques des changeurs. Au fond de la place, à droite, remarquer, au coin de la rue de la Tête d'Or, les trois petites têtes romaines, dorées, qui ressortent sur le mur. Elles sont à l'origine du nom de la rue.

Église St-Maximin (DY L). — *Fermée le jeudi après-midi.* Bossuet prononça à St-Maximin sa seconde oraison funèbre à la mémoire de Henry de Gournay, maître-échevin de Metz.

A l'intérieur, le chœur, qui date de la fin du 12e s. comme le carré du transept et le clocher, est orné de **vitraux** de Jean Cocteau.

Église St-Martin★ (CY B). — Son soubassement est constitué par un mur gallo-romain, visible des deux côtés de l'entrée, reste de la première enceinte fortifiée de la ville.

La principale beauté de cette église du 13e s. réside dans l'originalité de son narthex très bas, dont les trois parties voûtées d'ogives soutenues par quatre piliers romans cantonnés de colonnettes s'ouvrent sur une nef très élancée. Le transept et le chœur datent du 15e s. On y voit des vitraux des 15e, 16e et 19e s., un buffet d'orgues Louis XV et des pierres tombales des 15e, 16e et 18e s.

Église St-Eucaire (DX S). — Son beau clocher carré date du 12e s., sa façade du 13e s. Le carré du transept d'époque romane a été remanié aux 14e et 15e s. La petite nef du 14e s., assise sur d'énormes piliers, paraît disproportionnée. Les bas-côtés aux arcades basses s'ouvrent sur de curieuses chapelles du 15e s., voûtées d'ogives retombant sur des culs-de-lampe sculptés. Des ruptures de symétrie donnent à l'ensemble un aspect original.

Église N.-D.-de-Lourdes (CX N). — C'est dans cette église, érigée à partir de 1665 mais dont la façade de style « Jésuite » au vaste fronton sculpté fut ajoutée au 18e s., qu'un prédicateur imagina de parer Louis XV, convalescent, du titre de « Bien-Aimé ».

L'intérieur, décoré au 19e s., est richement lambrissé ; les confessionnaux, de style Pompadour, proviennent de Trèves, ainsi que le bel orgue baroque construit par Jean Nollet.

Église Ste-Thérèse-de-l'Enfant-Jésus (AZ K). — Beaux vitraux de Untersteller.

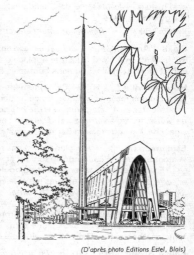

(D'après photo Editions Estel, Blois)

Metz. – Eglise Ste-Thérèse de l'Enfant Jésus.

EXCURSION

Scy-Chazelles. — *4 km à l'Ouest en direction de Verdun, puis à droite.*

Dans le village, près de l'église fortifiée, on visite *(les dimanches et jours fériés de 14 h à 18 h, fermé du 1er novembre au 31 mars; entrée : 2 F)* la demeure de **Robert Schuman**. De cette stricte bâtisse lorraine, au cadre rustique, se dégage une atmosphère de calme et de sérénité dans laquelle cet homme généreux et modeste aimait à méditer. Sa bibliothèque, ses diplômes et ses décorations sont autant de souvenirs du « Père de l'Europe », mort ici à 77 ans, après une longue carrière politique.

Dans le parc, au-delà de la terrasse, sculpture de Lechevallier : La flamme européenne.

Carte Michelin n° 57 - plis 11 et 12.

De Verdun à St-Mihiel s'élève à l'Est de la Meuse un relief de côtes *(voir p. 11)* caractéristique. Le revers est occupé par la forêt, tandis qu'au pied de la côte se pressent les villages au nom significatif de « sous-les-côtes ».

La dépression — la Woëvre — est formée de terrains argileux, parsemée d'étangs et de prairies.

L'itinéraire proposé permet de visiter un des secteurs de la guerre de 1914-1918 où les combats furent acharnés.

De Verdun à St-Mihiel — *91 km — environ 2 h 1/2 — schéma ci-dessous*

Quitter Verdun (p. 174) par ③ du plan, D 903.

Peu après Verdun, jolie vue à droite sur la vallée de la Meuse. La route domine des vallons boisés. Avant Haudiomont, vue sur l'ensemble de la plaine de la Woëvre.

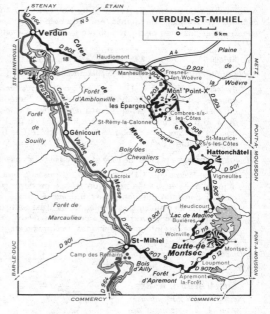

Passer par Fresnes-en-Woëvre, puis suivre à droite le D 203.

Les Éparges. — Cet éperon, long de 1400 m, domine à 362 m la plaine de la Woëvre. Véritable montagne de boue, il constituait un observatoire remarquable. «Qui a les Éparges tient toutes les routes sous son feu.» Les Allemands s'en emparèrent dès le 21 septembre 1914 et le transformèrent en forteresse. La lutte prit alors le caractère d'une guerre de mines, et les corps à corps, presque quotidiens, se poursuivirent pendant de longs mois. Le 10 avril 1915, la crête fut définitivement reprise par les Français.

A 200 m avant les Éparges tourner à gauche vers le Cimetière national du Trottoir. Peu après, sur la gauche, s'élève un monument « A la gloire du Génie », érigé en 1963. On arrive à l'extrémité (« Point X ») de la Crête des Éparges, dans la « zone rouge » où le sol, complètement bouleversé par les combats de mines, laisse encore voir de nombreux entonnoirs de plusieurs dizaines de mètres de diamètre. Du monument élevé au Point X *(table d'orientation)*, vue étendue sur la Woëvre et les villages « sous-les-côtes ».

Faire demi-tour et gagner le D 908 par St-Rémy-la-Calonne et Combres-sous-les-Côtes.

Dans la traversée de St-Maurice-sous-les-Côtes, prendre le D 101 à droite puis le chemin stratégique à gauche, assez étroit, pour gagner Hattonchâtel.

Hattonchâtel★. — 73 h. Ce village, construit sur un promontoire des Hauts de Meuse, tire son nom d'un château construit au 9e s. par Hatton, 29e évêque de Verdun. Les chanoines de la collégiale rebâtirent l'église et édifièrent la chapelle et le cloître (1328-1360). De la cour de la mairie aménagée en terrasse, belle vue sur le Sud de la Woëvre.

Par la cour du cloître, gagner la chapelle où se trouve, au fond à droite, un magnifique **retable★** d'autel en pierre polychrome datant de 1523. Trois scènes séparées par des pilastres Renaissance représentent : à gauche, le portement de croix et sainte Véronique; au centre, la Crucifixion et le pâmoison de la Vierge; à droite, l'ensevelissement du Christ. Dans l'église, au maître-autel : retable du 14e s.; sur le tabernacle de l'autel de droite : belle statue de la Vierge (16e s.). Vitraux modernes de Grüber.

Au bout du promontoire, l'ancien **château** *(visite de 11 h à 12 h et de 14 h à 19 h, 18 ou 17 h selon les saisons; entrée : 7 F)*, démantelé en 1634 sur l'ordre de Richelieu, a été restauré (1924-1928) dans le style du 15e s.

Passer par Vigneulles-lès-Hattonchâtel, Woinville et Montsec.

Butte de Montsec★★. — Au sommet d'une colline isolée (alt. 375 m), les Américains ont élevé un **monument★** pour commémorer l'offensive du 12 au 16 septembre 1918 qui permit à la 1re Armée américaine de réduire le saillant de St-Mihiel et de faire 15 000 prisonniers. Ce mémorial, auquel on accède par un escalier monumental, est formé de colonnes surmontées d'une rotonde dont le couronnement porte les noms des unités ayant combattu dans ce secteur. Un plan-relief en bronze de toute la région et des flèches d'orientation permettent de reconstituer les diverses phases de l'offensive. De ce monument, on découvre un **panorama★★** très étendu : à l'Ouest sur la Woëvre et les côtes de Meuse; au Nord-Est sur le **lac de Madine** (retenue de Nonsard-Pannes).

Gagner St-Mihiel *(p. 142)* en traversant la **forêt d'Apremont** et le **bois d'Ailly** où se déroulèrent de violents combats de 1914 à 1918.

Cartes Michelin nᵒˢ 🮱🮱 - pli 3, 🮱🮮 - plis 11 et 12, 🮱🮱 - pli 10 et 🮱🮱 - pli 19.

Née dans le Bassigny, non loin de Bourbonne-les-Bains, la Meuse, pacifique rivière, fait presque figure de grand fleuve aux approches de Sedan. Pourtant elle a été appauvrie par la perte de son affluent, la Moselle, aujourd'hui réunie à la Meurthe. On peut voir près de Pagny-sur-Meuse le « Val de l'Ane », ancien lit de la rivière, et à Toul le coude brusque du nouveau cours. Ce détournement est dû à une capture de la Moselle par un affluent de la Meurthe dont le lit, plus bas, a attiré les eaux.

L'aspect de son cours varie très souvent, selon que la Meuse coule au pied des côtes - les Hauts de Meuse - ou en arrière de celles-ci, dans une large plaine alluviale (comme après Dun-sur-Meuse), ou en méandres lorsqu'elle aborde le massif ardennais.

De Commercy à Verdun — *55 km — environ 2 h — schéma p. 95*

Au départ de Commercy *(p. 64)*, le D 964 suit la rive gauche de la Meuse qui serpente dans un vaste paysage de prairies. Après Sampigny, elle coupe un méandre pour suivre la rive droite et passe au pied de la pointe avancée du « saillant de St-Mihiel », de 1914 à 1918.

St-Mihiel★. — *Page 142.*

Sur la droite, fort ruiné de Troyon, vaillamment défendu en septembre 1914 (monument).

Génicourt-sur-Meuse. — 161 h. L'église *(demander la clé à M. de March, maison à gauche)* est de style flamboyant. Remarquer à l'intérieur de beaux vitraux de l'école de Metz, du 16ᵉ s., ainsi qu'un maître-autel surmonté d'un retable de la Passion et, à sa droite, un autre autel daté lui aussi de 1530. Les intéressantes statues de bois du Calvaire sont attribuées à Ligier Richier. Des fresques du 16ᵉ s. ont été mises au jour en juin 1981.

A Dieue, on traverse le canal de l'Est et la Meuse pour passer sur la rive gauche.

Dugny-sur-Meuse. — 1181 h. Ce bourg possède une belle **église** romane du 12ᵉ s. aujourd'hui désaffectée : c'est un édifice de dimensions modestes, surmonté d'un clocher constitué par une grosse tour carrée ornée, au premier étage, d'une suite d'arcatures en plein cintre sur colonnettes; il est coiffé d'un hourd de bois. A l'intérieur *(demander la clé au presbytère, à côté)*, gros piliers carrés; la nef est voûtée en charpente, signe des influences rhénanes, la Lorraine étant, vers 1125-1150, soumise au Saint-Empire.

Le D 34 mène à Verdun (p. 174).

De Verdun à Stenay — *53 km - environ 1 h 1/2 - schéma ci-contre*

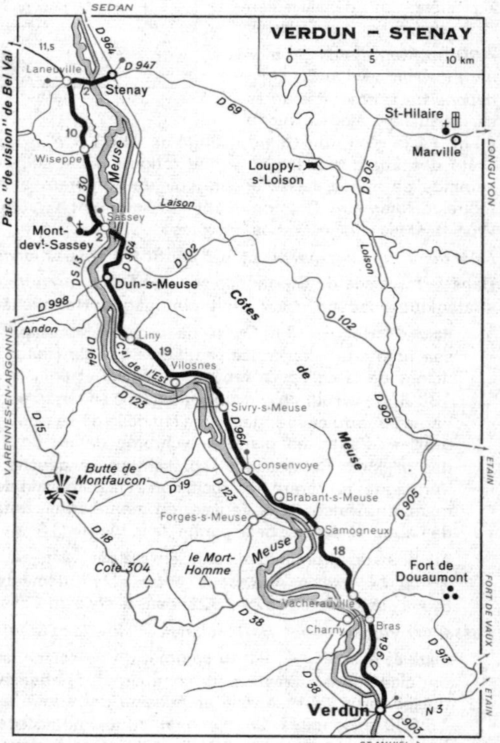

La route suit la vallée, qui s'épanouit, entre l'Argone à l'Ouest et les côtes de Meuse à l'Est.

Quitter Verdun (p. 174) par ① du plan, D 964.

Après Sivry la route s'élève sur les hauteurs de la rive droite et descend vers Liny-devant-Dun et Dun-sur-Meuse.

Dun-sur-Meuse. — 782 h. (les Dunois). A l'endroit où la Meuse se dégage du plateau lorrain, la partie la plus ancienne de cette petite ville occupe un site pittoresque sur une butte. Elle a subi de nombreuses destructions lors de sa libération par les Américains en novembre 1918. De l'esplanade devant l'église édifiée au 16ᵉ s., vue étendue sur la vallée de la Meuse.

Franchissant ensuite le canal et la rivière, on gagne Mont-devant-Sassey adossée à un côteau au flanc duquel s'élève une église du 12ᵉ s., restaurée.

VERDUN — STENAY

Mont-devant-Sassey. — 103 h. Le village de Mont-devant-Sassey est bâti au pied d'un coteau de la rive gauche de la Meuse. Au flanc de ce coteau s'élève une **église** intéressante *(demander la clé à M. le Maire)*. Commencée au 11ᵉ s., elle subit de nombreuses modifications. Au cours des guerres du 17ᵉ s., des bandes armées la transformèrent en forteresse. C'est un édifice de plan rhénan, avec des tours carrées sur le transept. Le chevet, posé sur une vieille crypte, est très élevé. Un porche gothique, s'ouvrant par une porte classique et décoré de naïves statues, précède le portail, ensemble monumental du 13ᵉ s. Consacré à la Vierge qui symbolise ici l'Église Universelle, il reproduit l'ordonnance des portails des grandes cathédrales gothiques : un trumeau mutilé supporte un tympan à 3 registres, encadré de 4 voussures garnies de personnages sculptés.

La Meuse est de nouveau franchie à Stenay où l'on rejoint le D 964.

Stenay. — 3 998 h. Sur la rive droite de la Meuse et sur le canal de l'Est, cette ancienne place forte est un petit centre industriel, avec papeterie et fonderie d'acier. Ses fortifications furent remaniées par Vauban à la demande de Louis XIV qui, quelques années plus tard, en 1689, ordonna le démantèlement de la place. Au cours de la guerre 1914-1918, le Kronprinz y installa pendant 18 mois son quartier général.

(D'après photo Jean Roubier)

Mont-devant-Sassey. – La Crypte.

Parc «de vision» de Bel-Val★. — *18 km au départ de Stenay, à l'Ouest. Par Laneuville et le D 30, gagner Beaumont-en-Argonne et emprunter, au Sud, le D 4 sur 6,5 km. Visite, en voiture particulière, de 10 h (8 h du 1ᵉʳ juillet au 11 septembre) à l'heure précédant le coucher du soleil, les mercredis, samedis, dimanches, jours fériés et tous les jours durant les vacances scolaires. Entrée : 12 F. Durée : environ 1 h 1/2. Se conformer aux instructions affichées à l'entrée ou se renseigner par ☏ (24) 30.01.86.*

Cet ancien domaine de moines augustins, devenu Réserve nationale de chasse, occupe 1 100 ha de bois, de prairies et d'étangs au cœur de la forêt ardennaise de Belval. Le circuit automobile *(près de 7 km)*, avec lieux de halte permettant de petits parcours pédestres protégés et l'accès à des miradors ou des « caches », donne l'occasion d'observer des animaux, aborigènes (sangliers, chevreuils, oiseaux aquatiques) ou réintroduits (cerfs, daims, mouflons) et ceux en cours de réacclimatation (élans, bisons, ours).

De Stenay à Sedan — *34 km — environ 1 h — schéma ci-dessous*

Après Inor, la route, le canal et la Meuse sont resserrés entre des collines boisées.

Fort de La-Ferté. — *9 km au Nord-Est au départ d'Inor. Visite de 13 h 30 à 17 h 15 les dimanches et jours fériés, des Rameaux à fin octobre, tous les jours en juillet et août. Entrée : 5 F. Départ de la visite à l'extrémité du 2ᵉ chemin, sous le monument, côté La Ferté.*

Ce petit ouvrage d'infanterie de la ligne Maginot *(voir p. 34)* connut un destin tragique le 19 mai 1940 : point extrême et isolé du dispositif Ouest de la Ligne, il succomba après 3 terribles jours de lutte, sa garnison de 107 hommes ayant été anéantie. L'état de ses blocs bétonnés aux cloches d'acier rouillées, encore flanqués de rails antichar et de barbelés, témoigne des épreuves subies, ainsi que, à 200 m au Nord (vers Villy), un monument commémoratif et un cimetière militaire (vue étendue, à l'Est sur la plaine en contrebas où coule la Chiers; à l'Ouest sur les hauteurs boisées entourant la Meuse).

Évitant une grande boucle du fleuve, la route passe par Moulins et franchit une crête d'où l'on a de belles vues sur la vallée.

Mouzon★. — *Page 102.*

Entre Mouzon et Mairy la route offre de belles vues sur les boucles de la Meuse, puis elle traverse le bassin qui s'épanouit au confluent de la Meuse et de la Chiers.

Bazeilles; Sedan. — *Description dans le guide Vert Michelin Nord de la France.*

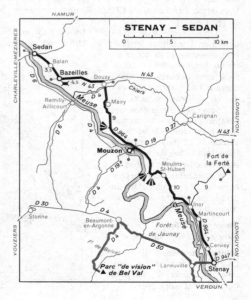

Carte Michelin n° 62 - Nord-Ouest du pli 15 — 9 322 h. (les Mircurtiens).

Bâtie au confluent des rivières du Madon et du Val d'Arol, cette active petite cité (culture, élevage, fabrique de meubles) est surtout connue, depuis le 18e s., pour sa suprématie dans l'art de la lutherie. Quelques artisans, encore aujourd'hui, s'y consacrent à la fabrication d'instruments de musique à cordes. Une « école nationale de lutherie » a été créée en 1970 pour relancer cette industrie et un musée est installé à l'hôtel de ville.

La ville conserve quelques témoins architecturaux de son passé, et la mémoire de son plus illustre enfant, saint Pierre Fourier (1565-1640), fondateur de la congrégation Notre-Dame, dont la statue s'élève près de la maison natale, rue St-Pierre.

Église. — *Fermée le dimanche après-midi.* Construite à partir de 1303 mais achevée au 15e s., elle est surtout remarquable par son clocher-porche, pittoresquement encastré dans la ligne d'immeubles bordant la rue principale.

L'intérieur, aux voûtes gothiques, abrite trois chapelles des 16e et 17e s., ainsi que plusieurs tableaux de peintres lorrains du 17e s., placés à tour de rôle, selon les saisons liturgiques, dans le retable monumental de 1623.

Halles. — *En cours de restauration.* Datant de 1617, c'est un petit et massif bâtiment, à étage sur arcades, à la façade flanquée de deux tours carrées.

En franchissant le Madon par le vieux pont St-Vincent, on peut aller jeter un coup d'œil sur la **chapelle de la Oultre** (11e-16e s.) : à l'intérieur, Pietà du 16e s., en pierre *(clé à la mairie).*

EXCURSION

Vomécourt-sur-Madon. — 41 h. *8 km au Nord, par les D 413, D 55 et D 55 E.*

Sa charmante petite église romane présente, en façade et au chevet, une intéressante décoration sculptée, de facture archaïque, notamment sur le tympan du portail, que surmonte un Saint Martin partageant son manteau.

Carte Michelin n° 87 - pli 5 — *Schémas p. 55, 66 et 138* — 6 895 h. (les Molshémiens).

Cette charmante petite ville ancienne s'élève, dans la vallée de la Bruche, au pied de coteaux dont les vignes produisent le Riesling *(voir p. 17 : Le Vignoble alsacien).*

Aux portes de la ville, sur la route de Sélestat, se sont installées les usines Bugatti, spécialisées dans la mécanique de haute précision *(on ne visite pas).*

■ CURIOSITÉS *visite : 3/4 h*

Le Metzig★. — Ce gracieux édifice de style Renaissance fut construit en 1554 par le Corps des bouchers qui tenait ses réunions au premier étage, le rez-de-chaussée étant occupé par des boucheries. Son aspect est typiquement alsacien, avec ses pignons à volutes, son perron, sa loggia qui se termine en beffroi *(illustration p. 33).* Des deux côtés de l'horloge, deux anges sonnent les heures. Un élégant balcon de pierre sculpté se développe sur les côtés, à hauteur du 1er étage. Le bâtiment abrite, à cet étage, un petit musée. Au rez-de-chaussée : caveau de dégustation des vins locaux.

Au centre de la place s'élève une fontaine à deux vasques superposées, dominée par un lion qui porte les armes de la ville.

Église (B). — Elle appartenait à la fameuse Académie des Jésuites, fondée en 1618 par l'archiduc Léopold, évêque de Strasbourg. La renommée de cette Académie, qui comprenait une faculté de théologie et une de philosophie, s'étendait fort loin. Le cardinal de Rohan la transféra à Strasbourg en 1702, afin de lutter contre l'influence protestante de l'Université de cette ville.

L'édifice, élevé de 1614 à 1618, est cependant construit selon les formules du style gothique. L'intérieur, restauré en 1969, est remarquable par ses dimensions nobles et harmonieuses et sa voûte en résille. Les deux bras du transept sont décorés de stucs d'avant 1632 et de peintures du 18e s. Sous celles-ci, on a découvert d'intéressantes peintures du 17e s. se rapportant à la Nativité et à la Visitation. La chaire (1631) et les portes, celles des sacristies en particulier, sont ornées de jolies sculptures. Cuve baptismale en grès blanc, datant de 1624, et orgues de Silbermann, de 1781.

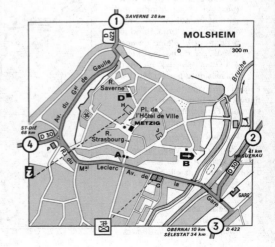

Porte de Ville (A). — Ancienne porte fortifiée.

Maison ancienne (D). — Charmante maison à tourelle en bois et fenêtres délicatement ouvragées.

Carte Michelin n° 56 - pli 10 — *Schémas p. 58 et 178.*

Ce mamelon de 336 m, point culminant de la région, sur lequel s'élevait le village de Montfaucon, fut fortifié et utilisé comme observatoire par les Allemands pendant la guerre de 1914-1918.

Pour commémorer la victoire de la 1re Armée américaine au cours de l'offensive Meuse-Argonne (26 septembre-11 novembre 1918), le Gouvernement des États-Unis y a fait ériger un monument grandiose.

Le monument. — *Visite de 9 h à 12 h et de 13 h à 18 h du 1er mai au 30 septembre, de 8 h à 12 h et de 13 h à 17 h le reste de l'année. Fermé les lundis, mardis et jours fériés.*

Un escalier monumental conduit à une colonne de 57 m de haut surmontée d'une statue de la Liberté, au sommet de laquelle on accède par un escalier de 235 marches. L'ensemble domine la route d'une hauteur de 70 m. Au pied du monument, s'ouvre une petite salle dans laquelle une carte, gravée dans le marbre, et un historique des opérations retracent les différentes phases de la bataille.

Panorama★. — Du haut de la colonne, on découvre le panorama du champ de bataille Nord-Ouest de Verdun : butte de Vauquois, Cote 304, collines de la rive droite de la Meuse et, dans le lointain, phare de Douaumont. Les massifs de l'Argonne, au Sud-Ouest, et de l'Ardenne, au Nord-Ouest, assombrissent l'horizon.

Près du monument, on peut voir encore des blockhaus (observatoire dit « du Kronprinz ») ainsi que les ruines de l'ancienne église du village de Montfaucon entièrement détruit en 1918 et reconstruite à une centaine de mètres à l'Ouest.

Carte Michelin n° 57 - pli 1 — 2 716 h. (les Montmédiens).

C'est une ville double, avec Montmédy-Haut et Montmédy-Bas. La ville haute, fortifiée à la Renaissance et transformée par Vauban, a conservé ses remparts.

Montmédy fut d'abord la capitale du comté de Chiny et le comte Arnould III y éleva un château fort. Rattachée au milieu du 15e s. au duché de Bourgogne, elle passa peu après aux Habsbourg d'Autriche et au 16e s. à l'Espagne.

En 1657, Louis XIV y conduisit son premier siège, assisté du maréchal de la Ferté. La ville ayant été attribuée à la France en 1659, ses fortifications furent transformées par Vauban. En 1914, sa garnison, encerclée, fut presque entièrement massacrée alors qu'elle tentait une sortie en direction des lignes françaises.

Remparts★. — La ville haute est perchée sur un piton isolé. On y pénètre en franchissant deux portes successives à pont-levis et une voûte commandant la citadelle. Du haut des remparts *(circuit fléché et sonorisé)*, la vue s'étend sur la ville basse, la vallée de la Chiers et les nombreux villages environnants.

Avant de quitter la ville haute, à droite de la première porte, un escalier, sombre au départ, descend sous les remparts, traverse les fossés - à partir desquels on peut visiter certains souterrains - et permet d'atteindre un sentier qui mène à la ville basse.

Chiny (R. de)	2
Isle (R. de l')	3
Pasteur (R.)	4
Poincaré (Pl. R.)	7
Remparts (R. des)	8

EXCURSION

Louppy-sur-Loison. — 146 h. *14 km. Quitter Montmédy par la N 43, route de Longuyon, au Sud-Est.*

Un important château Renaissance *(on ne visite pas)* y fut construit dans la seconde moitié du 16e s. par Simon de Pouilly, gouverneur de Stenay, qui le légua à son neveu d'Imécourt, ancêtre des actuels propriétaires.

Près de l'église, on voit encore les restes d'un château fort.

Actualisée en permanence
la **carte Michelin au 200 000e**
bannit l'inconnu de votre route.
Équipez votre voiture de **cartes Michelin** à jour.

Cartes Michelin nᵒˢ 57 - plis 3, 4, 13, 14, 62 - plis 4, 5, 15, 16 et 66 - plis 7 et 8.

La Moselle, née dans les Vosges près de Bussang *(voir p. 101)*, cesse vite d'être un torrent pour devenir une paisible rivière sinuant dans des paysages agrestes. A Neuves-Maisons, elle aborde les « côtes » *(p. 11)* auxquelles elle donne son nom. Le sous-sol, particulièrement riche en minerai de fer, attire dès lors les grosses entreprises métallurgiques.

Deux grands ensembles sidérurgiques. — Deux zones d'une exceptionnelle densité industrielle se sont développées dans cette région de la Lorraine : la première axée sur la vallée de la Fensch et la vallée de l'Orne *(voir p. 167)*, la seconde, autour de Longwy (vallée de la Chiers - *voir p. 85)*. La vallée de la Moselle proprement dite ne présente, entre Neuves-Maisons et Thionville, que des installations dispersées.

La Moselle industrielle. — De rivière touristique, la Moselle est donc passée à l'état de voie industrielle jalonnée de localités abritant pour la plupart forges, fonderies, aciéries, tôleries, tréfileries, etc. : Neuves-Maisons, Frouard, Pompey, Dieulouard, Pont-à-Mousson, Pagny-sur-Moselle, Ars, Hagondange et Thionville.

L'aménagement de la Moselle. — Jusqu'en 1964, la desserte par voie d'eau du bassin sidérurgique était assurée par des péniches de 300 t qui empruntaient la Moselle canalisée vers le Sud, de Thionville à Frouard, puis le canal de la Marne au Rhin.

Une convention internationale, signée en octobre 1956 entre la France, l'Allemagne fédérale et le Grand-Duché de Luxembourg a jeté les bases d'un vaste aménagement permettant l'utilisation de convois poussés de 3 000 t sur l'axe mosellan de Coblence à Thionville. En 1964, cet aménagement était inauguré.

Les travaux poursuivis en amont sont terminés et Neuves-Maisons est desservi depuis 1979. L'activité des ports (Thionville-Illange, Mondelange-Richmont, Hagondange, Metz, Nancy-Frouard et Neuves-Maisons) a trait surtout au déchargement de charbon, de minerai de fer, de soufre, d'engrais. Les expéditions sont constituées essentiellement de produits métallurgiques et de laitier de hauts-fourneaux, de céréales et de matériaux de construction.

Il faut noter aussi le rapide essor de la navigation de plaisance sur la Moselle avec l'aménagement de plans d'eau (voile, canotage, ski nautique, etc.). En outre, les efforts entrepris pour réduire la pollution ont permis à la rivière de devenir plus poissonneuse. Sur les berges, enfin, des pistes cyclables ont été construites.

HAUTE VALLÉE DE LA MOSELLE★
D'Épinal au col de Bussang — *78 km* — *environ 4 h* — *schéma ci-dessous*

Au **col de Bussang** (alt. 731 m) naît le ruisselet encombré de mousses qui deviendra le noble cours d'eau arrosant Épinal, Metz, Trèves. Mais, tout de suite, il se grossit du superflu des

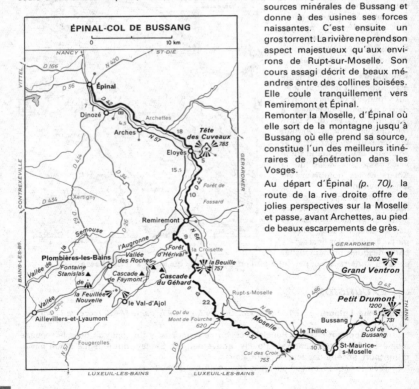

ÉPINAL-COL DE BUSSANG

sources minérales de Bussang et donne à des usines ses forces naissantes. C'est ensuite un gros torrent. La rivière ne prend son aspect majestueux qu'aux environs de Rupt-sur-Moselle. Son cours assagi décrit de beaux méandres entre des collines boisées. Elle coule tranquillement vers Remiremont et Épinal.

Remonter la Moselle, d'Épinal où elle sort de la montagne jusqu'à Bussang où elle prend sa source, constitue l'un des meilleurs itinéraires de pénétration dans les Vosges.

Au départ d'Épinal *(p. 70)*, la route de la rive droite offre de jolies perspectives sur la Moselle et passe, avant Archettes, au pied de beaux escarpements de grès.

Eloyes. — 3 289 h. Ce petit bourg est un centre d'industrie textile.

Tête des Cuveaux★. — *5 km au départ d'Eloyes, puis 1 / 2 h à pied AR. Suivre la route qui se dirige vers la crête marquée par une forêt d'épicéas et laisser la voiture au parking (aire de pique-nique). En prenant à droite sur la crête, on atteindra un belvédère (table d'orientation) :* beau **panorama★** sur la vallée de la Moselle, le plateau lorrain, les Vosges.

Après la traversée de localités industrielles et de la grande moraine frontale de l'ancien glacier de la Moselle, qui exhausse le fond de la vallée, on atteint Remiremont.

Variante par la route de la rive gauche. — *Réduction de parcours : 1 km.* La N 57 est jalonnée de villages industriels, spécialisés dans la filature et le tissage. La vallée, d'abord resserrée entre des versants boisés, s'élargit avant Arches.

Arches. — 1 523 h. Son renom est dû à une célèbre papeterie. Un moulin à papier y tournait déjà en 1469. **Beaumarchais,** son plus illustre propriétaire, l'acheta en 1779 afin d'y fabriquer le papier nécessaire à l'édition des œuvres complètes de Voltaire. Pour cette entreprise considérable, il installa une imprimerie à Kehl, en territoire étranger, l'interdit officiel ayant été jeté en France sur la plupart des œuvres du grand philosophe. C'est de là que sortirent les deux éditions dites de Kehl, l'une de 70 volumes in-8°, l'autre de 92 volumes in-12°, si recherchées des bibliophiles. L'usine fabrique aujourd'hui des papiers de grande qualité pour les livres et estampes, des papiers à dessin, des papiers spéciaux et industriels *(on ne visite pas).*

La route offre de jolies vues sur Remiremont et les hauteurs boisées qui l'encadrent.

Remiremont. — *Page 126.*

Un beau parcours en forêt conduit sur la crête qui, des abords de Remiremont au col des Croix, sépare le large et profond sillon où coule la Moselle d'un vaste plateau glaciaire, parsemé d'étangs et drainé par des cours d'eau tributaires de la Saône. De cette longue crête, des échappées s'offrent sur les deux versants.

La Beuille. — *0,5 km au départ du D 57.* Prendre, après avoir parcouru environ 6 km sur le D 57, le chemin goudronné qui s'amorce à gauche et conduit au parking surplombant le Chalet de la Beuille (refuge des Amis de la Nature). De la terrasse-belvédère du chalet, jolie **vue**★ sur la vallée de la Moselle et, dans l'axe, le Ballon d'Alsace.

Au col des Croix, tourner à gauche, laissant la route qui passe à proximité du Ballon de Servance *(p. 50)* et descend sur Plancher-les-Mines.

Le Thillot. — 5 127 h. (les Thillotins). Cette localité industrielle active (tissage, filatures, tannerie, scieries, menuiseries industrielles) voit passer maints excursionnistes attirés par le charme des environs et la proximité des Hautes-Vosges.

St-Maurice-sur-Moselle. — *Page 50.*

Entre St-Maurice et Bussang, des moutonnements morainiques remplissent le fond de la vallée. Des fermes à pignon de bois occupent leurs sommets.

Bussang. — 2 058 h. (les Bussenets). *Lieu de séjour, p. 42.* Bussang occupe un joli site dans la vallée de la Moselle naissante. Villégiature estivale, c'est aussi un centre de sports d'hiver. Le **théâtre du Peuple** fondé en 1895 par Maurice Pottecher (1867-1960) comporte une scène mobile à laquelle la nature sert de fond et compte 1 200 places. Les acteurs, souvent des amateurs, gens du pays, y jouent des pièces folkloriques écrites par son fondateur. *Représentations chaque dimanche d'août et le 15 août.*

Petit Drumont★★. — *5 km au départ de la N 66, puis 1 / 4 h à pied AR.* La route forestière d'accès s'embranche sur le D 89 à proximité du col de Bussang et à 100 m à peine de la **source de la Moselle** (alt. 715 m - monument par Gilodi, 1965). *Prudence recommandée. Quitter la voiture près de l'auberge et prendre le sentier qui s'élève à travers les « chaumes ».* Au sommet du Petit Drumont (alt. 1 200 m) est installée une table d'orientation du C.A.F., en deux demi-cercles. Le **panorama**★★ s'étend du Hohneck au Ballon d'Alsace. Au Sud, par temps très clair, les Alpes Suisses sont visibles.

Au col de Bussang *(p. 100),* on rejoint l'itinéraire décrit en sens inverse p. 169.

LE PAYS DU FER★ : Circuit au départ de Thionville — *Voir p. 167.*

LES COTEAUX DE LA RIVE GAUCHE
De Thionville à Sierck-les-Bains — *49 km - environ 1 h 1 / 2*

Quitter Thionville (p. 166) par ① *du plan, N 53.* L'itinéraire parcourt d'abord les coteaux bordant la rive gauche de la Moselle, offrant des vues dégagées, et, dans une région très riche en sanctuaires religieux, fournit bientôt l'occasion de comparer les styles modernes des églises reconstruites de Roussy et Boust, villages proches l'un de l'autre.

Roussy-le-Village. — 677 h. L'église St-Denis (1954), en pierre et béton, est surtout intéressante pour ses sculptures intérieures de Kaeppelin et ses vitraux de Barillet.

Gagner Boust par le D 56, à l'Est, puis le D 57 pris à droite.

Boust. — 530 h. Bâtie en pierre de taille, sur une éminence, l'église St-Antoine (1962), œuvre de l'architecte Pingusson, est remarquable par sa nef circulaire que prolonge un long pédoncule flanqué d'un campanile.

Usselskirch. — Dans le cimetière jouxtant la route, à droite, se dressent une tour romane solitaire, reste d'une église du 12ᵉ s., et, le long de l'allée centrale, un chemin de croix, en pierre, du 17ᵉ ou 18ᵉ s. (8 stations), malheureusement mutilé.

Devant Cattenom, dont s'aperçoit le clocher roman, tourner à gauche dans le D 1 que l'on quitte, à l'entrée de Fixem, pour prendre à gauche le D 62.

Rodemack. — 488 h. A 5 km de la frontière luxembourgeoise, cette ancienne cité conserve du temps de sa splendeur - Rodemack était le siège d'une importante seigneurie - une imposante forteresse, restaurée au 17ᵉ s., et une porte fortifiée, au Sud, au bord de la rivière, marquée par deux tours rondes. Les maisons du village - anciennes maisons des baillis des Margraves de Bade -, au crépi gris et aux fenêtres cintrées, les entrées de caves et celles des granges sont typiques de la Lorraine. L'église, de 1783, frappe par la simplicité de son architecture, par sa statuaire et par son mobilier.

La MOSELLE

Comme de nombreux villages de la région, Rodemack possède ses Bildstöcke (croix votives de place ou de carrefour) : on en voit un sur la place de la Fontaine, un autre au coin de la route qui mène au château *(on ne visite pas),* du 19ᵉ s., situé sur la hauteur.

Revenir à Fixem et suivre tout droit après l'église pour gagner le D 64.

Haute-Kontz. — 362 h. De la terrasse de l'église (tour du 11ᵉ s.), belle **vue** sur un méandre de la rivière et le bourg de Rettel en face.

La route file entre les pentes du Stromberg couvertes de vignobles (vin blanc réputé) et la Moselle, pour franchir cette dernière à Contz-les-Bains.

Sierck-les-Bains. — Page 150.

MOUZON ★

Carte Michelin n° 56 - pli 10 - *Schéma p. 97* - 3 240 h. (les Mouzonnais).

Cette petite ville, arrosée par la Meuse, fut à l'origine un marché gaulois (Mosomagos) puis un poste romain. Clovis en fit don à saint Rémi. Les archevêques de Reims y séjournèrent fréquemment.

Réunie à la France par Charles V en 1379, Mouzon fut souvent assiégée : par les Impériaux en 1521 (entrée de Charles Quint), par les Espagnols en 1650 — on peut voir encore quelques vieilles maisons espagnoles — et par Condé en 1658. Des fortifications démolies en 1671, subsiste encore la porte de Bourgogne, du 15ᵉ s.

Église Notre-Dame★. — La construction de cette ancienne abbatiale, commencée à la fin du 12ᵉ s., fut achevée en 1231, sauf la tour Nord terminée au 15ᵉ s. et la tour Sud, au 16ᵉ s.

Le portail central de la façade est richement sculpté : au trumeau, Vierge à l'Enfant; au tympan, de gauche à droite et de bas en haut : mort de la Vierge, martyre de sainte Suzanne et de saint Victor de Mouzon, Visitation, Couronnement de la Vierge, Annonciation.

L'intérieur est imposant : 65 m de longueur, 21 m de hauteur sous voûte. La nef et le chœur reposent sur des gros piliers ronds, comme à Laon, dont Mouzon reproduit le plan primitif, et à N.-Dame de Paris. Un étage de galeries fait le tour de la nef et du chœur; au-dessus, court un triforium aveugle. De chaque côté du chœur et des bras du transept, jolie perspective sur les galeries qui surmontent le déambulatoire et les chapelles rayonnantes.

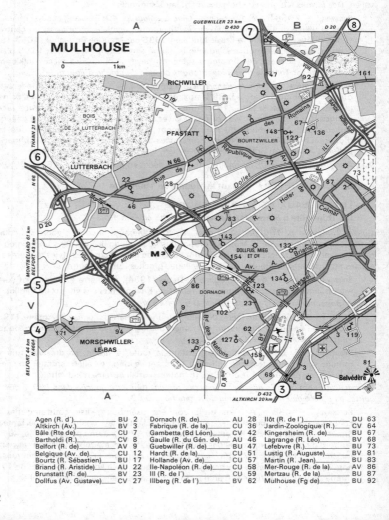

MULHOUSE

Carte Michelin n° **87** - plis 9 et 19 — 119 326 h. (les Mulhousiens).

Traversée par l'Ill et le canal du Rhône au Rhin, Mulhouse est d'abord une cité industrielle prospère. Ce sont le textile depuis 1746 et, au début de ce siècle, la potasse *(voir p. 19)* qui ont déterminé la croissance et la fortune industrielle de l'agglomération. A l'heure actuelle, la place prépondérante revient aux constructions mécaniques (métiers à tisser, machines à imprimer les tissus), et automobiles (Peugeot). Les industries chimiques, polygraphiques et de l'habillement s'y développent aussi : citons, pour la chimie, l'usine Rhône-Poulenc de Chalampé (matières plastiques) et l'usine franco-allemande de PEC-Rhin (engrais) intallée à Ottmarsheim. L'électronique, l'électro-technique et les équipements électriques sont aussi bien représentés (Clemessy).

Mulhouse a groupé dans un ensemble universitaire et technique (**BV U**) son Centre de Recherches textiles, son École Supérieure de Chimie et son École Supérieure des Industries textiles auxquels s'ajoute une Faculté de Lettres.

Le démon de l'indépendance. — Dès la fin du 13e s., Mulhouse, ville d'Empire, se déclare ville libre. Elle consent toutefois à faire partie de la **Décapole**, ou Confédération de dix villes alsaciennes *(voir p. 23)*. Au 15e s. éclate la **guerre des « Six Oboles »**. Un meunier réclame à un bourgeois de Mulhouse une dette de six oboles. Le tribunal le déboute. Un hobereau achète la créance et, la ville ayant refusé de payer, entame les hostilités, avec l'appui de la noblesse d'Alsace et du duc Sigismond, en noyant douze bourgeois. La lutte dure plusieurs années. Les nobles doivent finalement s'incliner et payer une contribution. Sigismond doit emprunter 80 000 florins d'or à Charles le Téméraire, en engageant son landgraviat d'Alsace.

Lorsque les traités de Wesphalie donnent l'Alsace à la France, la ville conserve sa chère indépendance. C'est librement qu'elle se donne en 1798. La fête de la Réunion a lieu le 15 mars. Le traité est lu sur la place de l'hôtel de ville (depuis place de la Réunion). Un arbre de la liberté est planté, au pied duquel on jette les armes de la ville. Le drapeau de Mulhouse est roulé dans un étui aux couleurs françaises, sur lequel on écrit : la République de Mulhouse repose dans le sein de la République française.

Trois grands citoyens. — En 1746, trois grands Mulhousiens : Samuel Koechlin, J.-J. Schmaltzer et J.-J. Dollfus, fondent, dans leur ville natale, la première manufacture d'étoffes imprimées. Au moyen d'un outillage primitif, ils gravent dessins et couleurs sur des tissus que l'on baptise « indiennes » et qui connaissent une grande vogue. A la fin du 18e s., l'entreprise devient florissante. Les fabriques se multiplient. La ville prospère.

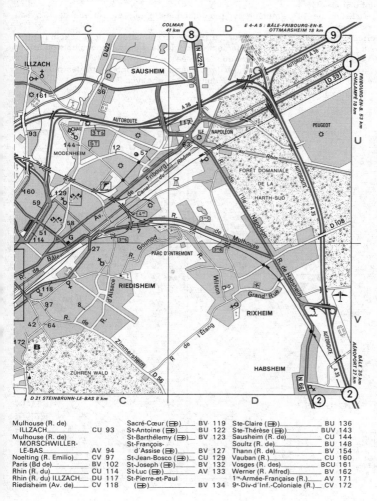

MULHOUSE

En 1826, la Société Industrielle de Mulhouse, fondée par vingt-deux industriels désireux de grouper leur action économique et sociale, reconnue d'utilité publique en 1832, apporte à la ville des forces nouvelles. Elle crée des écoles de dessin, de chimie, de tissage et de filature, organise la première école de commerce en France. Dès 1851, elle étudie la question des cités ouvrières : les groupes de maisons avec jardins de Dornach commencent à s'édifier.

■ CURIOSITÉS

Musée de l'Automobile★★. – *192, avenue de Colmar. Visite de 11 h à 18 h. Entrée : 25 F. Fermé les mardis, le 25 décembre et le 1er janvier.*

Cette collection de 419 véhicules anciens, réunie par les frères Schlumpf, de marques européennes exclusivement, évoque près de cent ans de l'histoire et de l'évolution de l'automobile, de la Jacquot, voiture à vapeur de 1878, à la Ferrari 312 B, formule 1 de 1971. Elles sont pour la plupart en état de marche.

117 Bugatti – représentent la gamme quasi complète de ce constructeur et dont le joyau est constitué par 2 Royales : le coupé Napoléon et une Limousine –, des Panhard (dont celle de 1892, la 1re au monde à avoir été présentée sur un catalogue avec tarif et options), De Dion, Peugeot, Renault, Talbot, Lancia, Citroën, Fiat, Rolls-Royce, Bentley... jalonnent les progrès techniques réalisés dans cette industrie. De même des Mercédès, Gordini, Alfa Romeo, Maserati, Ferrari couvrent 60 ans de l'histoire de la course automobile.

Musée français du Chemin de fer★ (AV M³). – *Visite de 10 h à 17 h. Fermé les 1er janvier, 25 et 26 décembre. Entrée : 18 F (valable pour le musée du Sapeur-Pompier).*

Il est consacré exclusivement au matériel roulant : locomotives, voitures et wagons, restaurés, ayant circulé sur le réseau français.

Sur les six voies que compte la galerie d'exposition, on remarque, entre autres, trois types de locomotives à vapeur : la Saint-Pierre, de 1844, la Sézanne, de 1847, la Continent, de 1852 ; la voiture-salon des aides de camp de Napoléon III, de 1856, décorée par Viollet-le-Duc ; la première locomotive électrique, de 1900, dite Boîte à sel ; une voiture-salon Pullman de 1926, élément du train de luxe Flèche d'Or, et une voiture-lit, de 1929, qui composait le Train Bleu, bel ensemble de la Compagnie Internationale des Wagons-lits.

La locomotive Nord, présentée en coupe, permet de comprendre le principe des chaudières tubulaires.

Une Micheline de 1936, montée sur pneumatiques, côtoie un autorail de 1922, du réseau de l'État.

La dernière des locomotives à vapeur, de 1949, avec animation sonore, retient particulièrement l'attention. Remarquer également un bogie de train sur pneus, tels qu'ils ont équipé la ligne Paris-Strasbourg cette même année.

Des passerelles permettent d'admirer la luxueuse finition intérieure des plus belles voitures et d'observer des cabines de conduite de locomotives.

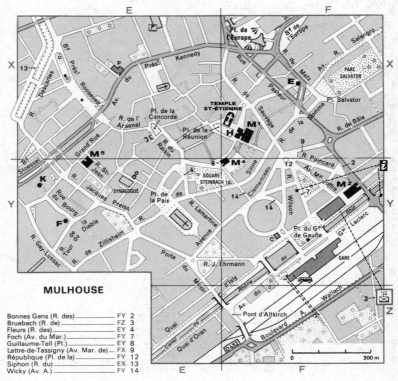

MULHOUSE

Dans la même enceinte, le **musée du sapeur-pompier** abrite des pompes en bois du 18ᵉ s., deux pompes à vapeur, une collection de casques du monde entier, des uniformes, documents, petits matériels, etc. On voit aussi l'ancien Central téléphonique, reconstitué.

Musée de l'Impression sur étoffes* (FY M²). – *Visite de 10 h à 12 h et de 14 h à 18 h. Démonstration d'impression sur les machines tous les lundis et mercredis à 14 h 30. Fermé le mardi et les 1ᵉʳ janvier, 1ᵉʳ mai, dimanches de Pâques et de Pentecôte, 14 juillet, 1ᵉʳ novembre, 25 et 26 décembre. Entrée : 10 F.*

Ce musée retrace l'histoire de l'impression sur étoffes dans tous les pays, du 18ᵉ s. à nos jours. Son centre de documentation contient 10 millions d'échantillons.

Gagner le premier étage. Dans le hall d'entrée, indiennes du 18ᵉ s. Traverser, à gauche, une petite pièce contenant une vitrine de costumes anciens, pour visiter la salle technique (ou des machines) attenante, où sont exposées des tables et machines à imprimer anciennes et la reconstitution d'un atelier de gravure pour l'impression des tissus.

Les deux salles suivantes sont réservées à l'impression en Alsace et dans le reste de la France ; elles accueillent des expositions temporaires d'étoffes ou de papiers peints. La troisième salle, la plus importante et la plus remarquable du musée, abrite de précieuses collections d'étoffes imprimées en provenance du monde entier, en particulier des tissus persans de la fin du 18ᵉ s. et du début du 19ᵉ s. Dans la galerie qui surplombe cette dernière salle, on verra la très intéressante exposition de foulards et mouchoirs que l'imagerie populaire décora souvent avec une naïveté pleine de saveur et qui évoque l'histoire européenne du 19ᵉ s.

Hôtel de ville* (FX H). – Ce bâtiment de la Renaissance rhénane, construit au milieu du 16ᵉ s., présente, sur la place de la Réunion qui a gardé son cachet ancien, une belle façade peinte, enrichie d'un double perron couvert. Les allégories qui la décorent ont été exécutées en 1699 et restaurées en 1968. Sur le côté droit du bâtiment est suspendu un masque de pierre grimaçant, copie du «Klapperstein» ou «Pierre aux Clabaudeurs», qui pesait 12 à 13 kg. On le suspendait au cou des personnes médisantes qui étaient condamnées à faire le tour de la ville, assises à rebours sur un âne.

La visite du musée historique permet de voir certains aménagements intérieurs de l'hôtel de ville : vitraux aux armes de Henri IV, des Habsbourg, de Mulhouse et de certains cantons suisses. On peut accéder à la salle du Conseil aménagée au 1ᵉʳ étage.

Musée historique* (FX M¹). – *Entrée au rez-de-chaussée. Visite de 10 h à 12 h et de 14 h à 18 h (17 h du 1ᵉʳ octobre au 14 juin). Fermé le mardi et les 1ᵉʳ janvier, 1ᵉʳ mai, Vendredi saint, lundis de Pâques et de Pentecôte, 14 juillet, 1ᵉʳ et 11 novembre, 25 et 26 décembre. Entrée : 3,50 F (gratuite le 1ᵉʳ dimanche du mois). Nocturne le jeudi de 20 h 30 à 22 h 30.*

Il contient l'original du Klapperstein, une section d'archéologie, enrichie d'un ensemble de bijoux datant de l'époque néolithique, des collections d'armes, meubles, costumes, des souvenirs relatifs à l'histoire de la ville et de l'Alsace et des collections d'art populaire. Par une passerelle, au 2ᵉ étage, on accède à un autre bâtiment où l'on verra des collections charmantes de jouets (maisons de poupées, trousseaux, vaisselles) et de marottes. Reconstitution d'un intérieur régional, sculptures sur bois, etc.

En outre, des collections de numismatique, d'orfèvrerie, d'étains et d'enseignes sont présentées dans l'ancien **Grenier d'Abondance** dont la charpente date du 16ᵉ s.

Musée des Beaux-Arts (FY M⁴). – *4, place Guillaume-Tell. Visite : mêmes conditions que pour le musée historique (fermeture provisoire possible : travaux de rénovation).*

Œuvres de Breughel de Velours, de Teniers, de Ruysdael et d'autres peintres des 17ᵉ et 18ᵉ s. ; œuvres des peintres alsaciens : **Henner** (1829-1905), portraitiste et peintre de nus, et **Lehmann** (1873-1953). Une salle est consacrée à la Donation Charles Oulmont (œuvres de Yves Brayer, Carrière, Van Dongen...).

Temple St-Étienne (EFX). – *Ouvert du 2 mai au 30 septembre de 10 h à 12 h et de 14 h à 18 h (17 h le samedi). Fermé le dimanche matin, le mardi, le lundi de Pentecôte et le 14 juillet.*

Ce temple présente, aux fenêtres latérales, d'intéressants **vitraux*** du 14ᵉ s. provenant de l'ancienne église démolie au 19ᵉ s.

Tour du Bollwerk (FX E). – Reste des anciennes fortifications (14ᵉ s.).

Place de l'Europe (FX). – Dallée de carreaux en marqueterie de marbre représentant les armoiries de grandes villes européennes, elle est réservée aux piétons. Pour en avoir une vue d'ensemble, monter sur la terrasse fléchée «Jardin suspendu» *(accès à droite du grand magasin).*

De l'autre côté de la place, du sommet de la tour, belle **vue** sur la ville et les environs.

Parc zoologique et botanique** (CV B). – *Visite du 1ᵉʳ avril au 31 août de 8 h à 20 h ; du 1ᵉʳ septembre au 31 mars de 9 h à 17 h. Entrée : 11 F.*

Ce beau parc de 25 ha présente une grande variété d'animaux.

A 300 m au Sud-Ouest du zoo, par les rues A.-Lustig et A.-de-Musset, la tour métallique du **Belvédère** (BV) *(20 m - 110 marches - table d'orientation),* proche du pylône géant (165 m) de la télévision, réserve un beau panorama sur Mulhouse, la Forêt-Noire, le Jura et, par temps clair, les Alpes.

Musée de la chapelle St-Jean (EXY M⁵). – *Visite du 2 mai au 30 septembre de 10 h à 12 h et de 14 h à 17 h. Fermé le mardi, le lundi de Pentecôte et le 14 juillet. Entrée : 3,50 F (gratuite le premier dimanche de chaque mois).*

Installé dans l'ancienne chapelle des Chevaliers de Malte, il présente des sculptures et pierres tombales et des peintures murales du 16ᵉ s.

Tour du Diable (EY F) et tour de Nesle, ou Nessel (EY K). – Vestiges d'un ancien château féodal ayant appartenu aux évêques de Strasbourg.

Carte Michelin n° **87** - plis 17 et 18.

Des moines irlandais, venus au 7ᵉ s. pour achever l'évangélisation de l'Alsace, fondent une abbaye qui donnera son nom au bourg créé dans son ombre : Munster (monastère). Le bourg devient ville, secoue l'autorité des abbés, s'allie avec neuf villages voisins et forme avec eux une commune membre de la Décapole d'Alsace *(voir p. 23)*.

La Révolution ruine l'abbaye et dissout l'union des localités de la vallée. Celle-ci vit, depuis des siècles, de son industrie fromagère *(voir p. 17)*. Une autre industrie naît au 18ᵉ s. André Hartmann, dont le nom est resté célèbre dans la région, fonde à Munster, dans ce qui reste des bâtiments de l'abbaye, l'une des premières usines de textiles.

De Colmar au lac de Fischboedle — *31 km — environ 1 h — schéma ci-dessus*

Quitter Colmar (p. 60) par ⑤ du plan, D 417. On aperçoit, en avant, les trois tours d'Eguis-heim et sur la droite, au sommet d'un versant, les hôtels et les villas des Trois-Épis, dominés par le Galz et son monument commémoratif. La route s'engage dans la large vallée de la Fecht et l'on ne tarde pas à distinguer, en avant et à gauche, au sommet d'une éminence boisée, les ruines du haut donjon de Pflixbourg.

Pour le touriste qui vient de Colmar, la **vallée de la Fecht** se présente comme un large sillon dont le fond, tapissé de prairies, se rétrécit peu à peu entre des hauteurs de plus en plus élevées.

Sur le versant Nord, exposé au soleil, la vigne garnit les pentes inférieures.

Gunsbach. — 650 h. C'est dans ce village, où son père était pasteur jusqu'en 1925, que vécut Albert Schweitzer de juin 1875 (il avait 6 mois) à septembre 1965. Le rez-de-chaussée de sa maison est aménagé en musée : mobilier, livres, photos, fiches de malades, sermons, partitions... tous les souvenirs de ce grand homme y sont exposés.

Le versant Sud au contraire est complètement boisé. A Munster, la vallée se divise en deux branches, les Grande et Petite Vallées, arrosées par la Grande et la Petite Fecht.

Munster★. — 4 969 h. (les Munstériens). *Lieu de séjour, p. 42.* Munster est un centre de cure. Sur la place du Marché, l'église protestante, en grès rouge, est de style roman. Au Sud de la place, on voit l'aile subsistante de l'ancien palais abbatial tandis qu'au Nord se trouve l'hôtel de ville, du 16ᵉ s., très restauré. Munster est aussi le point de départ de l'excursion au Petit Ballon *(p. 120)*.

Le D 10 remonte la vallée de la Grande Fecht qui offre sur les versants boisés qui l'encadrent des vues de plus en plus belles, à mesure que la route s'enfonce dans la montagne.

Luttenbach. — 707 h. Voltaire y séjourna plusieurs mois en 1754.

Muhlbach. — 728 h. - *Lieu de séjour, p. 42.* Dans la rue principale du village, est installé le **musée de la Schlitte** *(visite accompagnée du 1ᵉʳ juillet au 10 septembre de 15 h à 18 h; durée : 3/4 h; entrée : 2,50 F)*, reconstitution du milieu naturel où glissaient naguère encore ces traîneaux chargés du bois des hautes forêts vosgiennes *(voir p. 13)*.

Metzeral. — 989 h. (les Metzeralois). *Lieu de séjour. p. 42.*

A Metzeral, prendre le D 10ᵛᴵ; 1 km plus loin tourner à droite pour franchir la Fecht et laisser la voiture. Le chemin *(3 km à pied, environ 1 h)* s'élève, parfois en corniche, dans le vallon sauvage de la Wormsa, creusé par les anciens glaciers qui y ont laissé de nombreuses traces (moraines, cuvettes et marmites glaciaires), et aboutit au lac de Fischboedle. *Pêche : voir p. 14.*

Lac de Fischboedle★. — Situé à 790 m d'altitude, ce petit lac presque circulaire dont le diamètre n'atteint pas 100 m, est l'un des plus beaux des Vosges. Il fut créé vers 1850 par Jacques Hartmann, le manufacturier de Munster. Les rochers et les sapins, qui se mirent dans ses eaux, lui font un cadre admirable. Le torrent du Wasserfelsen qui alimente le lac forme une jolie cascade à l'époque de la fonte des neiges.

Lac de Schiessrothried. — *1 h à pied AR par le sentier en lacet qui part à droite lorsqu'on arrive au lac de Fischboedle. Il est directement accessible en auto de Muhlbach par le D 310.*

Ce lac de 5 ha, transformé en réservoir, est situé à 920 m d'altitude au pied du Hohneck.

Au-delà de Metzeral, au Sud, on suivra l'itinéraire décrit p. 120 si l'on désire rejoindre la Route des Crêtes, 3 km avant le Markstein.

De Munster au col de la Schlucht (par le Linge) — *32 km - environ 1 h 1/2* — *schéma p. 106*

Quitter Munster (p. 106) par ② du plan et le D 5B¹ en montée sinueuse.

Hohrodberg★★. — *Lieu de séjour, p. 42.* Cette station estivale s'étale, dans un joli site, sur des pentes bien ensoleillées. De ces pentes, on découvre une **vue★★** étendue, au Sud-Ouest, sur Munster, sa vallée et, de gauche à droite, du Petit Ballon au Hohneck, les sommets qui se dressent derrière celle-ci.

Le Collet du Linge. — A droite de la route s'étend un cimetière militaire allemand.

A la bifurcation du Collet du Linge, prendre à gauche.

Le Linge. — *Visite : 1/2 h. Mémorial-musée.* Après de violents combats, les troupes françaises s'établirent définitivement, en août 1915, sur les pentes Ouest des sommets du Linge et du Schratzmaennele, au contact immédiat des Allemands qui en occupaient la crête. En prenant à droite, on atteint le sommet du Linge, tout proche, à travers les vestiges des organisations allemandes et des tranchées creusées dans le grès.

Le D 11ᵛᴵ domine bientôt le Val d'Orbey.

Col du Wettstein. — Cimetière des Chasseurs où reposent 3 000 soldats français.

On descend ensuite dans la Petite Vallée par le D 48 qui rejoint le D 417 près de Soultzeren.

La route s'élève vers le col de la Schlucht en offrant des perspectives de plus en plus belles sur la vallée de la Fecht puis sur la Petite Vallée. On aperçoit le Hohneck. Sur la droite, avant un virage, part la route qui mène au lac Vert *(p. 136).*

Après un très beau parcours en forêts et de superbes échappées vers la plaine d'Alsace et la Forêt-Noire, on domine de très haut le cirque magnifique où naît la Petite Fecht.

Au col de la Schlucht (p. 136), on rejoint la route des Crêtes (p. 135).

MURBACH ★★

Carte Michelin n° **87** - pli 18 — *Schéma p. 135* — 130 h.

Dans un agréable vallon boisé, Murbach groupe ses maisons autour d'une église remarquable, de style roman rhénan, dernier vestige de la fameuse abbaye de Murbach.

Orgueilleux comme le chien de Murbach. — Toute la région de Guebwiller est dominée pendant dix siècles par la puissante communauté de Murbach. Celle-ci, fondée, dit la légende, par saint Pirmin en 727, fut dotée richement par l'un des plus grands seigneurs de l'Alsace, le comte Eberhard d'Eguisheim. Au 9ᵉ s., elle est riche, célèbre et protégée de l'Empire. Charlemagne figure parmi ses bienfaiteurs. Elle possède des biens et une cour à Lucerne.

« Orgueilleux comme le chien de Murbach », dit la chronique populaire, car les armes de l'abbaye portent un lévrier d'argent. Nul ne peut y entrer sans posséder seize quartiers de noblesse. Les abbés portent le titre de prince du Saint-Empire ; les moines sont des chevaliers. L'abbaye, qui, en principe, suit la règle bénédictine, possède des châteaux forts et bat monnaie ; elle entretient une armée qui terrorise les paysans de la vallée, tout comme une armée féodale. Murbach jouit à plusieurs lieues à la ronde d'une si détestable réputation que, lors de la Révolution, les paysans s'acharnent sur tous les biens de l'abbaye.

Église★★. — Elle est réduite au chœur et au transept, surmonté de deux tours, et date vraisemblablement de la fin du 12ᵉ s. La nef a complètement disparu.

Le **chevet★★** est la partie la plus remarquable de l'édifice. Son mur plat, légèrement en saillie, est paré d'une riche mais sobre ornementation. Une rangée de colonnettes règne au-dessus de deux étages de fenêtres. Le pignon est entouré d'une corniche à bandes lombardes qu'on rencontre tout autour de l'édifice.

Le tympan du portail Sud avec sa composition en faible relief, deux lions affrontés dans un encadrement de rinceaux et de palmettes, rappelle certains ouvrages orientaux.

A l'intérieur, dans le croisillon Nord, à droite en entrant, se trouve un autel roman, et au-dessus, dressée contre le mur, une dalle funéraire exécutée en souvenir de sept moines de Murbach tués par les Hongrois en 929. Le croisillon Sud abrite, dans un enfeu, le tombeau (14ᵉ s.) du comte Eberhard d'Eguisheim, protecteur de l'abbaye. Le gisant est une œuvre caractéristique de la sculpture funéraire alsacienne.

(D'après photo Archives photographiques, Paris)

Murbach. — L'église.

Dans l'église de **Buhl** (2 900 h., *2,5 km à l'Est*), bourg industriel (tréfilerie, tissage) bien situé sur la Lauch, on peut voir un beau retable à 3 volets de la fin du 15ᵉ s., attribué à l'atelier de Schongauer.

Carte Michelin n° 62 - pli 5 — 111 493 h. (les Nancéiens).

Qui aime les cités harmonieusement construites, les belles perspectives, les traditions du goût et de l'équilibre français, doit venir admirer ce chef-d'œuvre du 18ᵉ s.

Nancy n'est pas seulement riche en monuments, cette ville d'art est en même temps un des grands centres français de culture : ses instituts scientifiques et techniques, son école des Mines, ses centres nationaux d'enseignement et de recherches forestières en témoignent.

UN PEU D'HISTOIRE

Une création des ducs de Lorraine. — La fondation de Nancy ne remonte qu'au 11ᵉ s. Sa naissance n'était pas appelée par une disposition naturelle de la montagne ou de la vallée. Quand la bourgade est choisie comme capitale par Gérard d'Alsace, fondateur du duché héréditaire de Lorraine, c'est entre deux marais de la Meurthe qu'est édifié le premier château fort. Le seul avantage de Nancy est alors d'être à peu près au centre des possessions éparpillées du nouveau duc. Elle ne comprend guère que quelques couvents et le château ducal.

En 1228, un incendie la détruit. A peine les cendres refroidies, on rebâtit. Au 14ᵉ s., une enceinte fortifiée entoure ce qui est aujourd'hui le vieux quartier. Il subsiste de cette enceinte la porte de la Craffe.

La mort du Téméraire. — Charles le Téméraire convoite la Lorraine qui s'interpose entre ses deux possessions de la Bourgogne et des Flandres. Il l'enlève au duc **René II** en 1476. L'année suivante, après la défaite du Téméraire en Suisse, René rentre à Nancy et donne le signal de la révolte. Charles accourt en furieux et assiège la ville. Il est tué au cours d'une opération. Son corps est retrouvé dans un étang glacé, à moitié dévoré par les loups. Dans la Grande-Rue, un emplacement, daté de 1477, marque le lieu où fut déposé son cadavre.

La croix de Lorraine. — La croix à double traverse (la traverse supérieure figurant l'écriteau) ou « croix de Jérusalem » fait déjà partie à cette époque du patrimoine de la maison de Lorraine : elle rappelle le souvenir d'une relique de la vraie croix conservée en Anjou depuis le 13ᵉ s. et tenue en grande vénération par le grand-père de René II, le « bon roi René »; elle évoque la tradition faisant du frère de Godefroy de Bouillon, roi de Jérusalem, le fondateur de la lignée paternelle du duc.

Utilisée comme marque de reconnaissance par les troupes de René II sur le champ de bataille de Nancy, la croix, désormais dénommée « de Lorraine » dans le langage courant, deviendra un symbole patriotique *(voir p. 59)*. En juillet 1940, les forces navales de l'amiral Muselier l'adopteront, les premières, comme emblème de la France au combat.

Les ducs et leur « Ville Neuve ». — Les ducs de Lorraine, qui ont grandi en prestige, vont développer leur ville. René II et son successeur Antoine se construisent un nouveau palais. A la fin du 16ᵉ s., le duc Charles III crée, au Sud de la Vieille Ville, une Ville Neuve. N'ayant pas la permission de créer un évêché à Nancy, le duc y fonde un chapitre primatial. Cela suffit pour que Nancy prenne un énorme essor religieux : en l'espace de quarante ans, treize monastères s'y installent. Malheureusement, ce ne sont ni les moines ni les nonnes qui font la prospérité d'une cité. Charles III se désole de ne pas compter plus de familles dans sa ville. Et voici que la **Guerre de Trente ans** décime la maigre population du duc de Lorraine!... Les « malheurs de la guerre », illustrés par **Jacques Callot,** graveur nancéien, atteignent cruellement Nancy.

Léopold, bénéficiant d'une ère de tranquillité, aura beaucoup à faire pour relever tant de ruines. Il ne se contentera pas, d'ailleurs, de ce travail de restauration; il élèvera les beaux hôtels qui font la gloire de la place de la Carrière et des voies environnantes.

L'enterrement d'un duc de Lorraine. — Un ancien proverbe lorrain dit qu'il est en Europe trois cérémonies magnifiques : le couronnement d'un empereur à Francfort, le sacre d'un roi de France à Reims et l'enterrement d'un duc de Lorraine à Nancy. Voici un aperçu de cette cérémonie funèbre.

Le **duc Charles III** meurt le 14 mai 1608. Embaumé et recouvert de somptueux velours et draps d'or, il est exposé pendant près d'un mois dans la « Chambre des Trespas », veillé par des gens d'église. Le 8 juin, dans la Salle d'honneur, une effigie du défunt est étendue sur un lit de parade, en grand costume de cour, avec les attributs de la dignité ducale. Alors, devant les plus hauts personnages de la cour, a lieu le simulacre du souper de l'effigie. Les plats sont présentés devant un fauteuil vide : « Au souper pour feu Son Altesse! A la viande pour feu Son Altesse! » crie un héraut en annonçant chaque plat. Cette série de scènes macabres dure du 9 juin au 13 juillet...

Après un dernier souper, on passe dans la Salle funèbre, voilée entièrement de noir et seulement éclairée de cierges : deux nouveaux jours d'offices et de prières. Le 16, on crie par toute la ville « l'Édit funèbre ». Le 17, le cortège se déploie, formé par 300 pauvres, 300 bourgeois, tous les nobles et tous les prêtres. On s'arrête à l'église St-Georges. Le 18, tout recommence pour la dernière étape qui s'achève aux Cordeliers, 2 mois et 4 jours après le décès, parmi les fastes d'une mise en scène prodigieuse.

Stanislas le Magnifique. — François III, duc de Lorraine, échange son duché contre celui de Toscane. Louis XV installe à sa place, sur le trône de Nancy, son beau-père Stanislas Leszczynski, roi détrôné de Pologne, à la mort duquel la Lorraine reviendra tout naturellement à la France. Il s'agit d'accoutumer la Lorraine à la domination française... Or, nul mieux que ce Polonais ne comprend et ne sait mettre en valeur la magnifique beauté française de Nancy. Il sait choisir des artistes de génie qui construiront une œuvre impérissable, noble et gracieuse à la fois, symbole ravissant du 18ᵉ s. et suprême parure de Nancy : la place Stanislas, avec ses grilles, ses pavillons, ses balcons et ses fontaines.

Durant trente ans, Stanislas joue, en Lorraine, le rôle d'un gouverneur de province. Il consacre son temps, et la pension que lui alloue son gendre, à embellir sa capitale. C'est un homme paisible qui aime sa fille, la reine de France, la paix, la bonne chère, les jolies femmes, et pratique une philosophie facile et une religion indulgente. Mais surtout, il aime bâtir. Il a la passion des plans, des constructions, des ateliers. Souvent, il rend visite à Jean Lamour, le génial ferronnier des grilles de Nancy. Avec beaucoup de tact, il prévoit une sépulture qui ne l'associera pas aux cendres des véritables souverains de la Lorraine. Il reposera, ainsi que sa femme, dans l'église de Bonsecours, reconstruite par ses soins. Lors de la Révolution, le sanctuaire est dévasté, les tombes profanées.

Terre de France. — De 1871 à 1918, Nancy accueille les populations réfugiées. Les arrivants sont si nombreux que toute une ville moderne s'ajoute aux trois villes existantes, la Vieille Ville, la Ville des Ducs et celle de Stanislas. Le nouveau Nancy, riche de nombreuses industries, s'accroît chaque jour. La guerre de 1914 trouve Nancy ville ouverte. Elle est sauvée par la résistance des armées Castelnau et Dubail *(voir p. 24)*. Elle sera souvent bombardée par avions et par pièces à longue portée, installées à 26 km.

1944 : la libération de Nancy. — Dès le mois d'août, les troupes allemandes en retraite traversent Nancy. Une partie d'entre elles sont massées dans la forêt de Haye où l'aviation alliée les attaque sans relâche.

Dans la matinée du 15 septembre, à 11 h, les premiers chars de l'armée du général Patton arrivent et, avec l'aide de la Résistance, libèrent la ville.

■ PRINCIPALES CURIOSITÉS *visite : 3 h 1/2*

Place Stanislas★★★ (BY). — Deux grands noms dominent l'œuvre : celui d'**Emmanuel Héré**, l'architecte, et celui de **Jean Lamour**, l'auteur des grilles. Le résultat de leur collaboration est une harmonie parfaite de proportions, d'ordonnance et de détail.

La place Stanislas forme un rectangle à pans mesurant 124 m sur 106 m. Edifiée entre la Vieille Ville et la Ville Neuve, elle se nomme d'abord place Royale et la statue de Louis XV en marque le centre. La statue est détruite sous la Révolution. Sous la Restauration, la place prend le nom de Stanislas dont la statue est inaugurée en 1831.

Les grilles. — De fer forgé rehaussé d'or, elles ornent les quatre pans coupés et les débouchés des rues Stanislas et Ste-Catherine. Leur légèreté, leur élégance, leur fantaisie sont inimitables. Celles du Nord composent chacune un triple portique. Elles encadrent les fontaines de Neptune et d'Amphitrite, œuvres du sculpteur nîmois Guibal.

Les pavillons. — La place est entourée de cinq pavillons élevés et de deux réduits à un rez-de-chaussée percé d'arcades monumentales. Cette disposition, tout en donnant une impression d'espace plus grand, laisse intact le merveilleux équilibre de la place. Les façades d'Emmanuel Héré sont nobles, gracieuses et symétriques sans monotonie. Les balcons forgés par Lamour ajoutent à la richesse et à l'élégance de l'ensemble.

Hôtel de ville (BY H). — *Visite des salons, présentation nocturne sonorisée, du 15 juin au 15 septembre à 21 h 30 et à 22 h 35 (entrée : 5 F).*

Érigé de 1752 à 1755, son pavillon est le plus vaste. Les armoiries de Stanislas ornent son fronton : aigle de Pologne, cavalier de Lithuanie, buffle des Leszczynski.

L'escalier s'orne d'une rampe de Jean Lamour. Il mène au Salon Carré, dit « de l'Académie », décoré de fresques de Girardet, toutes à la gloire de Stanislas, puis au Grand Salon inauguré le 17 juillet 1866 par l'Impératrice Eugénie; un petit salon, dit « Salon de l'Impératrice », lui fait suite. Des fenêtres des salons, on a sous les yeux la perspective de la place Stanislas, de la place de la Carrière et du Palais du Gouvernement, au fond. Que l'on imagine la légitime fierté du roi de Pologne, assistant, de ces mêmes fenêtres, à l'inauguration de la statue de Louis XV sur la place récemment achevée...

En face de l'hôtel de ville, prendre la rue Héré qui mène à l'Arc de Triomphe.

(D'après photo Archives photographiques, Paris)

Nancy. – La place Stanislas.

NANCY★★★

Arc de Triomphe★ (BY B). — Construit de 1754 à 1756, en l'honneur de Louis XV, il imite celui de Septime-Sévère, à Rome. La façade principale, qui regarde la place Stanislas, est d'inspiration antique. La partie droite, consacrée aux dieux de la guerre, est dédiée au « Prince Victorieux » ; la partie gauche, consacrée aux déesses de la paix, glorifie le « Prince Pacifique », un médaillon représente Louis XV. L'autre façade, plus simple, donne sur la place de la Carrière. A droite, du côté du parc, monument à Héré.

Place de la Carrière★ (BY 21). — Cette longue place date de l'époque ducale mais Héré la transforma. Elle est encadrée par de beaux hôtels du 18e s. Ses angles sont décorés de fontaines. Aux deux extrémités s'ouvrent les grilles de Lamour, enrichies de potences à lanternes.

Palais du Gouvernement★ (BX W). — A l'opposé de l'Arc de Triomphe, la place Général-de-Gaulle est fermée par le Palais du Gouvernement, ancienne résidence des gouverneurs de Lorraine. Le péristyle de l'édifice se relie aux maisons de la place par une **colonnade★** d'ordre ionique, surmontée d'une balustrade, de vases et de bustes mythologiques.

Passer à gauche du palais du Gouvernement et suivre à droite la Grande-Rue dans laquelle se trouve à droite l'Ancien Palais ducal.

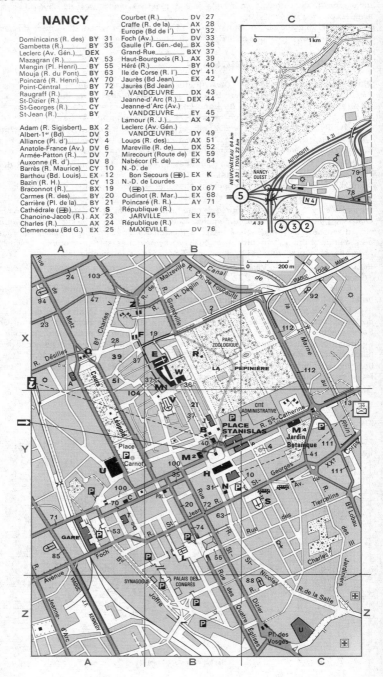

Ancien Palais ducal★★ (BX M¹). — Bâti dans la seconde moitié du 13ᵉ s., le palais est à demi-ruiné à l'époque de René II qui le fait entièrement reconstruire après sa victoire sur le Téméraire.

C'est le duc Antoine qui, au 16ᵉ s., fait achever la Porterie et la Galerie des Cerfs. En 1792, le palais est saccagé. D'adroites restaurations sont opérées en 1850. La partie Nord est entièrement reconstruite.

La façade sur la Grande-Rue est sobre et même nue. Elle rend plus saisissante l'élégance et la richesse de son unique ornement : **la Porterie**★★ *(illustration p. 30)*. Le style flamboyant et celui de la Renaissance se mêlent pour composer cette admirable porte, surmontée de la statue équestre du duc Antoine de Lorraine, au-dessus de laquelle s'élève un gâble flamboyant.

Au premier étage, trois balcons à balustrade flamboyante sont soutenus par des souches de tourelles sculptées, représentant des sauvages et des hommes poissons auxquels se mêlent des amours.

La façade sur les jardins est agrémentée d'une belle galerie gothique qui fait suite à un vaste vestibule voûté.

L'ancien Palais ducal abrite le très beau Musée historique lorrain.

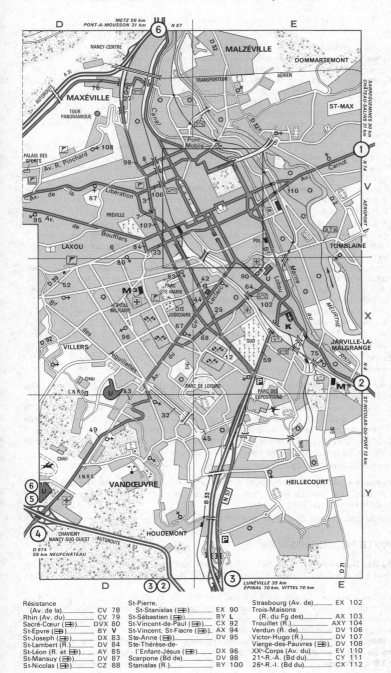

NANCY★★★

Musée historique lorrain★★★ — *Entrée au n° 64 Grande-Rue. Visite de 10 h à 12 h et de 14 h à 17 h (18 h en été et le dimanche). Fermé les mardis, le 1er janvier, le jour de Pâques, les 1er novembre et 25 décembre. Entrée : 7 F.*

Il rassemble une documentation d'une valeur exceptionnelle par sa qualité et sa richesse. Elle évoque d'une façon saisissante l'histoire du pays lorrain et permet d'admirer ses productions d'art et de saisir les particularités de son folklore.

Dans le pavillon, au fond du jardin : **galerie d'archéologie** préhistorique, celtique, gallo-romaine et franque. *Traverser le jardin.*

Au rez-de-chaussée : la Lorraine du Moyen Age au 16e s. (sculptures).

1er étage : **galerie des Cerfs** où sont rassemblés les souvenirs de la dynastie des ducs de Lorraine, du 16e s. au 18e s.; collection de tapisseries des 15e et 16e s.; œuvres des artistes lorrains du 17e s. : **eaux-fortes de Jacques Callot** (à peu près toute son œuvre gravée et 330 cuivres), gravures de Bellange, peintures de G. de la Tour (la Servante à la puce) et de Claude Deruet (portrait de madame de Saint-Baslemont); histoire de la Lorraine sous le règne de Stanislas et de l'urbanisme à Nancy au 18e s.; miniatures, collections de faïences de Lunéville et St-Clément, biscuits et terres cuites; sculptures de Clodion.

2e étage : la Lorraine au 19e s. : histoire militaire, politique et littéraire, collections juives, mobilier, art religieux populaire.

3e étage : Arts et traditions populaires de la Lorraine : mobilier, artisanat.

A la sortie : musée de pharmacie.

Église des Cordeliers★ (BX E). — *Visite de 10 h à 12 h et de 14 h à 17 h (18 h les dimanches et jours fériés, et de juillet au 15 septembre). Fermée le 1er janvier, le jour de Pâques, les 1er novembre et 25 décembre. Entrée : 5 F.*

C'est le « St-Denis » des ducs de Lorraine. Tous les ducs reposent dans la crypte. Les tombeaux sont dus, pour la plupart, aux trois grands artistes de la Renaissance lorraine : Mansuy Gauvain, Florent Drouin et Ligier Richier.

A gauche, le **tombeau de Philippa de Gueldre★★**, seconde femme de René II; c'est une des plus belles œuvres de Ligier Richier. La duchesse est représentée sous l'habit des Clarisses, à l'ordre desquelles elle appartint à la fin de sa vie.

Au-dessus de l'entrée du cloître : la Vierge au Rosaire, tableau de Jean de Wayembourg (1595); le tombeau du cardinal de Vaudémont, par Florent Drouin.

Dans le chœur : la Cène par Florent Drouin, bas-relief inspiré du tableau célèbre de Léonard de Vinci.

A droite, le **tombeau de René II★**, exécuté par Mansuy Gauvain en 1509, dont il ne reste que l'enfeu; lutrin en fer forgé, avec emblèmes lorrains (18e s.). Au maître-autel (1522), retable sculpté : remarquable groupe de la Trinité; stalles du 17e s.

Chapelle ducale★. — *A gauche du chœur.* Elle s'élève au-dessus du caveau funéraire des ducs de Lorraine. Charles III fait commencer l'édifice en 1607, un an avant sa mort. Il donne comme modèle la chapelle des Médicis, à Florence. Mais les ressources manqueront pour exécuter exactement le plan prévu.

De forme octogonale, la chapelle a ses murs encadrés de seize colonnes, auxquels s'adossent sept cénotaphes en marbre noir. Chacun porte, sur un coussinet doré, les emblèmes de la souveraineté. Jean Richier, petit-neveu de Ligier, et l'Italien Stabili furent les maîtres de l'œuvre dont la coupole à caissons en trompe-l'œil est de Florent Drouin.

C'est dans la chapelle ducale que fut exposé, les 30, 31 juillet et 1er août 1934, le corps du **maréchal Lyautey** (1854-1934), qui par ses dons d'organisateur et d'administrateur a amorcé de 1912 à 1925 le développement économique du Maroc, avant les obsèques nationales et l'inhumation provisoire dans la crypte de la cathédrale. C'est également dans cette chapelle qu'eut lieu le mariage de l'archiduc Otto de Habsbourg, en 1951.

Continuer à suivre la Grande-Rue vers la porte de la Craffe.

Porte de la Craffe★ (AXF). — *Visite de juillet au 15 septembre de 10 h à 12 h et de 14 h à 18 h. Fermée le mardi. Entrée : 5 F.*

Elle survit aux anciennes fortifications du 14e s. et porte le chardon de Nancy et la croix de Lorraine (19e s.). La façade opposée est de style Renaissance. L'intérieur a servi de prison jusqu'après la Révolution. On peut y voir les cachots dont les murs sont couverts d'inscriptions gravées par les prisonniers. Par ailleurs sont présentées des sculptures de la fin du Moyen Age et une collection d'instruments de supplice.

Faire demi-tour et prendre à gauche la rue Braconnot qui conduit à la Pépinière.

La Pépinière★ (BCX). — Cette belle promenade de 23 ha comprend une terrasse, un jardin anglais, une roseraie et un parc zoologique. On y voit la statue du peintre Claude Gellée, dit le Lorrain, par Rodin (BX R).

Sortir du parc par la porte Sud et, par la grille d'Amphitrite, revenir place Stanislas.

■ AUTRES CURIOSITÉS

Musée des Beaux-Arts★★ (BY M²). — *Visite de 10 h à 12 h et de 14 h à 18 h. Fermé le lundi matin, le mardi, les 1er janvier, 1er mai, 14 juillet, 1er novembre et 25 décembre. Entrée : 5 F.*

Ce beau musée, installé dans un des pavillons de la place Stanislas, agrandi d'un pavillon moderne, est consacré à la peinture en Europe du 14e s. à nos jours. Le rez-de-chaussée est réservé à la peinture française des 19e et 20e s. : de Delacroix, Manet, Courbet, à Bonnard, Dufy, Utrillo et Modigliani. Au 1er étage, Primitifs italiens, Perugin, Tintoret; Primitifs rhénans; natures mortes anversoises; paysages flamands et hollandais du 17e s., Rubens (la Transfiguration), Jordaens; portraits et compositions des Écoles françaises des 17e et 18e s. : Poussin, Boucher, Van Loo, etc. Au 2e étage, expositions temporaires.

Cathédrale (CY S). — De style 18e s. Belles grilles, dues à Jeammaire et à J. Lamour.

Pour visiter le trésor, s'adresser au sacristain. Le **trésor** contient l'anneau, le calice, le peigne, l'évangéliaire et le voile de saint Gauzelin, évêque de Toul dans la première moitié du 10e s., un ivoire du 10e s., l'étole de saint Charles Borromée....

Maison des Adam (BY N). — *57, rue des Dominicains.* Élégamment décorée par les Adam, fameux sculpteurs du 18e s., qui l'habitèrent.

Église St-Sébastien (BY L). — *Place Henri-Mengin.* Au centre d'un quartier neuf, elle est bien dégagée. Reconstruite en 1731, elle abrite le tombeau du peintre lunévillois Jean Girardet.

Place d'Alliance (CY 4). — Dessinée par Héré et entourée d'hôtels du 18e s., elle est ornée d'une fontaine par Cyfflé, commémorant l'alliance conclue le 1er mai 1756 entre Louis XV et Marie-Thérèse d'Autriche.

Musée de zoologie (CY M4). — *Visite de 14 h à 18 h. Fermé le mardi sauf pendant les vacances scolaires. Entrée : 6 F.*

Le rez-de-chaussée est occupé par l'**aquarium tropical**★ où évoluent maintes espèces de poissons, originaires, notamment, des côtes d'Asie et d'Afrique, de la Mer Rouge, des Océans Indien et Pacifique et du Bassin de l'Amazone. Au 1er étage, collections zoologiques.

Jardin botanique Ste-Catherine (CY). — *Visite de 8 h à 12 h et de 13 h à 17 h. Fermé le dimanche matin.*

Il contient plus de 2 000 plantes dont celles d'un petit alpinum.

Église St-Epvre (BY V). — Construite au 19e s. dans le style gothique, elle présente une belle façade précédée d'un escalier monumental (don de l'empereur d'Autriche) et une grande quantité de vitraux (2 300 m2 en 74 verrières). Sur le 1er autel à droite en entrant, remarquer une Pietà de la fin du 14e s., en pierre polychrome.

Palais de l'Université (AY U). — Élevé de 1858 à 1870. Sur la façade : statues du cardinal de Lorraine, de Charles III, de Napoléon III et de Stanislas.

Porte Désilles (AX Q). — La façade sur le cours Léopold est décorée de deux bas-reliefs de Sontgen : à gauche la France accueillant l'Amérique (allusion au traité de Versailles, 1783), à droite un génie tendant les bras à un nègre (affranchissement des Noirs).

Porte de la Citadelle (AX Z). — D'architecture Renaissance, elle est ornée de bas-reliefs et de trophées d'armes par Florent Drouin.

Hôtels du Vieux Nancy (AX). — Il subsiste, autour de l'ancien Palais ducal, quelques hôtels des 16e et 18e s. malheureusement, pour la plupart, mal entretenus. Parmi les plus intéressants : l'**hôtel de Ferrari** du 18e s. *(29, rue du Haut-Bourgeois)* : balcon armorié, escalier monumental, fontaine de Neptune dans la cour; l'**hôtel des Loups** *(1, rue des Loups),* construit par Boffrand; l'**hôtel de Gellenoncourt** *(4, rue des Loups),* présentant un portail Renaissance; l'**hôtel d'Haussonville** *(9, rue Trouillet),* de style Renaissance.

Église N.-D.-de-Bon-Secours★ (EX K). — *Avenue de Strasbourg (voir plan du guide Michelin France). Travaux de restauration en cours : achèvement prévu en 1983.* Élevée par Héré en 1738 pour Stanislas, sur l'emplacement d'une chapelle construite par René II pour commémorer sa victoire sur Charles le Téméraire et les Bourguignons (1477), cette église est un lieu de pèlerinage renommé. La façade est du style de la Renaissance italienne.

L'intérieur possède des confessionnaux sculptés, des grilles de Jean Lamour, un chemin de croix émaillé, des vitraux en grisaille et une belle chaire. Dans le chœur se trouvent, à droite : le **tombeau de Stanislas**★ et le monument du cœur de Marie Leszczynska, épouse de Louis XV, sculptés par Vassé; à gauche : le **mausolée de Catherine Opalinska**★, épouse de Stanislas, par les Adam. Derrière l'autel, on remarquera des stalles du 19e s. et la statue de **N.-D.-de-Bon-Secours**, œuvre, en 1505, de Mansuy Gauvain. Cette très curieuse Vierge abrite dans les plis de son manteau vingt petits personnages, laïcs et clercs.

Musée de l'École de Nancy★ (DX M3). — *38 à 46, rue Sergent-Blandan (voir plan du guide Michelin France). Visite de 10 h à 12 h et de 14 h à 18 h (17 h du 15 octobre au 15 avril). Fermé le mardi, le 1er janvier, le jour de Pâques, les 1er mai, 1er novembre et 25 décembre. Entrée : 5 F.*

Mouvement d'artistes et d'artisans lorrains constitué sous l'impulsion d'Émile Gallé, l'**École de Nancy** (fin 19e-début 20e s.) fut à l'origine du « Modern style » français qui permit aux arts décoratifs de réagir contre la copie du passé, alors régnante. Soucieuse de relever le niveau de toutes les techniques employées, elle a laissé une production originale, où triomphent la ligne courbe et la profusion ornementale inspirées par l'étude de la nature, spécialement des végétaux.

Le musée présente, dans le cadre d'une résidence cossue de l'époque, une abondante collection d'œuvres caractéristiques de l'École : meubles marquetés et bois sculptés d'Émile Gallé, de Louis Majorelle, d'Eugène Vallin et de Jacques Grüber; reliures, affiches et dessins de Prouvé, Martin, Colin, Lurçat; verreries des frères Daum et de Gallé; faïences dues à Gallé et à ses disciples; vitraux de Grüber.

Plusieurs ensembles mobiliers regroupés, dont une salle à manger complète (meubles de Vallin; plafonds et cuirs muraux de Prouvé), ainsi qu'une étonnante salle de bains en céramique de Chaplet, témoignent des changements apportés dans le style des intérieurs bourgeois au début de ce siècle.

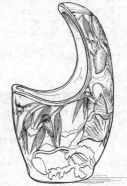

(D'après photo Gilbert Mangin)

Vase (E. Gallé,
École de Nancy).

EXCURSIONS

St-Nicolas-de-Port★★. — *12 km par ② du plan. Description p. 143.*

Musée de l'Histoire du fer; Chartreuse de Bosserville. — *Circuit de 16 km — puis 1 h 1/2 de visite.*

Musée de l'Histoire du fer (EX **M⁵**). — *Visite de 14 h à 17 h (18 h le dimanche et du 1ᵉʳ juillet au 30 septembre). Fermé le mardi et les 1ᵉʳ janvier, dimanche de Pâques, 1ᵉʳ novembre et 25 décembre. Entrée : 5 F.*

Il est installé dans un vaste bâtiment qui témoigne, lui-même, de l'importance de la construction métallique dans l'architecture contemporaine. La galerie du rez-de-chaussée rappelle la place du fer dans l'univers et les généralités physico-chimiques sur le fer, la fonte et l'acier. Dans la partie réservée aux machines, est exposée la Boyotte, 1ʳᵉ petite locomotive à vapeur, à voie étroite.

La salle du sous-sol offre un raccourci de l'utilisation du fer, de la Préhistoire au Moyen Age. On y admire surtout les techniques très avancées des fabrications d'armes, dès l'époque gauloise et les procédés — en particulier celui du damas mérovingien — permettant de concilier les qualités de résistance, de flexibilité et de tranchant (voir la vitrine contenant une épée).

Les très vastes collections des 1ᵉʳ et 2ᵉ étages (commencer par le 2ᵉ étage) ont trait à l'évolution de la métallurgie de la Renaissance à nos jours : maquettes, reproductions commentées de tableaux de maîtres où apparaissent des fourneaux ou des forges, objets d'art en fonte ou en fer, etc.

Revenir à la N 4 que l'on suit, à droite, vers Lunéville. Dans Laneuveville, aussitôt après un pont sur un canal, tourner à gauche dans le D 126.

Après le pont sur le canal de la Marne au Rhin, le D 126 tourne à droite. Jolie vue d'ensemble sur la Chartreuse de Bosserville avant de franchir la Meurthe.

Prendre à gauche le D 2. A 1 km, prendre à droite une allée de platanes vers la Chartreuse de Bosserville.

Chartreuse de Bosserville. — *En cours de restauration.* Elle est occupée par une école technique. Cet édifice, bâti sur une terrasse dominant la Meurthe, au centre duquel s'élève la chapelle, présente une longue et majestueuse façade des 17ᵉ et 18ᵉ s., flanquée de deux ailes en retour. Un bel escalier en pierre mène à la terrasse.

Bosserville avait servi en 1793 et 1813 d'hôpital de campagne. De nombreux militaires français ou étrangers de la Grande Armée malades ou blessés y succombèrent. Plusieurs centaines de corps furent déposés dans les anciens étangs du Bois Robin.

Le D 2 ramène à Nancy par Tomblaine.

Château de Fléville. — *9 km au Sud. Quitter Nancy par la B 33 jusqu'à la sortie Fléville (8 km).*

Visite du 1ᵉʳ avril au 1ᵉʳ novembre les samedis, dimanches et jours fériés de 13 h à 19 h; tous les jours du 1ᵉʳ juillet au 1ᵉʳ septembre de 14 h à 18 h. Entrée : 10 F. On peut faire le tour du château.

L'édifice actuel fut élevé au 16ᵉ s., à la place d'une forteresse du 12ᵉ s. dont il ne reste qu'un donjon carré.

Après avoir franchi les anciens fossés dont les murs sont ornés de beaux vases du 18ᵉ s., on pénètre dans la cour d'honneur. Deux ailes en retour flanquent la belle façade Renaissance du corps de logis principal sur laquelle court un long balcon à balustrade.

(D'après photo La Cigogne, Hachette)

Façade du château de Fléville.

A l'intérieur, on visite la salle des ducs de Lorraine, la chambre de Stanislas, la chapelle du 18ᵉ s. et plusieurs chambres ornées de peintures et de meubles Louis XV, Régence et Louis XVI.

NEUF-BRISACH

Carte Michelin n° **87** - pli 7 — 2 579 h. (les Néobrisaciens).

Cette ancienne place forte construite par Vauban a conservé, malgré les destructions de la dernière guerre, son sobre cachet du 17ᵉ s.

A l'intérieur de son enceinte octogonale, la ville est partagée en îlots réguliers par des rues qui se coupent à angle droit.

On peut voir une maquette *(éclairée et sonorisée)* de la place forte au petit musée Vauban de la porte de Belfort.

Du pont-frontière de Vogelgrün *(5 km à l'Est)*, on jouit d'une belle **vue★** sur le fleuve et l'usine hydro-électrique *(p. 128)*. Sur la rive badoise, Vieux-Brisach (Breisach), située dans un cadre pittoresque, domine le Rhin.

NEUFCHÂTEAU

Carte Michelin n° 62 - pli 13 — 9 633 h. (les Néocastriens).

Neufchâteau est situé à un carrefour important de routes.

Occupée primitivement par les Romains, la ville fut fortifiée au Moyen Age. Première ville libre du duché de Lorraine ruinée par une révolte, la « Jacquerie », son château et ses remparts furent détruits par ordre de Richelieu. Pendant la Révolution, la ville débaptisée s'appela « Mouzon-Meuse », du nom des cours d'eau qui l'arrosent. Gros marché, Neufchâteau est également une petite cité industrielle : menuiseries, fabriques de sièges; industrie laitière.

Sa foire-exposition, à la mi-août, est la plus ancienne des Vosges.

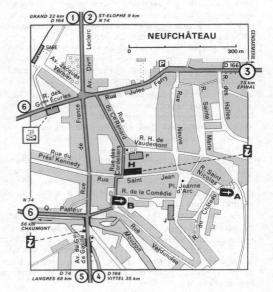

Hôtel de ville (H). — Ce bâtiment de la fin du 16ᵉ s., au portail Renaissance, conserve un bel **escalier★** intérieur à voûte sculptée.

Église St-Nicolas (A). — *Demander la clé au presbytère, 7, rue de la Comédie.* Elle se compose, en raison de la disposition des lieux, de deux églises superposées.

Le portail et la tour de l'église supérieure sont modernes, la nef a été édifiée aux 12ᵉ et 13ᵉ s. L'abside à cinq pans date du 13ᵉ s.

Dans la 2ᵉ chapelle à droite du chœur, remarquer un groupe en pierre polychrome (15ᵉ s.), où se retrouvent les personnages de la Mise au tombeau, réunis pour l'onction du Christ. Le beau buffet d'orgues et la chaire sont du 18ᵉ s.

Dans les chapelles latérales, les statues et les bas-reliefs datent des 17ᵉ et 18ᵉ s.

Sous le chœur, et lui servant d'appui, s'étend l'église basse à deux nefs. Pour en voir l'extérieur, sortir de l'église, tourner à droite et descendre l'escalier.

Église St-Christophe (B). — La construction de l'église actuelle remonte à 1100 environ. Elle se prolongea jusqu'au 15ᵉ s.; de cette époque date la chapelle des Fonts-Baptismaux, remarquable par ses clés pendantes, qui s'ouvre dans le bas-côté droit. Dans la nef, chaire Louis XV et, dans le chœur, tableaux et boiseries Louis XVI.

EXCURSIONS

St-Elophe. — *9 km. Quitter Neufchâteau par ② du plan, N 74.*

Fièrement campée sur le rebord d'un plateau, à l'extrémité du village, l'**église**, très remaniée depuis le 11ᵉ s., présente néanmoins un joli clocher du 13ᵉ s., disposé en façade avec un portail ajouté au 16ᵉ s. (remarquer, en entrant, la tête archaïque sculptée au revers, et l'impressionnant bourdon de 4 250 kg).

A l'intérieur, le vaisseau, du début du 16ᵉ s., étonne par son élégance et sa luminosité, dues au calcaire nacré des piliers et des voûtes comme aux hautes fenêtres ogivales de l'abside.

Du mobilier primitif il subsiste, entre autres, une chaire du 18ᵉ s., une Vierge à l'Enfant en pierre polychrome et un baptistère du 16ᵉ s.; également du 16ᵉ s., le gisant de saint Elophe (décapité au 4ᵉ s.), en calcaire, exposé devant le maître-autel. Remarquer aussi, à droite de la chapelle des fonts baptismaux, une Nativité, en pierre, du 16ᵉ s.

La statue monumentale (7 m) du saint, qui s'érige à droite de l'église, date de 1855 : elle est le point de départ d'un pèlerinage passant par 2 petits monuments situés en contrebas.

Du parvis, **vue** étendue sur la vallée du Vair; sur le versant opposé, au Sud-Ouest, on distingue le château de Bourlémont.

Pompierre. — 203 h. *12 km au Sud par ⑤ du plan, D 74, et le D 1 à gauche.*

L'église, bâtie en bordure de la route, présente un **portail★** roman du 12ᵉ s. admirablement conservé. Des voussures remarquablement travaillées encadrent un tympan sculpté à trois registres : Massacre des Innocents et Fuite en Égypte, Annonce aux Bergers et Adoration des Mages, Entrée à Jérusalem. La décoration très fouillée des chapiteaux et des colonnettes complète cet ensemble.

Prez-sous-Lafauche. — 383 h. *18 km au Sud-Ouest. Quitter Neufchâteau par ⑥ du plan, N 74.*

Dans ce village haut-marnais est installé le **zoo de bois** ou musée aux branches. Celles-ci, trouvées dans la nature, judicieusement et artistement assemblées, composent des scènes comiques ou tragiques, des animaux familiers, etc. Curieuse exposition de quelque 200 pièces *(visite du 1ᵉʳ juin au 15 septembre, de 15 h à 18 h 30; entrée : 4 F).*

NEUWILLER-LÈS-SAVERNE ★

Carte Michelin n° 87 - pli 13 — *Schéma p. 185* — 1 115 h. (les Neuwillérois).

L'intérêt de Neuwiller réside dans ses églises et son cimetière. Le touriste pressé se contentera de visiter l'église St-Pierre-et-St-Paul, l'une des plus riches abbatiales d'Alsace.

Église St-Pierre-et-St-Paul★. — *Visite : 1/2 h.* L'église primitive fut transformée au 9ᵉ s. pour recevoir les reliques de saint Adelphe, qui fut évêque de Metz. La partie la plus ancienne est la crypte. Les deux chapelles superposées (11ᵉ s.) sont greffées derrière le chœur. Le chœur, le transept et une travée de la nef furent construits au 12ᵉ s. La nef fut achevée au siècle suivant. Le clocher date de 1768.

Les parties hautes de l'édifice sont romanes. Le flanc gauche, donnant sur une vaste place entourée des maisons des chanoines, est percé de deux portes : à droite, une porte du 13ᵉ s., de chaque côté de laquelle sont les statues de saint Pierre et de saint Paul; à gauche, une porte du 12ᵉ s. dont le tympan représente un Christ bénissant.

Intérieur. — Au fond de la nef, tribune et orgues de 1773-1777.

Au bas du bas-côté droit, le tombeau de saint Adelphe (13ᵉ s.) repose sur huit colonnes élevées, disposition permettant autrefois aux fidèles de passer sous le tombeau du saint. Remonter le bas-côté droit jusqu'au croisillon où l'on verra une **Vierge★** assise du 15ᵉ s. et, dans la chapelle orientée, une autre Vierge, de la fin du 15ᵉ s. Le chœur est décoré de boiseries du 18ᵉ s.

Dans le bras gauche du transept, on voit un Saint-Sépulcre polychrome de 1478. Dans la poitrine du Christ, une petite excavation était destinée à recevoir les hosties consacrées pendant la semaine sainte. Au-dessus du groupe formé par les trois Marie portant des vases de parfums, autour du corps de Jésus, s'élève un gâble gothique flamboyant dont la niche abrite une Vierge du 14ᵉ s.

Au bas du bas-côté gauche, fonts baptismaux romans.

Chapelles superposées★. — *Pour les voir, sortir de l'église et s'adresser au presbytère (au n° 5; de mars à octobre, de 15 h à 18 h, seulement les dimanches et fêtes).*

Toutes les deux sont du 11ᵉ s. et de même plan. Des colonnes cylindriques soutiennent les voûtes. Les bases sont les mêmes dans les deux chapelles, mais les chapiteaux cubiques, complètement nus dans la chapelle inférieure, sont décorés de fort beaux motifs dans la chapelle supérieure.

La chapelle haute contient de remarquables **tapisseries★★**. Les quatre panneaux exécutés à la fin du 15ᵉ s. représentent la vie et les miracles de saint Adelphe. L'ensemble, d'une naïveté charmante et d'un coloris délicieux, constitue une belle suite, très bien restaurée.

Église St-Adelphe. — Cette église du 12ᵉ s. appartient aujourd'hui au culte luthérien.

Cimetière. — Nombreuses tombes d'officiers du 1ᵉʳ Empire.

NIEDERBRONN-LES-BAINS ★

Carte Michelin n° 87 - pli 3 — *Schéma p. 185 et 186* — 4 461 h. (les Niederbronnois) — *Lieu de séjour, p. 42.*

Niederbronn, station hydrominérale fréquentée, est un excellent centre d'excursions.

La cité, fondée par les Romains (vers 48 av. J.-C.), fut détruite lors des invasions barbares du 5ᵉ s. Au 16ᵉ s., le comte Philippe de Hanau entreprend la restauration des bains de Niederbronn, tâche continuée, au 18ᵉ s., par les seigneurs d'Oberbronn. Sous le second Empire, la station connaît une grande prospérité. Très endommagée au cours de la dernière guerre, elle s'est relevée de ses ruines et ses eaux attirent de nombreux baigneurs. Elles sont débitées par deux sources : la source Romaine (affections rhumatismales, arthrosiques et inflammatoires, séquelles de traumatisme, artérite) qui jaillit en plein cœur de la ville, devant le casino municipal, et la source Celtique (calculs rénaux, goutte, pléthore, obésité, cellulite) qui se trouve à la sortie Nord de la Station.

Niederbronn est située dans une région fort pittoresque, à proximité des derniers villages alsaciens où le costume traditionnel sort parfois des armoires *(voir p. 36).*

EXCURSIONS

Châteaux de Windstein. — *8 km au Nord. Quitter Niederbronn par le D 653; à Jaegerthal, prendre à gauche le D 53. Laisser la voiture au terminus de la branche gauche de la route, devant le café-restaurant « Aux châteaux » (parc de stationnement).*

Les deux châteaux de Windstein, distants de 500 m l'un de l'autre, auraient été bâtis, le premier en 1212, le second en 1340. Tous deux, en 1676, appartenant alors au comte de Dürckheim, ont été détruits par les troupes françaises du baron de Monclar.

Le Vieux Windstein★. — *Visite de 3/4 h à pied AR.*

Les ruines, incorporées à deux hautes piles gréseuses se dressant sur l'étroit sommet d'une butte boisée (alt. 340 m), se réduisent à quelques vestiges. Mieux conservées sont les parties du château creusées à même la roche : escaliers, chambres, cachots, puits (profond de 41 m). Le **panorama★** est agréable sur les sommets environnants. S'avancer sur la plate-forme rocheuse Sud pour contempler la vallée de Nagelsthal en contrebas.

Le Nouveau Windstein. — *1/2 h à pied AR.*

Sur sa propre butte, enfoui dans la végétation, le « Château Neuf » occupe un site moins pittoresque mais ses ruines témoignent d'une architecture gothique non dénuée d'élégance : il a gardé une partie de son mur d'enceinte, percé de meurtrières, son bastion d'accès, et deux étages d'une tour quadrangulaire ornée de remarquables fenêtres ogivales, certaines trilobées.

Château de Falkenstein★. — *10 km au Nord-Ouest, puis 3/4 h à pied AR. Quitter Niederbronn par la route de Bitche, N 62; à Philippsbourg, tourner à droite dans le D 87, puis, à 1,5 km dans le D 87ᴬ. La suite de la promenade est décrite p. 72.*

Château de Wasenbourg. — *A l'Ouest : 1 h 1/4 à pied AR. Suivre l'allée des Tilleuls : à hauteur du lieu-dit Roi de Rome, tourner à gauche dans le sentier qui mène aux ruines du château (13ᵉ s.).* Du sommet, auquel on accède par un escalier, belle vue sur Saverne au Sud-Ouest, l'Alsace du Sud-Est, le Palatinat et le plateau Lorrain, au Nord.

A proximité du château, au Nord-Est, vestiges d'un temple romain.

Tour du Wintersberg. — *Circuit de 15 km. Quitter Niederbronn au Nord-Ouest par la N 62 et, à 1,5 km devant la source Celtique, tourner à droite vers Wintersberg, point culminant des Vosges du Nord (580 m).* Du haut de la tour-signal, beau panorama sur les Basses-Vosges et la plaine. *Redescendre par le versant Ouest de la montagne.*

NIEDERHASLACH

Carte Michelin nº 87 - pli 15 — Schémas p. 55 et 66 — 1 103 h. (les Niederhaslachois).

Il y avait là autrefois une abbaye dont la légende décrit ainsi la fondation. Saint Florent, ou saint Florentin, ayant guéri la fille du bon roi Dagobert, celui-ci l'autorisa à fonder une abbaye dans la région. Il devait disposer du terrain que pourrait délimiter le trot de son petit âne pendant la durée de la toilette royale. Or, ce jour-là, le roi s'attarda et l'âne du saint partit au grand galop, si bien que l'abbaye reçut de vastes proportions.

Église★. — *Visite : 1/4 h.* Commencée au milieu du 13ᵉ s., elle fut presque entièrement détruite par un incendie en 1287 et c'est Gerlac, fils d'Erwin von Steinbach, architecte de la cathédrale de Strasbourg, qui la reconstruisit en partie.

D'un style gothique simple et fort élégant, elle présente un portail encadré de statuettes et orné d'un tympan qui illustre l'histoire de saint Florent, guérissant la fille du roi Dagobert II. Dans les bas-côtés et l'abside, se trouvent de beaux **vitraux★** du 14ᵉ s. On verra les tombeaux de l'évêque Rachio de Strasbourg, dans le chœur, à gauche du maître-autel, et de Gerlac, dans une chapelle abritant aussi un Saint Sépulcre du 14ᵉ s., à droite du chœur. Belles stalles de la fin du 17ᵉ s.

NOIR (Lac) ★

Carte Michelin nº 87 - pli 17.

Le lac Noir et son voisin le lac Blanc ont été associés, vers 1930, en un seul aménagement hydro-électrique. La centrale édifiée sur la rive Nord du lac Noir est reliée par une conduite forcée au lac Blanc, situé 100 m plus haut. La nuit, au moyen de l'excédent de puissance dont dispose le réseau durant les heures de faible consommation d'énergie électrique, l'eau du lac Noir est refoulée à l'aide de pompes dans le lac Blanc; elle peut donc actionner, pendant les heures de pointe, les turbines de la centrale du lac Noir.

Lac Noir★. — Il occupe le fond d'un cirque glaciaire, à l'altitude de 954 m. Une moraine, à laquelle s'appuie un barrage, retient ses eaux vers l'Est; de hautes falaises granitiques forment, sur le reste du pourtour, un cadre vraiment grandiose. *Pêche : voir tableau p. 14.*

Le tour du lac. — *1 h à pied AR par un sentier jalonné de croix jaunes.* Laisser la voiture au point de stationnement indiqué sur le schéma ci-contre et prendre à gauche un sentier qui s'élève en lacet vers un promontoire rocheux d'où la **vue★** est belle sur le lac, la vallée de Pairis et la plaine d'Alsace.

En poursuivant le tour du lac, le sentier s'élève dans les falaises et offre, en particulier à hauteur de l'usine hydro-électrique, des vues sans cesse renouvelées sur le cirque où s'enchâsse le lac.

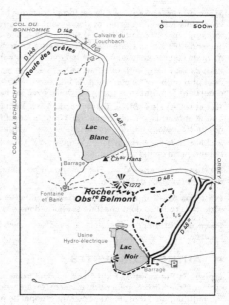

Rocher-observatoire Belmont★★. — *1 h 3/4 à pied AR.* Le **panorama★★**, fort beau sur le lac Noir, s'étend, au Nord, sur le Donon, le Climont et, à droite, sur le Brézouard, plus proche; à l'Est, sur la plaine d'Alsace où l'on distingue Colmar; au Sud, vers la vallée de la Fecht, le Petit Ballon et le Grand Ballon.

Lac Blanc★. — Situé à 1 054 m d'altitude, ce lac *(illustration p. 14),* dans lequel on peut pêcher *(voir tableau p. 14),* a une superficie de 29 ha et sa profondeur atteint 72 m. Il est encastré dans un cirque glaciaire et dominé par un étrange rocher en forme de forteresse que l'on appelle le **«château Hans».** Les hautes falaises granitiques qui l'entourent sont en partie boisées, ce qui corrige quelque peu la rudesse du décor.

Carte Michelin n° 87 - pli 5 — *Schémas p. 81 et 138* — 8 401 h. (les Obernois) — *Lieu de séjour, p. 42.*

Il est peu de petites villes qui satisfassent aussi pleinement le touriste épris de couleur locale. Obernai blottit au pied du Mont Ste-Odile ses petites rues tortueuses hérissées de pignons aigus. Nombreux sont ceux qui l'élisent comme lieu de séjour ou de vacances. On lui fera tout au moins l'honneur d'une visite, sans hâte et à pied...

La ville de sainte Odile. — D'origine franque, Obernai — alors Ehenheim — est, au 7e s., la résidence du farouche Adalric ou Étichon, duc d'Alsace, dont une demeure voit naître la future sainte Odile *(lire : Un peu d'histoire, p. 144).*

La ville, longtemps dépendante de la célèbre abbaye fondée par la sainte, devient, au 12e s., possession du Saint-Empire et s'entoure d'une double enceinte fortifiée. Au 14e s., elle adhère à la Décapole *(voir p. 23)* et soutient victorieusement l'assaut des Armagnacs, puis au 15e s. des Bourguignons de Charles le Téméraire, le dernier des ducs de Bourgogne et peut-être le plus célèbre. Elle est à son apogée au 16e s. malgré les troubles nés de la Réforme, mais la guerre de Trente ans la ruine à peu près totalement.

Louis XIV l'annexe définitivement en 1679.

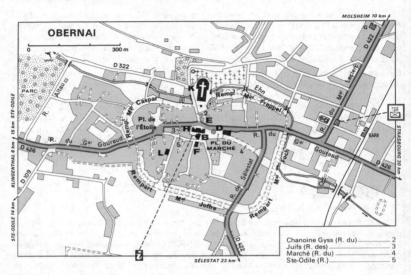

Chanoine Gyss (R. du)	2
Juifs (R. des)	3
Marché (R. du)	4
Ste-Odile (R.)	5

■ PRINCIPALES CURIOSITÉS *visite : 3/4 h*

Place du Marché★★. — Elle est fort pittoresque et toute teintée de cette nuance dorée qui va parfois jusqu'au carmin et donne tant de charme aux rues d'Obernai. Au centre, une fontaine de 1903 porte une statue de sainte Odile. Au Sud-Ouest de la place, belle maison ancienne **(F)** à oriel Renaissance sur quatre colonnes. Dans une rue latérale, à l'emplacement de l'ancien château des Staufen, on verra une maison de pierre **(L)** à 3 étages, du 13e s.

Hôtel de ville★ (H). — Des 15e et 16e s., restauré au 19e s., il garde une façade munie d'un oriel et d'un beau balcon sculpté, ajoutés en 1604. Derrière l'hôtel de ville, jeter un coup d'œil dans la pittoresque ruelle aux Juifs, avec ses habitations à galeries de bois.

Tour de la Chapelle★ (B). — Ce beffroi du 13e s. était accolé à une chapelle dont il ne subsiste que le chœur. Le dernier étage, du 16e s., avec sa flèche culminant à 72 m et flanquée de quatre clochetons d'angle ajourés, est de style gothique.

Ancienne Halle aux Blés★ (D). — Elle date du 16e s. et a été restaurée. Son toit, au pignon pointu, porte un nid de cigognes.

Maisons anciennes★. — Elles abondent aux alentours de l'Hôtel de ville, de la Halle aux Blés et de la place de l'Étoile.

Puits aux Six-Seaux (E). — Ce gracieux puits Renaissance à colonnes et à baldaquin possède trois rouelles dont chacune supporte deux seaux. Sa girouette porte la date de 1579.

Place de l'Étoile. — Cette place, avec ses maisons fleuries, offre une aimable image de l'Alsace.

■ AUTRES CURIOSITÉS

Église St-Pierre-et-St-Paul (K). — Construite au 19e s. dans le style gothique, elle contient, dans le bras gauche du transept, un autel du Saint Sépulcre (1504) et la châsse renfermant, depuis 1921, le cœur de Mgr Freppel (le prélat, né à Obernai et évêque d'Angers, mort en 1891, avait demandé par testament que son cœur fût transporté dans l'église de sa ville natale après le retour de l'Alsace à la France) ainsi que quatre belles fenêtres à vitraux du 15e s. attribués à Thibault de Lixheim. Dans le bras droit du transept, chapelle de sainte Odile avec triptyque moderne.

Promenade des Remparts. — Les remparts, qui font le tour complet de la ville, sont ombragés par de beaux tilleuls. On y voit les restes de plusieurs tours d'enceinte.

Le circuit du val d'Orbey est tracé à l'extrémité Nord de la Route des Crêtes *(p. 135)*. C'est une des plus belles promenades que puisse accomplir le touriste au départ des Trois-Épis, permettant d'admirer dans toute leur sévère beauté les lacs Noir et Blanc et de parcourir les jolies vallées de la Béhine et de la Weiss. Il conduit à l'un des plus dramatiques champs de bataille de la guerre de 1914-1918 : le Linge.

Visite. — Le circuit décrit ci-dessous peut être abordé aux Trois-Épis pour les touristes venant de Colmar ou de Kaysersberg; au Bonhomme ou au col du Bonhomme pour ceux qui arrivent de Strasbourg, de Sélestat ou des Vosges lorraines (St-Dié); au Collet du Linge par le col de la Schlucht et Hohrodberg pour les visiteurs abordant la région à Gérardmer.

L'abbaye de Pairis. — Situé à 3 km d'Orbey, **Pairis** n'est plus qu'un hameau entourant un hôpital. Celui-ci a été édifié sur les vestiges de l'ancienne abbaye, fondée en 1136 par des moines cisterciens.

Pairis fut, pendant plusieurs siècles, un but de pèlerinages. Ses moines étaient réputés pour leur sainteté et pour leur savoir. L'un d'eux, Martin, désigné par Innocent III pour prêcher la croisade, partit lui-même avec les Croisés. Le monastère a été détruit à la Révolution.

Circuit au départ des Trois-Épis — *59 km* — *environ 4 h 1/2* — *schéma p. 135*

Au départ des Trois-Épis *(p. 171)* le D 11 puis le D 11[VI] longent la crête qui sépare les vallées d'Orbey et de Munster et offrent, tantôt sur l'une, tantôt sur l'autre, de jolies vues. Tracée en forêt, la route contourne le Grand Hohnack et atteint bientôt une zone rendue célèbre par les «communiqués» de la guerre de 1914-1918 *(p. 24)* : la région du Linge.

Le Linge. — *Page 107.*

Prendre à droite au Collet du Linge puis, après avoir laissé à gauche le chemin de Glasborn, prendre encore à droite au col du Wettstein (cimetière militaire des Chasseurs). Au-delà, un parcours accidenté, laissant à droite le hameau de Pairis, permet de belles vues sur le val d'Orbey.

Lac Noir★. — *Page 117.*

Rocher-observatoire Belmont★★. — *Page 117.*

La route qui longe le lac Blanc offre des vues de plus en plus belles sur le cirque rocheux qui enserre le plan d'eau.

Lac Blanc★. — *Page 117.*

Au col du Calvaire, on atteint la Route des Crêtes que l'on prend à droite et on pénètre en forêt. La route procure, par échappées, de jolies vues sur la vallée de la Béhine, dominée par la Tête des Faux, avant d'atteindre le col du Bonhomme.

Col du Bonhomme. — Alt. 949 m. Entre le col de Ste-Marie (au Nord) et le col de la Schlucht (au Sud), il fait communiquer l'Alsace et la Lorraine, de Colmar à Nancy. *Voir aussi p. 135.*

Au col commence une descente sinueuse et continue au cours de laquelle on découvre une jolie vue sur la vallée de la Béhine dominée, en avant et au loin, par le Brézouard et, à droite et plus près, par la Tête des Faux.

Le Bonhomme. — 696 h. (les Bonhommiens). *Lieu de séjour, p. 42.* Cet agréable lieu de séjour fut, à trois reprises, éprouvé par la guerre. En 1914-1918, plus de la moitié de ses maisons furent détruites. En 1940, on se battit sur le territoire de la commune, les 18 et 19 juin. A la fin de décembre 1944, de violents combats se déroulèrent au col du Bonhomme, au col du Luschpach, au lac Blanc et au lac Noir.

Le Brézouard★★. — *9 km au départ du Bonhomme, puis 3/4 h à pied AR.*
La plus grande partie de l'excursion du Brézouard peut être effectuée en auto si on l'aborde par le **col des Bagenelles** *(4 km)*, d'où l'on a une belle vue sur la vallée de la Liepvrette.

Quitter la voiture au point de stationnement, près du refuge des Amis de la Nature.

Le Brézouard fut, ainsi que la région environnante, bouleversé pendant la guerre de 1914-1918.

Du sommet, le **panorama★★** est très étendu. Au Nord, on découvre le Champ du Feu, le Climont et, au loin, le Donon; au Nord-Est, Strasbourg est visible; au Sud, le Hohneck et le Grand-Ballon. Par temps clair, le Mont Blanc se révèle dans le lointain.

Après le village du Bonhomme, la route passe au pied des rochers qui portent les vestiges du château de Gutenbourg. Par la vallée de la Weiss, on atteint Orbey.

Orbey. — 3 421 h. (les Orbelais). *Lieu de séjour, p. 42.* Composé de nombreux hameaux, Orbey s'allonge dans la verdoyante vallée de la Weiss entre des hauteurs sillonnées de sentiers dont la fraîcheur attire et retient le touriste.

Après Orbey, la route s'élève dans le vallon de Tannach puis, décrivant un grand lacet, continue, sinueuse et en corniche, offrant de jolies vues sur la vallée de la Weiss dominée par le piton du Grand Faudé.

Plus loin, elle change de versant et procure une belle vue en avant et à gauche sur la vallée du Walbach, le Galz et son monument, la plaine d'Alsace. Laissant le hameau de Labaroche à gauche, on remarque bientôt en avant le Grand Hohnack et, plus à droite et tout proche, le piton conique du Petit Hohnack, avant d'atteindre la route qui ramène aux Trois-Épis *(p. 171)*.

OTTMARSHEIM

Carte Michelin n° **87** - pli 9 — *Schéma p. 127* — 1 848 h. (les Ottmarsheimois)

Ce petit bourg, situé en bordure de l'immense forêt de la Harth, n'a longtemps été célèbre que par son église, unique exemple de l'architecture carolingienne en Alsace. Maintenant, Ottmarsheim est également connu par son usine hydro-électrique, la seconde des huit usines qui s'élèvent sur le Grand Canal d'Alsace *(détails p. 127 et 128)*.

Église★. — Elle fut consacrée par Léon IX, vers 1050. C'est un très curieux édifice octogonal, copie réduite de la chapelle palatine d'Aix-la-Chapelle. Ces monuments circulaires ou polygonaux, caractéristiques de l'architecture carolingienne, sont très rares. On les a pris longtemps pour des temples païens ou des baptistères. En fait, celui d'Ottmarsheim est l'église d'une abbaye bénédictine fondée au milieu du 11ᵉ s.

Le clocher, dans sa partie supérieure, est du 15ᵉ s. ainsi que la chapelle rectangulaire accolée au Sud-Est, alors que la chapelle gothique orientée fut construite en 1582 à gauche de l'abside. L'intérieur présente un octogone régulier entouré d'un bas-côté de même forme, surmonté d'une tribune. L'octogone central est couvert d'une coupole. A gauche de l'abside carrée, une porte, avec grille en fer forgé du 16ᵉ s., donne accès à la chapelle gothique. Au-dessus de l'entrée, sept médaillons funéraires du 18ᵉ s.

Centrale hydro-électrique★. — L'usine d'Ottmarsheim *(illustration p. 20)*, le bief et les écluses réalisés de 1948 à 1952 constituent le deuxième tronçon du Grand Canal d'Alsace, première phase de l'aménagement du Rhin *(voir p. 128)* entre Bâle et Lauterbourg.

Écluses. — Très différentes de celles de Kembs, elles marquent sur ces dernières un double progrès : esthétique et pratique. A Kembs, les écluses sont de même largeur, 25 m, et de longueurs différentes, 185 m et 100 m; leurs portes levantes glissent entre d'énormes pylônes. Ce décalage des écluses et leur lourde superstructure résultent de la technique de l'époque.

A Ottmarsheim, les écluses sont de même longueur, 185 m, et de largeurs différentes, 23 m et 12 m, ce qui ne cause aucun déséquilibre pour l'œil. Leur fermeture est assurée à l'amont par des portes busquées et à l'aval par des portes levantes qui coulissent dans les parois des écluses. La pression de l'eau sur les portes, quand elles sont fermées, les fait adhérer à la paroi et assure l'étanchéité. Le poste de commande seul domine les deux sas.

La montée ou la descente du plan d'eau, beaucoup plus rapide qu'à Kembs (3 m par minute dans le petit sas, ce qui constitue le record d'Europe) permet un éclusage plus rapide : 19 minutes à Kembs, contre 11 minutes à Ottmarsheim, dans le petit sas, et 27 minutes à Kembs contre 18 à Ottmarsheim, dans le grand sas.

Usine. — La salle des machines est plus claire et semble plus vaste que celle de Kembs. Ses quatre groupes, d'une puissance totale maximale de 156 000 kW, produisent en moyenne 980 millions de kWh par an.

PETIT BALLON (Massif du) ★

Carte Michelin n° **87** - plis 17 et 18 — *Schéma p. 135*.

Le Petit Ballon ou **Kahler Wasen,** bien que formé de roches sédimentaires anciennes et non de roches granitiques, présente une croupe arrondie. C'est le domaine du « chaume », prairie naturelle, où montent les troupeaux durant la belle saison et où les « marcaires » fabriquent le fameux « munster ».

De Munster au Petit Ballon — *17 km — environ 2 h — schéma p. 135*

Quitter Munster (p. 106) par le D 417, route de Colmar, que l'on abandonne après 5 km pour tourner à droite dans le D 40.

Après Soulzbach, prendre à droite le D 2, route pittoresque qui remonte la vallée verdoyante du Krebsbach, où alternent les pâturages et les forêts.

A **Wasserbourg,** on emprunte une route forestière et on atteint les prairies d'où, à hauteur de l'auberge du Rieth, on découvre une belle vue sur la crête du Hohneck. Après un court passage sous bois, ce sont de nouveau les pâturages, au milieu desquels s'élève la Ferme-Restaurant du Kahler Wasen. La **vue★** s'étend, fort belle, sur Turckheim, au débouché de la vallée de la Fecht, la vallée elle-même et les hauteurs qui la dominent et, au-delà, par temps clair, sur la plaine d'Alsace.

Petit Ballon★★ (alt. 1 267 m). — *De la Ferme-Restaurant du Kahler Wasen, 1 h 1/4 à pied AR.* Superbe **panorama★★** : à l'Est, sur la plaine d'Alsace, les collines du Kaiserstuhl et la Forêt-Noire; au Sud, sur le massif du Grand Ballon; à l'Ouest et au Nord sur le bassin des deux Fecht.

De Munster au Markstein — *22 km — environ 1 h 1/4 — schéma p. 135*

Quitter Munster (p. 106) à l'Ouest par le D 10.

Metzeral. — 989 h. (les Metzeralois). *Lieu de séjour, p. 42.*

Continuer dans le D 10 en direction de Sondernach. Au-delà de cette localité, la route s'élève à travers des prairies encadrées de bois. Avant un lacet à gauche, jeter un coup d'œil à droite sur le Petit Ballon au sommet gazonné. La route sinueuse pénètre en forêt et décrit deux lacets. Du second, une belle vue se révèle sur la vallée de Munster et, dominant le paysage, Hohrodberg, à flanc de montagne. De beaux sapins bordent la route. Aussitôt avant un nouveau lacet la vue se porte sur la vallée de la Fecht que jalonnent Sondernach et Metzeral. Au fond se silhouettent Hohrodberg et les sommets des Vosges; plus à droite, la croupe du Petit Ballon domine tout le massif. Dans le virage suivant, se détache à droite la route vers Schnepfenried, but d'une belle excursion.

Schnepfenried★. — *A 1 km au départ du D 27.* Cette station de sports d'hiver possède plusieurs remonte-pentes. Grâce à son excellente situation, elle devient un centre fréquenté. Elle offre un beau **panorama★** sur le massif du Hohneck, au flanc duquel on distingue le barrage et le lac de Schiessrothried et, plus à droite, sur Munster et les hauteurs qui dominent sa vallée. Du sommet du Schnepfenried (alt. 1 258 m), au Sud, accessible par un sentier *(1 h à pied AR),* **tour d'horizon★** sur la chaîne du Grand Ballon au Brézouard, la vallée de la Fecht, la Forêt-Noire et, par temps très clair, l'Oberland Bernois.

Montée continue dans les bois où les hêtres prennent le pas sur les sapins. Après une courte descente, on atteint la région des pâturages : belle vue à droite sur le massif du Hohneck.

La route, changeant de versant, offre ensuite une vue sur la vallée de la Thur. Prendre à gauche la route des Crêtes. Au passage sous un téléski, on découvre une vue plongeante sur le lac de la Lauch, la vallée de Guebwiller et la plaine d'Alsace.

Le Markstein. — *Page 77.*

Du Markstein à Munster — *39 km - environ 1 h 1/4 — schéma p. 135*

La route du Markstein à Lautenbach par la vallée de la Lauch est décrite p. 77.

Lautenbach★. — *Page 77.*

Faire demi-tour à l'église de Lautenbach et ressortir de l'agglomération; tourner à droite dans la route forestière du col de Boenlesgrab.

Après deux lacets, la route en forte montée offre une belle vue à gauche sur la vallée de la Lauch et le Grand Ballon dont on distingue l'hôtel un peu en contrebas. On arrive au col de Boenlesgrab.

A gauche du restaurant du col s'embranche le chemin d'accès du Petit Ballon.

Petit Ballon★★. — *2 h à pied AR. Description p. 120.*

Le chemin forestier suivi à la descente est rocheux par endroits. De beaux peuplements de hêtres et de sapins le bordent puis la forêt devient plus jeune. A mi-parcours, très belle vue à gauche sur la vallée du Krebsbach, sur les villages de Soultzbach et de Walbach dans la vallée de la Fecht et, au-delà, sur les Trois-Épis, que domine à droite le Galz. Au cours de la descente en forêt qui suit le carrefour de Firstplan, quelques échappées à gauche laissent entrevoir la croupe du Petit Ballon.

Peu après Soultzbach, prendre à gauche le D 417 vers Munster (p. 106).

PFAFFENHOFFEN

Carte Michelin n° **87** - pli 3 — *Schéma p. 185* — 2 306 h.

Ce bourg industriel (chaussure, métallurgie) fut au 16ᵉ s. l'un des lieux de rassemblement des « Rustauds » en révolte *(voir p. 146).* Il conserve des vestiges de son enceinte fortifiée, quelques maisons anciennes et une église catholique dont la nef date du 15ᵉ s. (restaurée).

Musée de l'Imagerie peinte et populaire alsacienne★. — *38 (au 1ᵉʳ étage), rue du Dr Albert-Schweitzer (rue principale). Visite les mercredis, samedis et dimanches, sauf les jours fériés de 14 h à 17 h. Entrée : 4 F.*

Ce musée fait connaître l'originale tradition alsacienne des **images peintes à la main** (sur papier ou vélin, au dos d'une plaque de verre, sur un objet) par les gens du peuple ou par des artistes locaux pour illustrer un événement familial, un gage d'affection, etc.

Parmi les images présentées (surtout des 18ᵉ et 19ᵉ s.), on remarque notamment : un ensemble de peintures « sous verre », la plupart d'inspiration religieuse, dont la plus ancienne (Sainte Françoise) date de 1756; des « églomisés », autre variété de peintures sous verre, à fond noir et dorures; des collections de « canivets » (médaillons sur papier), de « souhaits de baptême » (le plus ancien, décoré, datant de 1696), d'œuvres de peintres imagiers connus de la région (19ᵉ s.); des souvenirs de conscription et de régiment, ainsi que plusieurs centaines de « petits soldats de Strasbourg » en carton découpé.

En outre, le musée organise une exposition, renouvelée chaque trimestre, consacrée à d'autres thèmes de l'imagerie.

PHALSBOURG

Carte Michelin n° **87** - pli 14 — *Schéma p. 66* — 4 348 h. (les Phalsbourgeois).

Le nom de cette petite ville, fondée au 16ᵉ s., puis fortifiée par Vauban, était bien connu naguère des écoliers français pour qui « Le Tour de la France par deux enfants » tenait lieu à la fois de livre de lecture, de leçons de choses, de cours d'histoire, de géographie et de morale. Qui ne se souvenait d'André et de son petit frère Julien, quittant Phalsbourg « par un épais brouillard du mois de septembre » et franchissant la porte de France, leur baluchon sur l'épaule.

Phalsbourg a fourni aux armées de la République et de l'Empire un grand nombre d'officiers supérieurs, justifiant le mot de Napoléon « une pépinière de braves ».

Porte de France. — Sa décoration extérieure, faite de trophées, est intéressante.

Porte d'Allemagne. — Remarquer sa décoration extérieure et une plaque commémorant la visite de Goethe à Phalsbourg le 23 juin 1770.

Musée. — *Visite du 15 mars au 1ᵉʳ novembre de 14 h à 17 h et en outre de 9 h à 11 h les mercredis et samedis, de 10 h à 12 h les dimanches et jours fériés. Entrée : 5 F.*

Installé au 1ᵉʳ étage de l'hôtel de ville, situé place d'Armes, il est consacré au romancier **Erckmann** (natif de Phalsbourg) et à son collaborateur **Chatrian,** ainsi qu'à l'histoire locale.

On y verra : des souvenirs des deux écrivains lorrains, des généraux nés à Phalsbourg, et du maréchal Mouton, vaillant militaire, dont Napoléon disait : « Mon Mouton est un lion ! » ; des documents relatifs aux trois sièges de Phalsbourg (1814, 1815 et 1870) et à sa libération en 1944, dont l'ordre d'opération du 22 novembre 1944, signé de la main du général Leclerc; des œuvres d'artistes locaux, une collection d'armes, d'uniformes, de costumes folkloriques lorrains et de taques de cheminée.

PLOMBIÈRES-LES-BAINS ★

Carte Michelin nº 62 - pli 16 — *Schéma p. 100* — 3 379 h. (les Plombinois) — *Lieu de séjour, p. 42.*

Plombières s'allonge dans la pittoresque vallée de l'Augronne. C'est une station hydrominérale renommée et un agréable lieu de séjour.

Les eaux de Plombières sont employées dans le traitement des maladies du tube digestif et des rhumatismes.

De l'empire romain au royaume d'Italie. — Les Romains fondent à Plombières un vaste établissement thermal. Détruite lors des invasions barbares, la station renaît au Moyen Age et depuis cette époque ne cesse de s'accroître et de recevoir des personnages illustres. Les ducs de Lorraine sont, naturellement, ses fidèles clients. Montaigne y fait une cure en 1580 et Voltaire y passe plusieurs saisons. Mesdames Adélaïde et Victoire, filles de Louis XV, s'y rendent en 1761 et 1762 avec une suite nombreuse. L'impératrice Joséphine et la Reine Hortense y séjournent souvent; c'est en présence de l'Impératrice qu'en 1802 l'ingénieur Fulton fait l'essai sur l'Augronne du premier bateau à vapeur. La duchesse d'Orléans se trouve aux eaux, en 1842, lorsqu'elle apprend la chute mortelle de son mari sur la route de Neuilly.

Enfin, Napoléon III fait plusieurs séjours à Plombières, au cours desquels il décide des embellissements considérables, et c'est là que le 20 juillet 1858 il a, avec le ministre italien Cavour, la célèbre entrevue au cours de laquelle se décide l'avenir de l'Italie et, par contre-coup, la réunion de la Savoie à la France.

■ CURIOSITÉS *visite : 1 h*

Plombières thermal. — On peut en faire la visite en suivant l'artère centrale la plus animée de la ville, constituée par les rues Stanislas et Liétard. On découvre ainsi :

— Le **Bain Stanislas (A)**, autrefois Maison des Dames du Chapitre de Remiremont, à gauche, qui date de 1735. Le salon et l'escalier sont intéressants. Visite *(organisée de mai à septembre les mardis, jeudis et samedis : à 15 h)* de l'étuve romaine et de la galerie des captages thermaux (parcours souterrain de 500 m).

— Parmi les maisons édifiées au 18ᵉ s. (balcons en fer forgé), à droite, la **Maison des Arcades (B)**, élevée en 1762 aux frais du Roi Stanislas dont les armes sont sculptées sur la façade. Au rez-de-chaussée, sous les arcades, derrière une grille en fer forgé, voir la source du Crucifix.

— Le **Bain Romain (D)**, construit en sous-sol, dont le vestibule en forme de rotonde présente d'importants vestiges de la piscine romaine (gradins et statue d'Auguste).

— Le **Bain National (E)**, à gauche, dont le hall reproduit celui des thermes de Julien. Bâti sur ordre

PLOMBIÈRES-LES-BAINS

0   300 m

Église (Pl. de l')	2
Français (Av. Louis)	3
Franche-Comté (Av. de)	4
Gaulle (Av. du Gén. de)	6
H.-de-Ville (R. de l')	7
Léopold (Av. du Duc)	8
Liétard (R.)	10
Stanislas (R.)	12

de Napoléon Iᵉʳ (buste de l'Empereur), il a été reconstruit en 1935, mais conserve sa façade du 1ᵉʳ Empire.

Les **Thermes Napoléon (F)**, qui ne sont pas sur cet itinéraire, furent construits par Napoléon III, dont on voit la statue dans le vaste hall.

Musée Louis-Français (M). — *Visite du 1ᵉʳ mai au 30 septembre de 14 h à 18 h. Fermé le mardi. Entrée : 3 F.*

Œuvres du peintre Louis Français, né à Plombières, et de ses amis de l'École de Barbizon : Corot, Courbet, Diaz, Monticelli, Troyon...

Parc National. — Il fut tracé par Haussmann. Remarquer les beaux arbres aux essences rares.

EXCURSIONS

Fontaine Stanislas. — *A 4 km, au Sud-Ouest. Quitter Plombières par ④ du plan, D 20. A 1 km, tourner à gauche deux fois de suite.* Parcours agréable dans une belle forêt de hêtres dont les sous-bois sont magnifiques. *A 1 500 m de la dernière bifurcation, prendre à gauche le chemin de la Fontaine Stanislas.* De la terrasse de l'hôtel, belle vue sur la vallée. Toute proche, la petite source jaillit d'un rocher couvert d'inscriptions datant du 18e s.

Remiremont; Cascade du Géhard★; Cascade de Faymont. — *Circuit de 47 km - environ 2 h — schéma p. 100. Quitter Plombières par ① du plan, N 57.* La route quitte bientôt la pittoresque vallée de l'Augronne pour escalader le plateau formant ligne de partage des eaux entre les bassins de la Méditerranée et de la Mer du Nord, puis redescend vers la vallée de la Moselle qu'elle atteint à Remiremont.

    Remiremont. — *Page 126.*

Quitter Remiremont par ③ du plan, D 23. Montée pittoresque dans un vallon verdoyant puis en forêt. *A 3,5 km, prendre à gauche le D 57.* Peu après la Croisette d'Hérival, appuyer à droite dans une route forestière goudronnée, étroite et sinueuse, qui s'engage dans la belle forêt accidentée d'Hérival : superbes sous-bois hérissés de rochers.

Peu après avoir laissé à gauche le chemin du Girmont et un café, on atteint la cascade du Géhard.

    Cascade du Géhard★. — Située en contrebas de la route, à gauche. Elle bondit et bouillonne en une série de cascades tombant dans des marmites de géants. En période de pluie, elle est magnifique.

Après avoir laissé à gauche la maison forestière du Breuil et, à droite, le chemin d'Hérival, prendre à gauche la route qui suit la vallée de la Combeauté ou vallée des Roches.

    Vallée des Roches. — Profond défilé resserré entre deux magnifiques versants boisés.

Peu après l'entrée de Faymont, près d'une scierie, tourner à droite. Cinquante mètres plus loin, laisser la voiture et prendre à pied un chemin forestier qui, après un parcours de 300 m, aboutit à la cascade de Faymont.

    Cascade de Faymont. — Le site est remarquable par sa parure de résineux et de rochers.

    Le Val-d'Ajol. — 5 623 h. (les Ajolais). *Lieu de séjour, p. 42.* Chef-lieu d'une des communes les plus étendues de France, le Val-d'Ajol est constitué par plus de 60 hameaux disséminés dans la vallée où les usines (métallurgie, confection) sont nombreuses.

Tourner à droite en direction de Plombières, 1 800 m après un lacet à droite, la route offre une jolie vue à droite sur la vallée. Peu après, sur la gauche et en arrière, un chemin en montée conduit à la Feuillée Nouvelle, à 100 m.

    La Feuillée Nouvelle. — Aux abords de l'ancien restaurant, aujourd'hui abandonné, on découvre une belle **vue★** sur le Val d'Ajol.

On laisse sur la gauche la piscine du Petit Moulin, peu après avoir pris, à droite, la N 57 qui ramène à Plombières.

Vallées de l'Augronne et de la Semouse. — *Circuit de 33 km - environ 1 h — schéma p. 100.*

    Vallée de l'Augronne. — *Quitter Plombières par ③ du plan;* le D 157 bis suit la vallée de l'Augronne. La rivière, abondante et claire, anime un joli paysage de prairies et de forêts.

    Aillevillers-et-Lyaumont. — 2 033 h. Rue Ch.-Lacombe, près de l'église, une ferme aménagée abrite un **musée hippomobile** (*visite de 9 h à 12 h et de 14 h à 19 h, du 1er avril au 1er octobre; entrée : 5 F*) exposant les voitures à chevaux et des traîneaux, du 19e s., ainsi que des jouets du début du 20e s.

D'Aillevillers, par le D 19, rejoindre à la Chaudeau, au Nord, le D 20 qui fait remonter la vallée de la Semouse.

    Vallée de la Semouse. — Magnifiquement boisée, cette vallée, appelée aussi «Vallée des Forges», en raison des usines métallurgiques qui s'y dissimulent dans la verdure, est pleine de fraîcheur et de calme. Sinueuse, très encaissée, elle est juste assez large pour contenir la rivière, la route et parfois d'étroites prairies. Les eaux rapides de la Semouse, qui donnent la vie aux tréfileries et aux laminoirs échelonnés le long de son cours, animent également plusieurs scieries.

Le D 63, qui ramène à Plombières, procure, dans une descente très rapide qu'il convient d'emprunter avec prudence, une très jolie vue sur la ville.

LES GUIDES VERTS MICHELIN

Paysages

Monuments

Routes touristiques

Géographie, Économie

Histoire, Art

Itinéraires de visite

Plans de villes et de monuments

Un choix de 33 guides pour vos vacances

Carte Michelin n° **57** - pli 13 — 15 058 h. (les Mussipontains).

Pont-à-Mousson doit son nom et son origine au pont qui, dès le 9e s., franchissait la Moselle au pied de la butte féodale de Mousson.

Ce rôle de tête de pont a valu à la ville d'être bombardée en 1914-1918 et en 1944.

L'usine de la Société des Fonderies de Pont-à-Mousson, qui s'étend entre le canal latéral à la Moselle et la N 57, produit des tuyaux pour canalisations d'eau et de gaz.

L'Athènes lorraine. — Au milieu du 16e s., la Réforme fait, en Lorraine, de rapides progrès. Pour avoir un clergé capable de les enrayer, Charles III fonde, le 5 décembre 1572, une Université lorraine qu'il installe à Pont-à-Mousson. Pour son entretien, les abbayes de Metz, Toul et Verdun versent, chaque année, une redevance de 2 500 écus d'or. L'Université, dirigée par les Jésuites, connaît vite un grand succès.

Pendant la guerre de Trente Ans, la peste et la famine dispersent les élèves. En 1699, Léopold, duc de Lorraine *(voir p. 108)*, réorganise l'Université et crée un jardin botanique. Au siècle suivant, elle est transférée à Nancy. En dédommagement, Pont-à-Mousson reçoit une école royale militaire. Duroc, natif de Pont-à-Mousson, futur maréchal du Palais de l'Empereur, y fit ses études.

Le passage de la Moselle, en 1944. — Au début de septembre, l'infanterie américaine de l'armée Patton, venant de Verdun, engage les premiers combats avec une division blindée allemande dont les chars, dissimulés dans les bois à l'Ouest de Pont-à-Mousson, défendent le passage de la Moselle. Pour neutraliser toute résistance, le 3 septembre au soir, les Américains bombardent la ville où ils feront leur entrée le lendemain.

Les Allemands, coupant derrière eux le pont, ont installé leurs batteries sur la rive droite de la rivière et tiennent solidement la butte de Mousson. Durant deux semaines, Pont-à-Mousson et Mousson vont être les cibles réciproques de l'artillerie des deux adversaires. Le 12 septembre, deux régiments passent la Moselle quelques kilomètres en amont, à Manharel, et établissent la première tête de pont américaine entre Toul et Thionville. Les Allemands sont délogés de la butte le 18 septembre.

■ **PRINCIPALES CURIOSITÉS** *visite : 1 h 1/2*

Place Duroc★. — Elle est bordée de maisons à arcades du 16e s. Au centre se dresse une fontaine monumentale, offerte à la ville par des ambulanciers américains. Sur le pourtour s'élèvent quelques édifices remarquables : la **maison des Sept péchés capitaux (F)** avec ses jolies cariatides figurant les péchés, le Château d'Amour **(K)** flanqué d'une tourelle Renaissance où séjournaient les ducs de Lorraine, et l'hôtel de ville.

Ancienne abbaye des Prémontrés★ (B). — *Visite de 8 h 30 à 12 h 30 et de 14 h à 18 h 30; fermé le dimanche matin, les 1er janvier et 25 décembre. Entrée : 8 F. Restriction possible lors des manifestations du Centre Culturel.*

C'est un bel exemple de l'architecture monastique du 18e s. Séminaire sous la Res-

PONT-A-MOUSSON

taturation, puis hôpital, l'abbaye est devenue depuis 1964 un Centre Culturel de Rencontre. Elle est aussi le Siège du Centre Européen d'Art Sacré et du Parc Naturel Régional de Lorraine.

Façade. — Restaurée. Ses trois étages sont soulignés par des frises d'une fine élégance.

Bâtiments conventuels. — Autour d'un joli cloître et ouvrant sur trois galeries vitrées s'ordonnent les anciennes salles communes des moines (chauffoir, réfectoire, salle capitulaire, grande sacristie etc.).

Les trois **escaliers★** retiennent particulièrement l'attention : le petit escalier rond, au coin du cloître, près du chauffoir, extrêmement élégant dans son mouvement en spirale; l'escalier de l'Atlante, de l'autre côté de la salle de concert, ovale, majestueux, une des plus belles pièces de l'abbaye; enfin le grand escalier carré, à droite en sortant de la sacristie, dont la vaste cage s'élève jusqu'au 2e étage, masqué par la belle rampe de fer forgé, en avancée, qui s'arrête au 1er niveau.

Intérieur de l'ancienne abbatiale. — Il comporte une nef principale et deux collatéraux presque aussi hauts qu'elle, supportés par des doubleaux baroques qui reposent sur des chapiteaux corinthiens. Les colonnes qui soutiennent l'ensemble sont légèrement galbées. Dans l'ancien chœur, observer les vestiges d'une décoration baroque *(en cours de réaménagement)*. Dans les niches, de part et d'autre du chœur, groupes sculptés.

Un plancher mobile permet de transformer l'abbatiale en salle de spectacles.

■ AUTRES CURIOSITÉS

Hôtel de ville (H). — *S'adresser au concierge.*

Cet édifice du 18ᵉ s., décoré d'un fronton, est surmonté d'une horloge monumentale que soutiennent deux aigles dont l'un porte en sautoir la croix de Lorraine.

A l'intérieur, on voit de belles boiseries *(salon de réunion, 2ᵉ étage),* des tapisseries du 18ᵉ s., d'après des cartons de Le Brun évoquant l'épopée d'Alexandre le Grand *(salle des mariages, 1ᵉʳ étage)* ou des scènes mythologiques *(salle du conseil, 2ᵉ étage).*

Église St-Martin (A). — Elle fut édifiée aux 14ᵉ et 15ᵉ s., et agrandie de chapelles latérales aux 17ᵉ et 18ᵉ s. La façade (15ᵉ s.) est flanquée de deux tours, différentes par la disposition de leurs étages supérieurs octogones.

A l'intérieur, remarquer la chaire sculptée du 18ᵉ s. et l'ancien jubé utilisé comme tribune d'orgues. Dans le bas-côté droit, un enfeu de style flamboyant abrite deux gisants : côte à côte, un chevalier du 13ᵉ s. — le mieux conservé — et une dame du 15ᵉ s. Dans le chœur, sept tableaux du 18ᵉ s. sont surmontés de sept grandes châsses. Dans le bas-côté gauche, Mise au tombeau à treize personnages, œuvre d'atelier mi-champenoise, mi-germanique, de la première moitié du 15ᵉ s. (remarquer les costumes des trois soldats endormis au premier plan), dont s'est sans doute inspiré Ligier Richier pour le sépulcre de St-Mihiel, un demi-siècle plus tard.

Église St-Laurent (D). — Le chœur et le transept datent des 15ᵉ et 16ᵉ s. Le portail central et les deux premiers étages de la tour sont du 18ᵉ s., le reste de la façade est de 1895.

A l'intérieur, remarquer dans le bas-côté droit un Christ de Ligier Richier et le triptyque en bois polychrome d'un retable du 16ᵉ s. d'origine anversoise; dans le bas-côté gauche, une Pietà du 16ᵉ s. provenant de la collégiale Ste-Croix et une statue du Christ portant sa croix; dans le chœur, belles boiseries du 18ᵉ s.

Maisons anciennes. — Rue Clemenceau, nᵒ 6. Jolie petite cour intérieure, reconstituée dans son état ancien, avec puits Renaissance, balcon et meubles lorrains.

Rue St-Laurent, au nᵒ 9, balcon dans la cour; au nᵒ 11, façade de briques avec chaînages de pierre; au nᵒ 19, maison Renaissance construite en 1590; au nᵒ 39, maison natale du général Duroc.

Rue de la Poterne, au nᵒ 2, maison Renaissance avec belle porte aux vantaux finement décorés.

Ancien Collège des Jésuites (E). — *On ne visite pas.* C'est dans cet édifice qu'était installée l'ancienne Université de Pont-à-Mousson; très endommagé, il a été reconstruit (remarquer la porte 17ᵉ s. au milieu de l'aile droite). La belle cour d'honneur a retrouvé son aspect primitif.

EXCURSIONS

Butte de Mousson★. — *7 km à l'Est, puis 1/4 h à pied AR. Quitter Pont-à-Mousson par ① du plan, N 57. A 200 m, suivre à droite le D 910 et 3 km plus loin, tourner à gauche vers Lesménils pour accéder au D 34 à droite, 400 m plus loin, vers le village de Mousson.* Au sommet de la butte a été élevée une chapelle de style moderne.

Les ruines sont celles du château féodal des comtes de Bar. De ce belvédère *(parking) :* **panorama★** sur le pays lorrain et sur la Moselle au pied de la célèbre côte.

Signal de Xon. — *4 km au Nord-Est. Quitter Pont-à-Mousson par ① du plan, N 57, puis suivre le D 910. A 3 km, tourner à gauche vers Lesménils puis, au sommet de la côte, encore à gauche. Après 1 km, laisser la voiture et atteindre à pied le signal.* Belle vue sur Pont-à-Mousson et la vallée de la Moselle.

Centrale thermique de Blénod. — *5 km au Sud (à l'Est de la N 57). Quitter Pont-à-Mousson par ③ du plan.*

Reconnaissable de loin à ses bâtiments cubiques précédés de quatre cheminées en ligne, hautes de 125 m, c'est, avec ses quatre groupes de 250 000 kW chacun, une importante centrale thermique. Prévue pour utiliser le charbon et le fuel, elle ne fonctionne plus qu'au charbon.

Vallée de l'Esch. — *17 km au Sud-Ouest. Quitter Pont-à-Mousson par ③ du plan, et dans Blénod, après l'église, prendre la route de Jezainville (2ᵉ à droite).* A l'entrée de Jezainville, se retourner pour voir, dans l'axe de la route, la butte de Mousson et, sur la droite, la centrale thermique de Blénod.

On pénètre dans la charmante vallée de l'Esch, cœur de la « Petite Suisse Lorraine ». La route étroite, tantôt s'abaisse au niveau de la petite rivière, que l'on voit sinuer à travers les pâturages, tantôt monte au sommet d'une colline d'où se découvre un paysage harmonieux et verdoyant.

Griscourt. — 96 h. Petit village champêtre. Du chevet de l'église, vue reposante sur les prairies de la vallée.

De Griscourt à Martincourt, la route suit, à mi-pente de la vallée encaissée de l'Esch, la lisière de la forêt.

Prény. — 165 h. *13 km au Nord. Quitter Pont-à-Mousson par ④ du plan, D 952. A Pagny-sur-Moselle, prendre à gauche le D 82.*

Dominant le village, on peut voir, sur une colline de 365 m, d'importantes ruines, restes d'un château féodal du 9ᵉ s. démantelé par Richelieu. Les tours, reliées entre elles par de hautes murailles, formaient un ensemble imposant. Ce fut, avant Nancy, la principale résidence des ducs de Lorraine. De ces ruines, beau panorama sur la vallée de la Moselle.

Carte Michelin n° 🔲🔲 - pli 16 — *Schéma p. 100* — 11 499 h. (les Romarimontais) — *Lieu de séjour, p. 42.*

Joliment située dans la haute vallée de la Moselle, Remiremont, siège d'une célèbre abbaye, est aujourd'hui réputée pour ses industries et ses ateliers de confection.

Le Chapitre des Dames de Remiremont. — Un noble d'Austrasie nommé Romaric choisit, au 7e s., le confluent de la Moselle et de la Moselotte pour y fonder un monastère. Mais, bientôt, des abbesses remplacent les solitaires et donnent naissance au célèbre Chapitre, riche, puissant et qui relève directement du Saint-Siège et de l'Empereur. Les chanoinesses, toutes de très haute lignée — elles doivent faire preuve de seize quartiers de noblesse — vivent dans des hôtels érigés autour du couvent. Seules la mère-abbesse, qui porte le titre de princesse du Saint-Empire, et ses deux assistantes prononcent des vœux de célibat, les autres religieuses sont libres, mais cependant astreintes aux offices.

Durant des siècles, le Chapitre fut l'un des plus importants de l'Occident. La Révolution mit fin à sa prospérité. Parmi les quelque 60 abbesses qui l'ont dirigé, certaines sont restées célèbres : Catherine de Lorraine qui repoussa Turenne en 1638 lorsqu'il assiégea la ville, Marie-Christine de Saxe, tante de Louis XVI, Louis XVIII et Charles X, enfin la dernière, Louise-Adélaïde de Bourbon, fille du prince de Condé.

■ PRINCIPALES CURIOSITÉS

visite : 1/2 h

Rue Charles-de-Gaulle★. — Ses maisons à arcades fleuries la rendent très pittoresque.

Église Notre-Dame. — On remarquera, dans le chœur, une belle décoration de marbre du 17e s. Dans la chapelle à droite du chœur, statue (11e s.) de N.-D.-du-Trésor. Au-dessous du chœur s'étend une **crypte★** du 11e s., flanquée de chapelles où sont déposés quelques sarcophages.

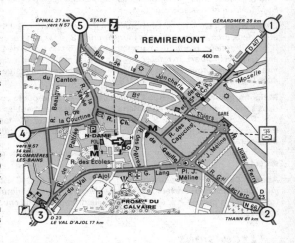

■ AUTRES CURIOSITÉS

Ancien palais abbatial (J). — Accolé à l'église, cet édifice, de style classique, possède une belle façade. C'est aujourd'hui le Palais de Justice.

Musée municipal (Fondation Ch. de Bruyère) (M). — *70, rue Ch.-de-Gaulle. Visite de 10 h à 12 h et de 14 h à 18 h en saison ou 17 h hors saison. Fermé les mardis, certains jours fériés et les dimanches du 15 janvier au 28 février. Entrée : 4 F.*

Le rez-de-chaussée consacre trois petites salles à l'habitat (cuisine, chambre) et l'artisanat (métier à tisser, poteries) vosgiens du 19e s., une salle aux peintres locaux (Waidmann, Adler...) et une autre aux plans et gravures de l'ancienne abbaye. Une galerie extérieure fait office de musée lapidaire.

A l'étage sont exposés des manuscrits précieux et des tapisseries provenant de l'ancienne abbaye, des sculptures gothiques lorraines, de belles faïences du 18e s., des tableaux des écoles italiennes, flamandes, françaises, particulièrement des peintres lorrains.

Musée Charles-Friry (M1). — *12, rue Général-Humbert. Visite du 1er mai au 31 octobre, de 14 h à 18 h. Fermé le mardi. Entrée : 5 F.*

Ancien hôtel des Chanoinesses, formé de deux maisons contiguës du 18e s., il contient des collections de documents, statues, objets d'art, hérités des Dames de Remiremont ou se rapportant à l'histoire locale et régionale, ainsi que de nombreuses peintures (Crucifixion, du Tintoret; Descente de croix, de Rembrandt), gravures (de Goya, Callot) et pièces de mobilier, d'époques et de provenances diverses.

Dans le jardin, qui reconstitue en partie le « Grand Jardin » de l'abbaye, on trouve deux fontaines ornementales et quelques autres vestiges anciens.

Promenade du Calvaire. — Belle vue sur la ville et la vallée de la Moselle.

Actualisée en permanence,

la **carte Michelin au 200 000e** bannit l'inconnu de votre route :

— évolution et aménagement du réseau routier;

— caractéristiques (largeur, tracé, profil, revêtement)
de toutes les routes, de l'autoroute au sentier;

— bornes téléphoniques de secours...

Équipez votre voiture de **cartes Michelin** à jour.

Le RHIN EN ALSACE ★★

Cartes Michelin n°s 57 - pli 20, 62 - plis 10 et 20, 87 - plis 3 à 10.

Le Rhin atteint l'Alsace un peu en aval de Bâle et la quitte à Lauterbourg. Dans ce trajet relativement court, il descend de 250 m à 110 m d'altitude : de là vient la rapidité de son cours et son aspect impétueux. Victor Hugo a dit de lui : « Il est glauque, transparent, limpide, joyeux de cette grande joie qui est propre à tout ce qui est puissant. »

Anciens caprices. — Jadis, le Rhin dispersait ses eaux dans la plaine et il lui prenait souvent fantaisie de changer de lit. A Strasbourg même, l'un des bras du fleuve pénétrait dans les murs de la grande cité alsacienne : l'actuelle rue d'Or marque son emplacement et l'Ancienne Douane (reconstruite) rappelle le temps, pas très éloigné, où la batellerie marchande passait à travers la ville.

Les crues du Rhin étaient redoutables et, pour cette raison, aucune ville, pas même Strasbourg, ne s'est établie immédiatement sur ses bords. En cas de montée des eaux, les riverains prenaient la garde jour et nuit auprès des digues. Malgré cela, les catastrophes étaient fréquentes et maint village alsacien fut englouti.

De 1840 à 1878, de grands travaux furent entrepris pour lutter contre les eaux. On construisit un lit artificiel, large de 200 à 250 m, pour en faciliter l'écoulement.

La navigation. — Le Rhin a toujours constitué une voie idéale pour la navigation et un instrument d'échanges commerciaux entre les pays riverains. Aux 8e et 9e s., les bateliers strasbourgeois le descendaient jusqu'à la mer du Nord pour vendre du vin aux Anglais, aux Danois et aux Suédois. A la fin du Moyen Age, ces mêmes bateliers dominaient le Rhin, de Bâle à Mayence. Leur corporation était la plus importante des corps de métiers strasbourgeois. A plusieurs reprises, elle tint tête aux princes riverains et à l'Empereur lui-même. 5 000 rouliers, disposant de 20 000 chevaux, transportaient vers l'intérieur les marchandises débarquées à Strasbourg. Sous le Ier Empire, la navigation connut une ère de prospérité considérable. En 1826, les premières lignes régulières de vapeurs sur le Rhin font escale à Strasbourg.

Malheureusement, les travaux de régularisation et d'endiguement exécutés dans la plaine d'Alsace au 19e s. ont provoqué un approfondissement continu du lit du Rhin à raison de 6 à 7 cm par an. Des fonds rocheux se sont découverts et ont rendu difficile sinon impossible en période de basses eaux, la navigation. Et c'est la décadence du trafic.

Pour ramener bateaux, chalands et péniches sur le Rhin alsacien, et notamment au port de commerce ouvert en 1882 à Strasbourg, la France conçoit en 1920 un projet qui remédie à la situation. Le principe consiste à dériver une part importante du débit du fleuve entre Bâle et Strasbourg dans un canal latéral, à pente et à vitesse très faibles, coupé par des écluses permettant d'assurer la continuité de la navigation fluviale.

■ LE GRAND CANAL D'ALSACE ET L'AMÉNAGEMENT DU RHIN★★

Le creusement du canal d'Alsace a été décidé en vue d'exploiter les importantes réserves d'énergie électrique du Rhin entre Bâle et Strasbourg et d'améliorer les conditions de la navigation. La longueur totale du Grand Canal d'Alsace constitué par les quatre biefs de Kembs, Ottmarsheim, Fessenheim et Vogelgrün, dépasse 51 km. Sa largeur varie de 110 à 140 m (Suez : 100 à 120 m; Panama : 91,50 m).

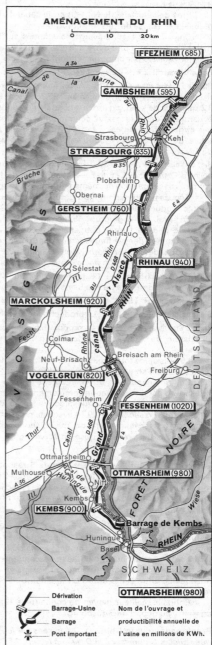

AMÉNAGEMENT DU RHIN

0   10   20 km

IFFEZHEIM (685)

GAMBSHEIM (595)

Strasbourg — Kehl

STRASBOURG (835)

Plobsheim

Obernai

GERSTHEIM (760)

Rhinau

RHINAU (940)

Sélestat

MARCKOLSHEIM (920)

Colmar

Neuf-Brisach — Breisach am Rhein

Freiburg

VOGELGRÜN (820)

Fessenheim

FESSENHEIM (1020)

Ottmarsheim

Mulhouse — OTTMARSHEIM (980)

Kembs

KEMBS (900)

Barrage de Kembs

Huningue

Bâle

SCHWEIZ

DEUTSCHLAND

FORÊT NOIRE

	Dérivation
	Barrage-Usine
	Barrage
	Pont important

OTTMARSHEIM (980)

Nom de l'ouvrage et productibilité annuelle de l'usine en millions de KWh.

Le RHIN EN ALSACE★★

Il est intéressant de noter que le remorquage ou la propulsion se fait avec une puissance de traction inférieure au quart de celle qui est nécessaire sur le Rhin, ce qui ajoute à l'intérêt économique de l'œuvre. Le tonnage annuel de fret transporté dans les deux sens est actuellement de l'ordre de 10 millions de tonnes; plus de 30 000 bateaux par an empruntent maintenant ce canal que longe une route ouverte au public.

Il a débuté par la construction, de 1928 à 1932, du bief de Kembs dont le barrage constitue l'unique ouvrage de retenue sur le fleuve pour les quatre premiers biefs du Rhin.

> **Visite des aménagements hydro-électriques du Rhin.** — *En dehors des interruptions dues aux nécessités de service, les visiteurs sont admis à Fessenheim, Rhinau et Vogelgrün, sur des balcons permettant d'observer la salle des machines.*
>
> *Visite tous les jours du 1ᵉʳ avril au 30 septembre de 8 h à 19 h; le reste de l'année, de 8 h à 17 h. Le public est également autorisé à se rendre sur les voies et ponts-routes dominant les écluses de ces trois aménagements ainsi que ceux de Strasbourg et Gambsheim.*

Ouvrages de Kembs★. — *Page 84.*

Près de la localité de Niffer, part le canal de Huningue, vers Mulhouse. Le Corbusier a étudié la 1ʳᵉ écluse de liaison Rhin-Rhône.

Chacun des biefs suivants échelonnés sur le canal comprend également une usine hydro-électrique et une double écluse de navigation : les opérations d'éclusage sont généralement suivies par un public attentif.

Bief d'Ottmarsheim★. — *Page 120.*

Bief de Fessenheim★. — 1956. Après être passé devant la **centrale nucléaire de Fessenheim**, construite en 1971, mise en service en 1978, et dont la productibilité annuelle escomptée est de 12 milliards de kWh, on arrive au bief de Fessenheim. Il mesure environ 17 km de longueur et comporte des écluses qui, comme celles d'Ottmarsheim, ont la même longueur, 185 m, et des largeurs différentes, 23 et 12 m. Son usine présente quatre groupes d'une puissance totale de 166 000 kW dont la productibilité annuelle moyenne est de 1 020 millions de kWh.

Bief de Vogelgrün★. — 1959. Les caractéristiques de l'usine sont sensiblement les mêmes que celles d'Ottmarsheim et de Fessenheim : bief de 14 km comportant des écluses constituées par deux sas parallèles de même longueur (185 m).

Son usine possède quatre groupes d'une puissance totale maximale de 130 000 kW dont la productibilité annuelle moyenne est de 820 millions de kWh.

En aval de Vogelgrün, l'aménagement du fleuve comporte 4 autres biefs mais substitue au canal latéral, pour chacun d'eux :
— une retenue dans le fleuve, créée par un barrage;
— un canal dérivant les eaux jusqu'à l'usine hydro-électrique et les écluses de navigation;
— un canal de restitution de ces eaux au Rhin.

Bief de Marckolsheim. — Le premier bief du Rhin canalisé a été achevé en 1961; la productibilité annuelle de son usine est de 920 millions de kWh.

Bief de Rhinau. — 1963. La productibilité annuelle de l'usine est de 940 millions de kWh.

Bief de Gerstheim. — 1967. La productibilité annuelle de l'usine est de 760 millions de kWh.

Bief de Strasbourg. — 1970. La productibilité annuelle de l'usine est de 835 millions de kWh. Un bassin de compensation forme un plan d'eau de 650 ha *(un centre nautique est aménagé)*.

La puissance totale maximale de ces huit usines est de 1 179 000 kW et leur productibilité moyenne annuelle d'énergie de l'ordre de 7 milliards de kWh.

Cet aménagement du Rhin, mené à bien par la France, est prolongé en aval de Strasbourg par une réalisation complémentaire, franco-allemande cette fois, les deux États se partageant par moitié l'énergie produite : celle des deux biefs de **Gambsheim** (en territoire français, mis en service en 1974 avec une productibilité annuelle de 595 millions de kWh) et d'**Iffezheim** (en territoire allemand, mis en service en 1977 avec une productibilité annuelle de 685 millions de kWh). La mise en service d'un onzième aménagement est actuellement à l'étude.

Les ports rhénans. — Outre le port de Strasbourg qui occupe une place de premier plan *(voir p. 162)*, on peut citer les ports de Colmar-Neuf-Brisach et de Mulhouse-Ottmarsheim, mis en liaison avec leur arrière-pays par des jonctions directes entre le Grand Canal d'Alsace d'une part, le canal de Huningue et le canal du Rhône au Rhin d'autre part, et déjà entourés d'une zone portuaire et d'une zone industrielle.

Points de vue sur le Rhin. — Pour avoir une idée de l'importance du trafic rhénan et de la beauté du fleuve, on poussera une pointe sur sa berge. Un quart d'heure est vite écoulé à observer cette belle voie mouvante et — là où le Rhin n'est pas doublé par le Grand Canal d'Alsace — les bateaux montants et descendants, en notant leur nationalité.

Outre la promenade au pont de l'Europe *(p. 162)* que fera tout visiteur de Strasbourg, il est facile, entre Lauterbourg et Strasbourg, d'accéder au Rhin par l'une des routes qui le relient au D 468.

Enfin, le meilleur moyen de connaître le Rhin est d'effectuer sur le fleuve une courte croisière, au départ de Strasbourg.

Promenades sur le Rhin. — *Organisées par le Port Autonome de Strasbourg, 25 rue de la Nuée-Bleue. S'adresser à la Direction (voir p. 162 : visite du port).*

Carte Michelin n° 87 - pli 17 — *Schémas p. 131 et 138* — 4 412 h. (les Ribeauvilléens) — *Lieu de séjour, p. 42.*

Ribeauvillé *(illustration p. 15),* qui fut le domaine de la très puissante maison de Ribeaupierre, occupe un site pittoresque au pied des Vosges. Ce bourg doit sa célébrité à ses vins fameux : le Traminer et le Riesling, et aux « Sœurs de Ribeauvillé » *(voir p. 37).*

Le Pfifferdaj. — Ribeauvillé est encore le théâtre d'une des dernières fêtes traditionnelles alsaciennes, celles des Ménétriers ou Pfifferdaj (jour des fifres), d'origine très ancienne, qui a lieu le premier dimanche de septembre. Ce jour-là, les musiciens ambulants de la région se réunissaient dans la ville pour honorer leur suzerain, le sire de Ribeaupierre. Ils formaient une corporation puissante dont les statuts étaient enregistrés par le Conseil souverain de Colmar. Aujourd'hui, le Pfifferdaj est une fête folklorique avec cortège historique et dégustation gratuite à la « Fontaine du Vin » place de l'hôtel de ville.

■ CURIOSITÉS *visite : 3/4 h*

Tour des Bouchers★ (A). — Cet ancien beffroi séparait autrefois la ville haute de la ville moyenne. La partie inférieure date du 13e s. La partie supérieure, ornée d'une galerie et de gargouilles et qui porte le cadran d'une grande horloge, fut construite en 1536.

Fontaine Renaissance (A E). — Construction en grès rouge.

Pfifferhüs (restaurant des Ménétriers) **(B).** — Sur une loggia, au-dessus de la porte, deux statues figurent l'Annonciation.

Hôtel de ville (A H). — *Visite de 16 h à 18 h.*
Un petit musée y est installé : pièces d'orfèvrerie et hanaps, en vermeil, des seigneurs de Ribeaupierre.

Église paroissiale St-Grégoire-le-Grand (A R). — A signaler le tympan du portail Ouest de cet édifice des 13e-15e s. et les belles ferrures de la porte. Dans la nef, remarquer l'alternance des piliers forts et faibles, souvenir de l'école rhénane et les beaux chapiteaux. Dans le bas-côté droit, Vierge

(D'après photo Marasco)

Ribeauvillé. – La tour des Bouchers.

à l'Enfant en bois peint et doré du 15e s., portant la coiffe de la région; buffet d'orgues du 18e s.

Nids de cigognes (B D). — Aux entrées Sud et Est de la ville, deux vieilles tours sont surmontées de nids habités de cigognes.

Maisons anciennes. — En flânant dans la rue du Couvent, la rue des Juifs, la rue Klobb et dans la Grand'Rue, on verra des maisons des 16e et 17e s.

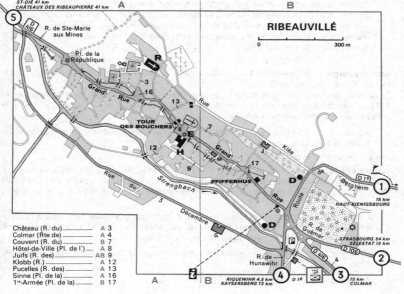

Château (R. du)	A	3
Colmar (Rte de)	A	4
Couvent (R. du)	B	7
Hôtel-de-Ville (Pl. de l')	A	8
Juifs (R. des)	AB	9
Klobb (R.)	A	12
Pucelles (R. des)	A	13
Sinne (Pl. de la)	A	16
1re-Armée (Pl. de la)	B	17

EXCURSIONS

N.-D. de Dusenbach; Châteaux du Haut-Ribeaupierre et de St-Ulrich★. — *4 km, puis 2 h 1/2 de marche et de visite* — *schéma p. 131. Quitter Ribeauvillé par ⑤ du plan :* de la Grand'Rue, on a une belle vue d'enfilade sur les ruines du château de St-Ulrich.

Laisser la voiture sur une aire de stationnement située en bordure du D 416, à 600 m environ du couvent de Dusenbach.

N.-D. de Dusenbach. — Ce lieu de pèlerinage groupant une chapelle de la Vierge et une église néo-gothique, a été trois fois dévasté depuis sa fondation au 13e s., sa dernière reconstruction datant de 1894.

La **Chapelle de la Vierge**, rebâtie en style roman, occupe une situation impressionnante, à l'extrémité d'un promontoire en à-pic sur le ravin. A l'intérieur, peintures murales de Talenti (1938), et, au-dessus de l'autel, petite statue miraculeuse de **Notre-Dame,** émouvante Pietà du 15e s. en bois polychrome.

Revenir à pied sur le Chemin Sarassin : à 50 m de l'entrée du parking, prendre à gauche le sentier qui conduit aux châteaux. A mi-parcours, faire halte au **Rocher Kahl**, éboulis granitique d'où l'on a une belle vue plongeante sur la vallée du Strengbach et ses versants boisés. Le chemin aboutit à un important carrefour de sentiers forestiers : prendre, en face, celui, étroit et montant, qui est signalé « Ribeauvillé par les châteaux ». On atteint les ruines du Haut-Ribeaupierre.

Château du Haut-Ribeaupierre. — Du faîte de son donjon, encore en bon état et facilement accessible, on découvre un magnifique **panorama★★** sur les ballons du Grand Taennchel et du Hochfelsen au Nord-Ouest, le Haut-Kœnigsbourg au Nord, Ribeauvillé et la plaine d'Alsace au Sud-Est.

Faire demi-tour (éviter le sentier direct, abrupt, reliant le Haut-Ribeaupierre à St-Ulrich) et revenir au carrefour forestier; prendre alors le chemin balisé qui descend au château de St-Ulrich.

Château de St-Ulrich★. — Au pied du donjon, s'amorce, à gauche, l'escalier d'accès au château *(1 du schéma ci-dessous).* Le **château** n'était pas seulement une forteresse, comme la plupart de ceux des Vosges, mais une habitation luxueuse, digne des comtes de Ribeaupierre, la plus noble famille d'Alsace après l'extinction de celle d'Eguisheim. L'escalier qui passe sous la porte d'entrée du château (2) donne accès à une petite cour d'où la vue est belle sur les ruines de Girsberg et la plaine d'Alsace. Au fond de cette cour où se trouve une citerne (3), s'ouvre la porte de la Grande Salle (4), romane, couverte autrefois d'un plafond de bois et qui prend jour par neuf belles arcades géminées.

Revenir à la cour de la citerne et prendre l'escalier qui s'y amorce; laisser à droite l'entrée de la tour du 12e s. et gagner la chapelle (5). A l'Ouest de la chapelle s'élève une énorme tour quadrangulaire (6) où l'on monte par un escalier extérieur. Un passage donne accès à la grande cour intérieure (7). Revenir sur ses pas pour visiter les parties les plus anciennes qui comprennent un corps d'habitation roman (8) aux fenêtres ornées de fleurs de lys, une cour (9) et le donjon (10).

Dressé sur un soubassement de granit, le donjon, carré, est construit en grès rouge. Il domine tout l'ensemble du château et constitue un admirable belvédère. Du sommet, auquel on parvient par un escalier de soixante-quatre marches, **panorama★★** sur la vallée du Strengbach, les ruines du **château de Girsberg** (du 12e s., abandonné au 16e s.), Ribeauvillé et la plaine d'Alsace.

Kaysersberg★★; Riquewihr★★★. — *Circuit de 47 km - environ 5 h* — *schéma p. 131. Quitter Ribeauvillé par ⑤ du plan.*

Le D 416 remonte le Strengbach qui coule rapidement à travers la belle forêt de Ribeauvillé. A 7 km, prendre à gauche le D 11ᵛ, en corniche. Entre les arbres, la vue filtre à gauche sur la vallée aux versants couverts de sapins.

Aubure. — 312 h. Station bien située sur un plateau ensoleillé, encadrée par de belles forêts de pins et de sapins.

Prendre, à gauche, le D 11ᴵᴵᴵ.

Au cours de la belle descente du col de Fréland, à 1,5 km après le col, prendre à gauche une petite route étroite. On longe une très belle **forêt de pins★**, l'une des plus belles de France. Les fûts de 60 cm de diamètre, hauts de 30 m, s'élancent droits, au-dessus d'un sous-bois de bruyères.

Sortir de la forêt (belle vue à droite sur le Val d'Orbey) pour aller faire demi-tour à hauteur d'une maison en utilisant une plate-forme cimentée. Revenir au D 11ᴵᴵᴵ. La vue se dégage à gauche sur la vallée de la Weiss et une partie du Val d'Orbey.

Après Fréland, et 1,5 km après avoir laissé à droite la route d'Orbey, tourner à gauche dans la N 415.

Kaysersberg★★. — Page 83.

On atteint la route du Vin que l'on suivra jusqu'à Ribeauvillé, traversant ainsi les petites cités qui s'égrènent sur les coteaux sous-vosgiens, au milieu de vignobles aux crus réputés.

Kientzheim. — *Page 139.*

Sigolsheim, Bennwihr, Mittelwihr. — *Page 139.*

Beblenheim. — 805 h. Le village est adossé à un coteau célèbre, le Sonnenglanz (éclat de soleil). Les 35 ha de son vignoble produisent des crus de très haute qualité : Pinot blanc, Tokay, Sylvaner et Gewurztraminer.

Riquewihr★★★. — *Page 131.*

Hunawihr. — *Page 82.*

Retour à Ribeauvillé.

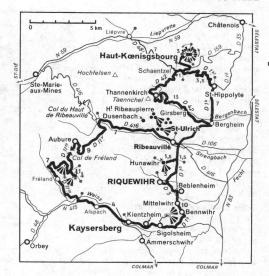

Haut-Kœnigsbourg★★. —

Circuit de 32 km - environ 2 h. Quitter Ribeauvillé par ① du plan, D 1ᴮ. Traversée de Bergheim *(p. 138)* et du vignoble.

St-Hippolyte. — 1 259 h. (les St-Hippolytains). *Lieu de séjour, p. 42.* Charmante petite localité aux nombreuses fontaines fleuries en été. Jolie église gothique des 14ᵉ et 15ᵉ s. Prendre à gauche le D 1ᴮ à l'entrée du village.

A 4,5 km de St-Hippolyte, tourner à droite, puis 1 km plus loin, à gauche. A 300 m, prendre à droite la route à sens unique qui contourne le château.

Haut-Kœnigsbourg★★. — *Page 79.*

Rejoindre le D 1ᴮ¹ que l'on prend à droite, puis tourner à gauche dans le D 42.

De Schaentzel à Lièpvre★. — *6 km, par le D 48¹, au départ du D 42.*
Cette jolie route en descente rapide, bordée de majestueux sapins, procure des vues superbes sur la vallée de la Liepvrette et sur les châteaux ruinés qui dominent cette dernière, au Nord.

Thannenkirch. — 396 h. Charmant village dans un site reposant, environné de belles forêts.

La descente vers la plaine s'effectue par la **vallée du Bergenbach**, profondément encaissée entre des hauteurs boisées.

Après Bergheim, où l'on reprend la route de l'aller, on aperçoit les trois châteaux étagés de St-Ulrich, de Girsberg et du Haut-Ribeaupierre, puis la vue se dégage sur la plaine.

**Pour trouver la description d'une ville ou d'une curiosité isolée,
consultez l'index alphabétique à la fin du volume.**

RIQUEWIHR ★★★

Carte Michelin n° **87** - pli 17 — *Schéma p. 138* — 1 195 h. (les Riquewihriens) — *Lieu de séjour, p. 42.*

Riquewihr, attrayante petite ville d'Alsace, est la perle du vignoble; la production de son Riesling si réputé est une tâche à laquelle, l'une après l'autre, se sont attachées les générations. C'est surtout à l'époque des vendanges qu'il faut saisir cette vie vigneronne. Ayant par bonheur échappé aux ravages de la guerre, la ville apparaît au touriste émerveillé telle qu'elle était au 16ᵉ s.

Les tribulations d'une ville au cours des siècles. — Les villes et les villages ont longtemps constitué une monnaie d'échange. C'est ainsi qu'en 1324, les comtes de Horbourg, seigneurs de Riquewihr, vendent leur fief au duc de Wurtemberg. L'évêque de Strasbourg, tenu à l'écart du marché, lance une expédition de représailles. Pour punir Riquewihr, il faut frapper à la cave. Les soldats absorbent autant de vin que leur robuste capacité le leur permet. Le reste est chargé sur des chariots à destination de Strasbourg.

Riquewihr a maille à partir avec les troupes du duc de Lorraine qui font de fréquentes incursions. Paysans, vignerons et bourgeois leur infligent une sanglante défaite à Scherwiller. Ils ne sont pas toujours aussi heureux mais le vignoble demeure : grâce à ses vins merveilleux, Riquewihr et ses habitants sortent des situations les plus tragiques.

Jusqu'à la Révolution, les ducs de Wurtemberg demeurent les suzerains de la ville de Riquewihr. L'un d'eux, Henri, que l'on nomme « le Fou », exerce sur la cité une véritable terreur. L'archiduc Ferdinand d'Autriche intervient et le fait emprisonner. Son fils, au contraire, laisse à Riquewihr le souvenir d'un prince magnanime et fastueux. Puis vient la décadence. Lorsque Louis XIV passe en Alsace, le duc de Wurtemberg qui vient le saluer se fait remarquer par la pauvre mine de son équipage. Et, plus tard, l'un des derniers ducs empruntera 500 000 livres à Voltaire, sous caution de ses vignobles de Riquewihr...

RIQUEWIHR★★★

■ CURIOSITÉS

visite : 2 h

Laisser la voiture à l'extérieur de la ville. Passer sous l'hôtel de ville et prendre en face la rue du Général-de-Gaulle. A gauche s'ouvre la cour du château, au fond de laquelle il se trouve.

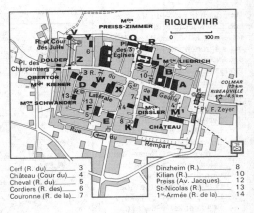

Cerf (R. du)___ 3	Dinzheim (R.)___ 8
Château (Cour du)___ 4	Kilian (R.)___ 10
Cheval (R. du)___ 5	Preiss (Av. Jacques)___ 12
Cordiers (R. des)___ 6	St-Nicolas (R.)___ 13
Couronne (R. de la)___ 7	1ʳᵉ-Armée (R. de la)___ 14

Circulation automobile interdite
à l'intérieur de la vieille ville.

Château. — Élevé en 1539, il n'a gardé que ses fenêtres à meneaux, son pignon couronné de cornes de cerf et sa tourelle d'escalier. Devant le côté Est du château, petit musée lapidaire de plein air et autel de la liberté de 1790.

Musée d'histoire des P.T.T. d'Alsace (M¹). — *Visite de fin mars au 11 novembre, de 10 h à 12 h et de 14 h à 18 h (de 15 h à 19 h les dimanches et jours fériés en saison); en outre, de mi-juillet à fin août, ouvert jusqu'à 21 h le vendredi. Fermé le mercredi sauf en juillet-août. Entrée : 6 F.*

Il occupe quatre salles au rez-de-chaussée (expositions philatéliques) et six salles au 1ᵉʳ étage du château, retraçant l'évolution des moyens de communication usités en Alsace de l'époque gallo-romaine au 20ᵉ s.

Maquettes, documents, photos, timbres, premières cartes postales, mannequins, enseignes de fer forgé, etc., illustrent l'histoire des messagers à pied, de la Poste aux chevaux, de la Poste aux lettres, du télégraphe et du téléphone.

Suivre la rue du Général-de-Gaulle. Au nᵒ 12, **maison Irion** (**A**), datant de 1606, avec oriel d'angle; en face, vieux puits du 16ᵉ s. A côté, **maison Jung-Selig** (**B**), de 1561, avec pans de bois ouvragés.

Maison Liebrich★ (Cour des cigognes). — 1535. Dans sa très pittoresque cour, à galeries de bois à balustres (milieu du 17ᵉ s.), on voit un puits de 1603 et un énorme pressoir (1817). En face de la maison Liebrich, **maison Behrel** (**N**) avec un joli oriel de 1514 surmonté d'une partie ajoutée en 1709.

Prendre la rue Kilian, 2ᵉ à droite.

Maison Brauer (**L**). — Située au fond de la rue, elle présente une belle porte de 1618.

Emprunter ensuite la rue des Trois-Églises.

Place des Trois-Églises. — Elle est encadrée par les anciennes églises St-Erard (**Q**), Notre-Dame (**R**), converties en maisons d'habitations, et un temple protestant du 19ᵉ s. (**S**).

Revenir rue du Général-de-Gaulle.

Maison Preiss-Zimmer★. — 1686. Ancienne hôtellerie de l'Étoile, elle possède de longues figures d'angles. Les baies sont encadrées de torsades, de ceps et de fruits, plusieurs cours successives forment un ensemble pittoresque. L'avant-dernière appartenait à la Corporation des Vignerons.

Dans la ruelle, en face, se trouve l'ancienne cour dîmière (**W**) des sieurs de Ribeaupierre.

Prendre à droite la rue des Cordiers.

Maison Schaerlinger (**Y**). — *Au nᵒ 7.* Elle est décorée de jolies poutrelles sculptées (1672).

En continuant la rue du Général-de-Gaulle on arrive à la rue des Juifs.

Rue et cour des Juifs. — La pittoresque petite rue des Juifs débouche sur la curieuse cour des Juifs, ancien ghetto, au fond de laquelle un étroit passage et un escalier de bois conduisaient aux remparts et à la **tour des Voleurs** (**V**), jadis prison avec salle de torture et oubliette. *Visite : mêmes conditions que le musée de la Société d'Archéologie.*

Au bout de la rue du Général-de-Gaulle, sur la place de la Sinn, se dresse la Porte Haute ou Dolder. A droite remarquer la jolie **fontaine Sinnbrunnen** (**Z**) qui date de 1580.

Dolder★. — Élevée en 1291, cette porte fut renforcée aux 15ᵉ et 16ᵉ s. Les parties supérieures sont fort pittoresques.

(D'après photo La Cigogne, Hachette)

Riquewihr. — Le Dolder.

Musée de la Société d'Archéologie. — *Visite de 9 h à 12 h et de 13 h 30 à 18 h tous les jours du 1er juillet au 15 septembre, les samedis après-midi et les dimanches, de Pâques au 30 juin et du 16 septembre au 1er novembre. Fermé le reste de l'année. Entrée : 1,50 F.*

Il occupe les quatre étages du Dolder. On y accède par l'escalier à gauche de la porte. Il renferme des souvenirs, gravures, armes, ustensiles se rapportant à l'histoire locale (outils, meubles, serrures...).

Passer sous le Dolder pour accéder à l'Obertor.

Obertor (Porte Supérieure). — Remarquer sa herse et la place de l'ancien pont-levis de 1500.

Faire demi-tour, repasser sous le Dolder et descendre la rue du Général-de-Gaulle pour tourner à droite dans la rue du Cerf.

Maison Kiener★. — *Au n° 2.* Datée de 1574, elle présente, surmontée d'un fronton, une inscription et un motif en bas-relief où l'on voit la Mort saisir le fondateur de la maison. La porte en plein cintre est taillée en biais pour faciliter l'entrée des voitures. La cour *(généralement ouverte en saison)* est très pittoresque avec son escalier tournant, ses étages en encorbellement et son puits de 1576. En face, l'ancienne **auberge du Cerf (D)** date de 1566.

Continuer la rue du Cerf puis emprunter en face la rue St-Nicolas.

Maison Schwander. — *Au n° 6.* Construite en 1605, elle présente un escalier en colimaçon, de belles galeries en bois et un puits ancien dans sa cour.

Revenir sur ses pas et prendre à droite la rue Latérale.

Rue Latérale. — Elle possède de belles maisons, parmi lesquelles, au n° 6, la maison de David Irion **(X)** qui a gardé un oriel de 1551.

Tourner à droite dans la rue de la 1re-Armée. Au n° 16, la **maison du Bouton d'Or (E)** remonte à 1566. A l'angle de la maison, une impasse conduit à la maison dite **Cour de Strasbourg (F)** (1597).

Prendre ensuite la rue Dinzheim qui s'amorce devant la maison du Bouton d'Or. On arrive ainsi dans la rue de la Couronne. Au n° 18, **maison Jung (K)** (1683) avec, en face, un vieux puits, le **Kuhlebrunnen.** Plus loin, sur la gauche, maison Dissler.

Maison Dissler★. — *Au n° 6.* Construite en pierre, avec ses pignons à volutes et sa loggia, c'est un intéressant témoin de la Renaissance rhénane (1610).

On regagne ensuite la rue du Général-de-Gaulle que l'on prend à droite vers l'hôtel de ville.

Certains hôtels possèdent leur court de tennis, leur piscine,

leur plage aménagée, leur jardin de repos,

consultez le **guide Michelin France** de l'année.

ROSHEIM ★

Carte Michelin n° 87 - pli 5 — *Schémas p. 55 et 138* — 3 499 h. (les Rosheimois).

Rosheim est une petite ville de vignerons qui a le privilège de posséder, entre les ruines de ses remparts, quelques-uns des édifices les plus anciens de l'Alsace.

Église St-Pierre et St-Paul★. — *Demander la clé au magasin Rohmer, en face. Visite : 1/4 h.* Elle intéressera les amateurs d'archéologie par son architecture caractéristique de l'école rhénane du 12e s. *(voir p. 32).*

Elle a été très restaurée au siècle dernier, puis restituée dans sa pureté primitive en 1968. Construite en grès jaune, elle présente un lourd clocher octogonal, d'époque plus récente que l'église (16e s.), au-dessus de la croisée du transept.

Remarquer les bandes plates qui décorent les murs, appelées « bandes lombardes » parce qu'elles ont été introduites par les Lombards (banquiers italiens qui, avec les Juifs, monopolisaient le commerce de l'argent). Des arcatures courent le long des parties hautes de la nef et des bas-côtés et se relient aux bandes lombardes. Des lions, dévorant des victimes humaines, garnissent le pignon de la façade Ouest (autre influence lombarde). Aux quatre angles de la fenêtre absidale sont figurés les symboles des Évangélistes.

A l'intérieur, alternance de piles fortes et de piles faibles surmontées de chapiteaux sculptés (remarquer particulièrement la couronne de petites têtes, toutes différentes). Orgues Silbermann de 1733 (restaurées). *Un concert de musique spirituelle a lieu dans l'église le jeudi de l'Ascension.*

Portes du Lion, Basse et de l'École. — Vestiges de l'ancienne enceinte de Rosheim.

Puits à chaîne et Zigloeckel. — Sur la place de la Mairie, puits de 1605 et tour de l'Horloge.

Maisons anciennes. — Nombreuses le long de la rue du Général-de-Gaulle et des petites rues adjacentes.

Maison païenne. — Ce serait la plus ancienne demeure d'Alsace. Elle date probablement de la seconde moitié du 12e s. (vers 1160-1170). En pierre, elle présente deux étages percés de petites ouvertures.

De Rosheim, un petit train à vapeur mène à Ottrott *(p. 82)* en 8 km. *Départ à 15 h 30 les dimanches et jours fériés de juillet et août. Se renseigner au ☎ (88) 95.81.14.*

Carte Michelin n° **87** - pli 18 — *Schéma p. 138* — 5 102 h. (les Rouffachois).

Bâtie en plaine à l'abri de ses coteaux couverts de vigne, Rouffach est un centre agricole prospère.

Les femmes de Rouffach. — En 1 106, l'empereur Henri V s'installe dans son château de Rouffach. Le jour de Pâques, le monarque ayant fait enlever une jeune fille, les femmes de Rouffach prennent les armes et, entraînant leurs époux, se lancent à l'assaut du château. L'empereur s'enfuit devant la horde déchaînée; sa couronne, son sceptre, son manteau impérial restent aux mains des assaillantes qui en font offrande à l'autel de la Vierge.

Le privilège du gibet. — « Le gibet de Rouffach est fait de bon bois de chêne : prends garde au gibet de Rouffach... » Tel est le dicton populaire, au 16e s. Un jour, les habitants du village de Pfaffenheim demandent au Conseil de Rouffach de leur prêter son gibet pour y pendre un malfaiteur; ils reçoivent cette fière réponse : « Notre gibet nous appartient, il est payé de notre argent. Il est fait pour nous et pour nos enfants, et non pour des étrangers ».

Monsieur Sans-Gêne. — C'est à Rouffach qu'est né Lefebvre, le mari de la célèbre Madame Sans-Gêne. Devenu maréchal et duc de Dantzig, il n'oublie ni ses humbles origines, ni sa petite ville natale.

Souvent, il séjourne à Rouffach, non chez les riches bourgeois qui seraient honorés de le recevoir, mais dans la pauvre maison de sa mère. « J'irai chez ma mère, dit-il, quand elle n'aurait qu'une paillasse à m'offrir. » Et la vieille femme, jusqu'à sa mort, signe orgueilleusement ses lettres : « Maria, la mère du Maréchal ».

La jonction. — Le 5 février 1945, la 12e D.B. américaine, arrivant de Colmar, fait sa jonction ici avec la 4e Division marocaine de montagne qui vient de prendre Cernay. Le fond de la « poche de Colmar » est coupé *(voir p. 25).*

■ **ÉGLISE N.-D.-DE-L'ASSOMPTION★** *visite : 1/2 h*

Cette église appartient dans son gros œuvre aux 12e et 13e s. La partie la plus ancienne est le transept (11e-12e s.). La nef et le chœur sont du 13e s. La façade et la première travée de la nef, du 14e s. Les tours de la façade et les parties hautes de la tour octogonale qui surmonte la croisée du transept ont été restaurées au 19e s.

Intérieur. — Les grandes arcades sont composées de piles fortes et de piles faibles alternées, comme il est d'usage dans le style rhénan du 12e s. Toutes les colonnes sont surmontées de beaux chapiteaux à crochets.

Dans le croisillon droit, fonts baptismaux octogones (1492). Dans le chœur (contre les piles du carré du transept), élégants escaliers, seuls restes d'un jubé du 14e s. A gauche du maître-autel, joli tabernacle du 15e s. Contre un des piliers de la nef, à gauche, Vierge surmontée d'un dais du 15e s.

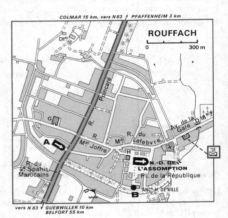

ROUFFACH
0   300 m

AUTRES CURIOSITÉS

Église des Franciscains (A). — Elle fut construite de 1280 à 1300. Les bas-côtés ont été remaniés au 15e s. A l'un des contreforts, est accolée une chaire à balustrade ajourée.
Un nid de cigognes est installé au sommet.

Tour des Sorcières (B). — Elle date des 13e et 15e s. Couronnée de mâchicoulis, elle est surmontée d'un toit à quatre pans que termine un nid de cigognes.

Maisons anciennes. — Sur la place de la République, ancienne halle au blé (fin 15e s. — début 16e s.) et, au fond de la place, à gauche de la Tour des Sorcières, ancien hôtel de ville qui possède une belle façade Renaissance à double pignon. On peut voir trois autres maisons intéressantes aux nos 11, 17 et 23 de la rue Poincaré.

EXCURSION

Pfaffenheim. — *3 km au Nord par la N 83.*
Ce village viticole, ancienne cité dès la fin du 9e s. conserve une église dont l'abside du 13e s., décorée de frises à motifs floraux, présente une galerie aveugle et de fines colonnettes. Les entailles que l'on voit dans les pierres, dans la partie basse, laissent supposer que les vignerons aiguisaient là leurs serpettes.

Les guides Rouges, les guides Verts et les cartes Michelin
composent un tout.
Ils vont bien ensemble, ne les séparez pas.

Carte Michelin n° 87 - plis 17, 18, 19.

La création de cette route stratégique fut décidée pendant la guerre de 1914-1918 par le Haut-Commandement français pour assurer sur le front des Vosges les communications Nord-Sud entre les différentes vallées.

Tracée constamment au voisinage de la ligne de crête, cette route magnifique permet d'admirer les paysages les plus caractéristiques de la chaîne des Vosges, ses cols, ses ballons, ses lacs, ses « chaumes » — domaine estival des troupeaux — et offre des panoramas et des vues très étendues. En outre, elle fait connaître, parmi les champs de bataille de la guerre de 1914-1918, l'un des plus célèbres : celui du Vieil-Armand.

Du Hohneck au Grand Ballon la route des Crêtes est jalonnée de « Fermes-auberges » où, de juin à octobre, sont servis des collations ou des repas composés de mets régionaux.

Du Col du Bonhomme au Col de la Schlucht — *21 km — environ 1 h — schéma ci-dessous*

La route des Crêtes est tracée en forêt sur 50% de son parcours. Au départ du col du Bonhomme *(p. 119),* elle offre de belles échappées à gauche sur la vallée de la Béhine dominée par la Tête des Faux et le Brézouard. Du col du Louchbach, belle vue au Sud sur la vallée de la Meurthe.

Au col du Calvaire, tourner à droite.

La route sortant de la forêt offre des vues à droite sur le Hohneck et les montagnes de Gérardmer en dernier plan; en avant, sur la vallée de la Meurthe et le bassin de St-Dié.

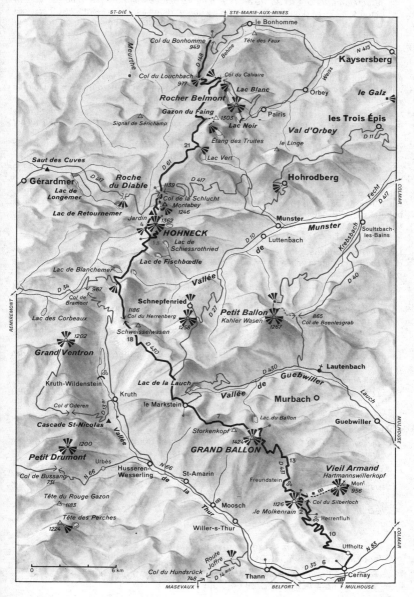

Gazon du Faing★. — *De la route des Crêtes, 3/4 h à pied AR.* Monter, en passant par le sommet du Gazon du Faing (1 303 m) jusqu'à un gros rocher. De cet endroit, la **vue★** est très étendue. Au fond du cirque de Lenzwasen repose le petit étang des Truites transformé en réservoir par un barrage. Au-delà, on aperçoit de gauche à droite : le Linge, le Schratzmaennele, le Barrenkopf; plus à droite, au-delà de la vallée de la Fecht, dans laquelle on aperçoit Munster, une longue crête descend du Petit Ballon; à droite de celui-ci, à l'horizon, se silhouette le Grand Ballon (alt. 1 424 m); plus à droite encore, on aperçoit le Petit Hohneck (1 288 m) et le Hohneck (1 362 m).

Un peu plus loin, vue sur les vallées du Rudlin et du Grand Valtin et les hauteurs dominant le bassin supérieur de la Meurthe (chaume et signal de Sérichamp).

Lac Vert. — A hauteur de la borne Km 5 *(5 km de la Schlucht),* un sentier conduit à une vue sur le lac Vert, appelé également lac de Soultzeren, et la vallée de Munster. Des lichens en suspension donnent leur teinte aux eaux du lac.

Col de la Schlucht. — *Lieu de séjour, p. 42.* Il fait communiquer la vallée de la Meurthe avec celle de la Fecht. Au croisement de la Route des Crêtes et de la route de Gérardmer à Colmar, c'est l'un des passages les plus fréquentés des Vosges. Le col de la Schlucht est, en hiver, une station de ski appréciée.

Sommet du Montabey. — *3/4 h à pied AR.* Quitter le col de la Schlucht, au Sud, par un sentier se détachant du D 430, à gauche, et longeant un téléski. Au sommet, où une tour de 15 m a été élevée, on découvre une **vue★** étendue sur la Forêt-Noire, la plaine d'Alsace, le Donon et, par temps clair, les sommets des Alpes.

Jardin d'Altitude du Haut-Chitelet. — *A 2 km du col de la Schlucht, vers le Markstein, sur le côté droit du D 430.* Visite du 1er juin au 15 octobre, de 8 h à 18 h; durée : 1/2 h. Situé à 1 228 m d'altitude, sur 10 ha de bois et de rocaille, il présente 2 900 espèces de plantes de haute montagne provenant de tous les continents et groupées par régions d'origine. On y trouve en outre une tourbière, et la source de la Vologne.

Du Col de la Schlucht à Thann — *62 km - environ 3 h — schéma p. 135*

A 3 km du col de la Schlucht *(ci-dessus),* la route offre une jolie **vue★** sur la vallée de la Vologne au fond de laquelle on aperçoit les lacs de Longemer et de Retournemer. Au loin, le village de Xonrupt et les faubourgs de Gérardmer (belvédère aménagé).

Hohneck★★★. — *Le chemin d'accès en forte montée s'embranche sur la route des Crêtes à 4 km de la Schlucht (ne pas prendre le chemin privé qui précède — à 3 km — qui est en mauvais état).* Ce sommet, l'un des plus célèbres des Vosges, et l'un des plus élevés (alt. 1 362 m), est le point culminant de la crête qui constituait, avant la guerre de 1914-1918, la frontière franco-allemande. Un splendide **panorama★★★** *(table d'orientation)* s'offre sur les Vosges, du Donon au Grand Ballon, sur la plaine d'Alsace et la Forêt-Noire. Par temps clair, on aperçoit les sommets des Alpes.

La route parcourt les «chaumes» *(voir p. 14).* Sur la droite apparaît le lac de Blanchemer, dans un très beau site boisé. Puis on découvre la haute vallée de la Thur; vue sur le barrage de Wildenstein. Plus loin, la vue est magnifique sur la Grande Vallée de la Fecht; ensuite le lac et la vallée de la Lauch et, au loin, la plaine d'Alsace se révèlent.

Le Markstein. — *Page 77.*

La route, en corniche, offre des vues tantôt sur la vallée de la Thur et le massif du Ballon d'Alsace, tantôt sur la vallée de la Lauch et le Petit Ballon. Au fond d'un entonnoir boisé : le petit lac du Ballon.

Grand Ballon★★★. — Le Grand Ballon ou Ballon de Guebwiller est le point culminant des Vosges (alt. 1 424 m). *Quitter la voiture à hauteur de l'hôtel et emprunter le deuxième sentier à gauche (1/2 h à pied AR).* Un peu en contrebas du sommet s'élève le monument des «Diables Bleus», érigé à la mémoire des bataillons de chasseurs. Du sommet du Grand Ballon, le **panorama★★★** embrasse les Vosges méridionales, la Forêt-Noire et, par temps clair, le Jura et les Alpes.

La descente du Grand Ballon procure des vues superbes et l'on passe à proximité des ruines du château de Freundstein.

Vieil-Armand★★. — *Page 181.*

Le Molkenrain. — *Prendre le chemin qui s'embranche à droite sur le D 431, 2 km plus loin que celui du Vieil-Armand :* vue sur la plaine d'Alsace et la Forêt-Noire.

Revenir au D 431. Dans la descente vers Uffholtz : vues sur la plaine d'Alsace, la Forêt-Noire et, par temps clair, les Alpes.

Cernay. — 10 171 h. Petite ville industrielle; elle possède encore des restes de son enceinte fortifiée du Moyen Age, dont la Porte de Thann qui abrite un petit musée (ouvert en juillet et août, les mercredis et vendredis de 15 h à 17 h).
C'est de Cernay que part *(les dimanches et jours fériés)* le circuit touristique de la vallée de la Doller, en chemin de fer à vapeur, qui mène, en 14 km, à Sentheim *(durée : 1 h; se renseigner au ☎ (89) 82.31.01).*

Par le D 35, gagner Thann (p. 164).

Pêcheurs, respectez la réglementation nationale
concernant la taille minimum des prises.

Rejetez à l'eau les poissons dont les longueurs sont inférieures
à 40 cm pour le brochet, 23 cm pour la truite.

Carte Michelin n° 87 - plis 4 à 6 et 15 à 19.

Sinueuse, la route du Vin joint Marlenheim à Thann par le chemin des écoliers. Au pied des coteaux sous-vosgiens hérissés de vieilles tours et de châteaux en ruines, la route, bien signalisée, nous conduit à travers le vignoble alsacien, reliant bourgades et petites villes aux noms prestigieux : Barr, Mittelbergheim, Bergheim, Ribeauvillé, Riquewihr, etc.

La visite du vignoble au moment des vendanges présente un intérêt tout particulier. Il y règne alors une activité extraordinaire, et le touriste saisit la vie propre de cette population vigneronne, pour laquelle la vigne constitue l'occupation exclusive.

Le vignoble alsacien. — C'est au 3ᵉ s. que l'Alsace a commencé à cultiver la vigne. Depuis ces temps lointains, la région qui constitue le vignoble s'enorgueillit de n'avoir pas d'autre raison d'être.

Bien que la terre soit fertile et permette les cultures les plus variées, tout est sacrifié à la vigne. Le paysage des collines sous-vosgiennes en est tout entier marqué : hauts échalas, gradins, petits murs escaladent les premières pentes de la montagne. La vigne occupe dans la région délimitée à appellation contrôlée 12 000 ha et s'étage de 200 à 400 m d'altitude. La production annuelle, très variable, est d'environ 800 000 hl. Le vin domine la vie du pays, son activité et ses réjouissances, occupant près de 10 000 familles de viticulteurs. En effet le vignoble alsacien est avant tout un vignoble de qualité. Une surveillance permanente, une recherche patiente de l'adaptation des cépages aux sols, l'entretien de ceux-ci nécessitent du vigneron un genre de vie particulier dont on retrouve les traces jusque dans l'habitat. Les très nombreux villages gais et fleuris traversés par la route du Vin, ces « petites villes » du vignoble serrées autour de l'église et de la « maison de ville », sont un des charmes de l'Alsace.

La dégustation des admirables crus du vignoble alsacien ajoute une saveur gastrono-mique à l'intérêt touristique.

① De Marlenheim à Châtenois — *68 km — environ 4 h — schéma p. 138*

Jusqu'à Rosheim, la route n'aborde pas franchement les contreforts des Vosges et les villages ont encore les caractères des villages de plaine.

Wangen. — 611 h. Avec ses rues sinueuses, ses vieilles maisons, les arcs de ses portes de cour, Wangen est un village viticole typique. Jusqu'en 1830 ses habitants devaient chaque année verser à l'abbaye St-Étienne de Strasbourg, propriétaire du village, un impôt de 300 hl de vin. La « fête de la Fontaine » rappelle cette ancienne coutume : le dimanche qui suit le 3 juillet, le vin coule librement à la fontaine de Wangen.

Westhoffen. — 1 386 h. Village typique de vignerons.

Avolsheim. — *Page 49.*

Molsheim★. — *Page 98.*

Rosheim★. — *Page 133.*

A la sortie de Rosheim, en avant et à gauche, sur les premières hauteurs vosgiennes dominant la plaine, apparaissent les ruines du château de Landsberg.

Désormais, la route devient accidentée : dès qu'on s'élève, la vue s'étend sur la plaine d'Alsace, tandis qu'apparaissent, perchés sur des promontoires, les restes de nombreux châteaux : châteaux d'Ottrott, d'Ortenbourg, de Ramstein.

Boersch. — 1 407 h. Boersch conserve trois anciennes portes. Franchissant la porte du Bas, on atteint une **place★** pittoresque entourée de vieilles maisons : la plus remarqua-ble est la mairie (16ᵉ s.). Un puits Renaissance, à colonnes ornées de chapiteaux sculptés, s'élève à l'entrée de la place. Pour sortir de Boersch, on passe sous la porte du Haut.

Ottrott. — *Page 82.*

Obernai★★. — *Page 118.*

Barr. — 4 367 h. C'est une cité industrielle (tanneries réputées dont la spécialité est le box-calf) doublée d'un important centre viticole, produisant des vins de choix : Sylvaner, Riesling et surtout Gewurztraminer. L'annuelle foire aux vins se tient à l'hôtel de ville, bel édifice du 17ᵉ s., décoré d'une loggia et d'un balcon sculpté.
La **Folie Marco**, maison mi-seigneuriale, mi-bourgeoise du 18ᵉ s., s'élève près de l'hôtel de ville et abrite un musée où sont exposés meubles anciens du 17ᵉ au 19ᵉ s., faïences, porcelaines, étains et souvenirs locaux. *Visite accompagnée du 1ᵉʳ juin au 1ᵉʳ novembre de 10 h à 12 h et de 14 h 30 à 18 h. Fermé le mardi. Entrée : 3 F. Caveau de dégusta-tion.*

Mittelbergheim. — *Page 81.*

Andlau★. — *Page 48.*

Dambach-la-Ville. — 2 039 h. Cette pittoresque et coquette cité, centre d'un vignoble renommé, dominée de plus de 500 m par un massif boisé, conserve une enceinte à trois portes avec tours et de nombreuses maisons anciennes, toutes fleuries, avec quel-ques enseignes en fer forgé.
100 m après la porte Haute, tourner à gauche; à la fin de la montée, prendre à droite un chemin qui s'élève jusqu'à la **chapelle St-Sébastien**. Vue étendue sur la plaine d'Alsace et le Vignoble. A l'intérieur de la chapelle, le maître-autel très orné (baroque fin 17ᵉ s.) en bois sculpté, représente la Sainte-Famille; au-dessus, le Saint-Esprit et le Père Éternel et, plus haut, un Saint Sébastien. A l'extérieur, à côté du chœur, ossuaire du 16ᵉ s.
En continuant le chemin *(2 h à pied AR)* on arrive aux ruines du **château fort de Bernstein** 12ᵉ-13ᵉ s.), construit sur une arête granitique, dont il reste un corps de logis et un donjon pentagonal : belle vue sur la plaine d'Alsace.

ROUTE DU VIN ★★★

Scherwiller. — 2 420 h. C'est là que, en 1525, le duc Antoine de Lorraine remporta, sur les paysans alsaciens révoltés, la victoire qui mit fin à la guerre des Rustauds.

Châtenois. — 2 954 h. La ville portait au 12ᵉ s. le nom de Castinetum. On y remarque un curieux clocher roman que terminent une flèche et quatre échauguettes en charpente; une pittoresque porte du 15ᵉ s. appelée « Tour des sorcières », dont le toit est surmonté d'un nid de cigognes.

② De Châtenois à Colmar — *54 km — environ 5 h — schéma ci-contre*

De Châtenois *(ci-dessus)* à Ribeauvillé, la route est dominée par de nombreux châteaux : masse imposante du Haut-Kœnigsbourg, ruines des châteaux de Kintzheim, de Frankenbourg, de St-Ulrich, de Girsberg et du Haut-Ribeaupierre.

St-Hippolyte. — *Page 131.*

Bergheim. — 1 703 h. Sur le bord Est de la route (D 1ᴮ), un tilleul daté de 1300 donne le ton de l'ancienneté de ce bourg viticole dont subsistent la partie Nord, surmontée de trois tours, du mur d'enceinte médiéval, et la Porte-Haute, entrée fortifiée du 14ᵉ s. L'église de grès rouge conserve des éléments de la même époque (abside et chœur) mais est, pour le reste, contemporaine de l'hôtel de ville, bâti au 18ᵉ s.

Cimetière militaire allemand. — *1 200 m au départ de Bergheim. A la sortie Nord de la localité, prendre à gauche une route en montée se détachant du D 1ᴮ.* Cette nécropole aligne sur les pentes d'une colline les sépultures, orientées vers la mère-patrie, de soldats allemands tombés durant la guerre de 1939-1945. De la croix érigée au sommet, beau **panorama★** sur les crêtes vosgiennes avoisinantes à l'Ouest, le château du Haut-Kœnigsbourg au Nord, Sélestat et la plaine d'Alsace au Nord-Est et à l'Est.

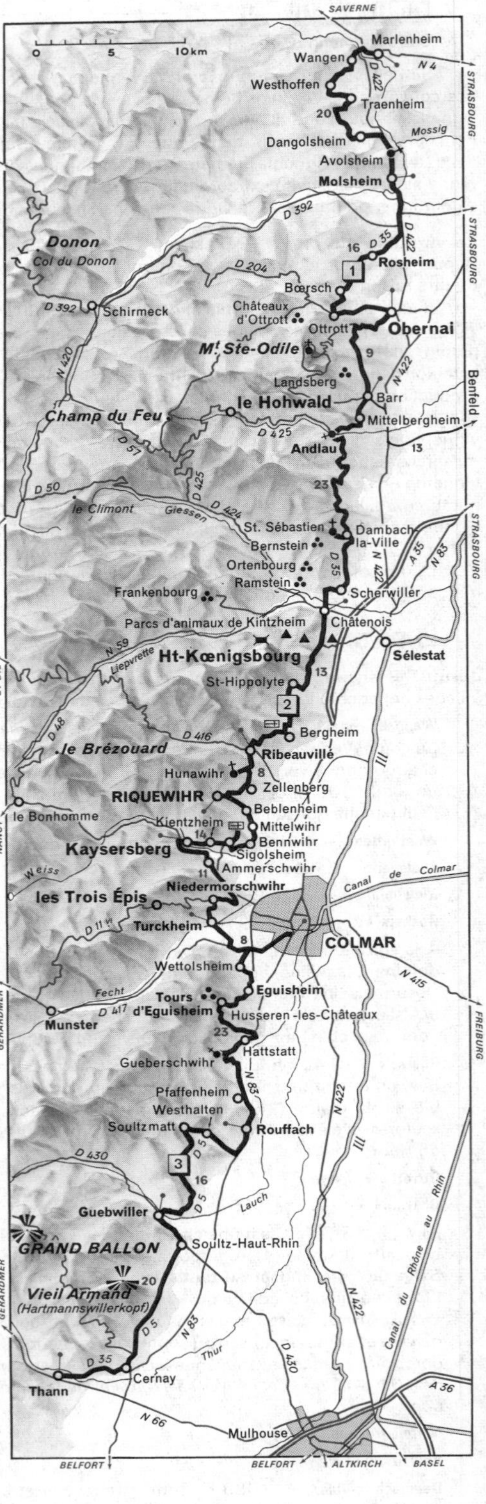

Ribeauvillé★. — *Page 129.*

Au-delà de Ribeauvillé, la route s'élève à mi-pente des coteaux et la vue se dégage sur la plaine d'Alsace. C'est entre Ribeauvillé et Colmar que se trouve le cœur du vignoble alsacien. Villages et bourgs viticoles aux crus réputés se succèdent sur les riches coteaux qui bordent les Vosges : petites cités pittoresques qui raviront le touriste.

Hunawihr. — *Page 82.*

Zellenberg. — 327 h. Petit village juché sur une colline : belle vue sur Riquewihr et le vignoble.

Riquewihr★★★. — *Page 131.*

Beblenheim. — *Page 131.*

Mittelwihr. — 658 h. A la sortie Sud du village, remarquer à droite le « Mur des Fleurs Martyres ». Ce mur fut, pendant l'Occupation, fleuri d'hypomées bleues, de pétunias blancs et de géraniums rouges. Cette floraison tricolore demeura, jusqu'à la Libération, le gage de la fidélité alsacienne. Les coteaux de Mittelwihr — appelé le « Midi de l'Alsace » — bénéficient d'une exposition tellement favorable que les amandiers y fleurissent et même y mûrissent. Le Gewurztraminer et le Riesling qui en proviennent jouissent d'une renommée sans cesse grandissante.

Bennwihr. — 1 197 h. Village fleuri à la belle saison et dont la qualité des vins est universellement reconnue. L'église moderne possède un vitrail qui, s'étirant sur toute la longueur de la façade Sud, laisse pénétrer à l'intérieur de l'édifice une lumière colorée très intense. Remarquer les tonalités très douces des vitraux de la chapelle à gauche.

Sigolsheim. — 946 h. On a situé ici le « champ du mensonge » où campèrent, en 833, les fils de Louis le Débonnaire avant de s'emparer de leur père pour le faire emprisonner. L'église St-Pierre-et-St-Paul date du 12e s. Son portail roman s'orne d'un tympan dont les sculptures rappellent celles de Kaysersberg et d'Andlau. *Emprunter la rue de la 1re Armée (anciennement rue principale) pour gagner, à 2 km au Nord-Est, après le couvent des Capucines, la nécropole nationale.*

Nécropole nationale de Sigolsheim. — *Du parc de stationnement, 5 mn à pied AR. 124 marches.* Son enceinte de grès rouge, entourée de vignes, couronne le sommet d'une colline. Y sont inhumés 1 684 soldats de la 1re Armée française tombés en 1944. Du terre-plein central, majestueux **panorama★** sur les sommets et châteaux avoisinants, ainsi que sur Colmar et la plaine d'Alsace à l'Est.

Kientzheim. — 925 h. Cette petite cité viticole très ancienne conserve plusieurs monuments intéressants, une enceinte fortifiée, de nombreuses vieilles maisons et places, des puits, des cadrans solaires.

La **Porte Basse**, dite du « Lalli », est surmontée d'une tête sculptée qui tire la langue aux passants. Cette tête grimaçante, surplombant une tour imprenable, narguait l'assaillant qui avait franchi la première enceinte. Sur la gauche, bâtiment de l'ancien château, transformé au 16e s., aujourd'hui siège de la confrérie St-Étienne qui contrôle la qualité des vins alsaciens. Il abrite le musée du vignoble.

Des 13e-15e s., l'**église** a une tour gothique très restaurée. A l'intérieur : sur l'autel latéral gauche, Vierge du 14e s. et, à côté, **pierres tombales★** de Lazare de Schwendi, l'importateur présumé du Tokay de Hongrie, mort en 1583, et de son fils.

Dans la sacristie, ancien ossuaire, restaurée, fresques du 14e s. et statues de la Vierge des 14e et 17e s.

A l'intérieur du **sanctuaire St-Félix et Ste-Régule**, remarquer de curieux ex-voto, peintures naïves sur toile ou bois, de 1667 à 1865.

Kaysersberg★★. — *Page 83.*

Ammerschwihr. — *Page 47.*

Niedermorschwihr★. — 553 h. Joli village au milieu des vignes. Le long de sa rue principale, maisons anciennes à oriels *(voir p. 33)* et balcons de bois.

Entre Niedermorschwihr et Turckheim, la route sinue sur une colline couverte de vignes d'où la vue se dégage largement sur la plaine.

Turckheim★. — *Page 172.*

Peu après Turckheim, prendre à gauche le D 417 vers Colmar (p. 60).

③ **De Colmar à Thann** — *59 km - environ 3 h* — *schéma p. 138*

Quitter Colmar (p. 60) par ⑤ du plan, D 417.

Wettolsheim. — 1 558 h. Ce petit bourg revendique l'honneur d'avoir été la patrie du vignoble alsacien; introduite dès le temps de la domination romaine, la culture de la vigne se serait, de là, étendue à tout le pays.

Eguisheim★. — *Page 69.*

La route, très pittoresque, est dominée d'abord par les ruines des trois tours d'Eguisheim, tandis que la vue s'étend largement sur la plaine d'Alsace.

Husseren-les-Châteaux. — 367 h. C'est le point le plus élevé du vignoble alsacien (alt. 380 m). Le village de Husseren, d'où l'on a un beau panorama sur la plaine d'Alsace, est dominé par les ruines des trois tours d'Eguisheim *(voir p. 69)*. C'est d'ailleurs de Husseren que part la « Route des Cinq Châteaux » *(voir p. 69)*.

Hattstatt. — 671 h. Très ancien bourg, autrefois fortifié. L'église, de la première moitié du 11e s., possède un chœur du 15e s. avec un autel en pierre de la même époque. Le baptistère date également du 15e s. A gauche, dans la nef, se trouve un beau calvaire Renaissance. La chaire et le retable sont de style baroque.

Gueberschwihr. — 779 h. Ce village est dominé par un magnifique clocher roman, dernier vestige de son église du début du 12e s.

Pfaffenheim. — *Page 134.*

Rouffach★. — *Page 134.*

Peu après Rouffach, se profile au loin le Grand Ballon *(p. 136)*.

Westhalten. — 761 h. Village pittoresque entouré de vignes et de vergers, possédant deux fontaines et plusieurs maisons anciennes.

Soultzmatt. — 2 040 h. Charmante cité bâtie le long des rives de l'Ombach. Ses vins, Sylvaner, Riesling, Gewurztraminer, sont très appréciés et ses eaux minérales connues. A l'entrée du pays se dresse le **château de Wagenbourg**.

Guebwiller★. — Page 77.

Soultz-Haut-Rhin. — 5 689 h. (les Soultziens). Petite ville ancienne qui a conservé de vieilles maisons, une église gothique et un hôtel de ville de style Renaissance, restauré.

Le D 35 puis à droite le D 5 mènent à Thann (p. 164).

ST-DIÉ ★

Carte Michelin n° 87 - pli 16 — 26 539 h. (les Déodatiens).

St-Dié, située dans un bassin fertile que dominent des côtes de grès rouge couvertes de sapins, doit son origine à un monastère bénédictin fondé au 7e s. par saint Déodat.

La ville est la patrie de Jules Ferry (1832-1893).

Les « fonts baptismaux » de l'Amérique. — C'est dans la « Cosmographiae Introductio », ouvrage imprimé et publié à St-Dié en 1507 par le Gymnase vosgien, assemblée de savants, que le continent découvert par Christophe Colomb fut, pour la première fois, dénommé America.

Destruction. — St-Dié, ravagée quatre fois par le feu au cours de son histoire, a payé d'un nouvel et terrible incendie, le 9 novembre 1944, le départ des troupes allemandes.

■ PRINCIPALES CURIOSITÉS *visite : 1/2 h*

Église N.-D.-de-Galilée★ (E). — Exemple typique de l'architecture romane rhénane *(voir p. 32)*. La façade, d'une grande simplicité, est précédée d'un clocher-porche aux frustes chapiteaux.

L'originalité de la nef consiste en ses voûtes d'arêtes, fait très rare pour un vaisseau aussi large. Les piles fortes et faibles alternent, suivant l'habitude rhénane. Du collatéral Sud une porte donne accès au cloître. A droite du chœur, Vierge à l'Enfant, en pierre, du 14e s.

Cloître gothique★ (S). — Occupant l'intervalle compris entre l'église et la cathédrale, et faisant communiquer ces deux édifices, il est fort beau et vaste. Sa construction, demeurée inachevée, remonte aux 15e et 16e s. On en admire les baies flamboyantes donnant sur la cour, et les voûtes en croisées d'ogives sur faisceaux de colonnettes engagées ou sur pilastres. A un contrefort de la galerie Est, s'adosse une chaire extérieure du 15e s.

Cathédrale St-Dié★ (R). — Sa façade massive, de style classique, est flanquée de deux tours carrées du 18e s. Toutefois, sur le flanc Sud, on découvre un beau portail roman; le vieux tilleul voisin, à droite de la cathédrale, aurait été planté en 1300.

A l'intérieur, le transept,

ST-DIÉ

Dauphine (R.)	2
Hellieule (R. d')	4
Jeanne-d'Arc (Q.)	5
Leclerc (Q. Mar.)	6
Lycée (R. du)	7
Prairie (R. de la)	8
Sadi-Carnot (Q.)	9
St-Martin (Pl.)	10
Stanislas (R.)	12
Thiers (R.)	13
Torrent (Q. du)	15
11-Novembre (R. du)	16

le chœur et l'abside (décorée d'un vaste enfeu), ont été rendus à leur aspect du 14e s. La nef romane, épargnée par le dynamitage de 1944, montre une alternance de piles fortes et faibles (les deux premières, tronçonnées, supportant la tribune) couronnées de chapiteaux sculptés : voir l'acrobate sur le dernier pilier avant le chœur, à droite. Remarquer le rétrécissement des ogives des bas-côtés, à l'entrée du transept. Les doubleaux et voûtes de la nef, sur croisées d'ogives, sont du 13e s.

■ AUTRE CURIOSITÉ

Bibliothèque municipale (D). — *Visite du mardi au samedi, de 9 h à 12 h et de 14 h à 18 h 30.*

Elle possède 150 000 ouvrages, dont 400 manuscrits et 140 incunables avec des livres rares du 12e au 20e s. Le manuscrit le plus précieux de cette collection est un Graduel à miniatures peintes du début du 16e s. La bibliothèque possède un exemplaire de la rarissime « Cosmographiae Introductio », acte de baptême de l'Amérique.

Une salle est consacrée à Jules Ferry et à sa famille : documents manuscrits, photographies, peintures, livres, armes d'Afrique et d'Asie, meubles et souvenirs.

EXCURSIONS

Camp celtique de la Bure. — *7,5 km - puis 3 / 4 h à pied AR. Quitter St-Dié par ④ du plan, N 59; à 4 km, prendre à droite vers la Pêcherie puis, encore à droite, la route forestière de la Bure (chaussée non revêtue à partir de la patte d'oie de la route de Robache).* Au col de la Crenée, laisser la voiture et gagner, par le sentier de crête s'élevant derrière un abri forestier, l'entrée principale du camp *(grand panneau explicatif).*

Objet de fouilles entreprises par la Société Philomatique Vosgienne, ce site archéologique a conservé les traces d'une occupation humaine remontant à quelque 3 000 ans avant J.-C. et ne prenant fin qu'au 4ᵉ s. de notre ère.

Établi sur l'extrémité Ouest (alt. 582 m) de la crête de la Bure, le camp affecte la forme d'un losange aux diagonales longues de 340 m et 110 m. Sa terrasse d'enceinte, émergeant de 40 à 60 cm par endroits, et épais de 2,25 m (3 pas gaulois), supportait une palissade; une porte y a été découverte en 1976. L'entrée Est, côté crête, fut barrée dès le 1ᵉʳ s. avant J.-C. par un mur de 7 m d'épaisseur précédé d'un fossé. Dans le camp même où des sentiers prolongent les 3 chemins d'accès primitifs qu'empruntaient des chars (ornières visibles à l'entrée Nord), on distingue plusieurs bassins dont deux consacrés à des divinités gauloises plus tard latinisées : remarquer, entre autres moulages dressés sur les remparts, la copie de la stèle portant la curieuse effigie d'un cheval-poisson.

Belles **vues★** : à l'Ouest sur la vallée de la Meurthe, au Sud sur le bassin de St-Dié.

De St-Dié au col du Donon. — *43 km - environ 2 h 1 / 2. Quitter St-Dié par ④ du plan, N 59.*

Étival-Clairefontaine. — 2 242 h. (les Stivaliens). Cette petite ville de la vallée de la Meurthe est située sur son affluent la Valdange. Sur les bords de la rivière, on peut voir les restes du Moulin à papier de Pajaille qui date de 1512. Les papeteries modernes (papier d'impression et écriture, articles de correspondance et d'écoliers) ont été déplacées à Clairefontaine, sur les bords de la Meurthe. Reste d'une ancienne abbaye de Prémontrés, bâtie en grès des Vosges, l'**église★** présente une nef centrale romane et des bas-côtés de l'époque de transition du roman au gothique; les façades Ouest et Nord sont du 18ᵉ s. Les travaux de restauration ont mis au jour une piscine du 12ᵉ s. et une armoire eucharistique Renaissance.

Un chemin de fer touristique à vapeur, à voie normale, relie Étival à Senones *(p. 150)* : *départ à 15 h 20 et 17 h 35 les samedis, dimanches et jours fériés de mai à mi-septembre. Renseignements ☎ (29) 57.60.32.*

Moyenmoutier. — 3 854 h. Moyenmoutier (monastère du milieu) doit son nom à une abbaye fondée au 7ᵉ s. par saint Hydulphe entre l'abbaye de Senones et celle d'Étival. De très vastes dimensions, l'**église abbatiale**, rebâtie au 18ᵉ s. est un des plus beaux monuments religieux de cette époque dans les Vosges. Remarquer le buffet d'orgues, copie de l'ancien qui a été transporté à la cathédrale de St-Dié; les stalles, dans l'avant-chœur; une statue du 16ᵉ s. : la Vierge de Malfosse, dans le côté droit de la nef.

Senones. — *Page 150.*

De Senones au col du Donon, la route est décrite p. 150.

ST-JEAN-SAVERNE

Carte Michelin nº 87 - pli 14 — *Schéma p. 185* — 547 h.

L'amateur d'art s'arrêtera dans ce village pour visiter l'église, dernier vestige d'une abbaye bénédictine de femmes, fondée au début du 12ᵉ s. par le comte Pierre de Lutzelbourg et dévastée successivement par les Armagnacs et par les Suédois.

■ CURIOSITÉS *visite : 1 h*

Église. — A l'extérieur, elle est dominée par une tour, ne datant que du 18ᵉ s. mais sous laquelle une porte romane offre des pentures remarquables.

A l'intérieur, très homogène, on remarquera l'alternance rhénane des piles fortes et des piles faibles *(voir p. 32).* Les voûtes, encore assez gauchement ogivales, passent pour être les plus anciennes d'Alsace. Dans le haut du bas-côté droit, à droite du chœur, on a réemployé, à la porte de la sacristie, l'ancien tympan d'une porte qui s'ouvrait sur le côté droit de l'église. Ce tympan, très primitif, représente l'Agneau portant la Croix, sous une décoration de palmettes. A l'entrée du chœur, très beaux chapiteaux cubiques à feuillages stylisés. Les orgues sont du 18ᵉ s. Six tapisseries du 16ᵉ s. proviennent de l'abbaye de Bénédictines.

Chapelle St-Michel★. — *2 km, puis 1 / 2 h à pied AR au départ de l'église St-Jean (ouverte le dimanche seulement). Prendre la route de St-Michel qui s'élève en sous-bois puis, 1,7 km plus loin, un chemin à gauche à angle aigu.*

Chapelle. — Contemporaine de l'abbaye, mais remaniée au 17ᵉ s.

École des Sorcières. — En prenant à droite de la chapelle on atteint, à 50 m, l'extrémité du rocher, constituant une plate-forme d'où la **vue★** *(table d'orientation)* est très étendue sur les coteaux d'Alsace et, au loin, sur la Forêt-Noire. La surface de cette plate-forme est évidée circulairement et le trou ainsi formé est appelé l' « École des Sorcières ».

Trou des Sorcières. — *Revenir à la chapelle;* devant son flanc droit descendre un escalier de 57 marches puis suivre à gauche le chemin longeant le pied de la falaise rocheuse en partie en surplomb. Il permet d'atteindre une grotte dont la paroi du fond communique avec l'air libre par une étroite ouverture, le « Trou des Sorcières ». Dans le sol, à l'entrée de cette grotte, une cavité paraît avoir été creusée pour servir de sépulture.

Carte Michelin n° 57 - pli 12 — *Schéma p. 95* — 5 661 h. (les Sammiellois).

Le passé de cette petite ville est lié à celui d'une abbaye célèbre.

St-Mihiel ou St-Michel fut d'abord une grande abbaye bénédictine fondée en 709 à proximité de la ville actuelle et transférée en 815 sur les bords de la Meuse par l'abbé Smaragde, conseiller de Charlemagne. En 1301, la ville devint une des capitales du Barrois.

Ligier Richier. — Le 16ᵉ s. fut une période brillante pour St-Mihiel : des drapiers et des orfèvres réputés s'y installèrent et surtout la célèbre école sammielloise qui eut pour chef de file Ligier Richier. Fils d'un maître imagier du nom de Jean Richier, il naquit vers l'an 1500 à St-Mihiel. Il groupa dans son atelier quelques compagnons et apprentis. En 1530, son talent dépassait déjà le cadre de sa cité et c'était « le plus expert et meilleur ouvrier en dit art (de tailleur d'images) que l'on vit jamais ».

En 1559, il fut chargé de la décoration de la ville pour l'entrée du duc Charles III et de sa femme Claude de France. Converti au protestantisme, il se retira à Genève où il mourut en 1567. Son œuvre a été considérable. En dehors de ses productions conservées à Bar-le-Duc, on lui attribue le retable d'autel en pierre polychrome de l'église d'Hattonchâtel, la Pietà de l'église d'Étain, le calvaire installé dans le chœur de l'église de Briey et beaucoup d'autres œuvres.

Le « Saillant de St-Mihiel ». — Dès septembre 1914, les Allemands attaquent les Hauts de Meuse, dans l'espoir de tourner Verdun par le Sud. Ils réussissent à pénétrer dans St-Mihiel et à installer une tête de pont sur la rive gauche de la Meuse. Le « saillant » est formé. Pendant quatre ans, les Français ne pourront utiliser la vallée de la Meuse pour communiquer avec Verdun, et tout le ravitaillement en hommes et en munitions devra être acheminé par la « Voie Sacrée » Bar-le-Duc - Verdun. Et pendant ces quatre années, 2 500 Sammiellois seront prisonniers dans leur ville, séparés du reste du monde.

■ CURIOSITÉS

visite : 1 h

Église St-Michel (E). — Cette église abbatiale, qui conserve un clocher carré et un porche roman du 12ᵉ s., a été rebâtie presque complètement à la fin du 17ᵉ s., dans le style bénédictin de l'époque.

Sa large nef de cinq travées est flanquée de bas-côtés simples aussi hauts que la nef, et de chapelles peu profondes. Les voûtes gothiques reposent sur de grosses colonnes cannelées à chapiteaux doriques. Le chœur, très profond, est orné de 80 belles stalles sculptées.

Dans la première chapelle du bas-côté droit, se trouve un chef-d'œuvre de Ligier Richier : **« la Pâmoison de la Vierge soutenue par saint Jean »★**. Ce groupe fut exécuté en 1531. Il faisait partie d'un calvaire comprenant le Christ — dont la tête est aujourd'hui au musée du Louvre — , saint Longin, Marie-Madeleine et quatre anges. L'œuvre, d'une grande simplicité, est extrêmement émouvante.

Le magnifique buffet d'orgues a été sculpté entre 1679 et 1681.

Dans la chapelle des Fonts baptismaux, au bas du bas-côté droit, on voit l'« Enfant aux têtes de morts », œuvre sculptée en 1608 par Jean Richier, petit-fils de Ligier Richier.

Bâtiments abbatiaux (K). — Attenante à l'église St-Michel, la très vaste abbaye, dont la reconstruction fut réalisée par dom Hennezon au 17ᵉ s. est demeurée un ensemble à peu près intact. La façade, de style Louis XIV, est appelée le Palais.

Église St-Étienne (F). — Le vaisseau actuel fut construit de 1500 à 1545. Remarquer la parure de vitraux modernes. Dans l'abside, retable Renaissance.

Le **Sépulcre★** ou Mise au tombeau, exécuté par Ligier Richier de 1554 à 1564, se trouve dans la travée centrale du collatéral droit. C'est un groupe de treize personnages représentant un des épisodes de la Mise au tombeau : pendant que Salomé prépare la couche funèbre, Joseph d'Arimathie et Nicodème soutiennent le corps du Christ, dont Marie-Madeleine, à genoux, baise les pieds et dont Jeanne la Myrrophore, debout, tient la couronne d'épines. Au second plan, la Vierge défaillante est soutenue par saint Jean et Marie Cléophée; à gauche, un ange tient les instruments du supplice; à droite, le chef des gardes médite profondément, tandis que deux de ses hommes jouent aux dés la tunique du Christ.

Falaises. — Elles se composent de sept blocs de roches calcaires, hauts de plus de vingt mètres, adossés aux coteaux de la rive droite. Dans la première roche, dite le Calvaire, a été creusé en 1772 un Saint-Sépulcre, œuvre de Mangeot, sculpteur sammiellois. Du haut de ces rochers, beau panorama sur St-Mihiel et la vallée de la Meuse.

ST-MIHIEL

Bérain (Pl. J.)	2
Carmes (R. des)	3
Carnot (R.)	5
Foch (Pl.)	6
Fort (R. du)	7
Halles (Pl. des)	8
Larzillère-Beudant (R.)	10
Libération (Av. de la)	12
Moines (Pl. des)	13
Nantes (R. de)	15
Pershing (R. du Gén.)	16
Tête-d'Or (R. de la)	18

ST-NICOLAS-DE-PORT ★★

Carte Michelin n° **62** - pli 5 — 7 537 h. (les Portois).

Une magnifique basilique flamboyante s'élève, inattendue, au milieu d'un village industriel. Des chevaliers lorrains, revenant de Terre Sainte, rapportèrent au village de Port une phalange de saint Nicolas. Une église fut édifiée pour abriter cette relique précieuse.

St-Nicolas fut, au Moyen Age, le centre commercial le plus important de la Lorraine et la basilique le but d'un fervent pèlerinage. C'est devant la cité que Charles le Téméraire engagea la bataille de Nancy qui devait lui coûter la vie. Mais elle ne résista pas aux attaques des Suédois en 1635 et ne garda que son église, sanctuaire du patron vénéré de la Lorraine. On en a une belle vue de la route qui longe la rive droite de la Meurthe.

Basilique★★. — Cette église, superbe exemple de style gothique flamboyant, a été construite de 1481 à 1560, grâce au concours financier de René II et d'Antoine, ducs de Lorraine. Elle succède au sanctuaire plus modeste, bâti au 11e s. et dans lequel vint s'agenouiller Jeanne d'Arc, avant de partir pour accomplir sa mission. Jamais d'ailleurs, un Lorrain ne se serait mis en route pour un long ou périlleux voyage sans venir implorer saint Nicolas en son sanctuaire. La basilique, gravement endommagée en 1940, a été complètement restaurée.

Extérieur. — La **façade** peut soutenir la comparaison avec celle de la cathédrale de Toul dont elle a les vastes proportions et les tours élevées. Elle comprend trois portails surmontés de gâbles flamboyants.

Le **portail central** a conservé la statue qui figure le miracle de saint Nicolas (niche de la pile centrale), attribuée à Claude Richier, frère de Ligier, le célèbre sculpteur lorrain.

Les tours s'élèvent à 85 et 87 m. Sur le flanc gauche de la basilique, à hauteur du transept et du chœur, six niches en anses de panier abritaient les boutiques lors des pèlerinages.

De la rue A.-France, beau coup d'œil sur le chevet.

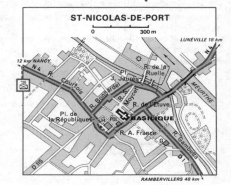

Intérieur. — La basilique présente un plan très régulier malgré la dérivation sensible de l'axe.

La **nef** est un magnifique vaisseau extrêmement élancé, couvert de belles voûtes à liernes et tiercerons, dont les ogives retombent sur de hautes colonnes. Avec leur décoration très simple réduite à une bague, ces fûts jaillissant vers les voûtes sont d'un bel effet.

Les bas-côtés relèvent d'une architecture analogue; à l'emplacement du transept, leurs voûtes soutenues par des piliers extrêmement hardis (les plus hauts de France : ils mesurent 28 m) s'élèvent à la hauteur des voûtes de la nef centrale et donnent l'illusion d'un transept.

A gauche du chœur, qu'entourent de beaux vitraux anciens, une chapelle latérale contient une Mise au tombeau du 16e s.

La chapelle des Fonts, située derrière l'autel de la Vierge, fut l'oratoire qui reçut au 11e s. les reliques de saint Nicolas. Elle abrite d'intéressants fonts baptismaux du 16e s. et un beau **retable** de la première Renaissance française.

STE-MARIE-AUX-MINES

Carte Michelin n° **87** - pli 16 — 6 874 h. (les Ste-Mariens).

Ste-Marie-aux-Mines, petite ville industrielle située dans la vallée de la Liepvrette, est le rendez-vous des amateurs de minéraux, de pierres nobles et de fossiles, à l'occasion de l'exposition organisée chaque année les 1ers samedi et dimanche de juillet. Elle doit son nom aux mines d'argent qui y furent exploitées : on y compta plus de 300 puits d'extraction. *L'ancienne galerie de mine St-Barthélémy peut être visitée, ainsi qu'un petit musée minéralogique et minier (en juillet et août, de 10 h à 12 h et de 14 h à 18 h; 3 F), 70, rue Wilson.*

L'ancienne église des mineurs, du 15e s., ne manque pas d'intérêt.

L'industrie à laquelle Ste-Marie doit son renom mondial est celle du tissage de lainages légers, fabriqués en usine ou à domicile par des artisans qui, depuis le 18e s., se transmettent leurs procédés de travail.

EXCURSIONS

St-Pierre-sur-l'Hâte. — *4 km au Sud par le D 48. Dans Échery, prendre à gauche.*

Ce hameau, joliment situé dans un cadre de versants boisés et jadis siège d'un prieuré bénédictin, possède une église œcuménique, dite «des Mineurs», bâtie aux 15e-16e s., restaurée en 1934, renfermant plusieurs dalles funéraires.

Col de Ste-Marie. — *6 km à l'Ouest par la N 59.* On quitte Ste-Marie-aux-Mines par un vallon verdoyant. Dans la montée *(forte rampe)* qui suit, on laisse à droite un cimetière militaire. Du col (alt. 772 m), un des grands cols des Vosges, belle vue en arrière sur le vallon de la Cude et, en avant, sur le bassin de la Liepvrette, la plaine d'Alsace et le château du Haut-Kœnigsbourg.

Roc du Haut de Faite. — *Du col de Ste-Marie, 1 / 2 h à pied AR. Prendre au Nord un sentier qui se détache à droite d'une pierre tombale.* Du sommet, beau **panorama** sur la crête des Vosges et les versants alsacien et lorrain.

Au-delà du col, la N 59, qui franchit ici la crête des Vosges, se poursuit vers St-Dié *(p. 140)* par les vallées de la Cude, du Blanc-Ruisseau, de la Morte et de la Fave, tributaires de la Meurthe.

Vallée de la Liepvrette★ **(de Ste-Marie-aux-Mines à Sélestat).** — *21 km à l'Est.*

La N 59 suit la fraîche vallée de la Liepvrette, aux pâturages encadrés de grandes forêts de sapins.

Col de Fouchy. — *7 km au départ de Lièpvre par le D 48¹.* La route pittoresque du col de Fouchy met en relation les vallées de la Liepvrette et de la rivière d'Urbeis. Elle atteint cette dernière un peu en amont de Fouchy sur la route du col d'Urbeis *(décrite p. 172).* Du col, belle vue sur le Champ du Feu, reconnaissable à sa tour, et sur les montagnes du Hohwald.

Bientôt, on aperçoit en avant et à gauche, au sommet du Schlossberg, les ruines de Franckenbourg. Dans la même direction, on distingue ensuite le château ruiné d'Ortenbourg, puis à droite le château du Haut-Kœnigsbourg. Les ruines de Ramstein n'apparaîtront qu'ensuite.

Par Val-de-Villé, tout parsemé de jolies villas, la route débouche dans la plaine d'Alsace et gagne Sélestat *(p. 148).*

De Ste-Marie-aux-Mines à Ribeauvillé. — *19 km au Sud-Est — environ 3 / 4 h.*

Aussitôt après Fertrupt, le D 416, en montée sinueuse, procure de belles vues sur la vallée de la Liepvrette.

Le petit **col du Haut-de-Ribeauvillé** (alt. 742 m) sépare la vallée de St-Blaise de celle du Strengbach dans laquelle on descend ensuite. La route serpente à travers la forêt et gagne Ribeauvillé *(p. 129).*

Vous aimez les nuits tranquilles...

chaque année le **guide Michelin France** vous propose un choix révisé
d'hôtels agréables, tranquilles, bien situés.

STE-ODILE (Mont) ★★

Carte Michelin n° 87 - pli 15 — Schéma p. 81.

Le mont Ste-Odile est, très certainement, l'un des points les plus fréquentés de toute l'Alsace. Tandis que le site et le panorama attirent le touriste, la sainteté du lieu inspire les fidèles. Mais, si divers que soient ces visiteurs, ils peuvent difficilement demeurer insensibles à la belle histoire de la sainte alsacienne.

Dans la nuit des temps. — Il est très probable que le Hohenbourg ou mont Ste-Odile était connu des plus lointains de nos ancêtres. Le mur païen est le témoin énigmatique d'un temps reculé, peut-être préhistorique, plus probablement gaulois ou celte. On suppose qu'il servait d'enceinte à un formidable camp retranché. Il est traversé par une voie romaine qui, auprès de ces blocs mégalithiques, fait presque figure de nouveauté.

Sainte Odile d'Alsace. — Le château de Hohenbourg sert de résidence d'été au **duc Étichon**, au 7ᵉ s. *(voir p. 118).* C'est à Obernai que naît la fille de ce duc, Odile. L'enfant, aveugle et laide, provoque le courroux de son père qui désirait un fils. Il ordonne de mettre à mort l'innocente que sa nourrice emporte et élève secrètement. Les années passent, Odile est baptisée, l'onction au saint chrême lui rend la vue et elle est maintenant une belle jeune fille. Sa mère et son frère Hugues croient pouvoir révéler au duc son existence. Étichon, loin de pardonner, tue son fils de ses propres mains. Mais le remords le tenaille. Il croit se racheter en accueillant Odile et en la mariant à un chevalier. Or, la jeune fille n'aspire qu'au ciel : elle résiste et s'enfuit.

Une fois encore, Étichon va commettre un crime. Il se jette à la poursuite de sa fille qui n'est sauvée que par un miracle : un rocher s'entrouvre pour la laisser passer. Étichon s'avoue vaincu. Il accepte de reconnaître la vocation d'Odile et lui fait don de Hohenbourg où elle installe son couvent.

Odile fonda aussi l'abbaye de Niedermunster, aux environs de 700; elle fut détruite au 16ᵉ s., mais on en voit les ruines à l'Est du couvent.

Heurs et malheurs de l'abbaye. — Après la mort de sainte Odile, le couvent devient le but de grands pèlerinages. Il reçoit les plus nobles filles d'Alsace. L'abbesse la plus célèbre est, au 12ᵉ s., **Herrade de Landsberg** qui écrit et enlumine, pour instruire ses religieuses, cet Hortus Deliciarum (jardin des délices), anéanti en 1870, à Strasbourg, par les obus prussiens. C'est un résumé ingénu de l'histoire profane et sacrée depuis la Création.

En 1546, un terrible incendie ravage le monastère. Tout brûle, excepté la chapelle de Ste-Odile, et il faut bien que l'on renvoie les religieuses dans leurs familles. On est en pleine période de propagande luthérienne. Les moniales, en grand nombre, passent à l'ennemi, se convertissent et se marient. Les autres, simplement, oublient leur couvent et l'abbesse doit renoncer à réunir son troupeau dispersé. Il faut un siècle pour que les choses rentrent dans l'ordre.

Vient la Révolution : elle déclare bien national le couvent de Ste-Odile. En 1853, l'évêque de Strasbourg le rachète et le ramène à sa destination.

Une hôtellerie, tenue par les religieuses du couvent, accueille pèlerins et touristes.

■ LE COUVENT★ *visite : 1/2 h*

Le mont Ste-Odile (alt. 764 m) avance au-dessus de la plaine d'Alsace son promontoire aux escarpements revêtus de forêts. Le couvent en occupe la pointe septentrionale.

Nombreux sont les pèlerins et touristes qui y viennent toute l'année et, surtout, pour la fête de sainte Odile (13 décembre). *Voir p. 8.*

Un unique porche, sous l'ancienne hôtellerie, permet de pénétrer dans la grande cour du couvent plantée de tilleuls et encadrée, à gauche par la façade de l'hôtellerie actuelle, au fond par l'aile Sud du couvent, et à droite par l'église.

Église conventuelle. — L'église primitive ayant été détruite par un incendie, celle-ci fut reconstruite en 1687. A l'intérieur, composé de trois nefs, remarquer les confessionnaux du 18e s. richement sculptés.

Dans la cour, à l'emplacement de l'ancien cloître, colonne sculptée du 12e s. représentant la Vierge, Étichon et des abbesses.

Chapelle de la Croix★. — C'est la partie la plus ancienne du couvent : elle remonte au 11e s. Les deux voûtes croisées sont soutenues par une seule colonne trapue, de style roman, au chapiteau décoré de palmettes. Un sarcophage contenait les cendres d'Étichon, père de la sainte. Une porte basse, à gauche, communique avec la petite chapelle Ste-Odile.

Chapelle Ste-Odile. — Ici reposent, dans un sarcophage de pierre du 8e s., les reliques de la sainte. Cette chapelle aurait été édifiée, au 12e s., sur l'emplacement de celle où mourut sainte Odile. La nef est romane et le chœur gothique. Deux bas-reliefs du 17e s. représentent, l'un le baptême de sainte Odile et l'autre Étichon délivré des peines du Purgatoire grâce aux prières de sa fille.

Revenir dans la galerie Est du cloître pour gagner la terrasse. Deux tables d'orientation y ont été installées. L'une à l'angle Nord-Ouest d'où l'on découvre le Champ du Feu et la vallée de la Bruche. L'autre à l'extrémité Nord-Est qui offre un splendide **panorama★★** sur la plaine d'Alsace et la Forêt-Noire. Par temps clair, on peut voir la flèche de la cathédrale de Strasbourg.

Chapelle des Larmes. — C'est la première des chapelles qui s'élèvent à l'angle Nord-Est de la terrasse. Elle est bâtie sur l'ancien cimetière du monastère (plusieurs tombes taillées dans le rocher sont conservées).

On y voit, protégée par une grille, sous une coupole de mosaïque de 1930, une dalle usée, dit-on, par les genoux d'Odile qui venait chaque jour y prier, en pleurant, pour le salut de l'âme de son père.

L'autre chapelle, la chapelle St-Michel ou **chapelle des Anges,** présente une belle mosaïque de 1947; elle est entourée par un étroit passage dominant le précipice. Selon une vieille croyance, la jeune fille qui en faisait neuf fois le tour était assurée de trouver un mari dans l'année.

Fontaine de sainte Odile. — La route de descente vers St-Nabor (D 33) passe devant la source, protégée par une grille, que sainte Odile fit jaillir du rocher pour calmer la soif d'un vieillard venu implorer la guérison de son enfant aveugle. Cette source est un but de pèlerinage pour ceux qui souffrent des yeux.

■ LE MUR PAÏEN *1/2 h à pied AR*

Prendre à gauche, à la sortie du couvent, un escalier de trente-trois marches; au bas de celui-ci, suivre le sentier qui le prolonge directement. On atteindra en quelques minutes les vestiges de cette enceinte mystérieuse *(voir p. 144).*

Il faudrait quatre ou cinq heures de marche pour faire le tour entier de ce mur, à travers forêts et éboulements. Il est long, en effet, de plus de 10 km et épais de 1,70 m en moyenne, atteignant 3 m de hauteur dans ses parties les mieux conservées. Mais la simple vue d'une partie de cet ouvrage monstrueux laisse au touriste une forte impression.

Revenir au couvent par le même chemin.
Un sentier partant du parking Sud offre une belle promenade le long du Mur païen.

EXCURSION

Château de Landsberg. — *4 km au Sud-Est par le D 109, puis 1 h à pied environ AR par le chemin, en descente, indiqué par un panneau.* Le parcours constitue une agréable promenade en forêt. On passe devant l'ancienne auberge du Landsberg et on suit un sentier jusqu'à un terre-plein en contrebas du château qui apparaît entre les arbres.

C'est le lieu de naissance de la célèbre abbesse Herrade, auteur de l'« Hortus Deliciarum » *(voir p. 144).* Ce château, bâti au 13e s., n'est plus qu'une ruine.

Carte Michelin n° **87** - pli 14 — 15 050 h. (les Sarrebourgeois) — *Plan dans le guide Michelin France.*

Sarrebourg, d'origine romaine, appartint, au Moyen Age, aux évêques de Metz, puis dépendit du duché de Lorraine et finalement fut réunie à la couronne sous Louis XIV.

C'est la patrie du général Mangin (1866-1925).

Chapelle des Cordeliers. — Du 13ᵉ s., reconstruite au 17ᵉ s. Elle est éclairée, sur sa façade Ouest, par un gigantesque **vitrail★** de Marc Chagall « La Paix », haut de 12 m et large de 7,50 m. Les 13 000 pièces de verre qui le composent pèsent 900 kg.

Dès l'abord, on est saisi par l'immense bouquet multicolore du centre du vitrail, aux vifs coloris bleus, rouges et verts, qui symbolise l'Arbre de Vie de la Genèse. Adam et Ève en occupent le cœur, entourés du serpent, de la croix du Christ, du prophète Isaïe, de l'agneau, du chandelier, d'anges accompagnant Abraham, de Jésus entrant à Jérusalem… autant de thèmes que l'auteur transmet au monde comme des messages bibliques : « Depuis ma première jeunesse, j'ai été captivé par la Bible », dit-il.

Au pied de l'Arbre, la naissance, la vie laborieuse, la souffrance et la mort illustrent, à travers l'évocation de la ville de Sarrebourg, le monde des humains.

Musée du Pays de Sarrebourg. — *Visite de 8 h à 12 h et de 14 h à 18 h. Fermé le dimanche matin du 1ᵉʳ juillet au 15 septembre, toute la journée le reste de l'année; fermé en outre les mardis. Entrée : 3 F.*

Installé provisoirement au 13 avenue de France, le musée abrite la collection de céramiques du 14ᵉ s. (Maîtres de Sarrebourg). Archéologie gallo-romaine régionale.

Cimetière national des Prisonniers. — A la sortie de la ville, à droite de la rue de Verdun (D 27). Ce cimetière de 1914-1918 contient environ 13 000 tombes. Face à la grille, un monument, « le géant enchaîné », fut exécuté par le statuaire Stoll durant sa captivité.

EXCURSIONS

Reding. — *2 km au Nord-Est par la N 4. Dans Petit'Eich, tourner à gauche.*

En 1977, la restauration de la **chapelle Ste-Agathe** a fait découvrir, sous le plâtre de la voûte du chœur, des fresques du 13ᵉ s. représentant les symboles des évangélistes. Leur couleur terre s'harmonise aux tons ocre et brun de l'ensemble du chœur.

Domaine gallo-romain de St-Ulrich. — *4 km au Nord-Ouest, en direction de Haut-Clocher. Visite accompagnée des fouilles et du musée du 1ᵉʳ juillet au 31 août à 16 h et 17 h; du 15 mai au 30 juin et du 1ᵉʳ au 15 septembre, les dimanches et jours fériés aux mêmes heures; durée : 1 h; entrée : 5 F.*

Depuis 1963, date de reprise des fouilles archéologiques sur ce vaste domaine, la grande villa de plus de 135 pièces — la plus importante connue en France après celle de Montmaurin *(voir le guide Vert Michelin Pyrénées)* — déjà découverte en 1894, et certains sites l'entourant font l'objet d'un travail considérable de dégagement. Les vestiges mis au jour laissent penser que ces bâtiments remontent au 1ᵉʳ s. après J.-C.

Un petit musée expose des céramiques, fibules, monnaies, clés, etc., trouvés sur place.

Hesse. — 548 h. *5 km au Sud. Quitter Sarrebourg par ③ du plan, D 44.*

Sa petite église abbatiale, partie romane, partie gothique, possède dans le bras du transept des chapiteaux intéressants. Dans le bas-côté gauche, dalles tumulaires.

Carte Michelin n° **87** - pli 14 — *Schémas p. 66 et 185* — 10 430 h. (les Savernois).

Située au débouché de la vallée de la Zorn dans la plaine d'Alsace, entourée d'une couronne de grands arbres et de verdure, Saverne est une ville agréable et fréquentée.

La révolte des Rustauds. — C'est à Saverne que se termine dramatiquement, au 16ᵉ s., la révolte des paysans ou Rustauds. Assiégés par le duc de Lorraine, ils consentent à se rendre au nombre de 18 à 20 000, moyennant la vie sauve. Mais dès qu'ils sont sortis sans armes de la ville, les soldats du duc, malgré les efforts de celui-ci, les attaquent et les exterminent jusqu'au dernier, couvrant de cadavres toute la campagne environnante.

Splendeurs épiscopales. — Du 13ᵉ s. à la Révolution, Saverne appartient aux princes-évêques de Strasbourg. Au château, leur séjour favori, Louis XIV s'est arrêté en 1681, Marie Leszczynska en 1725, Louis XV en 1744. **Louis de Rohan,** le célèbre cardinal *(détails p. 157),* reconstruit l'édifice détruit par un incendie; il vit dans un faste prodigieux. Goethe y est reçu en 1770.

SAVERNE

0   400 m

Bouxwiller (R. de)	2
Clés (R. des)	3
Côte (R. de la)	4
Dettwiller (R. de)	5
Églises (R. des)	6
Gare (R. de la)	8
Pères (R. des)	9
Poincaré (R.)	10
Poste (R. de la)	12
19-Nov. (R. du)	13

Libérée par la division Leclerc. — Le 22 novembre 1944, à 14 h 15, les chars de la 2e D.B., qui ont tourné la position de Saverne par le Nord et par le Sud *(voir p. 25)*, se rencontrent à la sortie Est de la ville, sur les arrières de l'ennemi. Les Allemands qui attendaient les Français, face à l'Ouest, sont faits prisonniers. La route de Strasbourg est ouverte.

■ PRINCIPALES CURIOSITÉS *visite : 1 h*

Château★. — Devenu propriété de la ville en 1814, le château de Saverne fut cédé à l'État en 1852. L'empereur Napoléon III en fit un asile destiné aux veuves des hauts fonc-

tionnaires morts au service de l'État. De 1870 à 1944, il fut transformé en caserne. Ce vaste édifice de grès rouge possède un beau parc que limite le canal de la Marne au Rhin.

C'est la façade Sud que l'on voit de la place. Pour voir la façade Nord, la plus belle, passer à droite du château, après avoir franchi la grille. Cette **façade★★** est majestueuse, avec ses pilastres cannelés et son péristyle que soutiennent huit colonnes d'ordre corinthien.
Le musée est consacré à l'archéologie et à l'histoire.

(D'après photo Archives photographiques, Paris)

Saverne. – Façade Nord du château.

Maisons anciennes★ (E). — Les deux plus jolies (17e s.) encadrent l'hôtel de ville. D'autres sont visibles au n° 96 de la Grand'Rue, à l'angle rue des Églises-rue des Pères, à l'angle rue des Pères-rue Poincaré.

Église paroissiale (B). — Reconstruit aux 14e et 15e s., cet édifice conserve un clocher roman du 12e s. A droite du portail, bel escalier extérieur sculpté. A l'intérieur, dans la nef du 15e s., chaire de 1495, œuvre de Hans Hammer; dans le mur à droite, un peu en avant de la chaire, haut-relief en marbre représentant le Christ pleuré par Marie et Jean (16e s.). Dans le chœur, deux tombeaux d'évêques. A gauche, dans un enfeu, Christ au tombeau du 15e s.

En haut du collatéral gauche, dans la chapelle du Saint Sacrement se trouvent quatre tableaux sur bois (école allemande du 15e s.) et une Pietà du 16e s. ainsi qu'un grand bas-relief en bois peint et doré du 16e s. également, représentant l'Assomption. Les vitraux de la chapelle datent des 14e, 15e et 16e s. : ils représentent l'adoration des Mages ainsi que des scènes de la Passion. Des vestiges de monuments funéraires gallo-romains et francs sont rassemblés dans le jardin attenant à l'église.

■ AUTRES CURIOSITÉS

Ancien cloître des Récollets (D). — Il s'ouvre à gauche de l'église des Récollets dans l'ancien couvent devenu collège. Bâti en 1303, il présente de belles arcades ogivales en grès rouge et, dans la 1re galerie à droite de l'entrée, une série de 9 peintures murales ajoutées au 17e s. (restaurées) illustrant des thèmes religieux.

Vieux château (P). — Ancienne résidence des évêques aux 16e et 17e s., c'est maintenant la sous-préfecture. Sur la tour d'escalier, beau portail Renaissance.

Roseraie. — *Visite de mi-juin à fin septembre, de 9 h à 12 h et de 14 h à 19 h. Entrée : 5 F.* On y cultive 1 300 variétés de roses.

EXCURSIONS

Jardin botanique du col de Saverne et Saut du Prince-Charles. — *3 km, puis 1/4 h à pied AR* — *schéma p. 185.* Quitter Saverne par ⑤ du plan, N 4. A 2,5 km, à hauteur d'un grand peuplier (panneau indicateur), laisser la voiture sur le parking. L'entrée du jardin botanique se trouve en face.

Jardin botanique. — *Visite du 1er juin au 30 septembre, de 9 h à 17 h 30. Entrée 3 F.* Il renferme plus de 2 000 variétés de plantes d'origines diverses.

En sortant, obliquer sur la gauche.

Saut du Prince-Charles. — La légende rapporte qu'un prince, prénommé Charles, aurait fait franchir le rocher d'un bond par son cheval. De cette falaise de grès rouge, on a une jolie vue sur les contreforts des Vosges et la plaine d'Alsace.

Au retour, prendre à gauche un sentier coupé de marches à l'origine pour aller au pied de la falaise. Celle-ci, en surplomb, évidée d'une grotte, porte une inscription relatant la construction en 1524 de la route passant alors sous cette falaise.

Château du Haut-Barr★. — *5 km, puis 1/2 h de visite. Description p. 79.*

SÉLESTAT ★

Carte Michelin n° 87 - plis 6 et 16 — *Schéma p. 138* — 15 749 h. (les Sélestadiens).

Située sur la rive gauche de l'Ill, la vieille ville de Sélestat, qui possède deux belles églises et des maisons intéressantes, s'est augmentée de toute une ville moderne, enrichie par des industries diverses : maroquinerie, métallurgie des non-ferreux, etc.

Les amateurs de manuscrits précieux pourront admirer sa Bibliothèque Humaniste.

■ CURIOSITÉS
visite : 2 h

Partir de la rue du Président Poincaré.

Tour de l'horloge (Z E). — Elle date du 14ᵉ s., sauf les parties hautes qui ont été ajoutées en 1614.

Passer sous la Tour de l'Horloge puis suivre tout droit la rue des Chevaliers pour atteindre la place du Marché-Vert où se dresse l'église Ste-Foy.

Église Ste-Foy★ (Y). — Cette belle église romane (12ᵉ s.), en grès rouge et granit des Vosges, succède à une primitive église qui faisait partie d'un prieuré bénédictin. La façade, très remaniée, présente deux tours coiffées de flèches rhénanes modernes *(voir p. 32)*. Le porche est joliment décoré d'arcatures, de corniches et de chapiteaux historiés. Sur le transept, une troisième **tour★** octogonale s'élève à 43 m au-dessus du sol.

L'intérieur, à trois nefs, est construit au-dessus d'une crypte, vestige de l'ancienne église. Les chapiteaux de la nef ont un beau décor floral emprunté aux églises lorraines.

Sortir de l'église par la petite porte derrière la chaire et suivre tout droit la rue du Babil.

Église St-Georges★ (Y). — Cette importante église gothique construite aux 13ᵉ et 15ᵉ s. a subi des restaurations considérables, notamment au 19ᵉ s.

Elle comporte un narthex original, très allongé, qui s'étend sous toute la façade et s'ouvre au Sud sur la place St-Georges par une porte élégante. A l'intérieur, plusieurs styles se côtoient. Les voûtes sont du 14ᵉ s. Les verrières sont intéressantes : celles des quatre fenêtres de la façade datent du 13ᵉ s., celles représentant les anges musiciens sont de la fin du 15ᵉ s. ou du début du 16ᵉ s.; la rose (14ᵉ s.) de la porte Sud du narthex représente les Commandements du Décalogue; certains vitraux du chœur sont du 15ᵉ s. et représentent des épisodes de la vie de sainte Catherine et de la vie de sainte Agnès; les nouveaux vitraux du chevet, du chœur et du transept ont été exécutés par Max Ingrand. La chaire, en pierre, sculptée et dorée, date de la Renaissance. Les stalles du chœur sont modernes. Trois portes de l'église ont conservé leurs vantaux primitifs avec leurs pentures.

S'avancer jusque derrière l'église. On aperçoit la **tour des sorcières** (Y F), vestige des anciennes fortifications démolies par Louis XIV. *Revenir sur ses pas et prendre la rue de l'Église.*

Porte Renaissance (Y K). — *Au n° 8.* Surmontée de coquilles, décorée de motifs italiens, c'est la porte de l'hôtel des Bénédictins d'Ebersmunster.

Quelques mètres plus loin prendre à gauche la petite rue de la Bibliothèque.

Bibliothèque Humaniste★ (Y M). — *Visite de 10 h à 12 h et de 15 h à 17 h. Fermée les samedis après-midi, les dimanches et jours fériés. Entrée : 4 F.*

Vers le milieu du 15ᵉ s., Sélestat fut le siège d'une école d'humanistes et d'une Université florissante, ce qui explique la richesse de la bibliothèque fondée en 1452. Elle est installée dans l'ancienne Halle aux Blés. Au 1ᵉʳ étage, entre autres manuscrits précieux, on verra le Lectionnaire mérovingien (fin du 7ᵉ s.); le livre des Miracles de sainte Foy (12ᵉ s.) et la bibliothèque de Beatus Rhenanus, comprenant plus de 2 000 ouvrages, la seule bibliothèque humaniste qui soit parvenue à peu près intacte jusqu'à nous. On remarque, dans la grande salle, deux retables du début du 15ᵉ s., une superbe tête de Christ, en bois, de la fin du 15ᵉ s. et un moulage de masque funéraire du 12ᵉ s.

Deux grandes vitrines, placées dans la salle de lecture, contiennent : l'une, des bijoux, vases et armes, allant de la préhistoire à l'époque mérovingienne; l'autre, des sculptures en bois du Moyen Age et une magnifique collection de faïences.

A l'extrémité de la place Gambetta, prendre à gauche la rue des Serruriers. Place du Marché-aux-Pots, se dresse **l'ancienne église des Récollets** (Y L), temple protestant.

Tourner à gauche dans la rue de Verdun.

Maison de Stephan Ziegler (Y A). — Maison Renaissance du 16ᵉ s.

La rue de Verdun mène à la place de la Victoire où s'élève l'ancien arsenal Ste-Barbe.

SÉLESTAT

Babil (R. du)	Y 2	St-Georges (Pl.)	Y 9
Bibliothèque (R. de la)	Y 3	Serruriers (R. des)	Y 12
Gambetta (Pl.)	Y 4	Victoire (Pl. de la)	Z 13
Marché-aux-Pots (Pl.)	Y 7	4ᵉ-Zouaves (R. du)	Z 14
Marché-Vert (Pl. du)	Y 8	17-Novembre (R. du)	Z 16

MARCKOLSHEIM 15 km — FREIBURG 56 km
NEUF-BRISACH 31 km

Ancien arsenal Ste-Barbe (Z B). — Cette gracieuse construction du 14ᵉ s. présente une très jolie façade ornée d'un escalier à double pente conduisant à un petit dais qui précède la porte d'entrée. Le pignon est découpé de profonds créneaux. Le toit porte deux nids habités de cigognes.

Suivre en avant la rue du 17-Novembre et tourner à droite dans la rue du 4ᵉ-Zouaves pour prendre le Bd du Maréchal-Joffre, à gauche, qui conduit aux remparts.

Promenade des Remparts (Z). — Depuis ces anciennes fortifications de Vauban, on a une belle vue sur les collines sous-vosgiennes et le Haut-Kœnigsbourg.

La rue du Président-Poincaré, prise à gauche, ramène au point de départ.

EXCURSIONS

Châteaux de Ramstein et d'Ortenbourg. — *7 km, puis 1 h 1/4 à pied. Quitter Sélestat par ⑤ du plan et N 59. A 4,5 km, tourner à droite dans le D 35 vers Scherwiller. A 2 km, prendre à gauche le chemin de terre. Laisser la voiture à Huhnelmuhl près de l'auberge. Suivre le sentier qui mène aux deux châteaux, distants de 300 m.*

Ruines intéressantes et belle vue sur le Val de Villé et la plaine de Sélestat.

Château de Frankenbourg. — *11 km, puis 1 h 3/4 à pied. Quitter Sélestat par ⑤ du plan, N 59. A Hurst prendre le D 167 vers la Vancelle. A 2 km, laisser la voiture et prendre le sentier à droite.*

Des ruines (alt. 703 m) belles vues sur les vallées de la Lièpvre et de Villé.

Parcs d'animaux de Kintzheim. — *8,5 km. Quitter Sélestat par ④ du plan, D 159.*

Cette excursion permettra aux amis des animaux de visiter successivement deux centres expérimentaux d'acclimatation d'espèces bien différentes : rapaces et singes.

Traverser Kintzheim et, 400 m après l'église, prendre à droite la route en montée (sens unique) qui se détache du D 159; 700 m plus loin, laisser la voiture au parking.

Volerie des Aigles (Château de Kintzheim). — *1/2 h à pied AR. Visite du 15 mars au 11 novembre de 14 h à 16 h (17 h 30 du 15 juillet au 15 septembre). Entrée : 15 F.*
Dans la cour du château féodal ruiné, sous des auvents, sont logés environ 80 rapaces, diurnes et nocturnes. Certains d'entre eux (aigles, condors, vautours, milan, serpentaire) participent aux spectaculaires **démonstrations de dressage★** organisées durant la visite *(sauf par mauvais temps)*.

Reprendre la voiture et continuer la route forestière, puis le D 159. A 2 km, prendre à droite un chemin qui aboutit aux clôtures électrifiées ceinturant la « montagne des Singes ».

Montagne des Singes. — *Visite du 15 mars au 11 novembre de 10 h à 12 h et de 14 h à 18 h. Entrée : 12 F.*
Dans ce parc de 20 ha, planté de pins, qui couronne le sommet d'une colline, vivent en liberté 300 magots de l'Atlas, bien adaptés au climat alsacien. Vue sur le château du Haut-Kœnigsbourg, au Sud-Ouest.

Marckolsheim : Mémorial-Musée de la Ligne Maginot du Rhin. — *15 km au Sud-Est. Quitter Sélestat par ② du plan, D 424. 1,5 km après Marckolsheim, la casemate du Mémorial apparaît sur le côté droit de la N 424. Visite du 15 juin au 15 septembre de 9 h à 12 h et de 14 h à 18 h; les dimanches et fêtes seulement du 15 mars au 14 juin et du 16 septembre au 15 novembre. Fermé le reste de l'année. Entrée : 2 F.*
Sur l'esplanade entourant le fort, sont exposés un canon soviétique et un char Sherman. A l'intérieur des huit compartiments *(attention aux seuils métalliques)* de la casemate, armes et objets se rapportant à la lutte du 15 au 17 juin 1940 : la casemate, défendue par trente hommes, stoppa pendant 3 jours une division allemande. Hitler la visita après la bataille.

Ebersmunster; Benfeld. — *20 km au Nord-Est. Quitter Sélestat par ① du plan, N 83.*

Ebersmunster. — 474 h. Cette petite localité fut autrefois le siège d'une abbaye célèbre qui aurait été fondée par le duc Étichon et sa femme, parents de sainte Odile *(voir p. 144)*. Le couvent et son église, détruits pendant la guerre de Trente Ans, furent réédifiés par la suite. Les bâtiments conventuels sont occupés par un institut médico-pédagogique. Dans l'église, chaque dimanche de mai ont lieu les « Heures musicales d'Ebersmunster », concerts d'orgue et de chorales.
L'**église abbatiale**, construite vers 1730, est dominée par trois clochers renflés en forme de bulbes, dont l'un s'élève au-dessus du chevet. L'**intérieur★** est un bel exemple du style « baroque pittoresque » traité à la manière de l'École du Vorarlberg : imposant maître-autel sculpté et doré que surmonte une immense couronne, autels latéraux, stalles et confessionnaux sculptés, plafond couvert de peintures. Orgue de Silbermann (1731).

Benfeld. — 3894 h. Construit au 16ᵉ s., l'**hôtel de ville** montre une jolie porte sculptée qui donne accès à la tourelle polygonale de 1617, ornée d'un écusson aux armes de la ville. L'horloge à jaquemart comprend trois personnages : la Mort, un chevalier revêtu d'une armure et le Stubenhansel, traître qui, en 1331, aurait livré la ville aux Bavarois et aux Wurtembourgeois, pour une bourse d'or qu'il tient dans la main.

Aimer la nature,
c'est respecter la pureté des sources, la propreté des rivières,
des forêts, des montagnes...
c'est laisser les emplacements nets de toute trace de passage.

SENONES

Carte Michelin n° **87** - pli 16 — 3 990 h. (les Senonais) — *Lieu de séjour, p. 42.*

Située dans un amphithéâtre de montagnes boisées, cette petite ville doit son origine à une abbaye bénédictine. Elle fut la capitale de la Principauté de Salm, État souverain dont les habitants demandèrent leur rattachement à la France en 1793. Elle est le théâtre chaque année, en juillet et août *(se renseigner à la mairie, ℡ (29) 57.91.43)*, de reconstitutions historiques de la Garde des Princes de Salm.

Maison abbatiale. — Elle contient un bel escalier de pierre (18ᵉ s.) avec rampe de fer ouvré. On y voit l'appartement de Dom Calmet, l'un des derniers abbés, aux travaux d'érudition remarquables, et celui qu'habita Voltaire *(visite sur demande)* au cours des deux séjours qu'il fit auprès de l'abbé. Dans quelques vitrines, souvenirs des princes de Salm et des abbés, en particulier de Dom Calmet.

Église. — A l'intérieur, on verra le tombeau de Dom Calmet, dû au sculpteur Falguière.

De Senones, on peut gagner Étival en petit train à vapeur *(voir p. 141).*

EXCURSION

Route★ de Senones au col du Donon. — *20 km au Nord-Est. Quitter Senones par le D 424 au Nord.* Dans la Petite-Raon, à 2 km, prendre à gauche le D 49 qui s'engage dans le Val de Senones et la vallée du Rabodeau.

Moussey. — 1 079 h. Bourg industriel (confection, galvanoplastie, chalets préfabriqués entre autres) qui s'étire sur 4 km.

La route forestière qui succède au D 49 suit la vallée encaissée et déserte du Rabodeau. Le col de Prayé, situé sur la crête des Vosges, marquait l'ancienne frontière allemande. On atteint le **col du Donon** (alt. 727 m — *voir aussi p. 68*).

SESSENHEIM

Carte Michelin n° **87** - pli 3 — 15 km à l'Est de Haguenau — 1 482 h.

Ce charmant village alsacien, où les admirateurs de Goethe iront évoquer une idylle du poète, est situé entre la forêt de Haguenau et le Rhin.

Goethe et Frédérique. — En octobre 1770, Goethe, qui étudie le droit à Strasbourg *(voir p. 151)*, accompagne un ami en visite chez le pasteur du lieu, Brion. Celui-ci a deux charmantes filles. Entre le jeune étudiant et Frédérique, la cadette, naît aussitôt la plus tendre des sympathies. Désormais, chaque fois que possible, Goethe, par la chaise de poste ou à cheval, accourt à Sessenheim. Les deux amoureux parcourent la campagne, se régalent de fritures du Rhin, bavardent le soir sous la tonnelle du presbytère. L'idylle ne renaît point. Plus tard, dans ses
Mais en août 1771, Goethe, reçu docteur, doit regagner Francfort. Pour la jeune fille, la séparation est si cruelle qu'elle manque en mourir.

En 1779, traversant l'Alsace pour se rendre en Suisse, Goethe, maintenant poète célèbre, fait un détour pour revoir Frédérique. L'idylle ne renaît point. Plus tard, dans ses « Mémoires », Goethe donnera au nom de Frédérique un peu de son immortalité.

Auberge « Au bœuf ». — Elle s'élève à gauche de l'église protestante. Dans cette vieille auberge typiquement alsacienne sont rassemblés des gravures, lettres, portraits se rapportant à Goethe et à Frédérique.

Église protestante. — A l'intérieur, à gauche du chœur, stalle du pasteur Brion (Pfarrstuhl) où, côte à côte, s'asseyaient Goethe et Frédérique pour écouter le prêche.

Dans le mur Sud sont encastrées les pierres tombales des parents de Frédérique.

La grange du presbytère, restaurée, est le seul vestige des lieux que connut le poète.

Mémorial Goethe. — A côté du presbytère. Il fut inauguré en 1962.

SIERCK-LES-BAINS

Carte Michelin n° **87** - pli 4 — 1 583 h. (les Sierckois) — *Lieu de séjour, p. 42.*

A l'extrême pointe du département de la Moselle, tout près de la frontière, Sierck occupe une situation pittoresque. Ses rues étroites et son château fort évoquent un passé chargé d'histoire. Disputée au 12ᵉ s. au duc de Lorraine par Adalbéron, archevêque de Trèves, elle fut pillée et brûlée par les Suédois au cours de la guerre de Trente Ans, puis en 1661 par les troupes de Turenne. Elle a subi de graves dommages au début de la Seconde Guerre mondiale.

Sierck, avec les ruines de son château, a conservé une partie de ses anciennes fortifications du 13ᵉ s. Du château fort, la **vue★** est belle sur la vallée de la Moselle. L'église, du 15ᵉ s., a été restaurée. La chapelle de Marienfloss, dernière trace d'une chartreuse autrefois florissante et important lieu de pèlerinage, a été restaurée et agrandie.

En sortant de Sierck au Nord-Est, on ira voir *(1 km)* l'église du village de **Rustroff** (582 h.), qui se dresse à l'extrémité de l'abrupte rue principale. Refaite au 19ᵉ s., elle abrite un beau retable en bois peint du 15ᵉ s. et une petite Pietà du début du 16ᵉ s.

EXCURSION

Château de Mensberg. — *8 km au Nord-Est par la N 53 bis et le D 64 à droite. A l'entrée du village de Manderen, prendre le chemin en montée à gauche.*

Les ruines imposantes du château fort, reconstruit au 17ᵉ s. sur les bases du château fort du 13ᵉ s., occupent le sommet de la colline boisée. En 1705, pendant la guerre de Succession d'Espagne, le **duc de Marlborough** y avait son quartier général.

Carte Michelin n° 87 - pli 5 — 257 303 h. (les Strasbourgeois).

Strasbourg, métropole intellectuelle et économique de l'Alsace, est une importante cité moderne, traversée par l'Ill, dotée d'un port fluvial animé et d'une université réputée. C'est aussi une riche ville d'art construite autour d'une cathédrale célèbre. Depuis 1949, elle est la « capitale » de l'Europe ; là siège le Conseil de l'Europe. Tous les ans, en juin, a lieu le festival de musique ; début septembre, la Foire Européenne.

UN PEU D'HISTOIRE

Un serment fameux. — Le petit bourg de chasseurs et de pêcheurs qu'est, au temps de Jules César, Argentoratum, devient rapidement une cité prospère en même temps qu'un carrefour entre les peuples : Strateburgum, la Ville des Routes... Cette position vaudra à Strasbourg de servir de cible ou de passage à toutes les invasions d'outre-Rhin et d'être maintes fois détruite, brûlée, pillée et reconstruite. Une seule fois, au cours de son histoire, on l'a choisit comme théâtre d'une conciliation : c'est lorsque, en 842, par le Serment de Strasbourg, deux des fils de Louis le Débonnaire (Charles et Louis) et leurs soldats se jurent fidélité. Ce serment est célèbre parce qu'il représente le premier texte officiel connu en langues romane et germanique.

Gutenberg à Strasbourg. — Gutenberg, né vers 1395 à Mayence et fuyant la ville pour des raisons politiques, vient s'établir à Strasbourg en 1434. Il forme avec trois Alsaciens une association dans le but de mettre au point divers « procédés secrets » dont il est l'inventeur. Mais l'union ne règne pas entre les associés puisque c'est par certaines pièces d'un procès intenté à Gutenberg en 1439 que nous avons quelques renseignements sur l'invention mystérieuse. Dans ces pièces juridiques, on parle de plomb, de presses : ce sont les premiers éléments de l'imprimerie.

Vers 1448, Gutenberg s'en retourne à Mayence et s'associe avec Jean Fust pour perfectionner l'invention qui bouleversa le monde.

La bouillie de millet. — Les guerres nées de la Réforme divisent l'Alsace en deux camps. La municipalité de Strasbourg a l'idée d'organiser, en 1576, une attraction qui apportera une détente aux esprits surexcités. Il s'agit d'un grand concours de tir. Tous les Alsaciens sont invités mais aussi les voisins de la Souabe, de la Bavière et des villes libres de Suisse.

Le champ de tir est situé sur l'emplacement actuel du parc Contades. Les Zurichois sont vainqueurs. Pour fêter cette victoire, quarante-huit bourgeois de Zurich décident d'aller les rejoindre à Strasbourg. C'est alors un long voyage. On le fait à force de rames, par la Limmat, l'Aar et le Rhin. Nos bourgeois tentent d'établir ce qu'on appellerait aujourd'hui un record. Il s'agit d'aller assez vite pour qu'une énorme marmite de millet bouillant, entourée de sable chaud et déposée au centre de l'embarcation, soit encore tiède à l'arrivée. La prouesse est réalisée en dix-sept heures. « Si vous êtes un jour en danger, dit le chef des Suisses, au grand banquet qui couronne la fête, vous saurez que nous sommes capables de voler à votre secours en moins de temps qu'il n'en faut pour que refroidisse une bouillie de millet. »

Trois siècles plus tard, en 1870, de fidèles descendants des bourgeois de Zurich apportent leur aide à Strasbourg bombardée, tenant ainsi la promesse de leurs ancêtres au jour du Grand Tir.

L'étudiant Goethe. — En 1770, l'Université de Strasbourg ne soupçonne certes pas qu'elle tirera un grand lustre de l'enseignement qu'elle à dispensé à l'étudiant Goethe. Il loge rue du Vieux-Marché-aux-Poissons, dans une pension de famille tenue par deux vieilles filles et fréquentée par de joyeux vivants dont la capacité d'absorption en vins d'Alsace étonne notre buveur de bière.

Pour exercer sa volonté, Goethe, sujet au vertige, monte régulièrement au sommet de la cathédrale. Le vide l'attire... Il se cramponne à la balustrade et ne cède point.

D'autres soucis pourtant l'occupent : courir à Sessenheim rejoindre Frédérique *(voir p. 150)* ou encore retrouver le tombeau d'Erwin, l'auteur de la façade de la cathédrale. Reçu docteur le 6 août 1771, il retourne à Francfort, abandonnant et Frédérique et ses recherches.

Quarante-cinq ans plus tard, un de ses anciens camarades d'école découvrit, sous des tas de charbon, la tombe d'Erwin dans le Petit Cimetière, près de la cathédrale.

La Marseillaise de Rouget de Lisle. — Quand la Révolution éclate, il y a plus d'un siècle que Strasbourg est française. En 1681, elle a reconnu Louis XIV, déjà en possession de l'Alsace, comme son « souverain seigneur et protecteur ».

Le 24 avril 1792, **Frédéric de Dietrich**, premier maire constitutionnel de Strasbourg, offre un dîner d'adieu à des volontaires de l'armée du Rhin. On parle des événements de la guerre, de la nécessité pour les troupes d'être entraînées par un chant digne de leur enthousiasme. « Voyons, Rouget, vous qui êtes poète et musicien, faites-nous donc quelque chose qui mérite d'être chanté », dit Dietrich. Le jeune officier du Génie auquel s'adresse cette boutade se retire chez lui fort troublé. Toute la nuit, on l'entend jouer du violon et réciter des strophes. A 7 heures du matin, il fait irruption chez son ami Marclet, officier d'état-major qui était présent au dîner de la veille. Il lui chante son « Chant de guerre pour l'Armée du Rhin » et, malgré l'heure matinale, ils retournent chez Dietrich dont une nièce se met au piano pour accompagner l'œuvre. Le jour même, Rouget de Lisle en adresse un exemplaire au maréchal Luckner qui accepte la dédicace. Le lendemain, l'orchestration est faite et un éditeur chargé des copies. Peu après, les volontaires de Marseille adoptent et lancent le chant qui devient la Marseillaise.

Sur l'immeuble de la Banque de France, 4, place Broglie, une plaque rappelle le souvenir de Rouget de Lisle.

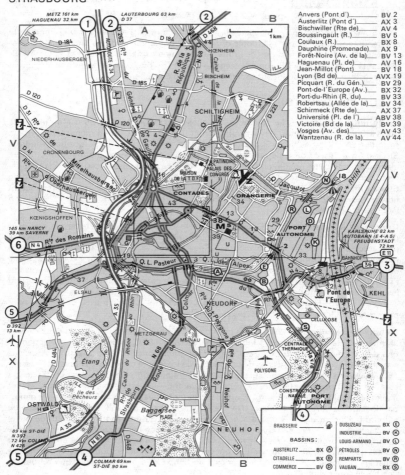

Clause, le grand « chef ». — Le maréchal de Contades, nommé gouverneur militaire de l'Alsace, s'installe à Strasbourg en 1762. Amphitryon et gourmet distingué, il aime à régaler ses hôtes, parmi lesquels J.-J. Rousseau qui, dans une lettre, se déclare « fatigué par ces trop fréquents dîners ».

En 1778, Contades engage à son service un nouveau cuisinier, Jean-Pierre Clause, natif de Dieuze (Moselle), alors âgé de 21 ans. Les oies d'Alsace fourniront bientôt à celui-ci la matière première d'une spécialité appelée à devenir célèbre. En effet, mis un jour en demeure de se surpasser à l'occasion d'un grand repas donné par son maître, c'est à leur foie que Clause va recourir… Ce foie onctueux et cependant ferme, traité d'une manière qui lui est personnelle, il l'entoure de veau et de lard finement hachés et enferme le tout dans une croûte de pâte qu'il laisse cuire et dorer à feu doux.

Les hôtes du maréchal, enthousiastes, implorent en pure perte la recette. En 1784, Clause quitte le service de Contades pour épouser la veuve d'un pâtissier. Jusqu'à sa mort (1827), il fabrique et met en vente son pâté qui va conquérir l'Alsace et le monde.

1870-1918. — Le 9 août 1870, les Allemands, commandés par le général von Werder, sont en vue de Strasbourg. Le bombardement commence. Le 27 septembre, après 50 jours de siège, la capitulation est signée. La garnison a perdu 600 hommes ; les obus ont fait 1 500 victimes parmi la population civile.

Aux termes du traité de Francfort (10 mai 1871), Strasbourg ainsi que la presque totalité de l'Alsace tombent sous la domination allemande, et y restent jusqu'au 11 novembre 1918, date de l'armistice. L'Allemagne vaincue doit alors évacuer l'Alsace et la rive gauche du Rhin. Le 22 novembre, le général Gouraud fait son entrée solennelle à Strasbourg. Le 25, devant le Palais Impérial, a lieu un grand défilé des troupes françaises.

La charge de la 2e D.B. — De 1940 à 1944, les Allemands se réinstallent à Strasbourg. C'est à une unité française que reviendra l'honneur de libérer la cité.

Le 23 novembre 1944, à 7 h 15 du matin, les blindés du **général Leclerc**, massés dans la région de Saverne, se lancent dans la plaine d'Alsace. La 2e D.B. se déploie en cinq colonnes qui vont converger vers Strasbourg et y entrer le jour même. Le surlendemain 25, la résistance cesse dans les casernes des faubourgs. L'après-midi, le général Vaterrodt qui s'était réfugié au fort Ney, se rend ; près de 6 000 Allemands sont prisonniers.

Au début de janvier 1945, la ville connaîtra encore une chaude alerte. Gravement menacée par l'offensive allemande *(voir p. 25)*, elle sera sauvée grâce à l'intervention du général de Gaulle auprès du haut commandement allié et à la décision du général de Lattre de Tassigny d'y envoyer en hâte une division algérienne.

■ CATHÉDRALE NOTRE-DAME★★★ *visite : 1 h 1/2*

Spectacle Son et Lumière prévu à 21 h, tous les soirs, de mai à septembre.

C'est une des réalisations les plus belles et les plus originales de l'art gothique.
On en a la meilleure **vue**★ de la rue Mercière (**EZ**).

Naissance et construction. — Sur l'emplacement d'un temple d'Hercule, la cathédrale est entreprise en 1015 selon le style roman. Saint Bernard y dit la messe en 1145. Mais l'incendie ravage l'édifice. En 1176, on recommence à bâtir. L'art gothique, nouveau venu en Alsace, influence les architectes de la cathédrale. En 1284, le génial **Erwin de Steinbach** entreprend la splendide façade actuelle où triomphe le gothique le plus pur. Mais Erwin meurt en 1318 trop tôt pour pouvoir réaliser son projet d'ensemble. En 1365, les tours à peine terminées, on les réunit entre elles, jusqu'au niveau de la plate-forme. Puis la tour Nord seule est surélevée. Enfin, en 1439, Jean Hültz, de Cologne, prolonge cette tour par la flèche célèbre qui donne à la cathédrale sa physionomie surprenante.

A partir de 1274, la générosité des fidèles alimente la construction du sanctuaire. **L'Œuvre Notre-Dame** est fondée pour recueillir les dons. Erwin, lui-même, donne l'exemple : pauvre, il ne peut léguer qu'une rente assez faible mais il y joint son cheval.

La Réforme. — La Réforme, dont l'un des plus importants agents fut **Martin Bucer** (1491-1551), établi à Strasbourg en 1523, est bien accueillie en Alsace. Pour arrêter ses progrès, l'évêque appelle un prédicateur, resté fameux à Strasbourg : **Geiler de Kaysersberg**, qui ne cessera de flétrir la facilité des mœurs de l'époque et les abdications de l'Église.

Pendant de longues années, l'ancienne et la nouvelle religions luttent pied à pied dans la cathédrale, à la porte de laquelle les propositions de Luther ont été affichées. Puis Charles Quint établit l'Intérim d'Augsbourg et l'on se fait des concessions réciproques. Mais le culte protestant finit par l'emporter. La cathédrale ne redevient catholique que sous Louis XIV, en 1681.

La gloire. — Pendant deux siècles, l'histoire de Strasbourg est tout entière dans sa cathédrale. Lorsque Louis XIV prend possession de la ville, l'évêque le reçoit sur le seuil « avec une joie pareille à celle du bienheureux Siméon recevant l'Enfant-Jésus au temple de Jérusalem ».

En 1725, Louis XV y épouse Marie Leszczynska. En 1744, relevé de sa grave maladie de Metz, le Bien-Aimé y est lui-même accueilli avec une joie délirante.

En 1770, Marie-Antoinette, arrivant de Vienne pour épouser le futur Louis XVI, est reçue à la cathédrale par le coadjuteur Louis de Rohan : « D'une si belle union doivent naître les jours de l'âge d'or. » Dix-neuf ans plus tard, ce sera la Révolution.

Les épreuves. — Les dirigeants révolutionnaires donnent l'ordre d'abattre toutes les statues : 230 sont détruites. L'administrateur des Biens Publics parvient à cacher 67 statues de la façade. Mais la flèche offense l'égalité...

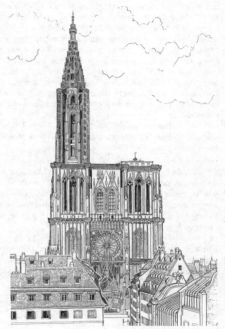

(D'après photo Europ-Flash)

Strasbourg. — La cathédrale.

Un habitant a une idée de génie : il fait coiffer l'aiguille de pierre d'un immense bonnet phrygien, en tôle peinte d'un rouge ardent. Le chef-d'œuvre d'Hültz est sauvé.

Les obus prussiens, en août et septembre 1870, incendient le toit de la cathédrale. La flèche reçoit treize projectiles.

En 1944, les bombardements alliés endommagent la tour élevée sur le transept, et le bas-côté Nord.

Extérieur

La façade et la flèche, attaquées par l'âge, les intempéries et la pollution atmosphérique, sont l'objet d'importants travaux de restauration.

La cathédrale doit une grande part de son charme à ce grès rose des Vosges, malheureusement noirci par le temps, dont elle est faite.

Façade★★★. — Erwin de Steinbach en dirigea la construction jusqu'au-dessus de la Galerie des Apôtres qui surmonte la Grande Rose.

Le **portail central** est le plus richement décoré de la façade. Ses statues et ses bas-reliefs appartiennent à des époques très diverses. Son tympan comprend quatre registres : les trois premiers, du 13ᵉ s., sont remarquables par leur réalisme. le quatrième est moderne.

STRASBOURG★★★

1) De gauche à droite; l'entrée de Jésus à Jérusalem; la Cène; le baiser de Judas; saint Pierre tranchant l'oreille du soldat Malchus; Jésus traîné devant Pilate; la Flagellation.
2) Jésus couronné d'épines, puis portant sa croix; Jésus crucifié, au-dessus du cercueil d'Adam, entre la Synagogue et l'Église qui recueille son sang; la Descente de Croix; la Résurrection; sous le tombeau, les soldats endormis.
3) La Pendaison de Judas; monstres sortant de l'Enfer; Adam et Ève délivrés par le Christ; Madeleine aux pieds de Jésus; parmi les Apôtres assemblés, saint Thomas touche les plaies du Christ.
4) L'Ascension.
   Les sculptures des voussures, refaites après la Révolution, se lisent en allant de l'extérieur vers l'intérieur.
5) Création du Monde; histoire d'Ève, Adam, Caïn et Abel.
6) Histoire d'Abraham, Noé, Moïse, Jacob, Josué, Jonas et Samson.
7) Martyres des Apôtres, de saint Étienne et de saint Laurent.
8) Les quatre Évangélistes et les Docteurs de l'Église.
9) Jésus guérit les malades et ressuscite les morts.
   Un double gâble surmonte le portail.
10) Statue de Salomon sur son trône.
11) La Vierge avec l'Enfant.
    De belles statues des 13e et 14e s. ornent les côtés du portail.
12) Prophètes.
13) Une Sibylle.
14) Statue moderne de la Vierge avec l'Enfant.

Au-dessus du portail central, magnifique rose de 15 m de diamètre.

Au **portail de droite,** la Parabole des Vierges Sages et des Vierges Folles est illustrée par de célèbres statues, dont certaines ont dû laisser place à des copies *(originaux au musée de l'Œuvre Notre-Dame).* A gauche, le Séducteur, gracieux, engageant, en costume du temps, offre la pomme à la plus hardie des Vierges Folles qui s'apprête à dégrafer sa robe. Derrière le dos de cet Esprit du Mal, d'immondes animaux symbolisent le Vice, mais les Vierges Folles se laissent tenter par l'apparence. Elles ont jeté ou renversé leur lampe et sont prêtes au péché. A droite, au contraire, l'Époux divin se présente aux Vierges Sages qui ont gardé leur lampe, prêtes à l'accueillir. Sur le socle de ces statues, on remarque un calendrier portant les signes du Zodiaque et les mois de l'année.

(D'après photo La Cigogne, Hachette)

Séducteur et Vierge folle.

Au **portail de gauche,** les statues (14e s.) figurent les Vertus. Sveltes et majestueuses dans leurs longues tuniques flottantes, elles terrassent les Vices.

La flèche★★★. — *De 8 h 30 à 19 h en juillet et août, 9 h à 18 h 30 en septembre et du 1er avril au 30 juin, 9 h à 17 h 30 en mars et octobre, 9 h à 16 h 30 du 1er novembre au 28 février; seule l'ascension de la plate-forme, que l'on atteint par un escalier de 328 marches (1 / 2 h), est actuellement autorisée. S'adresser au bas de la tour, sur la place du Château (entrée : 3 F).*

La plate-forme qui surmonte la façade est à 66 m de hauteur. La tour s'élève encore de 40 m, puis se termine par une flèche dont le sommet est à 142 m au-dessus du sol (9 m de moins que la flèche en fonte de la cathédrale de Rouen).

Octogonale à la base, la flèche de Jean Hültz élève ses six étages de petites tourelles ajourées qui contiennent les escaliers, et se termine par une double croix. C'est un chef-d'œuvre de grâce et de légèreté.

De cette plate-forme : belle **vue★★** sur Strasbourg, en particulier sur la vieille ville, dont les toits percés de plusieurs étages de lucarnes présentent un aspect très pittoresque, sur les faubourgs et la plaine rhénane limitée par la Forêt-Noire et les Vosges.

Flanc droit. — Le flanc droit offre les beautés du **portail de l'Horloge,** le plus ancien de la cathédrale (13e s.). Il est composé de deux portes romanes accolées. Entre les deux portes, statue de Salomon, appuyée sur un socle qui rappelle son fameux Jugement. L'ensemble a été refait. Des deux côtés du portail : copies des célèbres statues de l'Église et de la Synagogue *(au musée de l'Œuvre Notre-Dame, voir p. 156).* A gauche, l'Église, puissante et fière sous sa couronne, tient d'une main la Croix et de l'autre le Calice. A droite, la Synagogue s'incline, triste et lasse, essayant de retenir les débris de sa lance et les tables de la Loi qui s'échappent de ses mains. Le bandeau qui couvre ses yeux symbolise l'erreur. Par la grâce de leurs attitudes, souples et expressives, ces deux statues comptent parmi les plus séduisants chefs-d'œuvre de la sculpture française du 13e s.

Dans le tympan de la porte de gauche se trouve l'admirable **Mort de La Vierge★★** dont le peintre Delacroix, mourant, se plaisait à contempler le moulage. La figurine que Jésus tient dans sa main gauche représente l'âme de Marie.

On voit, au-dessus des deux portes, le cadran extérieur de l'Horloge astronomique.

Transept. — La tour actuelle de la croisée du transept a été élevée de 1874 à 1878.

Flanc gauche. — Le portail St-Laurent★, de la fin du 15e s., restauré, a pour sujet principal le groupe du martyre de saint Laurent (refait au 19e s.). A gauche de la porte se voient les statues de la Vierge, des trois rois mages et d'un berger; à droite, cinq statues, dont celle de saint Laurent *(originaux au musée de l'Œuvre Notre-Dame, voir p. 156).*

Intérieur

La cathédrale mesure 103 m de long (Amiens 145, N.-D. de Paris 130, St-Denis 108). La hauteur de la nef est de 32 m (Amiens 42, N.-D. de Paris 35, St-Denis 29).

Les vitraux★★★ des 12e, 13e et 14e s., sont remarquables (500 000 éléments composant 4 600 panneaux), mais ont souffert au cours des âges. Les plus anciens, évacués pendant la dernière guerre, furent retrouvés dans des mines de sel du Wurtemberg à 180 m de profondeur.

Nef et bas-côté droit. — La nef, commencée au 13e s., comprend sept travées. Les vitraux des fenêtres hautes datent des 13e et 14e s., ainsi que ceux des bas-côtés. Dans la nef, on sera surtout attiré par la chaire★★, type parfait de gothique flamboyant, qui fut dessinée par Hans Hammer pour le prédicateur Geiler de Kaysersberg (détails p. 153).

La chapelle Ste-Catherine occupe les deux travées du bas-côté droit touchant au transept. On y voit une épitaphe décorée de la Mort de la Vierge, datée de 1480, et des vitraux du 14e s.

Croisillon droit. — Au centre se trouve le **Pilier des Anges** ou **du Jugement dernier**★★, élevé au 13e s. Les statues qui le garnissent, disposées sur trois étages, composent un ensemble merveilleusement harmonieux. L'art gothique s'y élève à sa plus délicate perfection.

L'**Horloge astronomique**★ constitue la grande curiosité populaire de la cathédrale. Œuvre du Strasbourgeois Schwilgué, elle date de 1838.

Visite de 12 h 30 à 12 h 45 : prendre son ticket à l'extérieur de la cathédrale, au guichet ouvert dans le contrefort situé à gauche du portail du flanc droit. Entrée : 2 F.

Les sept jours de la semaine sont représentés par des chars que conduisent des divinités, apparaissant dans une ouverture au-dessous du cadran : Diane, le lundi, puis Mars, Mercure, Jupiter, Vénus, Saturne, Apollon.

Une série d'automates frappe deux coups tous les quarts d'heure. Le premier est donné par un des deux anges qui encadrent le cadran du « temps moyen », au centre de la Galerie aux Lions. Le deuxième est donné par un des « Quatre Ages » qui défilent devant la Mort dans la partie supérieure de l'horloge (l'Enfant frappe le premier quart, l'Adolescent le second, l'Homme le troisième, le Vieillard le quatrième). Les heures sont sonnées par la Mort. Au dernier coup, le second ange de la Galerie aux Lions retourne son sablier.

L'horloge astronomique est en retard d'une demi-heure sur l'heure normale. La sonnerie de midi a donc lieu à 12 h 30. Aussitôt, un grand défilé se produit dans la niche, au sommet de l'horloge. Les Apôtres passent devant le Christ en le saluant, Jésus les bénit tandis que le coq, perché sur la tour de gauche, bat des ailes et lance trois fois son cocorico en souvenir du reniement de saint Pierre. Le moteur central de l'horloge est remonté tous les huit jours. Les indications astronomiques ont été calculées pour un temps illimité.

A gauche de l'horloge, un vitrail du 13e s. représente un gigantesque saint Christophe. C'est le plus grand personnage de vitrail connu. Il mesure 8 m de haut.

Chœur. — Les arcatures et les peintures du chœur sont modernes. Ses vitraux sont également modernes. Le premier de ceux-ci, dû à Max Ingrand, a été posé dans l'abside en 1956. « Vitrail européen », il commémore l'installation à Strasbourg des premières institutions européennes.

Croisillon gauche. — On y verra de magnifiques fonts baptismaux, de style gothique flamboyant. En face, contre le mur, un groupe en pierre, très curieux, représente Jésus au mont des Oliviers. Commandé en 1498 pour le cimetière de l'église St-Thomas, il fut transféré à la cathédrale au 17e s. Les vitraux des 13e et 14e s. représentent des empereurs du Saint-Empire romain germanique.

Chapelle St-Jean-Baptiste et crypte. — *Pour visiter, s'adresser au suisse.* La chapelle (13e s.) contient le tombeau de l'évêque Conrad de Lichtenberg qui fit commencer la façade. L'œuvre est attribuée à Erwin. En face, épitaphe du chanoine Busang avec la Vierge et l'Enfant, de Van Leyden. A gauche des marches donnant accès au chœur, un escalier descend dans la crypte romane (beaux chapiteaux).

Tapisseries★★. — La cathédrale possède quatorze magnifiques tapisseries du 17e s. que l'on suspend le long de la nef pendant l'octave de la Fête-Dieu. Commandées par le Chapitre de Notre-Dame de Paris, elles furent achetées 10 000 livres en 1739, par les chanoines de Strasbourg. Elles représentent des scènes de la vie de la Vierge.

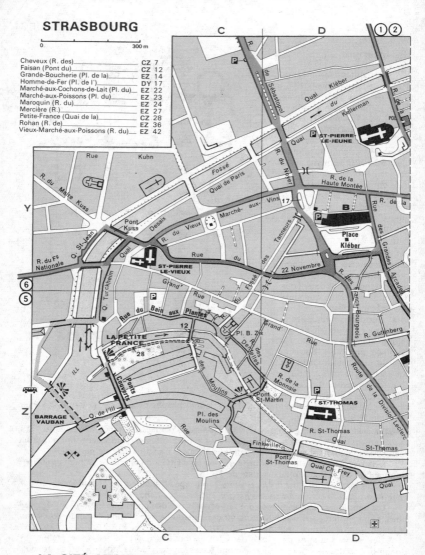

STRASBOURG

0 ———— 300 m

■ **LA CITÉ ANCIENNE★★★** *visite : 2 h 1/2*

Elle s'étend autour de la cathédrale, sur l'île formée par les deux bras de l'Ill.

Place de la Cathédrale★ (EZ). — Elle s'étend devant la cathédrale et sur le côté Nord. A l'angle de la rue Mercière, la **pharmacie du Cerf** de 1268 (EZ F) serait la plus ancienne pharmacie de France. A gauche de la cathédrale, la **maison Kammerzell★** (1589) (EZ Q), restaurée en 1954, décorée de fresques, est un joyau de la sculpture sur bois. Seule sa porte date de 1467. Elle est occupée par un restaurant.

Traverser la place du Château, au Sud de la cathédrale.

Musée de l'Œuvre Notre-Dame★★★ (EZ). — *La visite de ce musée est le complément indispensable de la visite de la cathédrale. Conditions de visite : voir p. 159.*
Consacré à l'art alsacien du Moyen Age et de la Renaissance, le musée présente ses collections dans les deux ailes de la Maison de l'Œuvre datant de 1347 et de 1578-1585, ainsi que dans l'ancienne hôtellerie du Cerf (14ᵉ s.) et une petite maison du 17ᵉ s., groupées autour de quatre petites cours : cour de l'Œuvre, cour de la Boulangerie, cour des Maréchaux et cour du Cerf, cette dernière aménagée en jardinet médiéval.
La maison de l'Œuvre a joué un rôle important dans l'histoire de la cathédrale *(détails p. 153).* Le bombardement aérien du 11 août 1944 détruisit en partie l'aile de 1347 et les galeries de la Cour des Maréchaux. Le musée est reconstitué.
Le vestibule, qui présente des sculptures pré-romanes et romanes, donne accès aux salles de sculpture romane et à la salle des vitraux (12ᵉ et 13ᵉ s.) provenant en partie de la cathédrale romane; on y voit le cloître des Bénédictines d'Eschau (12ᵉ s.) et la célèbre **Tête de Christ★** de Wissembourg, le plus ancien vitrail figuratif connu (vers 1070).
De là, on traverse la cour de l'Œuvre, remarquable par son ornementation mi-flam-boyante, mi-Renaissance. On pénètre ensuite dans l'ancienne salle de séance de la Loge des maçons et tailleurs de pierre, dont les boiseries et le plafond datent de 1580, où sont présentées les statues du portail St-Laurent de la cathédrale. A la suite, la grande salle de l'hôtellerie du Cerf montre l'œuvre des ateliers qui se sont succédé au 13ᵉ s. pour la construction de la cathédrale (originaux des **statues** de l'« Église » et de la « Synagogue », des Vierges Folles et des Vierges Sages).

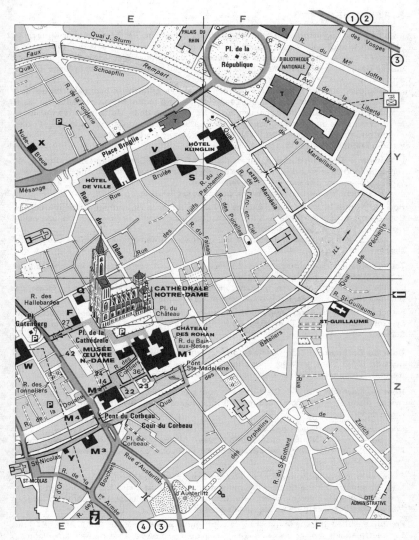

Un couloir où sont exposées des gravures du 17ᵉ s., figurant des états anciens de la cathédrale, conduit à une salle où sont exposés les célèbres **dessins** d'œuvre sur parchemin qui permettent de connaître les intentions primitives des architectes ayant élevé du 13ᵉ au 15ᵉ s. la façade et la flèche de la cathédrale. La salle suivante est consacrée à la sculpture alsacienne du 14ᵉ s. (beaux fragments du Saint Sépulcre de la cathédrale).

Visiter le charmant jardinet de la cour du Cerf.

Revenir dans la salle du 13ᵉ s. et monter par un bel escalier en chêne du 18ᵉ s., orné de tapisseries alsaciennes. Des paliers, belle vue sur les galeries de bois sculpté de la Cour des Maréchaux qu'il dessert. Au 1ᵉʳ étage, importante collection d'orfèvrerie strasbourgeoise du 15ᵉ au 18ᵉ s.

Le 2ᵉ étage est consacré à l'évolution de l'art alsacien au 15ᵉ s. A gauche, vitraux; à droite, dans des salles à boiseries et plafonds de l'époque, sculptures et **peintures★★** de l'école alsacienne : Conrad Witz, Schongauer (1445-1491) et autres primitifs alsaciens.

Le visiteur redescend au 1ᵉʳ étage par le bel escalier à vis de 1580 qui donne accès aux salles consacrées aux 16ᵉ et 17ᵉ s.

Dans l'aile Renaissance : histoire des arts graphiques à Strasbourg de 1500 à 1600; salle consacrée à **Hans Baldung Grien** (1484-1545) : élève de Dürer, ce peintre et dessinateur pour la gravure sur bois et le vitrail est le principal représentant de la Renaissance à Strasbourg; ancienne salle de séances des administrateurs de l'Œuvre (belle boiserie et plafond Renaissance); caveau des archives.

Dans l'aile Est, salles de mobilier alsacien et rhénan et de sculptures des 16ᵉ et 17ᵉ s.; collection de natures mortes des 17ᵉ et 18ᵉ s., de **Sébastien Stoskopff** (1597-1657) en particulier; miniatures intérieures et costumes strasbourgeois du 17ᵉ s., verreries.

En sortant du musée se diriger à droite vers le n° 2 de la place du Château.

Château des Rohan★ (EZ). — C'est le cardinal Armand de Rohan-Soubise, prince-évêque de Strasbourg en 1704, qui fit construire ce château. Mais le plus célèbre des Rohan devait être le fastueux Louis, coadjuteur, à 26 ans, de son oncle Constantin.

L'Affaire du collier. — **Louis de Rohan** est un fort bel homme, mondain et prodigue. Après avoir reçu Marie-Antoinette à Strasbourg, il est envoyé en ambassade chez la mère de celle-ci, Marie-Thérèse, et la scandalise par ses mœurs immodestes. De retour en France, il se lie avec l'étrange Cagliostro qui a promis de lui fabriquer de l'or. Ses intrigues avec Mme de la Motte ont surtout pour but de le faire entrer en grâce auprès de la Reine qui, toujours, l'a détesté. L'aventurière lui affirme que la Reine serait heureuse d'accepter de lui un collier qu'elle désire et que le Roi trouve trop cher. Qu'il le lui offre et l'amitié de la Reine lui sera acquise.

Toujours à court d'argent, le cardinal signe des billets aux bijoutiers, tandis que Jeanne de la Motte subtilise le bijou. Les billets venus à terme, Rohan ne peut payer et le scandale éclate, éclaboussant injustement la Reine. Mme de la Motte, fouettée publiquement et marquée au fer rouge, est enfermée à la Salpêtrière. Arrêté, puis acquitté et exilé, Rohan retourne à Strasbourg. A la Révolution il refuse de prêter serment, passe le Rhin et meurt à Ettenheim en 1803.

Le château. — Construit au 18e s. sur les plans de Robert de Cotte, architecte du Roi, il présente, au fond de la cour d'honneur, une belle façade classique avec fronton central. *En été, le dimanche matin, concerts et danses folkloriques.*

Il contient les très riches **musées★★ du château des Rohan** *(voir p. 159).*

Revenir au musée et prendre à gauche la rue de Rohan puis, à droite, la petite rue des Cordiers conduisant à la place du Marché-aux-Cochons-de-Lait où s'élève, à droite, une vieille maison du 16e s., à galeries de bois.

La place de la Grande-Boucherie, qui s'ouvre du même côté, est d'un aspect très alsacien.

Tourner à gauche sur la place du Marché-aux-Poissons. A son extrémité, une grille donne accès à la terrasse du château des Rohan.

Le long de cette terrasse, bordant l'III, le château déploie une majestueuse **façade,** de pur style classique, ornée, sur le corps central, de colonnes corinthiennes.

Franchir l'III par le pont Ste-Madeleine; suivre à droite le quai des Bateliers bordé de maisons anciennes des 17e et 18e s. Au no 1, une porte cochère donne accès à la cour du Corbeau.

Cour du Corbeau★ (EZ). — Cette cour pittoresque remonte au 14e s. A droite, on voit un puits de 1560. Dans la maison, hostellerie célèbre au 16e s., résidèrent quelques clients de marque : Turenne, le roi Jean-Casimir de Pologne, Frédéric II, l'empereur Joseph II.

Pont du Corbeau (EZ). — C'est l'ancien pont des Supplices d'où l'on plongeait dans la rivière, jusqu'à ce que mort s'ensuive, les infanticides et les parricides enfermés dans des cages de fer.

Continuer à suivre les quais de l'III.

Sur le quai St-Nicolas, Pasteur habita au no 18 (**EZ Y**); au no 23, se trouve le **musée Alsacien** *(voir p. 160).* On passe devant l'église St-Nicolas où Albert Schweitzer fut prédicateur de 1899 à 1912.

Suivre ensuite le quai Charles-Frey et, en face, la rue Finkwiller.

On pénètre dans le quartier des meuniers. La rivière se divise à cet endroit en quatre bras (on voit encore des moulins à eau, des barrages et des écluses). Le pont suivant (St-Martin) offre une **vue★** pittoresque sur le Bain-aux-Plantes.

Prendre ensuite à gauche la rue des Dentelles (remarquer le no 12 du 18e s. et le no 10 du 16e s.). On atteint la place Benjamin-Zix, puis le quai où s'ouvre la rue du Bain-aux-Plantes.

La Petite France★★ (CZ). — C'est un des coins les plus curieux et les mieux conservés du vieux Strasbourg, avec ses maisons qui se reflètent dans l'eau du canal. Au jour finissant, tout cet ensemble est d'un charme prenant. C'était autrefois le quartier des pêcheurs, des tanneurs, des meuniers.

(D'après photo Marasco)

Strasbourg. — La Petite France.

La **rue du Bain-aux-Plantes★★** a été pendant des siècles le quartier de la corporation des tanneurs. Elle est bordée de vieilles maisons de la Renaissance alsacienne (16ᵉ et 17ᵉˢ.) à encorbellements, pans de bois, galeries et pignons, Remarquer : à gauche, au nº 42, la maison des tanneurs (Gerwerstub) de 1572, au bord du canal; à droite, à l'angle de la rue du Fossé-des-Tanneurs et de la rue des Cheveux extraordinairement étroite, le nº 33; ainsi que les nᵒˢ 31, 27 et le nº 25, de 1651.

Revenir sur ses pas et franchir le pont du Faisan.

Prendre le quai de la Petite-France, longeant le canal de navigation, qui offre un charmant **coup d'œil★** sur les vieilles maisons qui se reflètent dans l'eau. *On arrive aux « Ponts Couverts ».*

« Ponts Couverts »★★ (CZ). — C'est une enfilade de trois ponts enjambant les bras de l'Ill, gardés chacun par une tour carrée et massive, reste des anciens remparts du 14ᵉ s. Trois tours étaient autrefois reliées par des ponts de bois couverts. La quatrième, la tour du Bourreau, au bout du quai Turckheim, faisait également partie de l'enceinte fortifiée de la cité.

Entre le dernier de ces ponts et la dernière tour prendre à droite le quai de l'Ill, seul accès pour monter à la terrasse du barrage Vauban.

Barrage Vauban (CZ). — *Visite de 9 h à 24 h du 1ᵉʳ juin au 15 septembre, 22 h du 1ᵉʳ avril au 31 mai, 17 h du 16 septembre au 31 mars. Montée : 2 F (gratuite du 1ᵉʳ octobre au 15 mars). Table d'orientation, longue-vue.*

De la terrasse panoramique aménagée sur toute la longueur du pont-casemate, dit « Barrage Vauban » (reste de l'enceinte de Vauban), qui barre entièrement le cours de l'Ill, on découvre un saisissant **panorama★★** sur les « Ponts Couverts » et leurs quatre tours au premier plan, le quartier de la Petite France et ses canaux, en arrière, la cathédrale à droite.

Le rez-de-chaussée du barrage Vauban abrite une exposition lapidaire : statues et fragments d'architecture des églises de la ville.

Traverser le barrage Vauban et prendre à droite. Par le pont du Fossé-du-Faux-Rempart gagner le quai Turckheim puis le quai Desaix; au niveau du pont Kuss, prendre en face la rue du 22-Novembre.

Église St-Pierre-le-Vieux (CY). — C'est un ensemble de deux églises : une catholique, une protestante. Dans le transept gauche de l'église catholique, panneaux sculptés (16ᵉ s.) et, au fond du chœur, scènes de la Passion de l'école de Schongauer *(détails p. 35). Pour mieux voir ces œuvres, allumer (interrupteur à gauche).*

Continuer la rue du 22-Novembre pour gagner la Place Kléber.

Place Kléber★ (DY). — C'est la plus célèbre place de Strasbourg. Elle est bordée au Nord par **« l'Aubette »** (B), bâtiment du 18ᵉ s. ainsi nommé parce que, à l'aube, les corps de la garnison venaient y chercher des ordres.

Au centre de la place s'élève la statue de Kléber, édifiée en 1840 et sous laquelle reposent les restes du héros. Né à Strasbourg en 1753, assassiné au Caire en 1800, Kléber est l'un des plus glorieux enfants de la cité. Le socle de la statue, illustré de deux bas-reliefs qui représentent ses victoires d'Altenkirchen et d'Héliopolis, énumère ses titres de gloire.

De l'autre côté de la place, prendre la rue des Grandes-Arcades, à droite.

Sur la **place Gutenberg** s'élèvent l'hôtel du Commerce (EZ **W**), belle construction de la Renaissance, et la statue de Gutenberg, œuvre de David d'Angers.

Au nº 52 de la rue du Vieux-Marché-aux-Poissons (direction Sud), on aperçoit la maison natale de Jean Arp.

La rue Mercière ramène à la place de la Cathédrale.

■ AUTRES CURIOSITÉS

Les musées (sauf celui de l'Université, voir p. 160) sont ouverts du 1ᵉʳ avril au 30 septembre de 10 h à 12 h et de 14 h à 18 h; le reste de l'année, le dimanche aux mêmes heures, et en semaine de 14 h à 18 h. Ils sont fermés le mardi du 1ᵉʳ octobre au 31 mars, ainsi que les 1ᵉʳ mai, 1ᵉʳ novembre, 25 décembre et 1ᵉʳ janvier. Entrée : 4 F pour l'ensemble des musées du château des Rohan, 3 F pour les autres musées (gratuite le dimanche matin du 1ᵉʳ octobre au 31 mars).

Musées★★ du château des Rohan (EZ **M¹**). — *Accès au fond de la cour à gauche.* Cet ensemble, restauré, d'une rare valeur artistique, présente, dans les grands appartements des cardinaux de Rohan, une importante partie de leur mobilier et de leurs collections.

Grands Appartements. — *Au rez-de-chaussée.* Ils sont parmi les plus beaux intérieurs français du 18ᵉ s. On peut voir les appartements des princes-évêques qui ont servi lors du passage de Louis XV en 1744 et de Marie-Antoinette en 1770, la chambre à coucher des cardinaux et la bibliothèque des Rohan.

Musée des Beaux-Arts. — *Au 1ᵉʳ et au 2ᵉ étages du corps de logis principal.* Il abrite une intéressante collection de tableaux du Moyen Age au 18ᵉ s. essentiellement.

La peinture italienne (primitifs et peintres de la Renaissance) y est particulièrement bien représentée : parmi de nombreux tableaux de maîtres, on remarquera un Ange d'Annonciation de Filippino Lippi, une Vierge à l'Enfant avec saint Jean-Baptiste de Piero di Cosimo, de Cima da Conegliano un magnifique Saint Sébastien et l'un des premiers tableaux du Corrège, Judith et la Servante.

Quelques tableaux illustrent l'École espagnole, parmi lesquels des œuvres de Zurbarán, Murillo, Goya, et surtout une célèbre Vierge de douleur par le Greco.

L'école des anciens Pays-Bas du 15ᵉ au 17ᵉ s. occupe aussi une place de choix : signalons plus particulièrement un très beau Christ de pitié par Simon Marmion, les Fiancés par Lucas de Leyde, de Van Dyck un Saint Jean (portrait de l'artiste) et un portrait de femme, par Pieter de Hooch le Départ pour la promenade.

Parmi les toiles représentant des noms des Écoles française et alsacienne du 17e au 19e s., on retiendra celle de La Belle Strasbourgeoise par N. de Largillière (1703).

Autre richesse du musée : importante collection de natures mortes, du 16e au 18e s.

Musée archéologique. — *Au sous-sol.* Il abrite les découvertes faites en Alsace, couvrant une période allant du début de l'ère quaternaire jusqu'à l'an mille. Les collections préhistoriques comportent des ossements de la faune disparue, de la céramique, des silex, des outils, des armes et des parures.

La section romaine est remarquable par l'ensemble de restes de monuments et d'objets divers trouvés à Strasbourg et dans sa région (une salle renferma les fragments du petit sanctuaire qui occupait le sommet du Donon).

La collection mérovingienne comprend quelques pièces uniques, comme le casque de Baldenheim, les phalères d'Ittenheim, etc.

Musée des Arts décoratifs. — *Dans l'aile droite du château (aile des Écuries et pavillon H. Haug).* Ce musée est consacré à l'artisanat d'art strasbourgeois et de l'Est de la France, depuis la fin du 17e s. jusqu'au milieu du 19e s.

La **collection de céramiques★★,** l'une des plus importantes de France, groupe notamment de belles faïences et porcelaines de Strasbourg et de Niderviller.

La faïencerie de Strasbourg, fondée et dirigée par la famille **Hannong** de 1721 à 1782, celle de Niderviller fondée en 1748 par le baron de Beyerlé, directeur de la Monnaie royale de Strasbourg, comptent parmi les plus belles manufactures françaises de faïence et de porcelaine.

On admirera les pièces de la période « bleue », celles au décor polychrome « de transition » et surtout ces magnifiques décorations florales aux pourpres dominants qui vont inspirer, après 1750, maintes faïenceries d'Europe. Belles pièces d'orfèvrerie strasbourgeoise, armoires, buffets et sièges des menuisiers locaux.

Cabinet des Estampes et bibliothèque d'art. — *Dans l'aile gauche du château. Visite de 10 h à 12 h et de 14 h à 18 h. Fermé les dimanches et lundis, les jours fériés et en août.* Ils contiennent 25 000 dessins et gravures *(exposés par roulement),* et 40 000 volumes.

Musée Alsacien★ (EZ M³). — Ce musée d'art populaire, installé dans trois maisons des 16e et 17e s., dont une maison patricienne aux jolies galeries de bois, contribue à faire connaître au touriste le passé, les coutumes et le folklore de l'Alsace. On y voit des collections de costumes, d'imagerie, de jouets anciens, de masques « cracheurs » de farine provenant des moulins, mais surtout des restitutions d'intérieurs anciens tels que le laboratoire de l'apothicaire-chimiste et des chambres à boiseries, dotées de poêles monumentaux. Des salles spéciales sont consacrées à la viticulture, à l'agriculture, à la corderie, à l'imagerie religieuse (protestante et catholique), au culte judaïque, enfin aux souvenirs de Jean-Frédéric Oberlin *(détails p. 55).*

Musée historique★ (EZ M²). — Ce musée est installé dans les bâtiments de la Grande Boucherie (1586). La section d'art militaire qu'il abrite constitue une des premières collections publiques d'armes et d'uniformes, en France, après celle du musée de l'Armée aux Invalides : des canons du 17e au 19e s. provenant de la fonderie royale, des armures, 200 uniformes avec états de service de ceux qui les ont portés, tous alsaciens, des armes anciennes sont à remarquer particulièrement, sans oublier la collection de petits soldats découpés et peints, en carton, spécialité de Strasbourg depuis l'Ancien Régime.

Dans la section de topographie et d'urbanisme on verra, entre autres maquettes, dessins, gravures, etc. évoquant le Vieux-Strasbourg, le plan-relief de 1727 provenant des collections royales créées par Vauban et Louvois. La section purement historique *(en cours de transformation)* contient des documents se rattachant à l'histoire de la ville.

Musée d'art moderne (Ancienne Douane) (EZ M⁴). — Cet édifice, reconstruit en 1965, était primitivement l'entrepôt de commerce fluvial de la ville. Il abrite des collections d'art moderne comprenant environ 200 peintures ou dessins de maîtres impressionnistes (Boudin, Renoir, Degas, Pissaro, Monet, etc.) et contemporains (dont Maillol, Dufy, Dunoyer de Segonzac, Vlaminck, Braque, Arp, Lurçat), ainsi que quelques sculptures modernes. L'étage des combles est consacré à des vitraux réalisés de 1900 à nos jours.

Musée zoologique de l'Université (BV M⁵). — *Visite de 14 h à 18 h et les dimanches en outre de 10 h à 12 h. Fermé les mardis du 1er octobre au 31 mars et certains jours fériés.*

Installé sur deux étages dans un cadre vieillot mais spacieux, ce musée didactique abrite de très nombreux spécimens naturalisés. L'accent est mis sur les variétés menacées de disparition. Une étude est consacrée au coelacanthe (1er étage) et une autre à la cigogne (2e étage).

Église St-Guillaume (FZ). — *Demander la clé à Mme Bally, 2 rue St Guillaume.* Sa construction s'échelonna de 1300 à 1307. Son principal intérêt réside dans les beaux vitraux de la nef, de Pierre d'Andlau, de 1465, et surtout dans le tombeau double, à étage, des frères de Werd : sur la dalle inférieure, Philippe en habit de chanoine; au-dessus, sur deux lions, comme suspendu, Ulrich en habit de chevalier.

Église St-Thomas (DZ). — Cette église des 13e et 14e s., temple protestant depuis 1549, est célèbre par son **mausolée du maréchal de Saxe★★,** l'une des œuvres maîtresses de Pigalle, du 18e s. Maurice de Saxe fut inhumé en 1777. La France en larmes, tenant le maréchal par la main, s'efforce d'écarter la Mort qui soulève le couvercle du tombeau. La Force, symbolisée par Hercule, s'abandonne à sa douleur, tandis que l'Amour pleure, éteignant son flambeau. A gauche, un lion (la Hollande), un léopard (l'Angleterre), un aigle (l'Autriche) sont rejetés vaincus sur des drapeaux froissés.

Dans une petite chapelle se trouve le tombeau de l'**évêque Adeloch** (12e s.).

Église St-Pierre-le-Jeune (DY). — *Visite de Pâques à la Toussaint de 9 h 30 à 11 h 30 et de 14 h 30 à 18 h.*

Trois églises furent construites au même endroit. De celle du 7ᵉ s., il reste un caveau avec cinq niches funéraires, de l'église de 1031, un très joli petit **cloître**, restauré (mais la galerie Est date du 14ᵉ s.). L'église actuelle, fortement restaurée vers 1900, remonte à la fin du 13ᵉ s. Depuis 1898 elle appartient au culte protestant. A l'intérieur, beau jubé gothique, orné de peintures de 1620, orgues de Silbermann. Dans la chapelle de la Trinité, fonts baptismaux de Hans Hammer (1491). Boiseries du chœur et chaire du 18ᵉ s.

Rue du Dôme (EY). — Elle est bordée de beaux hôtels du 18ᵉ s.

Place Broglie (EY). — C'est un long rectangle planté d'arbres, ouvert au 18ᵉ s. par le maréchal de Broglie, gouverneur d'Alsace. A droite, se dresse **l'hôtel de ville★** du 18ᵉ s., élevé par Massol, ancien hôtel des comtes de Hanau-Lichtenberg, puis des Landgraves de Hesse-Darmstadt. Au fond, le théâtre municipal est orné de colonnes et de muses sculptées par Ohmacht (1820). Devant le théâtre a été érigé le monument du maréchal Leclerc, libérateur de Strasbourg *(voir p. 152)*. A droite, le quai est bordé par la majestueuse **façade** de la résidence du préfet (1736), ancien hôtel du prêteur royal **de Klinglin**, qui donne aussi sur la rue Brûlée (n° 19 : beau portail). Au n° 4 de la place est né, en 1858, le missionnaire **Charles de Foucauld**, assassiné au Sahara en 1916.

Le quartier avoisinant la plage Broglie : rues des Pucelles, du Dôme, des Juifs, de l'Arc-en-Ciel, était habité par la haute noblesse et la grande bourgeoisie. On y admire plusieurs hôtels du 18ᵉ s., surtout rue Brûlée, l'ancien **hôtel des Deux-Ponts** (1754) (EY **V**), au n° 13, l'évêché (EY **S**) au n° 16, et au n° 9 l'entrée secondaire de l'Hôtel de ville. De l'autre côté de la place, rue de la Nuée-Bleue, au n° 25 hôtel d'Andlau (EY **X**), de 1732.

Les quartiers du 19ᵉ s. — *Visite en auto. Partir de la place Broglie. Au fond de la place, traverser le canal des Faux-Remparts.*

Après 1870, les Allemands ont élevé un grand nombre d'édifices publics aux proportions monumentales, d'une architecture souvent gothico-Renaissance. Tout un ensemble, au Nord-Est de la ville ancienne, englobant l'Université et l'Orangerie, a été construit dans l'intention d'y déplacer le centre de la ville. Ces quartiers aux larges artères restent de nos jours un exemple rare d'architecture prussienne.

Place de la République (FY). — C'est un vaste carré dont la partie centrale a été aménagée en jardin circulaire, planté d'arbres, au centre duquel s'élève le monument aux morts dû au sculpteur Drivier (1936); à gauche, se dresse le **Palais du Rhin,** ancien palais impérial (1883 à 1888); à droite, le Théâtre national et la Bibliothèque nationale.

Prendre, à droite, l'avenue de la Liberté. Franchir le pont de l'Université, au confluent de l'Aar et de l'Ill. A gauche, entre les deux rivières, se dresse dans un joli site l'église protestante St-Paul, construite au 19ᵉ s. dans le style néo-gothique.

Place de l'Université (ABV). — Belle place ornée de parterres et de fontaines. A l'entrée des jardins, statue de Goethe *(voir p. 151)*. Le palais de l'Université a été édifié en 1885, dans le style de la Renaissance italienne. L'allée de la Robertsau conduit à l'**Orangerie** *(ci-dessous)*.

Contades (AV). — Ce parc, situé au Nord de la place de la République, porte le nom du maréchal gouverneur de l'Alsace *(voir p. 152)*. En bordure du parc, s'élève la **synagogue de la Paix,** construite en 1955 pour remplacer l'ancienne détruite en 1940. *Visite après autorisation préalable, téléphoner au (88) 35.61.35.*

Palais de l'Europe (BV **Z**). — *Quitter le centre-ville par le quai des Pêcheurs (FY). Visite accompagnée, après autorisation préalable (☎ (88) 61.49.61. poste 30.33), de 9 h (10 h les samedis et dimanches) à 12 h et de 14 h 30 à 17 h.*

Les nouveaux bâtiments, œuvre de l'architecte français Henri Bernard, inaugurés en janvier 1977, abritent le Conseil de l'Europe et le Parlement Européen.

Le **Conseil de l'Europe** regroupe 21 pays. Son fonctionnement est assuré par un Comité des Ministres et une Assemblée parlementaire. Son objectif est la réalisation d'une union étroite entre ses membres, face aux grands problèmes d'intérêt commun. Trois fois par an l'Assemblée se réunit en session publique à Strasbourg pendant une semaine.

Orangerie★ (BV). — *Quitter le centre-ville par le quai des Pêcheurs.* Très beau parc dessiné par Le Nôtre en 1692 et aménagé en 1804 en vue du séjour de l'impératrice Joséphine. Le pavillon Joséphine (1805), incendié en 1968 et reconstruit, sert aux expositions temporaires, aux représentations théâtrales et aux concerts. Donnant sur le lac, le **restaurant Bürehiesel** est une vieille ferme alsacienne à pans de bois sculptés (1607).

Maison de la Télédiffusion de France (AV). — Construite en 1961. Sur la façade concave de l'auditorium, composition monumentale (30 × 6 m), sur céramique, de Lurçat, symbolisant la création du monde.

Promenades en vedette sur l'Ill et dans la Petite France★ (EZ). — *Services réguliers au départ de l'embarcadère du château des Rohan, avec passage devant le barrage Vauban et le palais de l'Europe. Durée : 1 h 30; prix : 21 F.*
  — *A 10 h 30 du 2 mai au 3 octobre.*
  — *A 14 h 30 du 27 mars au 31 octobre (sauf le 1ᵉʳ mai).*
  — *A 14 h, 15 h 45, 16 h 15, 17 h 30, 18 h et 19 h 15 du 29 mai au 26 septembre.*
  — *En soirée (21 h, 21 h 30 ou 22 h) du 29 mai au 26 septembre : « flâneries nocturnes » sur l'Ill illuminée.*
Pour tous renseignements, téléphoner au (88) 32.49.15.

Promenades en avion au-dessus de Strasbourg. — *Durée du survol : 1/4 h; prix : 50 F. Renseignements à l'Aéro-Club d'Alsace, Aérodrome du Polygone* (BX), *Strasbourg-Neudorf.*

■ LE PORT AUTONOME

Situé à l'un des principaux points de jonction des grandes voies de communication qui unissent les diverses parties de l'Europe, le « Port Autonome » de Strasbourg, 2ᵉ port fluvial de France, après Paris, constitue pour la région de l'Est l'équivalent d'un grand port maritime grâce aux qualités de navigabilité exceptionnelles du Rhin (aujourd'hui canalisé entre Bâle et Iffezheim, en cours de canalisation à l'aval d'Iffezheim) comparable à un bras de mer international de 800 km de longueur. Les avantages de cette situation géographique sont renforcés par le réseau des voies fluviales, ferrées et routières qui mettent l'arrière-pays en communication avec l'Europe occidentale et centrale.

Son équipement. — Couvrant avec 14 bassins et 2 avants-ports une surface en eau de 239 ha bordée de 37 km de rives, le port dispose de 671 ha de terres-pleins, de 23 ha de chantiers charbonniers, de 60 entrepôts à marchandises diverses ou silos à céréales et de 20 dépôts d'hydrocarbures. Des entreprises s'y sont installées : minoteries, malteries, huileries, levures industrielles, cellulose, textiles, forges et laminoirs, industries mécaniques, chimiques, construction navale, centrale thermique, etc.

Le port est desservi par un réseau ferré de 154 km et routier de 34 km. Il est équipé de 117 engins de manutention traditionnels et d'un appareil spécialisé pour les charges lourdes jusqu'à 350 t. C'est l'un des premiers ports français pour la capacité de stockage des céréales (227 000 t), également un des premiers pour l'exportation des produits pétroliers raffinés, son Bassin aux Pétroles pouvant accueillir toute la production des raffineries alsaciennes, elles-mêmes alimentées en brut par le pipe-line Sud-Européen. C'est enfin au port qu'a été fixé le centre régional de dédouanement.

Son activité. — Base de la flotte rhénane française, centre d'importation, d'exportation, de stockage et de transit de la France de l'Est, le port de Strasbourg est fréquenté par une flotte internationale de plus de 15 000 bâtiments allant de la péniche de 280 t à l'automoteur de plus de 2 000 t, ainsi que par des convois poussés qui groupent selon les secteurs 2 à 6 barges de 1 500 à 3 000 t chacune. Son trafic rhénan annuel moyen portant sur plus de 13 millions de tonnes comprend principalement : à l'entrée, des combustibles solides, produits pétroliers, denrées alimentaires, bois, produits métallurgiques et chimiques (cellulose), minerais; à la sortie, des minéraux et matériaux de construction (sables et graviers), produits pétroliers, potasses, céréales, produits sodiques, métallurgiques et chimiques, denrées alimentaires. Ce trafic s'exerce avec tous les pays riverains du fleuve et la Belgique, mais, par son origine ou sa destination, il concerne pratiquement le monde entier.

Vue d'ensemble et excursion au bord du Rhin. — *Circuit de 20 km — 3/4 h en auto.* Il permet les points de vue les plus intéressants sur le Rhin et les Bassins. Suivre la « Route du Rhin » (N 4), au départ du pont d'Austerlitz (près de la promenade Dauphine), qui longe les Bassins d'Austerlitz, Dusuzeau et de la Citadelle. Le pont Vauban franchit le Bassin Vauban qui communique par une écluse avec l'avant-port Sud. L'avenue du Pont-de-l'Europe conduit au bord du Rhin. Le fleuve, large, à cet endroit, de 250 m, est enjambé par le nouveau **pont de l'Europe** (1960), constitué par deux arcs métalliques, qui relie Strasbourg à Kehl en Allemagne. Celui-ci remplace le fameux pont métallique de Kehl de 1861, détruit pendant la guerre, qui avait succédé à l'antique pont de bateaux *(voir p. 127).*

Rebrousser chemin et obliquer sur la droite pour prendre la rue Couleaux puis la rue du Port-du-Rhin (vue sur le Bassin du Commerce). Du **pont d'Anvers**, on voit : sur la gauche, l'entrée du grand Bassin Vauban et le Bassin Dusuzeau (gare fluviale); sur la droite, le Bassin des Remparts, réservé à la potasse. Franchir le pont et prendre, à droite, la rue du Général-Picquart qui longe le Bassin des Remparts, puis la rue Boussingault, pour passer le pont sur le canal de la Marne au Rhin. Suivre à droite le quai Jacoutot longeant le canal. Du **pont Jean-Millot**, à l'entrée du Bassin des Pétroles, la vue embrasse le Rhin à gauche, le Bassin des Pétroles à droite, l'entrée Nord du port et l'avant-port Nord où débouchent le canal de la Marne au Rhin, les Bassins Louis-Armand, du Commerce et de l'Industrie.

Visite★ du port. — *Services réguliers (pour tous renseignements, téléphoner à la Direction du Port Autonome (88) 32.49.15) au départ de l'embarcadère de la promenade Dauphine : en vedette, avec sortie sur le Rhin et passage sous le pont de l'Europe (durée 2 h) : à 14 h 30 les mercredis et dimanches du 4 avril au 30 mai et de la 2ᵉ quinzaine de septembre, tous les jours du 31 mai au 18 septembre; en cas d'affluence, autre départ à 16 h 30; prix : 21 F.*

Pour organiser vous-même vos itinéraires :

— Tout d'abord consultez la carte des p. 4 à 6.
  Elle indique les parcours décrits, les régions touristiques,
  les principales villes et curiosités.

— Reportez-vous ensuite aux descriptions, à partir de la p. 47.
  Au départ des principaux centres, des buts de promenades
  sont proposés sous le titre Excursion.

— En outre les **cartes Michelin** nᵒˢ 56, 57, 62, 66, 87 et 242 signalent
  les routes pittoresques, les sites et les monuments intéressants,
  les points de vue, les rivières, les forêts...

Le STRUTHOF

Carte Michelin n° 87 - pli 15 — *Schémas p. 55 et 81.*

Les cinq derniers kilomètres de la route qui, de Rothau, monte au camp, furent construits par les détenus. Durant la dernière guerre, les Nazis créèrent ici un « camp de la mort ». Les immenses gradins sur lesquels les baraques s'étageaient furent également construits par les détenus, montant les matériaux à dos d'homme, du fond de la vallée; environ 10 000 d'entre eux périrent à cette tâche. Le camp reçut des convois divers provenant de tous les pays occupés. Les convois « NN » (Nacht une Nebel : Nuit et Brouillard), qui comptaient beaucoup de Français, étaient destinés à l'extermination.

Visite accompagnée du 1ᵉʳ mai au 30 septembre de 8 h à 11 h 30 et de 14 h à 18 h 30; le reste de l'année de 9 h à 11 h 30 et de 14 h à 16 h 30; fermé les 25 décembre et 1ᵉʳ janvier. Durée : 1 h. Entrée : 5 F.

De l'ancien camp de concentration, on a conservé la double enceinte de fils de fer barbelés, la grande porte d'entrée, le four crématoire, les cellules des déportés, deux baraques témoins (dont l'une abrite un musée de la Déportation).

Cimetière et mémorial. — *En bordure du D 130.* La nécropole, aménagée au-dessus du camp, abrite les restes de 1 120 déportés. Devant elle, se dresse le monument commémoratif, sorte d'immense colonne tronquée, évidée, portant, gravée en creux à l'intérieur, une silhouette géante de déporté. Le socle renferme le corps d'un déporté inconnu français.

Le SUNDGAU ★

Carte Michelin n° 87 - plis 9, 10, 19, 20.

Partie la plus méridionale de l'Alsace, et confinant à l'avant-pays jurassien, le Sundgau, ou Pays du Sud, s'étend, du Nord au Sud entre la région mulhousienne et la frontière suisse, de l'Ouest à l'Est entre la vallée de la Largue et celle du Rhin. Son relief s'élève doucement du Nord-Ouest vers le Sud-Est jusqu'à des altitudes pouvant dépasser 800 m dans les chaînons calcaires qui prolongent le Jura suisse.

Découpé en bandes longues et étroites par les affluents de l'Ill supérieure, c'est un pays bien individualisé, aux collines et falaises calcaires couronnées de forêts de hêtres et de sapins, aux vals parsemés de très nombreux étangs — qui ont valu à la gastronomie régionale sa spécialité de carpe frite — de pâturages et de riches cultures autour de fermes fleuries. Les habitations sont couvertes de vastes toits descendant très bas souvent à colombages garnis de crépi ocre ou couleur terre, certaines aux murs bardés de planches.

Altkirch est la seule ville de quelque importance, mais de nombreux et prospères villages bordent les cours d'eau ou s'échelonnent sur de riants coteaux.

Circuit au départ d'Altkirch — *97 km — environ 3 h — schéma ci-dessous*

On pourra greffer sur cet itinéraire d'agréables promenades pédestres, particulièrement dans le Sud du pays, le « Jura alsacien » (se renseigner auprès du Club Vosgien de Ferrette).

Quitter Altkirch (p. 47) à l'Est par le D 419 qui longe d'abord la rive droite de l'Ill.

St-Morand. — But de pèlerinage. L'église renferme le beau sarcophage, du 12ᵉ s., du saint patron du lieu, Morand, évangélisateur du Sundgau.

La route remonte ensuite le vallon du Thalbach pour atteindre le plateau. Puis elle descend vers le Rhin : vue sur le Jura septentrional, la plaine de Bâle et la Forêt-Noire.

A l'entrée de Ranspach-le-Bas, quitter le D 419 en tournant à droite. Au sortir de Ranspach-le-Haut, prendre à gauche vers Folgensbourg : on remarque, de part et d'autre de la route, des casemates à coupoles de la « Ligne Maginot » (voir p. 34).

Après Folgensbourg, l'itinéraire offre une belle vue sur la plaine de Bâle, la ville et la percée du Rhin.

Château du Landskron. — *11 km au départ de St-Blaise, puis 1 / 2 h à pied AR. Visite de 10 h à 12 h et de 14 h à 18 h (10 h à 19 h les dimanches et jours fériés) du 1ᵉʳ juillet au 15 septembre; les mercredis et samedis de 14 h à 18 h et les dimanches et jours fériés de 10 h à 19 h le reste de l'année. Entrée : 6,50 F.*

Il ne reste que les ruines de ce château, présumé du début du 11ᵉ s., renforcé par Vauban puis assiégé et détruit en 1814. Sa situation sur une butte-frontière permet une vue dominante, au Nord, sur les confins boisés du Sundgau et du pays de Bâle, ainsi que sur la petite cité de Leymen en contrebas. *Des singes macaques des Célèbes ont été introduits, à titre expérimental, sur le pourtour du château.*

Le SUNDGAU★

On atteint bientôt, à Oltingue, la haute vallée de l'Ill, dominée au Sud par la crête frontière du Jura alsacien.

Oltingue. — Ce charmant village possède, en son centre, un musée paysan, la Maison du Sundgau *(visite les mardis, jeudis, samedis de 15 h à 18 h et les dimanches de 11 h à 12 h et de 14 h à 18 h; du 1er octobre au 14 juin, les dimanches seulement sauf en décembre, janvier et février de 14 h à 17 h).* Témoin des différents styles de construction de la région, il réunit dans des pièces aménagées de façon attachante, quantité de meubles, vaisselles, ustensiles de cuisine évoquant le souvenir d'une population rurale. Remarquer le grand four de la cuisine, un vieil escalier dont chaque marche est faite dans un tronc d'arbre, des murs et plafonds en torchis, une collection de moule à Kougelhof de formes appropriées à la fête du jour à souhaiter, et aussi la balance du contrôleur des Poids et Mesures équipée de tous ses accessoires.

De Raedersdorf, gagner la D 21 B, route de Kiffis. Après le croisement, on aperçoit, à gauche, un nouvel alignement de casemates Maginot *(la plus proche de la route, à 100 m, est visitable).*
Laissant Kiffis à gauche, on emprunte la « route internationale » (D 21BIII), qui longe la frontière suisse (et la franchit même, après Moulin Neuf, sur quelques dizaines de mètres) au fond d'une combe boisée où coule la Lucelle.

Lucelle. — 68 h. Adossée à son étang, cette localité, jadis siège d'une opulente abbaye cistercienne, se situe à l'extrême pointe Sud de l'Alsace.

Hippoltskirch. — Dans la chapelle *(clé au restaurant, en face),* remarquer le plafond peint et cloisonné, la balustrade de la tribune, en bois peint et, aux murs, des ex-voto, certains traités en peinture naïve. A gauche de la nef, statue miraculeuse de Notre-Dame, objet naguère de pèlerinages, à laquelle s'adressent les ex-voto.
C'est du D 23, environ 2 km avant Ferrette, que l'on a la meilleure vue sur la ville.

Ferrette★. — 783 h. *Lieu de séjour, p. 42.* Ancienne capitale du Sundgau, Ferrette eut, dès le 10e s., des comtes indépendants dont l'autorité s'étendait sur une vaste région de la Haute-Alsace. Passée à la maison d'Autriche par mariage au 14e s., elle fut donnée à la France, en 1648, lors de la signature des traités de Westphalie.

Cette petite ville ancienne est bâtie dans un **site★** pittoresque du Jura alsacien. On accède au château par la route de Delémont. Parvenu sur un replat, prendre à gauche et laisser la voiture peu avant un passage couvert. Les ruines du château *(1/2 h à pied AR),* au milieu des bois, occupent le sommet de la montagne qui domine Ferrette au Sud. De la plate-forme, belle **vue★** sur les Vosges méridionales, la Forêt-Noire et les premières hauteurs du Jura.

Bouxwiller. — 336 h. Joli village aux nombreuses fontaines, bâti sur un versant de la vallée. Dans l'église St-Jacques, belle chaire en bois doré, du 18e s., provenant de l'ancien monastère de Luppach; riche retable baroque à colonnes, peint et doré.

Grentzingen★. — 497 h. Les maisons, typiques, de ce village fleuri présentent la particularité d'être alignées perpendiculairement à la route. Certaines d'entre elles ont conservé la couleur ocre d'origine et aussi leur auvent. Remarquer les toitures avec leurs pignons à pan coupé. A gauche de la poste, une habitation porte encore son inscription de 1806.

Dans Grentzingen, tourner à gauche. La route passe à **Riespach**, aux maisons caractéristiques.

Feldbach. — 327 h. Dans l'église romane, extérieurement restaurée, on remarque les piliers sous arcades, ronds puis carrés, de la nef, et la belle abside en cul-de-four.

Le D 432, par les vallées verdoyantes du Feldbach et de l'Ill, ramène à Altkirch.

THANN ★

Carte Michelin n° **87** - pli 19 — *Schémas p. 135 et 138* — 8 523 h. (les Thannois) — *Lieu de séjour, p. 42.*

Selon un vieux dicton alsacien : « Le clocher de Strasbourg est le plus haut, celui de Fribourg-en-Brisgau le plus gros, celui de Thann le plus beau. » Thann possède, en effet, la plus riche église gothique de l'Alsace.

Sur un coteau voisin, on récolte le fameux vin du Rangen dont la chronique dit : « Un homme n'en peut supporter un pot sans ivresse et sans chute; ce vin veut être bu sobrement et chez soi. » Dès le milieu du 16e s., Sébastien Munster vantait « le fort bon vin qui croist sur la montagne appelée Rang, ce que sçavent fort bien ceux de Basle ».

La légende des trois sapins. — Comme beaucoup de villes ou de villages d'Alsace, Thann attribue son origine à un événement légendaire et poétique.

Thiébaut, évêque de Gubbio, en Ombrie, meurt en 1160, en odeur de sainteté, léguant son anneau épiscopal à son plus fidèle serviteur. Celui-ci, avec l'anneau, arrache en même temps le pouce du défunt, dissimule la relique dans son bâton de voyage, se met en route et parvient en Alsace l'année suivante. Une nuit, il s'endort dans un bois de sapins, ayant fiché en terre son bourdon. Au matin, le pèlerin essaye d'arracher le bâton du sol, mais ne peut y parvenir. En même temps, trois grandes lumières apparaissent au-dessus de trois sapins : le châtelain de l'Engelbourg les a vues de son château. Il accourt et décide d'élever une chapelle au lieu même du miracle. Aussitôt, le bourdon quitte la terre sans difficulté.

La chapelle devient bientôt un lieu de pèlerinage fréquenté. Une ville se construit tout autour. Elle portera le nom de « Thann » qui signifie sapin.

Chaque année, le 30 juin, la « Crémation des trois sapins » commémore le prodige : trois sapins sont brûlés devant l'église, et la foule s'en dispute les débris.

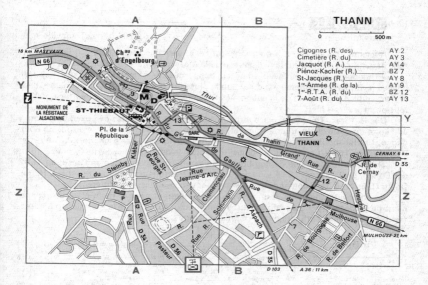

THANN		
Cigognes (R. des)		AY 2
Cimetière (R. du)		AY 3
Jacquot (R. A.)		AY 4
Piénoz-Kachler (R.)		BZ 7
St-Jacques (R.)		AY 8
1re-Armée (R. de la)		AY 9
1er-R.T.A. (R. du)		BZ 12
7-Août (R. du)		AY 13

« L'Œil de la Sorcière ». — L'Engelbourg (château des Anges), construit par les comtes de Ferrette, devient propriété des Habsbourg puis, en 1648, du roi de France qui, dix ans plus tard, le donne à Mazarin dont les héritiers le conserveront jusqu'à la Révolution.

En 1673, à l'instigation du Grand Condé, on décide son démantèlement : des mineurs le font sauter. Au moment de s'effondrer, le donjon chancelle et se brise en plusieurs morceaux dont le plus gros forme une ruine cylindrique : vu de loin, il semble un œil monstrueux, ouvert sur la vallée de la Thur. On l'a surnommé « l'Œil de la Sorcière ».

Les libérations de Thann. — Lors de la première guerre mondiale, Thann est libérée dès le 7 août 1914 mais demeure quatre ans soumise aux bombardements allemands.

Le 10 décembre 1944, Thann est occupée par les troupes françaises descendues du col du Hundsrück. Mais le front se stabilise à quelques centaines de mètres de la ville *(voir p. 25)*. Située désormais sur la ligne de feu, elle va subir pendant près de deux mois les tirs des Allemands, désespérément accrochés à Vieux-Thann. C'est seulement le 29 janvier 1945 que la ville sera complètement dégagée.

■ COLLÉGIALE ST-THIÉBAUT★★ *visite 1/2 h*

On la nomme, à Thann, la « cathédrale ». Son architecture gothique trahit une évolution continue vers le style flamboyant. La légende veut que, pour hâter les travaux, on se soit servi d'un mortier gâché avec le vin d'une récolte exceptionnelle.

Extérieur. — La façade Ouest est percée d'un remarquable **portail★★**. Il présente un très haut tympan surmontant deux portes munies chacune d'un petit tympan. Le tympan supérieur représente la vie de la Vierge; le petit tympan de droite, l'Adoration des Mages; celui de gauche, la Crucifixion. Plus de 500 personnages animent le portail.

Contourner l'église par la gauche pour voir le portail Nord de style flamboyant qui possède trois belles statues du 15e s. : saint Jean-Baptiste et saint Thiébault, de chaque côté du trumeau, lui-même orné d'une statue de la Vierge.

Passer derrière le chevet pour admirer le superbe élancement des lignes verticales de l'abside et du clocher haut de 76 m.

Intérieur. — Les voûtes ont de jolies clés armoriées, sculptées et peintes. Dans la chapelle du bas-côté droit, statue en bois polychrome, de la fin du 15e s., de la Vierge à l'Enfant, dite Vierge des Vignerons. A droite du chœur, dans la chapelle St-Thiébault : statue en bois polychrome du patron de la ville (15e s.).

Le chœur très profond, est orné des statues des douze apôtres. Mais sa principale richesse consiste dans ses superbes **stalles★★** du 15e s. Toute la fantaisie du Moyen Age s'y donne libre cours. Ce ne sont que feuillages, gnomes et personnages comiques d'une verve remarquable, d'une grande finesse d'exécution. Admirer les huit belles **verrières★**, du 15e s. également.

■ AUTRES CURIOSITÉS

Musée des Amis de Thann (AY M). — *Visite du 15 mai au 30 septembre de 10 h à 12 h et de 14 h 30 à 18 h 30. Entrée : 3 F.*

Installé dans une halle aux blés du 16e s., il constitue un complément intéressant à la visite de la collégiale. Au rez-de-chaussée, collections lapidaires; aux 3 étages supérieurs : art local, souvenirs de la guerre de 1914-18, histoire de la ville, folklore paysan, minéralogie, impression sur étoffes.

Tour des Sorcières (AY D). — On a, du pont sur la Thur, une vue pittoresque sur cette tour, dernier vestige des fortifications.

« Œil de la Sorcière ». — C'est le nom donné au principal vestige de l'Engelbourg (AY) *(voir ci-dessus)*.

De l'autre côté de la vallée, au sommet de la montagne du « Staufen », a été érigé le monument de la Résistance alsacienne.

Carte Michelin n° **57** - plis 3 et 4 — *Schéma p. 167* — 44 191 h. (les Thionvillois).

Ancienne place forte, la « Métropole du Fer », véritable centre nerveux de toute une zone industrielle, s'étend sur la rive gauche de la Moselle, large ici de plus de 100 m.

« Theodonis villa », château édifié au temps des Mérovingiens, fut l'une des résidences favorites de Charlemagne qui y publia plusieurs capitulaires et y fit connaître, dans une assemblée des grands de la nation, ses dernières volontés au sujet du partage de l'Europe entre ses trois fils.

Dès le 13ᵉ s., Thionville, place fortifiée, appartenait aux comtes de Luxembourg qui y édifièrent un vaste château fort. Thionville passa alors de main en main : maisons de Bourgogne, de Habsbourg et, après la mort de Charles Quint, Pays-Bas espagnols. Le traité des Pyrénées, en 1659, l'attribua à la France, et Vauban la dota d'une enceinte fortifiée.

Thionville fut assiégée de nombreuses fois : en 1558 par le duc de Guise, en 1642 par Condé, en 1792, en 1814 (où elle fut défendue victorieusement par le général Hugo). De 1870 à 1914, les Allemands la transformèrent en une puissante forteresse.

En amont de Thionville, d'importants travaux entrant dans le vaste plan d'aménagement de la Moselle ont été réalisés : rescindement d'une boucle de la Moselle, agrandissement de l'ensemble portuaire dit de Thionville-Illange (*voir p. 100*).

THIONVILLE		
Gambetta (R.)	B 4	Marie-Louise (Pl.)	A 13
Hildegarde (Bd)	AB 6	Parc (R. du)	B 14
Hoche (R. Lazare)	B 7	Paris (R. de)	A 16
Liberté (Pl. de la)	A 8	Pont (R. du)	B 17
Luxembourg (Pl. et R. de)	B 9	République (Pl. de la)	A 18
Castelnau (R. Gén. de)	A 2	Manège (R. du)	A 10	St-Pierre (R.)	A 19
Foch (Bd Mar.)	A 3	Marchal (Q. P.)	B 12	Schuman (Bd R.)	B 20

0   500 m

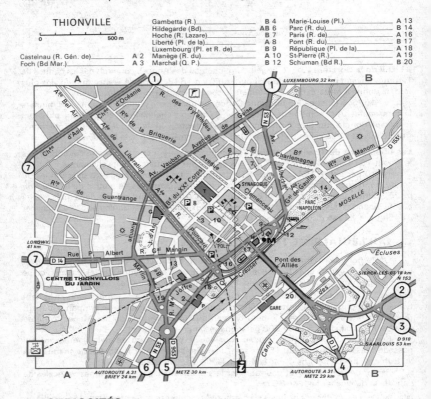

■ CURIOSITÉS *visite : 2 h*

Tour aux Puces (B M). — Encore appelée tour au Puits (Peetz Turm), c'est le seul vestige de l'ancien château féodal : la légende rapporte qu'une princesse, laissée là à son retour de campagne par l'Empereur Charlemagne, y serait morte dévorée par les puces.

Musée d'archéologie et d'histoire. — *Visite tous les jours, sauf lundis, de 10 h à 12 h et de 14 h à 18 h en juillet et août, l'après-midi seulement en septembre; les jeudis de 8 h à 12 h et de 14 h à 18 h, samedis et dimanches après-midi en mai et juin. Entrée : 2 F.*

On y remarque le puits *(voir ci-dessus),* des céramiques et vestiges lapidaires galloromains et moyenageux, d'anciennes taques de cheminées et pierres tombales, des sculptures religieuses, des outils et ustensiles, des vitrines consacrées au passé thionvillois, et des armes.

Les restes des remparts (mur de soutènement) subsistent le long de la Moselle. Audessus, des jardins publics et des promenades (parc Napoléon) ont été aménagés.

Centre Thionvillois du Jardin (A). — *35, route de Longwy.* Floraison surtout en août, septembre, octobre, novembre. Sa visite intéressera les amateurs d'horticulture.

Château de la Grange★. — *Au Nord par ① du plan, à gauche, à l'angle de la route de Luxembourg et de la Chaussée d'Amérique. Visite guidée de 14 h 30 à 17 h 30, les samedis et dimanches. Entrée : 10 F.*

Construit en 1731 par Robert de Cotte, le château est élevé sur les soubassements d'une forteresse qui servit jusqu'au 17ᵉ s. d'avant-poste aux défenses de la citadelle de Thionville. Il fut acquis par le marquis de Fouquet en 1752 et appartient encore à ses descendants.

La grande cuisine au mobilier lorrain présente une cheminée surmontée d'un très bel arc en anse de panier, la salle à manger conserve un poêle en faïence blanc et or, haut de près de 5 m, construit pour le marquis de Fouquet; face aux fenêtres, deux vitrines présentent des collections de porcelaines de Boch.

Dans l'entrée remarquer des tapisseries des Flandres ayant pour sujet la Guerre de Troie. Au pied de la cage du grand escalier, à la belle rampe de fer forgé du 18e s., deux énormes vases chinois, en émail cloisonné, et deux bas-reliefs de l'école de Jean Goujon, retiennent l'attention; face à la chaise à porteurs de la famille Morati, de Murato, en Corse, un poêle alsacien de Rouffach, daté de 1804, est décoré de scènes religieuses.

Dans le salon rouge le dallage de pierre à carreaux blancs et noirs est recouvert d'un tapis persan ancien. Dans la salle de bain Empire, la baignoire, taillée dans un seul bloc de marbre blanc, fut installée pour Pauline Bonaparte.

On découvre encore le beau mobilier Louis XV du grand salon bleu, avec son plancher à marqueterie en étoile, et la bibliothèque, installée dans l'ancienne chapelle du château (entre les fenêtres, remarquable collection de céramiques d'Extrême-Orient).

Un parc à l'anglaise a remplacé au 19e s. le jardin à la française d'autrefois.

Fort de Guentrange. — *Au Nord-Ouest. Quitter Thionville par ⑦ du plan, avenue de la Libération, puis prendre à droite vers Guentrange.*

Ce fort, construit en briques par les Allemands en 1899, fut pris, intact, par l'armée française en 1918 puis incorporé comme soutien à la Ligne Maginot en 1940. Il doit faire l'objet d'aménagements muséographiques.

Laisser la voiture dans la cour extérieure et gagner la plate-forme *(1/4 h à pied AR- escalier à gauche)* : de celle-ci, la vue s'étend sur Thionville et le bassin sidérurgique de Hayange à Hagondange, et sur la Moselle, à gauche.

EXCURSIONS

Le Pays du Fer★. — *Circuit de 67 km — environ 2 h 1/2. Quitter Thionville par ⑥ du plan, N 53.*

Au Sud-Ouest de Thionville, la « Métropole du Fer », se succèdent les bassins d'extraction du minerai de fer, le long des vallées de l'Orne et de la Moselle qui ont cependant conservé en partie leur caractère agreste.

Une industrie sidérurgique puissante s'est installée sur place, transformant la région en un paysage façonné par la vie laborieuse à proximité de puits, de chevalements de mines, de crassiers gigantesques, de centrales, d'usines, impressionnantes avec leurs transporteurs, leurs hauts fourneaux et leurs aciéries qui rougeoient la nuit.

Aussitôt après Thionville commence le paysage industriel. A la sortie de Terville, on aperçoit, à gauche, les usines d'Usinor. Après le passage à niveau de Daspich, remarquer à gauche les usines de la Société Lorraine de Laminage Continu « Sollac » (tôles minces et fer-blanc).

A Serémange-Erzange, prendre à gauche le D 17 d'où l'on aura, au cours de la montée vers St-Nicolas-en-Forêt, dans les clairières et près du bâtiment de la Compagnie Générale des Eaux, une vue étendue sur **la vallée industrielle de la Fensch** (usines des sociétés Sacilor, Sollac, Usinor, cimenterie d'Ebange).

A St-Nicolas-en-Forêt, une des cités créées par Sollac en 1953 pour son personnel, du rond-point du Bout des Terres à l'extrémité du boulevard des Vosges, panorama sur la vallée de la Moselle.

A Hayange, on quitte la vallée de la Fensch. Après Neufchef, la route traverse l'épaisse forêt de Moyeuvre, coupée par la pittoresque vallée du Conroy.

Briey. — *Page 54.*

A partir d'Homécourt, la route, qui emprunte la **vallée de l'Orne,** n'est qu'une longue rue bor-

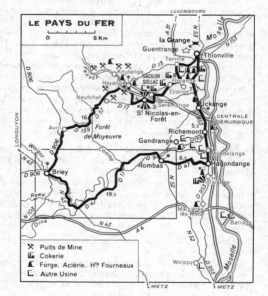

dée d'usines et de cités ou-
vrières. Sur les plateaux, les crassiers constituent un curieux relief artificiel au voisinage des mines et des usines.

Ces mines et usines font partie du groupe Sacilor - Sollac qui exploite directement les installations industrielles d'Homécourt et de Jœuf.

Cet ensemble — complété par les installations de Gandrange, Rombas et Hagondange — assure au groupe Sacilor - Sollac le deuxième rang dans la sidérurgie française. Ce groupe a réalisé en 1980 une production de 12,5 millions de tonnes de minerai de fer, de 4,7 millions de tonnes de fonte et de 6,3 millions de tonnes d'acier.

De Rombas rejoindre le D 953 à Hagondange.

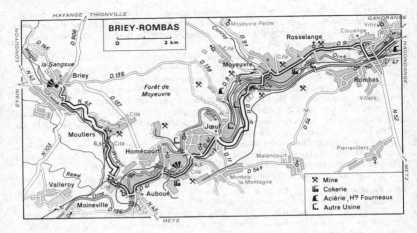

BRIEY-ROMBAS
0   2 km

Mine
Cokerie
Aciérie, Hts Fourneaux
Autre Usine

Hagondange. — 10 048 h. Ancien fief de Thyssen, magnat allemand de l'acier avant 1914. Dans la cité située à droite du D 47 s'élève une église moderne dont le plafond est fait de lattes de sapin formant pointes de diamant. Le campanile, isolé, est formé de deux lames de béton.

A droite du D 953, entre Hagondange et Uckange, s'est construite, en 1960, la centrale sidérurgique de Richemont.

Avec les installations métallurgiques du centre industriel d'Uckange commencent les faubourgs de Thionville.

Le Hackenberg★. — *20 km à l'Est. Quitter Thionville par ③ du plan, D 918. A 12 km, prendre à gauche le D 60. Après Helling, suivre les panneaux indicateurs.*

A proximité du village de Veckring, sous 160 ha de forêts, se situe le plus gros des ouvrages de la Ligne Maginot *(voir p. 34)*, composé de deux blocs d'entrée et de 17 blocs de combat. Ses installations pouvaient abriter 1 200 hommes, ses réserves en vivres et munitions suffire pour trois mois, sa centrale électrique alimenter en courant une ville de 10 000 habitants. Son artillerie permettait un tir de plus de 4 t d'obus à la minute.

Les blocs sont reliés entre eux par plus de 10 km de galeries dont 3,5 km équipées de voies ferrées.

Le 4 juillet 1940, l'équipage de l'ouvrage dut se rendre sur ordre supérieur. En novembre 1944, les Allemands résistent au bloc 8. Deux chars américains le neutralisent : un des officiers connaissait l'ouvrage et les angles morts de tir.

On visite *(les samedis et dimanches entre 14 h et 15 h; durée : 2 h 1/2; entrée : 15 F; se munir de vêtements chauds)* les blocs de combat, l'usine électrique, les casernements, réservoirs, cuisines, le musée, etc. et, par un escalier de 140 marches, on accède à l'air libre parmi les cloches de tir ou d'observation et les casemates.

Pour comprendre la valeur stratégique du fort, dont les éléments de défense étaient orientés côté Moselle, monter jusqu'à la chapelle du Hackenberg entourée de pierres tombales anciennes. De ce site très calme de la forêt de Sierck, la vue s'étend sur les collines de la région; au Nord la vallée de la Moselle et ses versants boisés; près de la chapelle, quelques cloches de tir et d'aération du Hackenberg et les deux périscopes de l'ouvrage *(3 km par le chemin non revêtu qui part à droite de l'entrée des visiteurs; après le bloc d'entrée des hommes, laisser le chemin de droite et prendre en face).*

Le Zeiterholz et le Immerhof. — *15 km au Nord. Quitter Thionville par ⑦ vers Longwy. A 6,5 km, prendre le D 57 à droite. Laisser Entrange-Cité à droite et gagner Entrange-Village.*

Le **Zeiterholz,** abri d'intervalle de la Ligne Maginot *(voir p. 34)*, est un ouvrage monobloc, exempt d'humidité, dont les installations d'origine sont en état de marche. *Visite guidée (en juin, juillet et août, les 1er et 3e dimanches du mois, de 14 h à 17 h 30; durée : 1 h 1/2; entrée : 6 F) précédée d'une séance d'audio-visuel sur l'ensemble de la Ligne Maginot.*

Par Entrange-Cité gagner Hettange-Grande. Le D 15 pris à gauche (panneau indicateur) conduit au Immerhof.

Le **Immerhof,** ouvrage intermédiaire de la Ligne Maginot *(voir p. 34)*, face à la frontière luxembourgeoise, comprend quatre blocs construits à ciel ouvert, ce qui explique son bon état de conservation. *Visite guidée en juin, juillet et août, les 2e et 4e dimanches du mois, de 14 h à 17 h 30; durée : 1 h 1/4; entrée : 8 F.*

Chaque année,

le **guide Michelin Camping Caravaning France**

vous propose un choix révisé de terrains

et une documentation à jour sur leur situation,

leurs aménagements, leurs ressources

et leur agrément.

THUR (Vallée de la) ★

Carte Michelin n° 87 - plis 18 et 19.

La vallée de la Thur, large sillon creusé par les anciens glaciers, a une grande activité industrielle.

La vallée supérieure ainsi que le vallon d'Urbès conservent, entre des versants boisés ou couverts de pâturages, un caractère agreste, intact et plein de charme.

Les agglomérations laborieuses qui se succèdent sur les bords de la Thur sont, presque toutes, d'origine très ancienne. L'industrie textile compte cette vallée parmi ses premières conquêtes.

Ici, les grands noms historiques ne sont pas des noms de guerriers ou de souverains, mais ceux de Jérémie Risler, des Koechlin, des Kestner, des Stehelin, fondateurs d'usines métallurgiques, textiles ou de produits chimiques. C'est un des membres de la famille Kestner, Scheurer-Kestner, qui fut l'un des principaux signataires du fameux manifeste de protestation des parlementaires alsaciens en 1871.

① VALLÉE INDUSTRIELLE

De Thann à Husseren-Wesserling — *12 km — environ 1 / 2 h — schéma p. 135*

Quitter Thann (p. 164) par ② du plan, N 66.

Le vignoble de Thann laisse bientôt le champ libre aux industries. La vallée de la Thur se resserre puis s'élargit. Malgré leurs usines, les villages riverains sont charmants, de même que la campagne environnante couverte de prés et de vergers, creusée de vallons, animée de ruisseaux et de torrents.

Willer-sur-Thur. — 1923 h. Willer revendique l'honneur d'être le lieu de naissance de Catherine Hubscher, la future maréchale Lefebvre, passée à la postérité sous le surnom de « Madame Sans-Gêne ».

Moosch. — 1953 h. Dans un grand cimetière militaire adossé au versant Est de la vallée, reposent près de 1000 soldats français victimes de la guerre de 1914-1918.

St-Amarin. — 2035 h. Cette localité a donné son nom à la vallée entre Moosch et Wildenstein. Elle s'illumine chaque année, à l'occasion de la veillée de la St-Jean *(voir p. 8 : «Principales manifestations régionales »)*, de nombreux feux de joie. Le **musée Serret et de la vallée de St-Amarin** *(visite de 14 h à 18 h les dimanches, du 1er avril au 30 septembre et aussi les mardis, jeudis et samedis à partir du 14 juillet; entrée : 5 F)* rassemble des souvenirs locaux; gravures et vues anciennes de la région, coiffes alsaciennes, armes, ferronneries, emblèmes de confréries.

Ranspach. — De la place de l'église part un sentier botanique *(2,5 km)* signalé par une feuille de houx. Les caractéristiques des arbres et arbustes rencontrés, tous différents, sont données sur des panneaux. Promenade facile et agréable.

Husseren-Wesserling. — 1023 h. Ancien rendez-vous de chasse des princes-abbés de Murbach, c'est le siège d'une importante manufacture de tissus imprimés. L'usine et les maisons de cette localité entourent une moraine laissée par les anciens glaciers et coupée aujourd'hui par les eaux de la Thur.

② HAUTE VALLÉE★

De Husseren-Wesserling au col de Bramont — *18 km — environ 3 / 4 h — schéma p. 135*

La haute vallée de la Thur est bosselée de buttes granitiques, îlots que l'action destructrice des anciens glaciers a respectés. Trois de ces buttes dominent Oderen. En amont, on en apercevra une autre, boisée : le Schlossberg qui porte les **ruines du château de Wildenstein**.

Oderen. — 1241 h. A l'entrée, en venant de Wesserling, on découvre une belle vue, en avant et à gauche, sur les escarpements pittoresques des bois de Fellering.

Kruth. — 1012 h. Dernier bourg de la vallée.

Cascade St-Nicolas★. — *1,5 km au départ de Kruth, par le D 13B1.* La cascade, composée de multiples et charmantes cascatelles, tombe au fond d'un joli vallon très encaissé dont les versants sont couverts de sapins.

Grand Ventron★★. — *14 km au départ de Kruth par le D 13B1, puis 1 / 2 h à pied AR.* La route d'accès s'embranche sur la route du col d'Oderen. A 5 km, quitter la voiture et poursuivre la montée le long du chemin forestier aboutissant à la Chaume du Grand Ventron.

Du sommet (alt. 1202 m), le **panorama★★** est très étendu sur les Vosges et la vallée de la Thur; le Hohneck, le Grand Ballon et le Ballon d'Alsace sont visibles.

Entre Kruth et Wildenstein, la route passe à droite du Schlossberg dans un défilé que, sans doute, la Thur emprunta autrefois. Une autre route longe le Schlossberg, par l'autre versant, et **le barrage de Kruth-Wildenstein**, digue en terre à noyau central d'argile étanche, qui est un des maîtres ouvrages de l'aménagement hydraulique de la vallée de la Thur *(cette route n'est utilisable que dans le sens Wildenstein-Kruth).*

A Wildenstein commence la montée vers le **col de Bramont** caractérisée d'abord par une très belle vue en enfilade sur la vallée de la Thur puis par un magnifique parcours en forêt.

③ VALLON D'URBÈS

De Husseren-Wesserling au col de Bussang — *11 km — environ 1 / 2 h — schéma p. 135*

La route traverse la vallée de la Thur puis s'engage dans le vallon d'Urbès barré par une moraine. Une montée douce, au cours de laquelle de jolies vues s'offrent sur la vallée de la Thur et les crêtes qui la dominent, amène le touriste au col de Bussang *(p. 100)* à partir duquel on peut remonter la haute vallée de la Moselle, décrite en sens inverse p. 100.

Carte Michelin n° **62** - pli 4 — 16 832 h. (les Toulois).

Toul, dans sa ceinture de remparts, fut autrefois une forte place militaire et le siège d'un des Trois Evêchés. La Porte de Metz est seule due à Vauban.

Une rivière « capturée ». — A Toul, la Moselle, descendue jusque-là rapidement des Vosges, fait un coude brusque et change de direction. Autrefois, elle poursuivait sa route vers l'Ouest et se jetait dans la Meuse. Mais à l'ère quaternaire son cours a été détourné et elle fut attirée vers sa voisine, la Meurthe, qui coulait à un niveau nettement plus bas.

A l'Ouest de Toul, un large passage où l'on trouve des cailloux d'origine vosgienne représente l'ancien lit de la Moselle. La route et la voie ferrée de Paris à Nancy, le canal de la Marne au Rhin y ont trouvé leur chemin. Toul, située à l'extrémité de ce couloir, en a tiré son importance stratégique et économique.

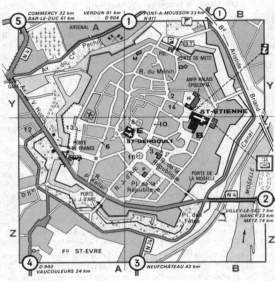

Cordeliers (R. Pont des)		**BY** 2
Dr-Chapuis (R. du)		**BZ** 3
Gengoult (R. Gén.)		**AZ** 6
Marché (Pl. du)		**BZ** 8
Michâtel (R.)		**BZ** 10
Pinteville (Bd de)		**AZ** 12
Poincaré (Cours R.)		**AZ** 13
Rigny (R. de)		**BY** 14
3-Evêchés (Pl. des)		**BZ** 16

Une cité bien administrée. — Dès la fin du Moyen Age, la bourgeoisie de Toul est maîtresse du pouvoir municipal. Le maître échevin est assisté de dix justiciers et d'un conseil de ville dont les trente membres exercent leur charge leur vie durant. Tous les hommes valides sont répartis en six compagnies pour la défense. Mais, placée entre la France et les pays germaniques, Toul est tiraillée entre des influences contraires. La cité réclame souvent la protection du roi de France et devient définitivement française en 1552.

Toul en feu. — Toul a subi de sérieux dégâts en 1940 et 1944; notamment, tout le quartier Sud de la vieille cité fut incendié, ainsi que la cathédrale et l'ancien palais épiscopal, voisin, du 18ᵉ s., qui a été restauré pour servir d'hôtel de ville.

■ **CURIOSITÉS** *visite : 1 h 1/2*

Ancienne cathédrale St-Étienne★★ (BY). — Cet édifice, dont la construction commença au début du 13ᵉ s., ne fut achevé qu'au 16ᵉ s. En 1940, il subit de graves dommages. *Sa restauration n'est pas terminée.*

La magnifique **façade★★** qui s'élève sur la place du Parvis a été édifiée de 1460 à 1496 dans le style flamboyant. Elle est encadrée de deux tours octogonales de 65 m de haut qui, à l'origine, devaient comporter des flèches ajourées. Un grand Christ en croix, dans un gâble, surmonte le portail dont les statues furent détruites pendant la Révolution.

L'intérieur montre des traces du gothique champenois : galeries de circulation hautes et basses au-dessus des grandes arcades et des bas-côtés, arcades très aiguës, absence de triforium. La nef, haute de 30 m, est la plus jolie partie de l'édifice.

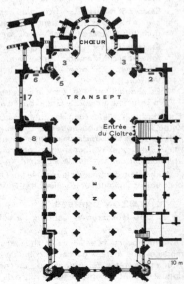

1) A droite, chapelle Jeanne d'Arc formant une jolie rotonde Renaissance.

2) Dans le croisillon Sud, retable du 18ᵉ s. représentant la « Crèche ».

3) Dans les absidioles, vitraux des 13ᵉ et 14ᵉ s.

4) Le chœur a reçu au 17ᵉ s. un riche placage de marbres.

5) Siège épiscopal de pierre dit « chaire de saint Gérard » (13ᵉ s.). Au milieu du chœur, pierre tombale de saint Gérard, évêque de Toul au 11ᵉ s.

6) L'autel en marbre, serait avec l'autel de la chapelle du château de Versailles, le premier autel dédié au Sacré-Cœur. Au-dessus, tableau de Girardet.

7) Grande verrière du 15ᵉ s. représentant le « Couronnement de la Vierge ».

8) Chapelle des Évêques *(en restauration).*

Entre la 3e et la 4e travée, une moitié seulement des piliers est surmontée de chapiteaux. Ce détail marque le raccord entre les parties du 14e et du 15e s.

Remarquer les nombreuses **pierres tombales** s'échelonnant du 14e au 18e s., qui forment le dallage de l'édifice, notamment dans le transept.

Prendre, dans la dernière travée du bas-côté Sud, l'escalier qui descend au cloître.

Cloître★ (B). — Fort beau, il fut élevé aux 13e et 14e s. Il ne possède que trois galeries percées de vastes baies en tiers-point au réseau rayonnant (beaux chapiteaux à feuillages). Les murs sont ornés d'arcatures trilobées (disposition champenoise) et d'une belle série de gargouilles.

Église St-Gengoult★ (BZ). — Édifiée du 13e au 15e s., elle est une manifestation de l'école gothique champenoise. La façade Ouest, percée d'une gracieuse porte, date du 15e s.

L'intérieur comprend une courte nef et un très large transept. La nef est fort élégante. Remarquer l'absence de triforium et la différence de style entre les deux dernières travées et les deux premières. Devant supporter le poids des tours, celles-ci ont une section plus forte. Derrière le maître-autel, est placée une jolie Vierge. Les absidioles qui encadrent le chœur donnent à la fois sur celui-ci et sur les bras du transept, disposition fréquente dans l'école champenoise. Elles ont de beaux vitraux du 13e s. représentant des scènes de la vie du Christ, les légendes de saint Gengoult et de saint Nicolas.

Cloître★★ (E). — Il date du 16e s. Les baies encore flamboyantes lui donnent beaucoup d'élégance. Le long des galeries, dont la décoration extérieure est purement Renaissance, des gâbles accentuent l'élévation des arcades. Les

(D'après photo Jean Roubier)

Toul. – Cloître de l'église St-Gengoult.

voûtes en étoile ont des clés en forme de médaillons décorées avec fantaisie.

Faire le tour du cloître pour sortir sur la place du Marché.

Maisons anciennes. — Rue du Général-Gengoult : nos 30, 28 et 26 (maisons Renaissance); no 8 (14e s.), nos 6 et 6 bis, ancien hôtel de Pimodan (17e s.); no 4 (17e s.); rue Michâtel : no 12, maison Renaissance à gargouilles (où habita le père de Bossuet).

Sachez tirer parti de votre guide Michelin.
Reportez-vous aux Signes conventionnels p. 46.

Les TROIS ÉPIS ★★

Carte Michelin no 87 - pli 17 — Schémas p. 135 et 138 — Lieu de séjour, p. 42.

Bien qu'ils doivent leur origine à un événement mystique qui donne lieu à un pèlerinage célèbre, les Trois-Épis sont loin de constituer un séjour austère. Admirablement située, cette station est le centre d'inépuisables excursions à pied ou en auto : montagnes, rochers, villes, châteaux ou champs de bataille.

Le miracle des trois épis. — Le 3 mai 1491, un forgeron d'Orbey, Thierry Schoeré, qui se rend au marché de Niedermorschwihr, s'arrête un instant pour prier devant une image de la Vierge, fixée à un chêne du chemin. Soudain la Vierge apparaît, entourée d'une vive clarté, et se met à lui parler. Elle montre dans sa main gauche un glaçon, symbole des fléaux qui vont dévaster le malheureux pays si ses habitants persistent dans leur impiété, et dans la droite, trois épis, promesses des opulentes moissons qui récompenseront leur repentir. Thierry est chargé de transmettre l'avertissement. Mais, arrivé au marché de Niedermorschwihr, Thierry se tait. Aussitôt le sac de blé qu'il vient d'acheter reste collé au sol, si lourd que personne ne peut le soulever. Il reconnaît avec effroi la main de la Vierge et raconte sa vision. Tous jurent de s'amender et s'en vont élever un sanctuaire à l'emplacement du chêne miraculeux.

■ PROMENADES

Le Galz★★. — *1 h à pied AR.* **Vue★★** sur la plaine d'Alsace, la Forêt-Noire, le Sundgau et le Jura. Au sommet, un gigantesque monument du statuaire Valentin Jaeg commémore le retour de l'Alsace à la France, en 1918.

Le Belvédère★. — *1/4 h à pied AR.* Prendre le chemin du Rosaire puis, laissant celui-ci à droite, continuer pour prendre presque aussitôt un chemin à gauche; on atteint une plateforme : **vue★** magnifique sur la plaine d'Alsace.

TURCKHEIM ★

Carte Michelin n° **87** - pli 17 — *Schéma p. 138* — 3 609 h. (les Turckheimiens).

Sur la rive gauche de la Fecht, au pied de coteaux produisant un vin estimé, le Brand, Turckheim a gardé son caractère Renaissance. L'ancienne ville, de forme triangulaire, est entourée d'une enceinte.

C'est un des principaux centres papetiers de l'Est de la France.

Tous les soirs *(à 22 h)* pendant la saison d'été, le veilleur de nuit de Turckheim (le dernier veilleur de nuit d'Alsace) parcourt les rues, revêtu de sa houppelande et portant toujours la hallebarde, la lampe et le cor. Il s'arrête et chante à chaque coin de rue.

Un grand capitaine. — C'est aux portes mêmes de la ville que Henri de La Tour d'Auvergne, vicomte de **Turenne** (1611-1675), remporta l'une de ses plus éclatantes victoires. En 1674, une armée impériale menace l'Alsace : Turenne prend l'offensive, franchit le Rhin, bat l'ennemi, enlève du Palatinat bestiaux, grains, fourrages pour en faire un glacis protecteur et rentre en Alsace.

Strasbourg qui est encore une ville libre, a promis sa neutralité. Mais elle livre le passage du pont de Kehl aux Impériaux, 60 000 Allemands envahissent l'Alsace. Turenne n'a que 20 000 hommes. Il défait néanmoins un corps ennemi à Entzheim, près de Strasbourg. Puis il se retire par le col de Saverne et semble abandonner la province. Mais il fait défiler le long des Vosges, du Nord au Sud, son armée divisée en petits détachements pour dérouter les espions, rompant avec la tradition établie jusqu'alors de ne pas engager les hostilités pendant les mois d'hiver. Le froid est intense, les chemins sont affreux, mais les troupes ne bronchent pas : Turenne peut tout demander à ses hommes. Le 27 décembre, toutes ses forces sont réunies près de Belfort. Il fonce alors sur les Impériaux dispersés dans leurs quartiers d'hiver. En dix jours, le grand capitaine les culbute à Mulhouse et à Colmar, les bat sous Turckheim (5 janvier 1675) et les rejette au-delà du Rhin.

Telle est cette remarquable campagne d'Alsace que Napoléon admirait tant. L'enthousiasme est immense en France. Quand le modeste Turenne arrive à Versailles, il est tout gêné par les acclamations. « On trouva, écrit un contemporain, qu'il avait l'air un peu plus honteux qu'il n'avait accoutumé de l'être. »

Portes de la ville. — La **porte de France,** face au quai de la Fecht, s'ouvre dans une tour massive et quadrangulaire du 14ᵉ s. que surmonte un nid de cigognes. La porte du Brand et la porte de Munster sont situées aux deux autres angles de la ville, de forme triangulaire.

Place Turenne. — Entourée de maisons anciennes. Remarquer, à droite, le corps de garde, précédé d'une fontaine. Au fond de la place, hôtel de ville avec pignon Renaissance; derrière, ancienne église dont on aperçoit la tour romane.

Hôtel des Deux-Clefs. — C'est l'ancienne hostellerie municipale rénovée par la ville en 1620. Charmant logis alsacien décoré d'une élégante loggia aux poutrelles sculptées.

Grand'Rue. — Nombreuses maisons de la fin du 16ᵉ et du début du 17ᵉ s.

A l'angle, maison à colombages (**E**) dont l'oriel *(voir p. 33)* repose sur un pilier en bois.

URBEIS (Route du col d') ★

Carte Michelin n° **87** - pli 16.

Cette route franchit la crête des Vosges et relie les vallées de la Fave et du Giessen.

VALLÉES DE LA FAVE ET DU GIESSEN★
De Provenchères à Villé
22 km — environ 3/4 h

De Provenchères, la route suit la vallée de la Fave, serpente et bientôt pénètre sous bois pour atteindre le col d'Urbeis. Peu après, à droite, en contrebas, ancienne mine de cuivre gris argentifère.

On descend la vallée du Giessen, la rivière du Giessen. A l'entrée d'Urbeis, dont l'agglomération s'échelonne sur 2 km, en avant et à gauche, on aperçoit les ruines du château de Bilstein.

Dans l'agglomération de Fouchy, on laisse à droite la route du col de Fouchy *(p. 173)*.

Villé. — 1 530 h. (les Villois).

Lieu de séjour, p. 42. Natif de Steige, situé dans le Val de Villé, à 6 km de Villé, le jeune **Meister,** mordu par un chien enragé, fut le premier sujet auquel Pasteur appliqua l'inoculation antirabique.

ROUTE DU COL DE STEIGE
Du col d'Urbeis au Champ du Feu — *19 km — environ 2 h — schéma p. 172*

Cette route pittoresque relie le col d'Urbeis à la région du Hohwald.

Le Climont★. — Bien que relativement peu élevé (966 m), le sommet du Climont *(1 h 1/2 à pied AR)* offre un beau point de vue.

A la sortie Nord de Climont, une pancarte signale le sentier d'accès, qui s'amorce à gauche du D 214. Ce sentier, abrupt et étroit, souvent encombré par la végétation (suivre le balisage : croix jaunes), aboutit, à mi-parcours, à un chemin forestier transversal que l'on prend à gauche. Au carrefour proche du sommet, prendre le chemin en montée à droite. On atteint le pied de la « tour Euting » qui se dresse sur le sommet boisé du Climont et qui fut construite en 1897 par le club Vosgien de Strasbourg : en médaillon, au-dessus de l'entrée, est représenté le président du Club de l'époque, Jules Euting. Du haut de la tour *(78 marches)*, **point de vue★** sur les Vosges : à gauche la vallée de la Bruche; au Nord, le Donon; à droite et plus proche, le Champ du Feu avec sa tour.

Col de Steige. — Belle vue au Sud-Ouest sur le Climont.

Col de la Charbonnière. — Au-delà des hauteurs qui dominent le val de Villé, on distingue la plaine d'Alsace et, à l'horizon, la Forêt-Noire.

Champ du Feu★★. — *Page 82.*

ROUTE DU COL DE FOUCHY★
Du D 39 à la N 59 — *13 km — environ 1/2 h — schéma p. 172*

Elle remonte le vallon de Noirceux et celui de Froide-Fontaine jusqu'au col.

Col de Fouchy. — Belle vue sur le Champ du Feu et sur les montagnes du Hohwald. La route suit le ravin de Pierreuse-Goutte et descend, à travers la forêt de la Vancelle, vers la vallée de la Liepvrette qu'elle atteint à Lièpvre sur la route du col de Ste-Marie *(décrite p. 144).*

VARENNES-EN-ARGONNE
Carte Michelin n° 56 - plis 10 et 20 — *Schéma p. 58* — 670 h. (les Varennois) — *Lieu de séjour, p. 42.*

Cette petite ville, bâtie sur les bords de l'Aire, est surtout célèbre dans l'histoire par la fuite et l'arrestation de Louis XVI. Ayant reconnu le roi à Ste-Menehould le 21 juin 1791, **Drouet,** traversant à cheval la forêt d'Argonne par des raccourcis, arriva à 11 heures du soir à Varennes où il donna l'alerte. Aidé de son compagnon Guillaume, commis du district, de quatre gardes nationaux et de deux étrangers, Drouet arrêta la berline royale et son escorte près du Beffroi actuel dit Tour de l'Horloge. Ayant montré leurs passeports mais n'ayant pu répondre sans se troubler aux questions qui leur étaient posées, le roi et sa famille furent conduits, près de là, dans la maison de l'épicier Sauce, procureur de la commune (un monument s'élève actuellement à l'emplacement de cette maison). Tous les espoirs du roi de se voir délivrer par les troupes de Bouillé allaient s'envoler devant l'attitude énergique des habitants de Varennes et des gardes nationaux accourus des environs au son du tocsin. Le lendemain, 22 juin, arrivait le décret de l'Assemblée ordonnant l'arrestation du roi. Le retour à Paris s'acheva le 25.

Musée de l'Argonne. — *Visite du 1er avril au 31 octobre de 10 h à 12 h et de 14 h à 18 h. Entrée : 6 F.*

Le musée, installé dans un moderne bâtiment vitré, comprend, sur deux niveaux, une salle Louis XVI présentant des documents relatifs au voyage du roi, une salle consacrée aux arts et traditions de l'Argonne, une autre salle groupant des souvenirs de la Grande Guerre (combats souterrains de l'Argonne et intervention américaine).

Mémorial de Pennsylvanie. — Grandiose monument aux morts américain commémorant les combats de 1918. Jolie vue sur l'Aire et sa campagne, au Nord.

VAUCOULEURS
Carte Michelin n° 62 - pli 3 — 2 554 h. (les Valcolorois).

Vaucouleurs est joliment située en face des coteaux de la rive droite de la Meuse. Ses remparts, qui remontent au 13e s. étaient flanqués de 17 tours; certaines d'entre elles ont pu être sauvées de la destruction.

C'est de Vaucouleurs que Jeanne d'Arc partit pour accomplir sa mission.

La première victoire de Jeanne d'Arc. — Le 13 mai 1428, Robert, sire de Baudricourt et gouverneur du roi à Vaucouleurs, garnison française aux confins des terres du duc de Bourgogne allié aux Anglais, reçoit la visite d'une bergère de 16 ans, venue de Domrémy (19 km au Sud). Elle se dit l'envoyée de Dieu et réclame le commandement général des troupes du royaume. Pour toute réponse, Baudricourt la fait souffleter et la renvoie à ses moutons. Mais Jeanne revient à plusieurs reprises. Elle essaie de monter une expédition avec le seul concours des gens du pays qui se cotisent pour lui offrir un cheval et une épée. Sa ténacité suscite un vaste élan populaire. Le peuple croit à la mission de Jeanne.

Baudricourt est ébranlé. Mais, pour plus de sécurité, il fait exorciser la Pucelle par le curé du lieu. Jeanne persistant dans son projet, c'est bien Dieu qui inspire la jeune fille. Le gouverneur convaincu, les difficultés s'aplanissent.

Le 23 février 1429, escortée de ses six premiers compagnons d'armes, elle quitte Vaucouleurs par la porte de France, pour une prodigieuse épopée.

■ CURIOSITÉS *visite : 1 h*

Chapelle castrale (A). — *En cas de fermeture, s'adresser au presbytère ou à la mairie.* Elle a été édifiée sur les fondations de l'ancienne chapelle du château dont elle a gardé la **crypte** primitive du 13ᵉ s., composée de trois chapelles séparées les unes des autres. La chapelle centrale, faite de quatre ogives qui retombent sur un seul pilier, contient la statue de N.-D.-des-Voûtes, Vierge assise, devant laquelle priait Jeanne pendant son séjour à Vaucouleurs. Les deux chapelles latérales abritent des débris lapidaires provenant de l'ancienne Collégiale Ste-Marie.

Porte de France (B). — C'est celle par laquelle Jeanne et sa troupe quittèrent Vaucouleurs. Ce n'est plus qu'un reste de la porte primitive.

Site du Château (D). — Des fouilles furent entreprises pour mettre au jour les ruines, masquées par la végétation, du château où Jeanne d'Arc fut reçue par Baudricourt. Il reste la partie supérieure de la Porte de France, refaite au 17ᵉ s., les soubassements d'origine ayant été enterrés, ainsi qu'une arcade du portail d'entrée. Sur ce site, on a élevé les bases d'une basilique et une église en style néo-gothique. *La visite est assurée par le Syndicat d'Initiative.*

Un énorme tilleul, dont une branche maîtresse, vue de la pelouse, apparaît comme le tronc principal, serait contemporain de Jeanne d'Arc.

Église (E). — 18ᵉ s. Ses voûtes sont ornées de fresques. Le banc d'œuvre et la chaire (1719) sont finement sculptés.

Musée municipal (H). — *Visite du 16 juin au 15 septembre de 9 h à 12 h et de 14 h à 17 h. Entrée : 3 F.*

Installé dans l'aile droite de l'hôtel de ville, ce musée est consacré à l'histoire et à l'archéologie locales.

On remarque surtout, dans la salle Jeanne d'Arc, le **Christ de Sept fonds,** magnifique Christ en chêne, provenant de la chapelle St-Nicolas, dépendance de la ferme de Septfonds. En 1428, Jeanne d'Arc, voulant partir remplir sa mission sans l'autorisation de Baudricourt, alla à Septfonds prier devant ce Christ puis revint à Vaucouleurs.

Dans la salle dévolue à l'histoire de la ville, on voit un buste de la comtesse Du Barry, née à Vaucouleurs en 1743, et son acte de baptême.

Sur la place de l'Hôtel de ville, statue de Jeanne d'Arc, rapportée d'Alger.

VERDUN ★★

Carte Michelin nº **57** - pli 11 —
Schémas p. 95 et 96 —
26 927 h. (les Verdunois).

Place forte et siège d'un évêché, Verdun s'étage au-dessus de la rive gauche de la Meuse qui y réunit plusieurs bras entre des collines fermement modelées. La ville haute — cathédrale et citadelle — occupe une croupe dominant le fleuve.

L'histoire de Verdun est jalonnée de hauts faits militaires, sa position stratégique en faisant la clef du passage de la Meuse.

La ville fut d'abord forteresse gauloise, puis, sous le nom de Virodunum Castrum, forteresse romaine. En 843, y fut signé le célèbre traité qui, en divisant l'empire carolingien entre les trois fils de Louis le Pieux, l'attribua au royaume de Lorraine. Rattachée ensuite à l'Empire, elle devint un des Trois-Évêchés, enlevés par Henri II en 1552.

Le siège de 1792. — Le 31 août 1792, le duc de Brunswick mit le siège devant la place défendue par le lieutenant-colonel de Beaurepaire. Sur le point de capituler, Beaurepaire préféra se suicider plutôt que d'assister à la reddition de la ville. Les Prussiens n'occupèrent Verdun que quelques semaines, la victoire de Valmy les obligeant à battre en retraite.

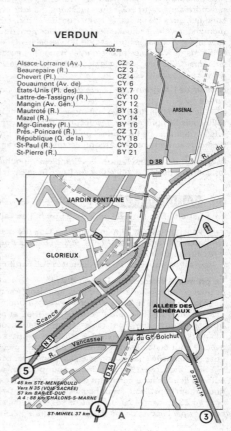

Alsace-Lorraine (Av.)	CZ 2
Beaurepaire (R.)	CZ 3
Chevert (Pl.)	CZ 4
Douaumont (Av. de)	CY 6
États-Unis (Pl. des)	BY 7
Lattre-de-Tassigny (R.)	CY 10
Mangin (Av. Gén.)	CY 12
Mautrote (R.)	BY 13
Mazel (R.)	CY 14
Mgr-Ginesty (Pl.)	BY 16
Prés.-Poincaré (R.)	CZ 17
République (Q. de la)	CY 18
St-Paul (R.)	CY 20
St-Pierre (R.)	BY 21

Le siège de 1870. — Verdun fut de nouveau assiégée par les Prussiens et malgré deux sorties victorieuses, dut capituler avec les honneurs de la guerre. Ce fut la dernière place forte quittée par l'ennemi, le 13 septembre 1873.

L'épreuve de 1916. — En 1914 Verdun était, avec Toul, la plus puissante forteresse française. C'est devant elle que se livra la terrible et glorieuse bataille qui porte son nom *(voir p. 176).*

■ PRINCIPALES CURIOSITÉS *visite : 1 h 1/2*

Cathédrale N.-Dame★ (BZ). — Bâtie sur le point le plus haut de la ville, elle fut commencée après l'incendie de 1048 qui anéantit l'église existant alors. L'édifice fut construit, sur le plan des basiliques rhénanes de l'époque romane, avec deux chœurs et deux transepts. Le chœur occidental, terminé en 1083 au temps de l'évêque Thierry, est de style rhénan, le chœur oriental, ou « chœur neuf » (1130-1140), est d'inspiration nettement bourguignonne.

Au 14ᵉ s., la nef fut voûtée d'ogives. Au 18ᵉ s., on rasa les quatre clochers et, sur la base de ceux qui flanquaient l'abside occidentale, on éleva deux tours carrées à balustrade; dans la grande nef on remplaça l'ogive gothique par le plein cintre et on moulura les piliers; on combla la crypte et on masqua les portails romans.

La partie romane de l'édifice, dégagée à la suite des bombardements de 1916, a été heureusement restaurée. On a retrouvé la crypte romane du 12ᵉ s. et ses beaux chapiteaux, intacts sur les bas-côtés (les nouveaux chapiteaux ont été décorés de scènes de batailles de 1916), le portail du Lion *(illustration p. 31),* ainsi que des sculptures des contreforts de l'abside (Adam et Ève - Annonciation), que l'on peut voir dans le cloître.

Cloître★ (B). — *Accès par la sacristie.* Accolé au flanc Sud de la cathédrale, le cloître comprend trois galeries : l'une, à l'Est, conserve, du début du 14ᵉ s., trois baies intérieures qui donnaient sur la salle capitulaire; les deux autres galeries, de style flamboyant, datent de 1509 à 1517. Elles sont couvertes de voûtes à réseau. Ce cloître fut édifié sur un emplacement très ancien, la porte romane qui donnait dans l'église étant encore conservée.

Palais épiscopal★ (BZ). — Cet évêché, bâti au 18ᵉ s. par Robert de Cotte sur une assise de rochers dominant la Meuse, est un véritable palais qui servait de résidence aux évêques, autrefois princes du Saint-Empire. La cour d'honneur en hémicycle allongé précède le bâtiment principal. Une partie de l'évêché est occupée par la Bibliothèque municipale.

Hôtel de la Princerie (BY M). — Ancienne résidence du Princier ou Primicier qui était le premier dignitaire du diocèse après l'évêque, c'est un élégant hôtel avec cloître du 16ᵉ s.

Il abrite actuellement le **musée municipal** *(visite de Pâques au 30 septembre de 9 h 30 à 12 h et de 14 h à 18 h; fermé le mardi; entrée : 5 F.).* Les salles sont consacrées à la Préhistoire, aux antiquités égyptiennes, grecques et étrusques, à l'époque gallo-romaine et mérovingienne, au Moyen Age et à la Renaissance, ainsi qu'à l'industrie locale de la dragée.

Remarquer le mobilier lorrain, les peintures, les faïences anciennes d'Argonne, les armes et aussi un peigne en ivoire sculpté, du 12ᵉ s. sans doute la pièce la plus rare du musée.

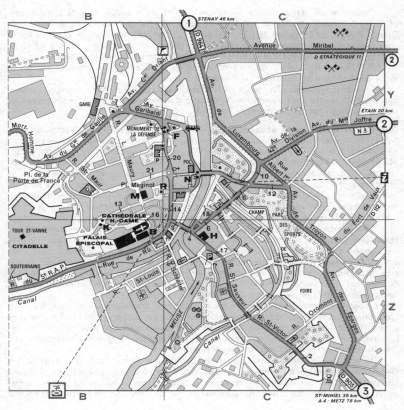

■ AUTRES CURIOSITÉS

Monument de la Victoire (BCY R). — *Visite en saison*. Un escalier monumental de 73 marches conduit à une terrasse où s'élève une haute pyramide surmontée de la statue d'un guerrier casqué, appuyé sur son épée, symbolisant la défense de Verdun.

Sous le monument se trouve la **crypte du Livre d'Or**. On peut y voir, posés sur des socles de marbre, des livres d'or où sont inscrits les noms de tous les soldats ayant combattu devant Verdun.

Hôtel de ville (CZ H). — 1623. C'est une belle construction Louis XIII.

Les portes. — Devant la **porte St-Paul** (CY F) à ponts-levis, se trouve le monument de la Défense de Verdun, par Rodin, don des Hollandais.

La **porte Châtel** (BZ K) est surmontée d'une jolie ligne de mâchicoulis du 15e s.

La **porte Chaussée** (CY N), ou tour Chaussée, est une construction du 14e s. qui défendait l'accès de la ville face à la « chaussée de l'Est » et servit de prison; elle est flanquée de deux tours rondes à créneaux et mâchicoulis; on lui a ajouté un avant-corps au 17e s. *(illustration p. 31).*

Citadelle (BZ). — Elle a été bâtie sur l'emplacement de la célèbre abbaye de St-Vanne, fondée en 952, dont l'une des deux tours, la tour St-Vanne, du 12e s., est le seul vestige de l'ancien monastère que Vauban respecta en reconstruisant la citadelle.

Elle abrite le **musée de la Guerre.**

Souterrains. — *Visite du 1er février au 15 décembre de 9 h à 12 h et de 14 h à 16 h 30, 17 h ou 18 h et même 19 h selon les saisons. Entrée : 6 F.*

Ils abritèrent divers services et les soldats au repos. Presque toutes les troupes qui participèrent à la défense de Verdun y séjournèrent.

Les galeries, d'un développement total de 7 km, étaient équipées pour subvenir aux besoins d'une véritable armée : dans l'écoute n° 4, neuf fours pouvaient cuire 28 800 rations de pain en 24 h.

On peut voir la Salle des fêtes où le 10 novembre 1920 eut lieu la cérémonie du choix du Soldat Inconnu. Un soldat de la garde d'honneur du 132e R.I. fut appelé à choisir parmi les huit cercueils exposés celui qui repose maintenant à l'Arc de Triomphe. En additionnant les chiffres de son régiment, il désigna le sixième cercueil.

Allées des Généraux (AZ). — Au pied des bastions de Vauban, à l'entrée de la ville, se dressent, dans un beau site, 16 statues monumentales de maréchaux et généraux d'Empire, des guerres de 1870 et de 1914-1918.

▐ VERDUN (Haut lieu de l'humanité) ★★★ —————————

Carte Michelin nos 🅫🅫 - plis 10 et 20, 🅫🅪 - plis 1 et 11.

Chaque année, des centaines de milliers de visiteurs recueillis, dont la ferveur l'emporte sur la curiosité, parcourent le théâtre des opérations où, 18 mois durant, au cours de la Grande Guerre, du 21 février 1916 au 20 août 1917 se sont déployés, de part et d'autre, chez chacun des adversaires et jusqu'à leur paroxysme, les plus hautes vertus d'héroïsme et de courage dans l'horreur et la violence d'une bataille indicible : **la Bataille de Verdun.**

Si bien que, depuis, « Verdun » évoque peut-être plus encore cet affrontement que la vieille cité française dont elle était l'enjeu décisif.

Terre ensanglantée, « Reliquaire de la Patrie », cette partie du front témoigne, depuis plus de 60 ans, avec une puissance inaltérée de la grandeur dont les hommes sont capables et de la vénération portée à la mémoire des héros.

Des raisons stratégiques et tactiques. — Dès le début de la Grande Guerre, en août 1914, les Allemands essaient vainement de contourner Verdun, charnière de toute la ligne de défense française, puis de s'en emparer. Toutefois, l'occupation du « saillant de St-Mihiel » *(p. 142),* au Sud-Est de Verdun, leur permet, jusqu'à l'offensive américaine de septembre 1918, de restreindre sensiblement les unes des voies de communication françaises avec le camp retranché. Ce dernier n'en demeure pas moins, et malgré des lacunes de la défense (positions inachevées, effectifs réduits, ouvrages presque désarmés), un obstacle des plus redoutables avec sa puissante citadelle, sa ceinture de forts *(voir « la Ligne de Fer », p. 31)* et le terrain difficile de ses plateaux ravinés et boisés coupés par la Meuse.

C'est pourtant là que les Allemands — avec, à leur tête, le général Von Falkenhayn — choisissent de frapper un grand coup, en février 1916, avec l'espoir, sinon de réussir la percée décisive qu'ils n'ont pu obtenir sur le front oriental, du moins de « saigner à blanc » les armées françaises. Il y a nécessité pour eux de retremper le moral des troupes et de l'arrière en effaçant les revers subis sur la Marne et en Argonne, de rétablir le prestige dynastique et de redonner foi en la victoire finale. Il faut aussi prévenir et contrecarrer l'offensive que l'on soupçonne les Alliés de préparer (et qui éclatera le 1er juillet, sur la Somme).

L'opération contre Verdun est confiée au Kronprinz. Méthodiquement élaborée, avec l'avantage procuré par un réseau ferré local d'une densité exceptionnelle (14 voies) et la proximité des dépôts de Metz, elle parviendra, en dépit de l'importance des moyens en hommes et en matériels mis en œuvre et de leur détection par certains observateurs, à surprendre totalement le Haut Commandement français.

On distingue en fait deux batailles de Verdun. La première est celle de l' « offensive » allemande magistralement préparée et déclenchée par une attaque brusquée, mais se heurtant à une résistance française finalement infranchissable. C'est ce duel titanesque qui par son enjeu et son caractère retint l'attention du monde entier et c'est lui que l'on évoque communément en parlant de la bataille de Verdun; malgré l'ampleur des moyens techniques mis en œuvre le rôle individuel du fantassin y fut capital, et à bravoure égale, la ténacité du français déterminante.

La seconde bataille est celle de la « reconquête » du terrain perdu, non moins acharnée, mais inscrite dans le contexte d'une reprise de la guerre de mouvement (bataille de la Somme).

L'attaque allemande (février-août 1916). — C'est sur la rive droite de la Meuse, à 13 km au Nord de Verdun, qu'elle se déclenche, engageant d'emblée 3 corps d'armée allemands et une concentration d'artillerie sans précédent. En face, 2 divisions (72e et 51e) de la 2e armée française seront seules, les trois premiers jours, à soutenir le choc.

Cette offensive va se dérouler en trois phases, de fin février à fin août 1916.

L'attaque brusquée. — Elle commence le 21 février 1916, à 7 h 15 du matin, précédée d'un bombardement inouï qui constituait la plus formidable préparation d'artillerie connue jusqu'alors, mais se heurte à une résistance d'une vigueur inattendue.

Le soir, les progrès de l'ennemi sont insignifiants, placés en regard des sacrifices qu'il a consentis; cependant il s'est emparé du bois d'Haumont. Les jours suivants, malgré le sacrifice du colonel Driant et de ses chasseurs à pied au bois des Caures; la prise du fort de Douaumont enlevé par surprise dès le 25 février (il ne sera repris que le 24 octobre) constitue une menace grave contre Verdun, durement canonné, dont la population civile doit être évacuée. Le général Pétain, nommé commandant en chef de l'armée de Verdun, organise alors la défense, faisant monter nuit et jour renforts et matériel par la seule grande route disponible, celle de Bar-le-Duc à Verdun, qui sera baptisée la « Voie sacrée » (p. 53). Le 26, il apparaît que l'attaque frontale est contenue, bien qu'il ait fallu céder plusieurs kilomètres de terrain et évacuer, à l'Est, la plaine de la Woëvre.

La bataille aux ailes. — En mars et avril, faute d'un résultat décisif dans le secteur étroit initialement choisi, les forces allemandes élargissent leur front d'attaque, de part et d'autre de la Meuse. Mais c'est en vain qu'elles s'acharnent contre le Mort-Homme sur la rive gauche, contre la Côte du Poivre et le fort de Vaux sur la rive droite. Le général Pétain adresse à ses troupes l'ordre du jour fameux : « Courage… On les aura ! ».

La bataille d'usure. — Succédant à Pétain (appelé le 2 mai au commandement du Groupe d'armées du Centre), le général Nivelle doit répondre à des assauts de plus en plus violents, sur un front toujours plus étendu. L'intensité de la lutte atteint son paroxysme, des hécatombes ponctuent la prise et la reprise, dix ou vingt fois renouvelées, de tel fort ou village en ruines, d'une tranchée ou d'un hectare de bois.

Le 11 juillet marque l'échec de l'ultime offensive allemande (prise de la poudrière de Fleury); les troupes du Kronprinz reçoivent du général Von Falkenhayn l'ordre de rester désormais sur une stricte défensive.

Le lendemain, une reconnaissance allemande est arrêtée au fort de Souville, limite extrême de leur avance, à moins de 5 km de Verdun.

A la mi-août les Allemands ne comptent plus à leur actif que la prise des forts de Vaux et de Thiaumont, la cote 304 et le Mort Homme. Obligés de faire face à l'offensive russe de Broussilov, depuis le 4 juin et, à partir du 1er juillet, à celle, franco-britannique sur la Somme, tout espoir d'emporter la décision à Verdun leur est désormais interdit.

La contre-offensive française (octobre 1916-octobre 1917). — L'initiative sur le front de Verdun appartient désormais à l'armée française. Trois brillantes mais coûteuses offensives préparées minutieusement et menées par les généraux Mangin et Guillaumat, vont permettre de reprendre la presque totalité du terrain perdu.

Bataille de Douaumont-Vaux. — Engagée le 24 octobre 1916, sur la rive droite, elle obtient, le jour même, la chute des forts de Douaumont et Thiaumont; le 2 novembre, c'est au tour du fort de Vaux d'être réoccupé.

Bataille de Louvemont-Bezonvaux. — Livrée du 15 au 18 décembre 1916, toujours sur la rive droite, elle dégage définitivement les secteurs de Vaux et Douaumont.

Bataille de la Cote 304 et du Mort-Homme. — A partir du 20 août 1917, après plusieurs mois de relative accalmie, c'est le dernier coup de boutoir, donné cette fois des deux côtés de la Meuse.

La crête du Mort-Homme redevient française ainsi que la côte de l'Oie dès le premier jour, la cote 304 le 24 août, les Allemands se trouvent partout rejetés sur leurs positions du 22 février 1916 et c'est vainement qu'ils contre-attaqueront jusqu'en octobre.

L'étau ennemi autour de Verdun est desserré, mais il faudra attendre l'offensive franco-américaine du 26 septembre 1918 pour recouvrer, le 4 octobre, puis dépasser, la ligne de résistance française du 21 février 1916.

Le bilan de l'hécatombe. — La bataille de Verdun, l'un des plus rudes affrontements de la Première Guerre mondiale et l'un des plus sévères échecs essuyés par l'Empire allemand, a été dans sa première phase (comme Stalingrad pour le conflit de 1939-1945), le « tournant » de la guerre par ses conséquences militaires et morales. Son retentissement a été immense : elle révéla l'inébranlable résolution du « poilu » français et l'incapacité du Kaiser à emporter la décision sur le front occidental.

La durée et l'âpreté de la lutte, l'atrocité des moyens utilisés (gaz toxiques, lance-flammes), les pertes et les souffrances supportées par les deux camps, l'héroïsme déployé de part et d'autre, ont fait de l'« enfer de Verdun » le pathétique exemple du sommet atteint par le patriotisme, le courage et l'endurance humaine confrontés au cauchemar de la guerre. En moins de deux années, cette bataille a mis aux prises plusieurs millions d'hommes et causé la mort de centaines de milliers d'entre eux (près de 400 000 soldats français, presque autant de soldats allemands, des milliers de soldats américains).

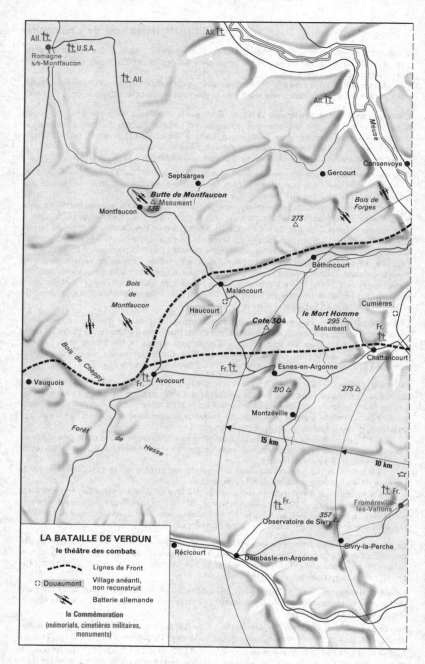

LA BATAILLE DE VERDUN
le théâtre des combats

- - - - Lignes de Front
◇ Douaumont Village anéanti,
non reconstruit
✈ Batterie allemande

la Commémoration
(mémorials, cimetières militaires,
monuments)

■ **LE THÉÂTRE DES COMBATS** *carte ci-dessus*

L'aéro-club de Rozelier à Verdun organise des sorties aériennes au-dessus des champs de bataille.

Près de soixante années se sont écoulées depuis la Grande Guerre et les traces des combats dont Verdun fut l'enjeu n'ont pas encore totalement disparu. Le terrain est toujours bouleversé et, dans certains secteurs, la végétation n'a pas tout à fait repris ses droits. Les terres devenues impropres à la culture ont été reboisées. La gigantesque bataille, de 1916 à 1918, eut pour théâtre les deux rives de la Meuse, de part et d'autre de Verdun, sur un front de plus de 200 km².

Nous décrivons ci-après les lieux dont l'aspect encore meurtri ou le caractère commémoratif permettent le mieux d'évoquer l'importance et l'âpreté des combats.

Rive droite : fort de Vaux; fort et Ossuaire de Douaumont. — *21 km* — *environ 3 h.* Carte n° 🔢 - plis 1 et 11. C'est le secteur central, la « Zone Rouge » de la bataille, là où celle-ci, en fait, connut son tournant décisif.

Quitter Verdun par ② du plan, N 3, route d'Etain en suivant l'avenue de la 42ᵉ-Division, puis l'avenue du Maréchal-Joffre.

Cimetière militaire du Faubourg-Pavé. — En traversant le Faubourg-Pavé, on voit sur la gauche le cimetière (5 000 tombes) où ont été inhumés les corps des sept soldats inconnus apportés à Verdun en même temps que celui qui repose sous l'Arc de Triomphe de l'Étoile à Paris.

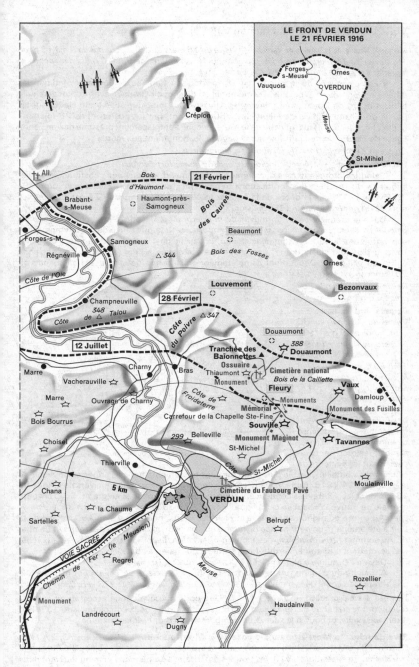

**LE FRONT DE VERDUN
LE 21 FÉVRIER 1916**

Prendre, après le cimetière, à gauche, le D 112 (route de Mogeville). Sur la droite, à 6 km de l'embranchement, on passe devant le **monument Maginot** et le fort de Souville.

Le D 112 rejoint le D 913, que l'on prend à droite (vers Verdun).

Prendre ensuite à gauche le D 913A en direction du fort de Vaux.

Le terrain est complètement bouleversé.

Un peu à l'écart de la route, on peut voir sur la droite le **monument des Fusillés de Tavannes** *(relatif à un épisode de 1944). Un chemin, praticable en voiture, mène au monument.*

Fort de Vaux. — *Visite accompagnée du 1er février au 15 décembre de 9 h à 16 h 30 ou 17 h ou 18 h et même 19 h selon les saisons. Durée : 1 / 2 h; 6 F.*

Parvenus dès le 9 mars 1916 aux approches mêmes du fort, les Allemands ne s'en emparèrent que le 7 juin après une héroïque défense de la garnison sous les ordres du commandant Raynal. Cinq mois plus tard, au cours de leur première offensive *(voir p. 175)*, les troupes du général Mangin réoccupaient l'ouvrage.

La visite du fort sous la conduite d'un guide permet de parcourir un certain nombre de galeries et de réduits. Du sommet du fort, vue sur l'Ossuaire, le cimetière et le fort de Douaumont, sur les côtes de Meuse et la plaine de la Woëvre.

Revenir au D 913 (route de Charny) en direction de Fleury et de Douaumont, à droite. Le terrain est encore bouleversé et l'on distingue à grand'peine à gauche le fort de Souville, dernier réduit de la défense française devant Verdun. Au carrefour de la chapelle Ste-Fine, le monument du Lion marque le point extrême de l'avance allemande.

VERDUN (Haut lieu de l'humanité)★★★

Mémorial-Musée de la bataille de Verdun. — *Visite du 15 mars au 15 septembre de 9 h à 18 h; du 15 janvier au 15 mars et du 15 septembre au 15 décembre, de 9 h (10 h les dimanches et jours fériés) à 12 h et de 14 h à 17 h. Entrée : 6 F.*

Dans ce musée de la guerre 14-18, un tableau lumineux, commenté, indique les différentes phases de la bataille. Du mémorial on distingue l'Ossuaire avec le cimetière militaire et le fort de Douaumont *(télescope)*. Un peu plus loin, une stèle a été élevée sur les ruines du village disparu de Fleury-devant-Douaumont, qui fut pris et repris 26 fois; une petite chapelle, à 100 m à gauche de la route, occupe l'emplacement présumé de l'ancienne église de Fleury; un peu plus loin sur la gauche, le monument aux morts.

On prend à droite le D 913^B qui aboutit à Douaumont.

Fort de Douaumont. — *Mêmes conditions de visite que le fort de Vaux.*

Selon les propres termes du communiqué allemand, cet ouvrage constituait le « pilier angulaire du Nord-Est des fortifications permanentes de Verdun ». Enlevé par surprise le 25 février 1916, dès le début de la bataille de Verdun, il fut repris le 24 octobre, par les troupes du général Mangin (38ᵉ Division).

Dans la première salle, un musée de la guerre a été installé. On parcourt ensuite les galeries, casemates, magasins, montrant l'importance et la puissance de cet ouvrage. De la superstructure du fort, on domine le champ de bataille de 1916 et on distingue l'Ossuaire. Un peu plus loin sur la droite, une chapelle a été élevée à l'emplacement de l'ancienne église de Douaumont complètement anéanti lors de la poussée allemande du 25 février au 4 mars 1916.

Revenir au D 913 que l'on prend à droite.

Ossuaire de Douaumont. — *Visite du 1ᵉʳ mai au 30 septembre de 9 h à 19 h; le reste de l'année de 9 h à 12 h et de 13 h 30 ou 14 h à 16 h ou 17 h selon la saison. Durée : 1/2 h. Montée à la tour : 4 F. Tenue digne requise.*

Élevé à la mémoire des 400 000 soldats français tombés pour la défense de Verdun et destiné à rassembler les ossements recueillis sur les secteurs de

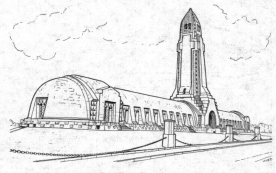

Ossuaire de Douaumont.

ce champ de bataille, c'est le plus important des monuments français érigés en souvenir de la guerre 1914-1918. Cette vaste nécropole comprend une galerie transversale longue de 137 m dont les 18 travées contiennent chacune deux sarcophages en granit. Sous la voûte centrale se trouve la chapelle catholique *(messe à 7 h 30 en semaine, à 10 h 30 le dimanche)*. Au centre du monument s'élève la Tour des Morts, haute de 46 m. Au 1ᵉʳ étage de la tour a été aménagé un petit musée de guerre où l'on peut voir la cloche des morts et un phare. Au sommet *(204 marches)*, des tables d'orientation disposées extérieurement aux fenêtres permettent d'identifier les différents secteurs du champ de bataille.

Devant l'Ossuaire s'alignent les 15 000 croix du **cimetière national.**

A gauche du parking, un petit sentier conduit à l'ouvrage de Thiaumont maintes fois pris et repris au cours de la bataille. *De l'Ossuaire, poursuivre par le D 913 vers Charny.*

Tranchée des Baïonnettes. — *Visite : 1/4 h.* Une porte massive donne accès au monument recouvrant la tranchée où, le 10 juin 1916, les hommes de deux compagnies du 137ᵉ R.I. furent ensevelis, debout, à la suite d'un bombardement d'une violence inouïe.

Rive gauche : le Mort-Homme; la cote 304; Montfaucon. — *50 km - environ 2 h 1/2.* Carte n° 🗺️ - plis 10 et 20. La lutte fut souvent aussi acharnée sur la rive gauche que sur la rive droite. En septembre 1918, les troupes américaines du général Pershing jouèrent dans ce secteur un rôle très important.

Quitter Verdun au Nord-Ouest par le D 38 (route de Varennes-en-Argonne) et, à Chattancourt, prendre à droite la route de Mort-Homme.

Le Mort-Homme. — Ce sommet boisé fut l'enjeu de furieux combats. Tous les assauts allemands de mars 1916 furent brisés sur cette crête. Près d'un monument élevé aux morts de la 40ᵉ division, un autre monument porte, gravée sur le socle, cette inscription : « Ils n'ont pas passé ». *Revenir à Chattancourt et reprendre à droite le D 38 et, peu après Esnes-en-Argonne, le D 18 vers Montfaucon. 2 km plus loin, un chemin à droite conduit à la cote 304.*

La cote 304. — Pendant près de quatorze mois, les Allemands se heurtèrent là à une farouche résistance des troupes françaises. La cote 304 et le Mort-Homme, véritables pivots de la défense de Verdun sur la rive gauche, revêtaient en effet une importance stratégique considérable. *Revenir au D 18 et prendre à droite en direction de Montfaucon.*

Butte de Montfaucon. — Un monument américain s'y dresse. *Description p. 99.*

Cimetière américain de Romagne-sous-Montfaucon. — Il s'étend sur 40 ha et contient plus de 14 000 tombes, surmontées de croix en marbre blanc rigoureusement alignées. Avec ses allées goudronnées, ses pelouses ombragées, son plan d'eau et ses parterres de fleurs, il compose un immense parc de repos. Au centre du monument commémoratif, on aperçoit la chapelle à travers une grille en fer forgé; dans les galeries latérales, sont inscrits les noms des soldats américains identifiés sur le champ de bataille; dans la galerie de droite, une carte gravée dans le marbre indique les secteurs du combat. La route traverse le cimetière.

VÉZELISE

Carte Michelin n° **62** - plis 4 et 5 — 1 105 h. (les Vézelisiens).

Ancienne capitale du comté de Vaudémont, située au confluent de l'Uvry et du Brénon. L'ancien palais de justice, bâti en 1561, offre un gracieux portail. Les halles sont de 1599. L'église, qui date des 15e et 16e s., renferme de beaux vitraux du 16e s., dans le chœur et le transept. Remarquer la porte latérale Sud, surmontée d'un gâble flamboyant, avec ses vantaux de la Renaissance.

EXCURSIONS

Château d'Haroué★. — *8,5 km à l'Est par le D 904 et le D 9.*
Dans la campagne de Sion, sur les bords du Madon, s'élève le beau château des princes de Beauvau-Craon. Il fut construit en 1720 sur les ruines de l'ancien château de Bassompierre par Boffrand, architecte du duc de Lorraine Léopold. C'est un édifice imposant.
Visite accompagnée du 1er avril au 15 novembre de 14 h 30 à 18 h. Durée : 1 / 2 h. Entrée : 10 F.
A l'intérieur on remarquera du mobilier ayant appartenu au roi Louis XVIII, des tapisseries des Gobelins, des peintures de Hubert Robert, Gérard, Pourbus, Pillement.

La Colline inspirée★★. — *8 km au Sud. Description p. 59.*

Thorey-Lyautey. — 95 h. *5 km au Sud-Ouest par le D 5.*
C'est dans ce village que le **maréchal Lyautey** vint finir ses jours. Le château où il mourut le 27 juillet 1934 avait été conservé en l'état jusqu'en 1980. Mis en vente puis racheté par l'Association Nationale Maréchal Lyautey, il va faire l'objet de restaurations. Un musée va être reconstitué (mobilier, souvenirs) et on pourra de nouveau visiter le château, son parc et le mausolée.

VIEIL-ARMAND ★★

Carte Michelin n° **87** - pli 18 — *Schéma p. 135.*

Le nom de « Vieil Armand » fut décerné par les « poilus » de 1914-1918 à l'Hartmannswillerkopf, contrefort des Vosges qui tombe à pentes escarpées sur la plaine d'Alsace. Position de choix, le Vieil Armand fut un des champs de bataille les plus meurtriers du front d'Alsace (30 000 morts, Français et Allemands). Sur ses pentes dévastées par les obus, attaques et contre-attaques se succédèrent durant l'année 1915 et le sommet, transformé en formidable forteresse, fut pris et repris plusieurs fois.

Monument national du Vieil Armand. — *Visite du 1er avril au 31 octobre de 9 h à 12 h et de 14 h à 18 h; entrée : 2 F.*
Le monument est formé, au-dessus d'une crypte renfermant les ossements de 12 000 soldats inconnus, par une vaste terrasse surmontée d'un autel en bronze, dont les faces représentent les armoiries des grandes villes de France.

Montée au sommet. — *1 h à pied AR.* Traverser le cimetière du Silberloch. Il s'étend derrière le monument national et renferme 1 260 tombes et plusieurs ossuaires. Suivre son allée centrale puis le sentier qui la prolonge. Se diriger vers le sommet du Vieil Armand (alt. 956 m) surmonté d'une croix lumineuse de 22 m de haut, borne limite du front français. Tourner à droite en direction de la croix en fer des Engagés volontaires alsaciens-lorrains érigée sur un promontoire rocheux. De là **panorama★★** sur la plaine d'Alsace, la chaîne des Vosges, la Forêt-Noire et les Alpes par temps clair.
En prenant à gauche, on peut voir le monument des « Diables Rouges » du 152e R.I. élevé en bas du rocher. Plus loin, à droite, monument des « Chasseurs Allemands ».

VILLEY-LE-SEC

Carte Michelin n° **62** - pli 4 — 214 h.

La localité, disposée sur une crête flanquant la rive droite de la Moselle, constitue le seul exemple, en France, d'un village intégré dans un ensemble fortifié de la fin du 19e s. Sa citadelle semi-enterrée illustre le système défensif Séré de Rivières *(voir p. 31).*
Dans l'église, reconstruite en 1955, jolis vitraux modernes.

Citadelle★. — *Visite organisée et commentée, de début mai à début décembre les dimanches et jours fériés à 15 h. Durée : 3 h. Prix : 10 F. Venir à l'entrée de la batterie Nord, à la porte du village, en direction de Toul.*
La citadelle, édifiée en 5 ans, n'eut pas de rôle actif durant la guerre 1914-1918. Abandonnée, elle dut à l'initiative privée (et à l'implantation, dans la batterie Sud, de l'École Nationale Supérieure de Géologie) de pouvoir être remise en état et en partie réarmée.
L'extérieur de la batterie Nord, avec son front cuirassé, son fossé, ses coffres de contrescarpe, ses cloches d'observations, sa tourelle blindée escamotable à canons de 75 jumelés *(impressionnante démonstration de manœuvre, tir à blanc)* et l'intérieur (trois étages, accès à la chambre de tir), préfigurent ce qui fut réalisé plus tard pour les gros ouvrages de la Ligne Maginot *(voir Fort du Simserhof, p. 53, Hackenberg, p. 168, Fermont, p. 85).*
Un circuit automobile sur le pourtour intérieur de la citadelle, avec arrêts à la courtine Sud-Ouest et à la batterie Sud, permet de gagner le parking proche du Fort.
Le Fort, ou réduit de la défense, abrite outre les casernements et magasins, un **musée Séré de Rivières** (matériels de fortification français et allemands) et une crypte du souvenir. On y voit aussi un chemin de fer militaire avec sa locomotive *(promenade des visiteurs)*, une tourelle de 155 double, un coffre de contrescarpe avec son canon-revolver Hotchkiss 1879 *(tir à blanc)…*

Carte Michelin n° 62 - pli 14 — *Schéma p. 183* — 6 791 h. (les Vittellois) — *Lieu de séjour, p. 42.*

Vittel est une station hydrominérale très réputée qui joint à la vertu de ses eaux l'avantage d'être située dans une région agréable.

Les environs de Vittel sont boisés et accidentés et la ville thermale a été créée en dehors de l'agglomération urbaine. Les eaux minérales de Vittel sont employées principalement dans le traitement des maladies métaboliques (arthritisme, goutte, migraine, allergies) et des affections des reins et du foie.

Il existe, à côté de l'établissement thermal, un **parc★ (ABY)** de 25 hectares. Le nouveau Palais des Congrès a été inauguré en 1970.

A l'entrée Ouest de la ville, l'**usine d'embouteillage (AZ)** de la Société générale des Eaux Minérales de Vittel permet au public de suivre la fabrication des bouteilles plastiques ainsi que l'embouteillage et le conditionnement de celles-ci et des bouteilles en verre. Huit séries de machines peuvent assurer un conditionnement journalier de 3 500 000 bouteilles de contenances différentes. *Visite accompagnée à 9 h, 10 h, 11 h, 14 h, 15 h, 16 h. Fermé les samedis, dimanches et jours fériés.*

Vis-à-vis de cette usine, entre la route (D 429) et la lisière d'un bois de sapins, s'étendent les pelouses et les installations du stade olympique Jean-Bouloumié inauguré en 1968.

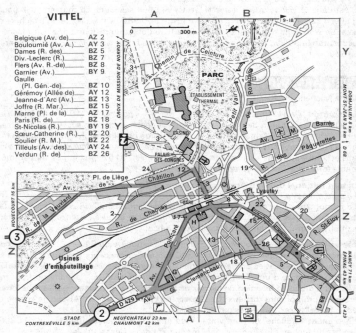

VITTEL

Belgique (Av. de)	AZ 2
Bouloumié (Av. A.)	AY 3
Dames (R. des)	BZ 5
Div.-Leclerc (R.)	BZ 7
Flers (Av. R.-de)	BZ 8
Garnier (Av.)	BY 9
Gaulle (Pl. Gén.-de)	BZ 10
Gérémoy (Allée de)	AY 12
Jeanne-d'Arc (Av.)	BZ 13
Joffre (R. Mar.)	BZ 15
Marne (Pl. de la)	AZ 17
Paris (R. de)	BZ 18
St-Nicolas (R.)	BY 19
Sœur-Catherine (R.)	BZ 20
Soulier (R. M.)	BZ 22
Tilleuls (Av. des)	AY 24
Verdun (R. de)	BZ 26

En saison : zone de silence dans le quartier thermal.   Circulation interdite la nuit.

EXCURSIONS

Mont St-Jean★; Lorima. — *Circuit de 7 km. Quitter Vittel au Nord-Est par le D 68. Après le lieu-dit « Les Essarts »,* laissant le bois du Bouchaux sur la gauche, prendre à droite le chemin en forte montée qui conduit au Mont St-Jean (tir aux pigeons). Continuer sur la crête de Lorima jusqu'à un pylône de la télévision : on découvre un **panorama★** sur le village de They et les collines environnantes au Nord, sur Vittel et la crête des Faucilles au Sud.

On regagne Vittel par la route, en descente, qui longe le bois des Seize-Mutins et se prolonge en ville par la rue de Lorima.

Domjulien. — 244 h. *8 km par le D 68, au Nord-Est.*
Dans l'église des 15ᵉ et 16ᵉ s., très remaniée, on peut voir un beau retable (1541) représentant la Crucifixion et les douze Apôtres, et une Mise au tombeau datant du début du 16ᵉ s. Sur l'autel latéral droit, belle Vierge à l'ange de la fin du 15ᵉ s. A l'autel gauche, statue de saint Julien et statue équestre de saint Georges (16ᵉ s.).

Croix de mission de Norroy; chapelle Ste-Anne. — *3 h à pied AR. Quitter Vittel au Nord par l'avenue A.-Bouloumié.*

Après avoir laissé le centre équestre à droite, prendre à gauche un chemin *(très boueux par temps de pluie)* qui passe à droite de l'établissement de cure d'exercice, traverse une prairie, le D 18, puis s'élève dans le bois de la Vauviard pour atteindre ensuite, après un raidillon, la croix de mission de Norroy.

Croix de mission de Norroy. — Vue étendue sur les bassins du Vair et du Mouzon vers le Nord-Ouest, sur la crête des Faucilles au Sud, et au Sud-Est sur les sommets des Vosges.

Tourner à gauche et traverser un petit bois. A un calvaire, croisement d'un chemin allant de Vittel à Norroy.

Chapelle Ste-Anne. — Elle s'élève à l'orée de la forêt de Châtillon, au pied d'un très beau chêne. La chapelle n'est qu'une petite maison sans caractère, mais on y voit, à l'intérieur, un retable aux douze Apôtres, du 16e s. (les têtes sont brisées). De là, jolie vue, vers le Nord-Ouest, sur la vallée du Vair.

Continuer tout droit. Traverser le bois de Châtillon à la sortie duquel on découvre un nouveau point de vue sur Vittel, que l'on rejoint bientôt.

Forêt domaniale de Darney-Martinvelle. — *Circuit de 80 km - environ 2 h 1/2 — schéma ci-dessous. Quitter Vittel par ① du plan, D 429, que l'on laisse à 3,5 km pour prendre à droite.*

Thuillières. — 149 h. C'est là qu'après s'être retirée de la scène, Ève Lavallière, brillante artiste de la « Belle Époque », termina sa vie dans une austère retraite.

Peu après, sur la gauche, dans le pittoresque vallon de Chèvre Roche, chapelle de l'ancien ermitage de N.-D. de Consolation. La route domine le ruisseau de Thuillières.

Darney. — 2029 h. (les Darnéens). Le 30 juin 1918, le président Poincaré y proclama, au nom des Alliés, devant M. Benès et deux régiments tchécoslovaques, l'indépendance de leur patrie. Un petit musée tchécoslovaque est installé à l'hôtel de ville *(visite de 10 h à 12 h et de 14 h à 16 h; fermé les dimanches et jours fériés).*

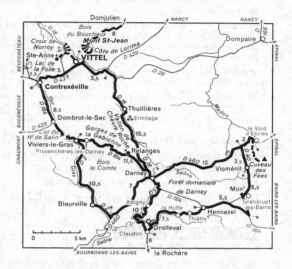

Sortir par le D 164 et prendre à droite le D 5; la route traverse Attigny puis serpente dans la vallée boisée de la Saône. Le parcours est très agréable.

Verrerie et cristallerie de la Rochère. — *8 km à partir de Claudon, par les D 5, D 7 et D 300 à gauche. Visite du 2e lundi de mai au dernier samedi de septembre, sauf en août, de 14 h 30 à 17 h. Fermé le dimanche.*

Fondée en 1475, c'est la plus ancienne verrerie-cristallerie d'art de France, encore en activité. Les visiteurs ont accès à l'atelier de soufflerie où, d'une plate-forme, ils peuvent observer le travail des verriers. Un ancien hangar, dont la charpente en bois date de 1660, sert de cadre à une exposition-vente *(ouverte de début mai à fin septembre, de 14 h 30 à 18 h).* La galerie St-Valbert, derrière les ateliers, est un antique caveau voûté d'arêtes, bâti en pierres de grès de la forêt voisine au 17e s.

A Claudon, tourner à gauche vers Droiteval.

Droiteval. — Petite localité qui posséda une abbaye de cisterciennes datant de 1128 et dont il reste encore l'église.

Dans Droiteval, prendre à droite, à hauteur d'une belle propriété fleurie, admirablement située à l'extrémité d'un petit étang encadré par la forêt. Continuer dans un chemin pittoresque, qui longe l'Ourche.

Après la maison forestière de Senenne, le chemin tourne à gauche puis à droite, et continue sur la Hutte et Thiétry pour atteindre Hennezel.

Hennezel. — 465 h. Petite localité au milieu de la forêt, où l'on dénombrait autrefois 19 verreries fondées au 15e s. par des verriers de Bohème et aujourd'hui disparues.

A 6,5 km d'Hennezel, prendre à gauche. Face au village de Grandrupt-de-Bains, un monument, en bordure de la route, rappelle le sacrifice de 120 maquisards morts en déportation.

Vioménil. — 157 h. C'est sur son territoire que se trouve la source de la Saône.

De Vioménil, par le D 40, rejoindre le D 460 que l'on suit à droite jusqu'au virage précédant le Void-d'Escles. Dans ce coude, prendre à droite un chemin forestier qui, au bout de 2 km, passe à proximité du « Vallon Druidique » où se trouve le Cuveau des Fées.

Cuveau des Fées. — *1/2 h à pied AR.* Laisser la voiture au départ du sentier qui, en 100 m, grimpe à la nouvelle chapelle St-Martin et à la grotte voisine du même nom *(visite dangereuse, déconseillée),* à l'entrée du frais vallon encaissé chargé de signification religieuse — païenne et chrétienne — où le Madon prend sa source. De là, un autre sentier, escaladant sous bois le versant gauche du vallon, aboutit au Cuveau des Fées, extraordinaire roche plate creusée de main d'homme en forme de bassin octogonal de plus de 2 m de diamètre et dont le socle central, aujourd'hui arasé, aurait servi de pierre des sacrifices aux anciens druides.

Revenir au D 460, pittoresque, qui ramène à Darney d'où l'on regagne Vittel.

Contrexéville★; Gorges de la Gabionne. — *Circuit de 56 km - environ 1 h 1/2 — schéma p. 117. Quitter Vittel par ② du plan et le D 429 qui traverse le bois du Grand Ban.*

Contrexéville★. — *Page 65.*

A partir de Contrexéville, le D 164 *(sortie ②, au Sud)* remonte le vallon de Vair à travers le plateau dénudé des Faucilles.

Dombrot-le-Sec. — 379 h. L'intérieur de l'église, aux piliers trapus, ceux des 2 premières travées ornés de chapiteaux, renferme une belle tribune, des ferronneries du 18ᵉ s. (poutre de gloire et balustrade du chœur), une Vierge à l'Enfant du 14ᵉ s. et une Sainte Anne du 16ᵉ s.

On passe au col du Haut de Salin (cote 403).

Viviers-le-Gras. — 203 h. Belles fontaines du 18ᵉ s.

Prendre à droite le D 2 : en forêt, il suit la vallée du Gras.

Bleurville. — 453 h. Les Romains y installèrent un établissement de bains.

A 2 km, tourner à gauche dans le D 460 d'où l'on a une vue étendue sur la forêt de Darney. 500 m avant l'entrée de Darney, monument franco-tchécoslovaque.

Darney. — *Page 188.*

Relanges. — 329 h. Église intéressante. Les colonnes du porche et le pignon de la façade sont du 11ᵉ s.; le transept, les absides et la tour, du 12ᵉ s.; la nef et les bas-côtés ont été reconstruits au 16ᵉ s. Le chevet et le clocher carré, qui s'élève à la croisée du transept, sont très beaux.

La route remonte, à travers le massif forestier de Bois le Comte, un vallon étroit appelé **gorges de la Gabionne.**

Le D 164 ramène à Contrexéville, puis le D 429, à Vittel.

Chaque année

le guide Michelin France

rassemble, sous un format maniable, une multitude de renseignements à jour.

Emportez-le dans vos déplacements d'affaires,

lors de vos sorties de week-end, en vacances.

Tous comptes faits, le guide de l'année, c'est une économie.

Les VOSGES DU NORD ★

Carte Michelin n° **87** - plis 2, 3, 13 et 14.

Les itinéraires décrits ci-après dans les Vosges gréseuses au Nord du col de Saverne permettent, au cours d'un trajet effectué en grande partie en forêt, de visiter quelques monuments et d'admirer quelques sites choisis parmi les plus typiques de la région.

Peu élevées mais souvent escarpées, les Petites Vosges sont creusées de vallées très fraîches. Les grès affleurent çà et là en silhouettes fantastiques.

Outre ces rochers en forme de ruines, de véritables forteresses se dressent encore sur des monts revêtus de sombres sapins. L'une d'elles, le château de Fleckenstein, constitue un excellent belvédère sur les Vosges du Nord.

Au Sud de Wissembourg, un détour par Oberseebach, Hunspach et Hoffen fera connaître de charmants villages alsaciens où le touriste aura peut-être la surprise de quelques jolis costumes ou d'un joyeux « messti » ou fête populaire *(voir p. 37)*.

Le Parc Naturel Régional des Vosges du Nord (1). — Créé en 1976, il recouvre la partie basse du massif vosgien, décrite ci-après. D'une superficie de 118 500 ha, il s'étend entre le Nord du plateau lorrain et la plaine d'Alsace et est limité au Nord par le parc naturel du Palatinat, en Allemagne, au Sud par l'autoroute A 36.

Des animations diverses (randonnées pédestres et équestres, stages d'artisanat...) et la mise en valeur de la flore et de la faune permettent aux visiteurs de découvrir la vie rurale et le milieu naturel de cette région aux activités économiques essentiellement agricoles et forestières.

La bataille de Wissembourg. — Avant de regagner Niederbronn, on traversera des villages que la guerre de 1870 a rendu célèbres : Woerth, Froeschwiller, Reichshoffen *(voir p. 187)*. Au bord de la route, de nombreux monuments commémorent le sacrifice des combattants tombés dans la lutte.

Le 4 août 1870, sous les murs de Wissembourg, la division Abel Douay est attaquée par trois corps d'armée allemands et doit céder au nombre, très supérieur. Le général Douay périt dans cette bataille, dite du Geisberg.

Le reste de l'armée française, commandé par le maréchal de Mac-Mahon, prend position sur les coteaux, à l'Est de Niederbronn. Le 6 août, à 8 heures du matin, la bataille s'engage entre cette armée, forte de 35 000 hommes, et les 140 000 Allemands du Kronprinz, le futur empereur Frédéric III. L'après-midi, les troupes françaises, malgré leur volonté de résistance et les charges de leurs cuirassiers à Morsbronn, succombent et doivent battre en retraite. L'Alsace est perdue.

---

(1) *Pour plus de détails, lire « Les Vosges du Nord », guide de randonnées à la portée de tous dans le Parc Naturel Régional, par P. Keller (Salvator, Mulhouse).*

① **De Saverne à Niederbronn** — *98 km — environ 3 h 1/2 — schéma ci-dessous*

Peu après la sortie de Saverne *(p. 146)* par Otterstahl, le D 115, dans un virage à droite, traverse le vallon très frais de Muhlbach, puis passe sous l'autoroute.

St-Jean-Saverne.-*Page 141. A la sortie de St-Jean-Saverne, prendre à droite.* Peu après on distingue à droite sur une hauteur boisée dominant Saverne, les ruines du Haut-Barr; plus à droite, au sommet du versant opposé de la vallée de la Zorn, on aperçoit les ruines du château du Griffon.

Prendre à gauche en direction de Dossenheim-sur-Zinsel.

Neuwiller-lès-Saverne★. — *Page 116.*

A Neuwiller prendre le D 233, puis le D 133.

Bouxwiller. — 3 706 h. Petite ville au passé industriel, au pied du Bastberg. Ses fortifications furent démantelées au 17e s. et son château détruit à la Révolution. Elle a gardé de jolies maisons à pans de bois du 15e au 18e s. L'hôtel de ville (1658) dont on voit les beaux portails Renaissance et

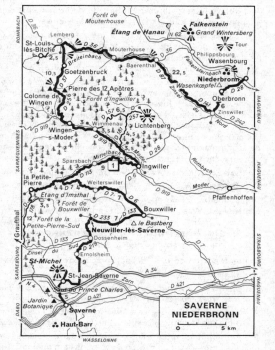

les écussons armoriés est installé dans l'ancienne chancellerie. Il abrite un musée d'histoire, d'arts et traditions populaires. *Visite de 10 h à 12 h et de 16 h (15 h le dimanche) à 18 h. Entrée : 5 F.*

De là, on se dirige vers Weiterswiller par le D 6 et le D 7. Après Weiterswiller, route pittoresque en forêt. *On fera un détour jusqu'à la Petite-Pierre et l'étang d'Imsthal.*

La Petite-Pierre. — 632 h. (les Parva-Petriniens). *Lieu de séjour, p. 42.* Ancienne bourgade fortifiée occupant une position dominante au cœur du massif forestier des Petites Vosges. On accède à la ville ancienne par une forte montée. Un château fort de la fin du 12e s., où est installé le siège de la Direction du Parc régional, des vestiges de fortifications de Vauban, une église de 1417, une chapelle, une citerne souterraine et une maison Renaissance sont les témoignages du passé historique de la cité...
Une Réserve nationale de Chasse pour la protection du gros gibier (cerfs, chevreuils) occupe une partie des forêts de la Petite-Pierre Sud et de Bouxwiller.

Étang d'Imsthal. — *3,5 km au départ de la Petite-Pierre, par un chemin s'embranchant sur le D 178 à 2,5 km de la localité.* Bien situé au fond d'un bassin de prairies entourées de forêts, il constitue un charmant but de promenade.

Graufthal. — *12 km au départ de la Petite-Pierre par le D 178 et le D 122 à droite.* Dans ce hameau de la vallée de la Zinsel, on visite des maisons de troglodytes creusées dans les belles falaises de grès rouge. Elles furent habitées jusqu'en 1958.

Prendre au retour la route d'Ingwiller en descente dans la vallée du Mittelbach aux pentes couvertes d'arbres. Au-delà de Sparsbrach, la forêt laisse place à des espaces cultivés.

Ingwiller. — 3 674 h. La synagogue est surmontée d'un curieux bulbe rond, couleur vert-de-gris.

Après Ingwiller, le D 919 suit la Moder.

Variante par Lichtenberg. — *Allongement de parcours : 6 km. Prendre le D 181, à droite. Suivre le prolongement de la rue principale de Lichtenberg (D 257) jusqu'au sentier d'accès au château où laisser sa voiture. Le* **château,** *dont le donjon date du 13e s., était occupé, le 9 août 1870, par une petite garnison qui dut capituler après un bombardement meurtrier. Restauré depuis, il est ouvert aux visites (du 1er avril au 31 octobre de 9 h à 12 h et de 13 h 30 à 18 h; entrée : 3 F). Retrouver le D 919 à Wimmenau.*

A **Wingen-sur-Moder** (1 539 h. - *Lieu de séjour, p. 42),* on atteint la région des cristalleries et verreries Lalique *(on ne visite pas).* Un peu avant la sortie Ouest de Wingen, prendre à droite le *D 256 :* pittoresque et en corniche, il domine des pentes couvertes de forêts (hêtres et pins) que coupent de petites vallées dont le vert clair tranche agréablement sur le vert sombre des forêts.

Pierre des 12 Apôtres. — Appelée également Breitenstein, cette « pierre-levée » est fort ancienne. Elle ne fut sculptée qu'à la fin du 18e s., en exécution d'un vœu : sous la croix, on reconnaît les 12 Apôtres, répartis, trois par trois, sur les faces du menhir...

Colonne de Wingen. — Ancienne borne routière. A hauteur de la colonne, à gauche, belle vue sur la vallée de Meisenthal et au loin Rohrbach. *A gauche se détache la route de Meisenthal.*

Goetzenbruck. — 1 899 h. Localité vivant de l'industrie du verre, Goetzenbruck possède une importante fabrique de verres de lunettes.

A la sortie de Goetzenbruck, vue à droite sur les hauteurs boisées qui entourent Baerenthal charmant village situé sur la rive gauche de la Zinsel.

St-Louis-lès-Bitche. — 682 h. *2,5 km au départ du D 37, par les D 36 et D 36A.* Siège des cristalleries de St-Louis fondées en 1767, anciennes « verreries royales », dont la production comporte une grande variété d'articles de table et d'ornementation. *On visite l'exposition les jours ouvrables de 14 h à 17 h.*

A l'entrée de Lemberg, laisser sur la gauche la route de St-Louis et prendre à droite le D 36. La route ombragée est étroite et sinueuse. A gauche, vue sur les hauteurs de la forêt de Bitche. On côtoie le ruisseau Breitenbach qui s'élargit fréquemment en étangs et sur les bords duquel s'élèvent de nombreuses scieries en activité.

Après Mouterhouse, des usines en ruines jalonnent la **Zinsel du Nord.** De nombreuses usines métallurgiques furent en effet installées il y a plus de 150 ans par la famille de Dietrich sur cette charmante rivière qui s'élargit souvent en nappes d'eau, fleuries de nénuphars. Belle vue à gauche sur des mamelons séparés par de jolies trouées.

Quitter à Zinswiller la vallée de la Zinsel pour prendre à gauche le D 28.

Oberbronn. — 2 296 h. Village pittoresque adossé à des pentes boisées.

Après Oberbronn, on aperçoit à gauche, à l'extrémité d'une crête boisée, les ruines du château de la Wasenbourg, puis on entre dans Niederbronn *(p. 116).*

② **De Niederbronn à Wissembourg** par la montagne — *64 km — environ 2 h — schéma ci-dessous*

Quitter Niederbronn *(p. 116)* par la gracieuse et verdoyante vallée de Falkensteinbach.

Château de Falkenstein★. — *Page 72.*

A 3 km de Philippsbourg, prendre à droite; on laisse sur la gauche un petit étang qu'envahissent les herbes, puis on arrive à l'étang de Hanau.

Étang de Hanau★. — Le site est charmant et l'étang fort gracieux sous son abondante floraison lacustre. Sa plage est un bon lieu de détente *(voir p. 14).*

A 1 km, tourner à droite. Sur la gauche s'élève le hameau de Waldeck, que dominent un rocher de grès et, sur un monticule boisé, le haut donjon carré de son château.

La route traverse ensuite des forêts hérissées par endroits de tables gréseuses déchiquetées. Le D 3 suit la fraîche vallée du Steinbach, aux versants couverts de sapinières, et passe en contrebas de châteaux ruinés : on aperçoit les ruines, plus ou moins bien conservées, du château de Schoeneck *(accès possible, suivre les panneaux)* au Sud, celles des châteaux de Lutzelhardt, de Wasigenstein *(accès possible)* et de Froensbourg, au Nord. Observer les pittoresques villages d'**Obersteinbach** et de **Niedersteinbach** aux maisons à colombages sur bases de grès rouge et aux nombreuses fontaines. Après Niedersteinbach, la route est bordée de bouleaux. La Sauer est franchie au Tannenbrück.

Tannenbrück. — Le pont fut illustré par les combats livrés, en 1793, par l'armée de la Moselle que commandait Hoche.

Prendre à gauche, puis à droite, vers les ruines de Fleckenstein.

Château de Fleckenstein★★. — *Visite du 15 mars au 31 mai de 10 h à 19 h; du 1er juillet au 1er décembre de 10 h à 17 h les dimanches et jours fériés. Entrée : 3 F.* Ce château, fief impérial au 13e s., fut légué par son dernier seigneur au prince de Rohan-Soubise. Ses ruines occupent une position remarquable, tout près de la frontière allemande, sur un rocher haut de 43 m.

Des escaliers intérieurs *(attention aux marches)* permettent d'atteindre plusieurs chambres taillées dans le rocher et le sommet d'où l'on découvre une jolie vue sur la région. Dans l'une des salles du château a été installé un petit musée.

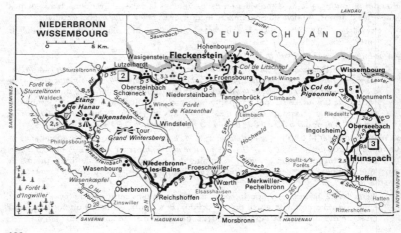

Revenir sur ses pas et prendre à gauche la route forestière en direction de Gimbelhof.

Au cours de la montée, étroite et encaissée, on voit une ancienne carrière de grès rouge puis, sur la droite, des sapinières aux fûts très denses. On aperçoit, en face, le **château de Hohenbourg** *(accès possible, suivre les panneaux). Dans une clairière, au col de Litschhof, prendre à droite vers Wingen. Dans ce hameau, prendre à gauche et, à Climbach, encore à gauche.*

Col du Pigeonnier★. — D'un petit belvédère, au milieu des arbres, **vue★** étendue sur la plaine d'Alsace et la Forêt-Noire.

Au cours de la descente, au sortir de la forêt on découvre à gauche une jolie vue sur le village de Weiler et la vallée verdoyante de la Lauter. Après avoir passé un carrefour, vue en avant sur Wissembourg et, derrière lui, le vignoble et le Palatinat.

Le D 3, puis le D 77 mènent à Wissembourg (description ci-dessous).

③ **De Wissembourg à Niederbronn** par la plaine — *44 km - environ 2 h —* schéma p. 186

Au Sud de Wissembourg *(description ci-dessous)*, deux monuments, français et allemand, que l'on aperçoit du D 263, commémorent la bataille du Geisberg *(voir p. 184)*. Peu après, la vue se dégage sur la plaine et les coteaux d'Alsace, et sur la Forêt-Noire.

Oberseebach★. — Oberseebach est resté le village alsacien type : maisons à poutres apparentes et à auvents qu'encadrent souvent des jardins. Malheureusement quelques constructions sans style rompent l'harmonie de cet ensemble. Oberseebach a conservé quelques-uns de ses anciens costumes originaux.

Hunspach★★. — 600 h. De blanches maisons au poutrage apparent et aux auvents débordant sur la façade dont quelques-unes ont conservé leurs vitres bombées — mode remontant à l'époque baroque — se disposent harmonieusement le long des rues de ce charmant village purement alsacien et de caractère exclusivement rural, comme l'attestent ses cours fermières, ses vergers, ses fontaines à balanciers.

Ingolsheim. — *3 km à partir d'Hunspach par les D 76 et 263 à droite.* 198 h. Village alsacien de plaine dont la rue principale est perpendiculaire à la grande route.

Hoffen★. — 1 001 h. Autre village alsacien type, pieusement préservé par ses habitants de tout modernisme incongru, Hoffen distribue ses ravissantes demeures fleuries, certaines à triple auvent, autour de son église et de sa curieuse petite mairie soutenue par trois piliers de bois. Auprès du vieux puits communal s'épanouit le feuillage d'un tilleul planté sous la Révolution.

Merkwiller-Pechelbronn. — 772 h. Ancien centre du bassin pétrolifère du Nord de l'Alsace. Après l'arrêt de l'exploitation souterraine *(voir p. 20)* dont un petit musée *(à la mairie)* conserve le souvenir, l'activité de Merkwiller-Pechelbronn s'est orientée vers le thermalisme (source des Hélions, 65° C, pour rhumatisants).

A Woerth, commence le pèlerinage des champs de bataille du 6 août 1870 : Elsasshausen, Froeschwiller, Reichshoffen, Morsbronn-les-Bains. Des monuments français et allemands, élevés à la mémoire des combattants, jalonnent tout le champ de bataille.

Woerth. — 1 741 h. Au château est installé le musée du 6 août 1870 *(entrée : 5 F)* : uniformes, armes, équipements, documents et tableaux relatifs aux deux armées en présence lors de la bataille de Woerth-Froeschwiller.

Morsbronn-les-Bains. — 541 h. *5 km au Sud, au départ de Woerth, par le D 27.* Petite station thermale aux eaux chlorurées sodiques jaillissant à 41°5 C. Là furent massacrés la plupart des cuirassiers survivants de la charge dite, à tort, de Reichshoffen.

Froeschwiller. — 484 h. Charmant village au cachet alsacien, où eut lieu l'assaut définitif de la bataille.

Reichshoffen. — 5 029 h. Cette localité eut le triste et glorieux privilège de donner son nom à l'héroïque charge de cuirassiers venue se briser dans le village de Morsbronn.

Niederbronn. — *Page 116.*

WISSEMBOURG ★

Carte Michelin n° 87 - pli 2 — *Schéma p. 186* — 6 870 h. (les Wissembourgeois).

Le touriste épris de pittoresque sera séduit par Wissembourg, l'une des petites villes alsaciennes qui ont le mieux conservé leur couleur locale et leur caractère traditionnel. Dans ses rues, sur les bords charmants de la Lauter, on fera d'agréables promenades. Le lundi de la Pentecôte, la foire-kermesse donne l'occasion de voir de nombreux costumes alsaciens.

Fiançailles royales. — Stanislas Leszczynski, roi détrôné de Pologne *(voir p. 108)*, vit mélancoliquement avec sa fille Marie et quelques fidèles désintéressés, dans ce qui est aujourd'hui une maison de retraite de Wissembourg. L'ancien roi ne regrette son royaume et sa fortune que pour Marie, destinée vraisemblablement au triste état de vieille fille. Qui voudrait, en effet, d'une si pauvre héritière?... Or, en 1725, voici que le duc d'Antin arrive de Paris et annonce cette nouvelle incroyable : Louis XV, le roi de France, le Bien-Aimé, a fixé son auguste choix sur la fille de Stanislas. Marie sera reine de France...

En fait, la décision a été prise par le duc de Bourbon, premier ministre, et l'intrigante qui le domine, la marquise de Prie : ils ont recherché une souveraine qui leur doive tout. Il s'agit maintenant de se préparer aux noces. Ce n'est pas si facile. Stanislas doit emprunter la somme qui permettra de recouvrer des bijoux, engagés par lui chez un juif de Francfort. On lui prête aussi des carrosses. Enfin, ils peuvent décemment se mettre en route. Le mariage a lieu par procuration à la cathédrale de Strasbourg. Louis XV a 15 ans, Marie 22.

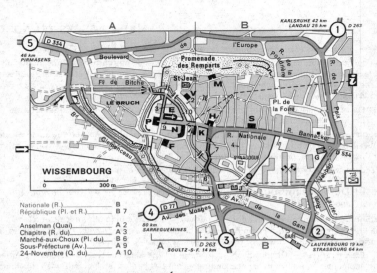

Nationale (R.)	B	
République (Pl. et R.)	B	7
Anselman (Quai)	A	2
Chapitre (R. du)	A	3
Marché-aux-Choux (Pl. du)	B	6
Sous-Préfecture (Av.)	A	9
24-Novembre (Q. du)	A	10

■ PRINCIPALES CURIOSITÉS *visite : 1 h*

De la place du Marché-aux-Choux, suivre la rue de la République jusqu'à la place de la République, centre animé de la ville, où se dresse l'**hôtel de ville** (B H), construit de 1741 à 1752, en grès rose, avec fronton, petite tour et horloge. Tourner à gauche dans la rue du Marché-aux-Poissons qui mène à la Lauter et offre, à son extrémité, une vue agréable sur de beaux massifs fleuris, au premier plan, et sur le chevet de l'église St-Pierre-et-St-Paul, à l'arrière.

Franchir la rivière par un petit pont d'où l'on découvre, à gauche, une jolie vue sur les habitations qui la bordent. Remarquer surtout les toitures à simple versant ou mansardées, pour la plupart en tuiles plates, éclairées de plusieurs étages de lucarnes, en particulier celle de la **maison du Sel** (AB K) qui fait face au SI, au toit divisé en auvents sous lesquels les lucarnes ouvrent en balcons. Elle date de 1450.

Prendre l'avenue de la Sous-Préfecture. A gauche, la maison des Chevaliers, de 1606, est attenante à l'ancienne **grange dîmière** de l'abbaye (A N).

Église St-Pierre-et-St-Paul★ (A E). — *En cours de restauration; entrer par le flanc droit.*

C'est l'ancienne église gothique (la plus grande d'Alsace après la cathédrale de Strasbourg), élevée au 13ᵉ s., d'un monastère bénédictin fondé au 7ᵉ s. Un clocher carré, vestige de l'église romane antérieure, demeure accolé au flanc droit de l'édifice. Celui-ci souffrit de nombreux avatars au cours des temps et fut détruit en partie. La Révolution décapita ses statues et anéantit ses tableaux, puis le transforma en magasin à fourrage.

A l'intérieur, d'un gothique homogène, on verra, dans le bas-côté droit, un sépulcre (mutilé) en grès rouge, du 15ᵉ s.; dans le croisillon droit, des traces de fresques; entre la chapelle de droite et le chœur, un grand Saint Christophe, fresque du 15ᵉ s. dégagée en 1967. C'est le plus grand personnage peint connu en France (11 m de haut). Le chœur est éclairé par des vitraux du 13ᵉ s., restaurés au siècle dernier. Le vitrail le plus ancien est la petite rose placée au pignon du croisillon gauche; il représente une Vierge à l'Enfant (2ᵉ moitié du 12ᵉ s.).

La **Sous-Préfecture** (A P), à l'extrémité de l'avenue, occupe l'ancien hôtel du doyenné de la collégiale. Élégant pavillon de la fin du 18ᵉ s.

Prendre à droite la rue du Chapitre. A son extrémité, tourner à gauche pour gagner le pont sur la Lauter.

Quartier du Bruch (A). — Du pont sur la Lauter, on a une vue très pittoresque sur ce vieux quartier. Remarquer la première maison à droite dont le pan coupé est orné d'une petite loggia.

Revenir par le quai du 24-Novembre. De l'autre côté de la Lauter, sur le quai Anselman, remarquer la **maison Vogelsberger** (A V) avec son riche portail Renaissance et son blason peint, datée de 1540. *Regagner l'avenue de la Sous-Préfecture et, avant de rejoindre la place du Marché-aux-Choux s'avancer un peu dans la rue Nationale :* la maison gothique avec tourelles d'angles, le « **Holztapfel** » (B S) fut un relais de Poste de 1793 à 1854; Napoléon s'y arrêta en 1806.

■ AUTRES CURIOSITÉS

Musée Westercamp (B M). — *Visite de 10 h à 12 h et de 14 h à 17 h; les dimanches et jours fériés l'après-midi seulement. Fermé le mercredi et en janvier. Entrée : 4 F.*

Installé dans une maison du 16ᵉ s., il renferme des meubles anciens, des costumes paysans et des souvenirs du champ de bataille de 1870. Antiquités préhistoriques et romaines.

Promenade des Remparts (AB). — Les remparts sont plantés d'ormes et de frênes; la vue est charmante.

Église St-Jean (A). — Protestante. Elle remonte au 15ᵉ s., à l'exception du clocher, roman. A l'intérieur, observer la voûte en résille du collatéral gauche. Dans la cour, sur le côté gauche de l'église, anciennes pierres tombales, en grès rouge des Vosges.

Ancien Hôpital (A F). — C'est dans cet édifice que vivait Stanislas *(voir p. 187)*.

INDEX ALPHABÉTIQUE

Gazon du Faing . . . .   Villes, curiosités et régions touristiques.
Broussey-en-Woëvre . . . . . .   Autres localités citées dans le guide.
Geiler de Kaysersberg . . .   Noms historiques et termes faisant l'objet d'une explication.

Le souligné bistre indique que la localité est citée dans le guide Michelin France.

Les curiosités isolées (châteaux, cascades, forts, parcs, rochers...) sont répertoriées à leur nom propre.

F

NOTES

MANUFACTURE FRANÇAISE DES PNEUMATIQUES MICHELIN
Société en commandite par actions au capital de 1 300 000 000 de F.
Place des Carmes-Déchaux — 63 Clermont-Ferrand (France)
R.C.S. Clermont-Fd B 855 200 507
© Michelin et Cie, Propriétaires-Éditeurs,
Dépôt légal 8-82 - ISBN 2 06 003721 2 - ISSN 0293-9436

Printed in France - 5-82-90
Photocomposition : IGA, Masevaux
Impression Tardy Quercy, Bourges n° 10572.